重症心身障害/医療的ケア児者
診療・看護実践マニュアル

改訂第2版

編集
北住　映二
心身障害児総合医療療育センター
口分田 政夫
びわこ学園医療福祉センター草津
逸見　聡子
びわこ学園医療福祉センター草津看護部

診断と治療社

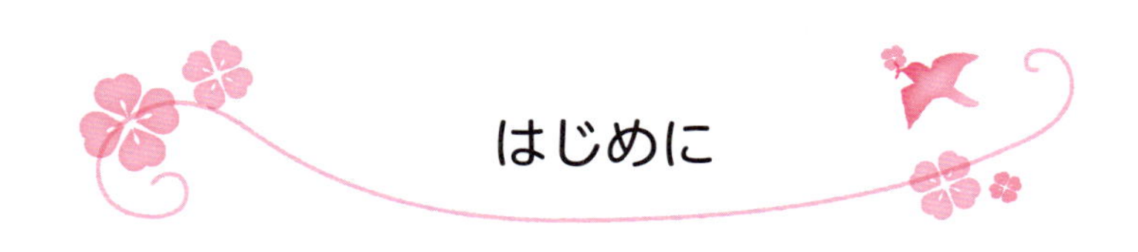

はじめに

人生の早い時期から重度の運動機能障害と重度の知的障害を併せ持って生活している重症心身障害児者の方々（以下，本書では重症児者と略）への医療と看護ケアは，生命と生活を支えるための「支える医療・看護」という役割と特性を大きく持っています．重症児者への医療・看護は，一般の医療・看護での方法論をベースにしながら，重症児者での特徴や問題点をしっかりと認識しながら行われることが必要です．在宅で暮らす重症児者が増加してきているのに伴い，重症児者への適切な医療・看護は，専門的な療育医療施設だけでなく，一般の病院や診療所においても，また，在宅診療・訪問看護においても，その重要性が増してきています．学校や，保育所，通所など，教育と福祉・地域生活の場での重症児者への医療的支援と看護のニーズも増えてきています．

このようななかで，専門的な療育医療施設において重症児者の診療・看護にあたるスタッフの基本的かつ実践的な知識の習得と整理を目的とするとともに，一般病院，診療所，訪問診療・訪問看護等での，重症心身障害を専門としない医師・看護師による重症児者の診療と看護や，教育や地域生活の場での医療的支援と看護にも役立つことを願い，本書を編集しました．医師・看護師だけでなくリハビリテーションスタッフなど，重症児者にかかわるコメディカルスタッフにも参考にしていただけるよう，配慮しました．初版の『重症心身障害児・者 診療・看護ケア実践マニュアル』は，2015 年 1 月に発行してから，多数の方々に活用いただいています．

その改訂版である本書は，重症心身障害には該当しないが医療的ケアを必要とする児者が増加してきているなかで，そのような児者への診療・看護の内容も含むことから，書名を『重症心身障害/医療的ケア児者 診療・看護実践マニュアル』と変更しています．初版発行の後の進歩や知見も取り入れるとともに，「コラム」として補足の解説を入れるなど，内容を拡充しています．

執筆は，医師，リハビリテーション療法士については，おもに日本重症心身障害学会の評議員・会員の方々にお願いいたしました．改訂版では，療育機関の現場を離れたための執筆辞退の例も含め，一部の執筆者を交代していただいています．看護関係の事項については，おもに日本重症心身障害福祉協会認定の重症心身障害看護師制度にかかわっている看護スタッフのネットワークを通して執筆をお願いし，全国の各地域で行われているこの制度関連の講習会のテキストとしても活用されることを念頭において，編集しています

ページ数の限度の関係もあり，記述が十分でない項目もかなりありますが，本書で引用紹介されている関連図書も参照しながら，本書を役立てていただければ幸いです．

2022 年 11 月　　編集者一同

執筆者一覧

■ 編集

北住　映二　心身障害児総合医療療育センター
口分田政夫　びわこ学園医療福祉センター草津
逸見　聡子　びわこ学園医療福祉センター草津看護部

■ 執筆（五十音順）

浅野　一恵　社会福祉法人小羊学園　つばさ静岡
渥美　　聡　東京都立府中療育センター小児科
荒木久美子　秋山成長クリニック
安西　真衣　心身障害児総合医療療育センター小児科
井合　瑞江　神奈川県立こども医療センター神経内科・重症心身障害児施設
石井美智子　元　医療法人ふたば会　うちおグリーンクリニック
石井　光子　千葉県千葉リハビリテーションセンター小児神経科
伊藤　正恵　心身障害児総合医療療育センター看護科
伊藤　昌弘　東京都立府中療育センター
岩井　智子　心身障害児総合医療療育センター
岩戸ひとみ　みさかえの園総合発達医療福祉センターむつみの家
江添　隆範　東京都立東大和療育センター小児科
太田　圭子　旭川荘療育・医療センター旭川児童院薬剤課
大森　啓充　国立病院機構柳井医療センター小児科
岡嵜　洋実　びわこ学園医療福祉センター野洲リハビリテーション課
岡田　知善　大山皮膚科医院
小川　勝彦　びわこ学園医療福祉センター野洲
尾崎　裕彦　きりんカームクリニック
金子　断行　目黒総合リハビリサービス
河内　明宏　滋賀医科大学泌尿器科
木内　昌子　一般社団法人 MEPL
北住　映二　心身障害児総合医療療育センター
木村　育美　心身障害児総合医療療育センター小児科
工藤　靖子　東京都立府中療育センター看護部
久米　初美　徳島赤十字ひのみね総合療育センター看護部
口分田政夫　びわこ学園医療福祉センター草津
倉田　慶子　順天堂大学医療看護学部/医療看護学研究科
小西　　徹　元　長岡療育園
小林　憲市　滋賀医科大学泌尿器科
三枝　英人　東京女子医科大学附属八千代医療センター耳鼻咽喉科・小児耳鼻咽喉科
西東　広美　社会福祉法人石川整肢学園　障害者支援施設小松陽光苑
酒井　朋子　東京医科歯科大学病院リハビリテーション部
坂井　智行　滋賀医科大学小児科
佐久間真弓　千葉県千葉リハビリテーションセンター看護部
佐々木貴代　日本赤十字社医療センター看護部
佐藤　聡子　東京都立府中療育センター
佐原　　要　東京小児療育病院
澤井　俊宏　滋賀医科大学小児科

澁谷　徳子　旭川荘療育・医療センター旭川児童院看護部
上仁　数義　滋賀医科大学泌尿器科
城谷　智子　みさかえの園総合発達医療福祉センターむつみの家
須貝　研司　重症児・者福祉医療施設　ソレイユ川崎小児科
鈴木　郁子　社会福祉法人埼玉医療福祉会　光の家療育センター
住元　　了　国立病院機構柳井医療センター外科
曽根　　翠　東京都立東大和療育センター小児科
高塩　純一　びわこ学園医療福祉センター草津リハビリテーション課
髙相　道彦　千葉県千葉リハビリテーションセンター眼科
高橋由美子　NPO 法人フローレンス　障害児保育園ヘレン
武田　康男　医療法人とよた歯科医院
竹本　　潔　大阪発達総合療育センター　医療型障害児入所施設フェニックス
伊達　伸也　東部島根医療福祉センター
田中　信和　大阪大学歯学部顎口腔機能治療部
田邉　　良　千葉県千葉リハビリテーションセンター小児神経科
玉崎　章子　博愛こども発達・在宅支援クリニック
寺倉　宏嗣　小国公立病院総合診療科
冨永　恵子　東京都立府中療育センター内科
直井　寿徳　スマイル訪問看護ステーション
直井富美子　心身障害児総合医療療育センター
長井　美樹　堺市立総合医療センター耳鼻咽喉科・頭頸部外科
永江　彰子　びわこ学園医療福祉センター草津
中川　翔太　滋賀医科大学泌尿器科
中谷　勝利　堺市立重症心身障害者（児）支援センター　ベルデさかい
中村　知夫　国立成育医療研究センター医療連携・患者支援センター在宅医療支援室
西田　裕哉　東京都医学総合研究所
花井　丈夫　医療法人拓　能見台こどもクリニック
濱口　　弘　東京都立東大和療育センター
平元　　東　医療福祉センター　札幌あゆみの園
船戸　正久　大阪発達総合療育センター
堀口　利之　前　北里大学医療衛生学部リハビリテーション学科
前田　浩利　医療法人財団　はるたか会
増田　俊樹　近江八幡市立総合医療センター小児科
松井　秀司　東京小児療育病院
松塚　敦子　別府発達医療センター小児科
水野　勇司　社会福祉法人玄洋会　糟屋子ども発達センター
村山　恵子　げんきこどもクリニック
森下　晋伍　聖ヨゼフ医療福祉センター
柳沼　美穂　千葉県千葉リハビリテーションセンター看護部
山口　直人　川崎市北部地域療育センター
山下久美子　びわこ学園医療福祉センター草津小児科
山本　晃子　東京都立東部療育センター小児科
山本かずな　滋賀医科大学小児科
山本　重則　国立病院機構下志津病院在宅医療支援センター
山本　弘子　元　東京都立府中療育センター訓練科
山本ひろみ　東京都立東部療育センター療育部
和田　恵子　東京小児療育病院

Contents

B 消化器障害の治療・看護

C 嚥下障害，経管栄養，栄養水分管理

第*1*章

重症心身障害・医療的ケア児者の基本知識，診察のポイント

A 重症心身障害・医療的ケア児者の概念と定義の歴史的変遷と現在の定義

- 制度が確立するまでは，重症心身障害施設でみていたのは医学的重症児，介護的重症児，社会的重症児のすべてであった歴史を知る
- 1967 年度の児童福祉法の改正により，重症児者は，重度の知的障害と肢体不自由が重複するものと初めて定義され法制化され，今日まで続く定義となっている．また，この概念に基づき，大島分類や横地分類が提唱されてきたことを知る
- 近年，NICU や小児医療の現場から，医療ニーズの高い重症児者が増大しており，超重症，準超重症児者として判定基準が定められている．診療報酬にも反映されている判定基準や障害福祉サービス等の報酬に記載されている医療的ケア度評価の方法を知る

1. 歴　史[1〜6)]

ⓐ 重症心身障害施設の果たしてきた役割と機能

重症心身障害施設がスタートして，約 50 年の歴史が経過した．制度のない時代に重症心身障害の存在と出会い，重症心身障害施設を立ち上げていった 3 人の創始者がいた．島田療育園を立ち上げた小林提樹，秋津療育園の創始者，草野熊吉，びわこ学園を立ち上げた糸賀一雄である．また，家族の歴史として，全国重症心身障害（児）を守る会の発足前後の北浦夫妻の取組みとその後の運動の理念や歴史がある．それぞれ，重症心身障害の存在に突き動かされるように，何かを感じ，共に生きることを求めていった．直面した人たちは，施設をつくり，制度をつくり，守る会をつくり，安心と希望をつくりだした．この 50 年の経過の中で，医療で，いのちを支えつつ，療育で，いのちの輝きを目指してきた．治す医療だけでなく，生活を支える医療，いのちの可能性を引き出す医療を行ってきた．そのなかで，医療や療育，ケアについて様々なノウハウを蓄積してきた．

ⓑ 制度が確立するまでの時代と定義

制度のない 1961 年前後，島田療育園の小林提樹，秋津療育園の草野熊吉，びわこ学園の糸賀一雄がみていたのは，医学的重症児，介護的重症児，社会的重症児のすべてであった．それゆえに，重度の精神遅滞児，自閉症児，重度の身体障害児（肢体不自由，視覚障害，聴覚障害，内部障害）も含まれていた．議論のなかで重症心身障害施設は，医療法上の病院であることが前提とされた．1963 年，厚生省事務次官通達により島田療育園とびわこ学園は国の指定する重症児施設となった．1966 年以降はいくつかの国立療養所でも重症心身障害児を受け入れることとなった．

ⓒ 厚生省事務次官通達での定義（1963 年）（表 1-①）

国は初めて，1963 年に重症児の療育事業を開始した．そのときの対象選定基準は，表 1 に示す．1963 年厚生省事務次官通達（発児第 149 号）では，「身体的精神的障害が重複し，かつ，重症である児童」としながら，理由があれば単独でも重症児としていた．

ⓓ 厚生省事務次官通達での定義追加（1966 年）（表 1-②）

1966 年，厚生省は新しい通達（発児第 91 号）を出した．この新しい通達では，「身体的・精神的障害が重複し，かつ，それぞれの障害が重度である児童および満十八歳以上の者（以下，重症心身障害児（者）という」と定義された．重症心身障害児（者）という名称も正式に用いられた．従来の単独障害は

表1 初期の頃の定義

①**1963年厚生省事務次官通達**（昭和38年7月26日）〔発児第149号〕
定義：身体的精神的障害が重複し，かつ，重症である児童（重症心身障害児）．
重症心身障害児施設入所対象選定基準
1. 高度の身体障害があってリハビリテーションが著しく困難であり，精神薄弱を伴うもの．ただし，盲またはろうあのみと精神薄弱が合併したものを除く．
2. 重度の精神薄弱があって，家庭内療育はもとより高度の精神薄弱児を収容する精神薄弱児施設において集団生活指導が不可能と考えられるもの．
3. リハビリテーションが困難な身体障害があり，家庭内療育はもとより，肢体不自由児施設において療育することが不適当と考えられるもの．

②**1966年厚生省事務次官通達**（昭和41年5月14日）〔発児第91号〕
定義：身体的・精神的障害が重複し，かつ，それぞれの障害が重度である児童および満十八歳以上の者（重症心身障害児（者））．

除外された．

ⓔ児童福祉法　法制化での定義（1967年）

1967年，児童福祉法一部改正により，重症児が法律上の概念として位置付けられた．児童福祉法に第43条第4項が加えられ，「重症心身障害施設は，重度の精神薄弱及び重度の肢体不自由が重複している児童を入所させて，これを保護するとともに，治療及び日常生活の指導をすることを目的とする施設とする」と規定された．ここで初めて重症児施設の法制化が実現し，重症心身障害の定義は限定された．精神障害が精神薄弱（現在では知的障害に用語変更）に，身体障害が肢体不自由に限定された．また，第63条第3項第1号の規定により，満18歳以上の場合でも，児童と同様に福祉措置ができるとされた．重症児は，実質的に，年齢区分を超えて「児・者一貫」の扱いとなった．ただ，児童福祉法に規定された概念である以上，その障害の発生時期は，18歳未満であることが条件の1つであると思われた．また，医療法上での病院であることが前提であったため，明確な規定はされなかったが，医療が生活に必要であることが条件となっていた．このときの医療は，生活を支え，発達を促進するという広い視点をも含んだ医療であり，療育の一部を構成する幅の広い概念として捉えられていた．

ⓕ付帯決議での運用（1967年）

重度知的障害と肢体不自由の重複を重症心身障害と定義したが，国会は，現に入所しているもの，もしくは入所を予定しているものは，従来の方針を維持するという付帯決議をした．この決議を受けて，厚生省は事務次官通知を出し，重症心身障害児として処遇することが必要と考えられる場合や，その地域に適切な対応をなす社会資源が乏しい場合などは，重症児施設に入所させることができるとなっている（発児第101号）．そのため，最重度の知的障害単独で，「動く重症児」と通称されてきた人たちの入所も継続された．

2. わかりやすい定義を含んだ分類法の登場

ⓐ大島分類（図1）[7]

都立府中療育センターの大島一良が副院長時代に発表した重症児の区分法は，行政的にも現場的にもわかりやすく，次第に「大島の分類」として知られるようになり，現在でも使用されている．診断基準は以下の通りである．

1）定義通り（狭義）の重症児とは，大島の分類区分1～4に該当する人たち
2）重症児施設入所対象として考慮すべきもの（重症心身障害周辺児）
a. 区分5～9に該当するが以下の条件にあてはまるもの
①たえず医療管理下に置くもの
②障害の状態が進行的と思われるもの
③合併症のあるもの
b. 区分10，17に該当するが，自傷行

21	22	23	24	25
20	13	14	15	16
19	12	7	8	9
18	11	6	3	4
17	10	5	2	1
走れる	歩ける	歩行障害	座れる	寝たきり

(IQ)
80
70
50
35
20
0

1）1，2，3，4 の範囲に入るものが重症心身障害児
2）5，6，7，8，9 は重症心身障害児の定義には当てはまりにくいが，
①たえず医学的管理下に置くべきもの
②障害の状態が進行的と思われるもの
③合併症があるもの
が多く，周辺児とよばれている
＊元東京都立府中療育センター院長大島一良博士により考案された判定方法

図１　大島の分類
（大島一良．重症心身障害の基本問題．公衆衛生 1971；35：648-655 より一部改変）

為，他害行為などがみられ，常時監視が必要なもの（強度行動障害児など）

上記の診断基準は，社会状況や地域の状況により，自治体により，幅のある診断基準として用いられてきた．b については，児童福祉法に規定される際，「動く重症児」と非公式によばれ，付帯決議により当面入所が認められてきた．最近では，制度の定義にないので，本来の重症児の概念が混乱しないよう，この用語は使わないようになってきている．医療が必要な最重度の知的障害児や強度行動障害をどのように定義し処遇するかはいまだ明らかではない．大島分類縦軸の IQ は，測定が困難なので多くは DQ（発達指数）で代用する．成人の場合，修正生活年齢を 16 歳とすると，IQ20 のラインは 3.2 歳，IQ35 のラインは 5.8 歳，IQ50 のラインは 8.0 歳，IQ70 のラインは 11.3 歳に相当する．

ⓑ横地分類（改訂大島分類）（図 2）[8]

2006 年，横地は改訂大島分類横地案を提案した（図 2）．IQ20 以下を 2 つに区分し，寝たきりの状態を，寝がえりの有無で 2 つに区分する．また，縦軸の発達評価を，運動機能と無関係な代表的な知的発達評価指標で代表させ境界の区分をした．また，移動機能レベルを室内移動，室内歩行，室外歩行に区分した．大島分類 1 が横地分類 A1，A2，B1，B2 に，大島分類 2 が横地分類 A3，A4，B3，B4 に，大島分類 3 が C3，C4 に，大島分類 4 が C1，C2 に細分化された．重度の領域では運動発達と知能発達の機能が，より細分化される区分となった．

3. めまぐるしい制度改変と現在での定義（図 3，表 2）[9,10]

障害者支援費制度（2003 年），障害者自立支援法（2006 年），つなぎ法案（2010 年），つなぎ法案に伴う児童福祉法の改正（2012 年），障害者総合支援法（2012 年）と，めまぐるしく制度改変が行われた．現在，児童福祉法と障害者総合支援法が施行されている．このなかで，障害の一元化と契約という概念が導入された．重症心身障害児施設や重症心身障害通園の名称は廃止された．児童の入所は医療型障害児入所施設，成人期は療養介護事業に一元化となった．また，通所は，児童であれば児童発達支援センター（医療型，福祉型），成人期であれば生活介護に一元化された．重症心身障害の定義は，児童福祉法

「移動機能」,「知的発達」,「特記事項」の3項目で分類し，以下のように表記する.
例；A1-C，B2，D2-U，B5-B，C4-D

						＜知的発達＞
E6	E5	E4	E3	E2	E1	簡単な計算可
D6	D5	D4	D3	D2	D1	簡単な文字・数字の理解可
C6	C5	C4	C3	C2	C1	簡単な色・数の理解可
B6	B5	B4	B3	B2	B1	簡単な言語理解可
A6	A5	A4	A3	A2	A1	言語理解不可
戸外歩行可	室内歩行可	室内移動可	坐位保持可	寝返り可	寝返り不可	

＜移動機能＞

＜特記事項＞
C：有意な眼瞼運動なし
B：盲
D：難聴
U：両上肢機能全廃
TLS：完全閉じ込め状態

図2 横地分類（改訂大島分類）
（重症心身障害療育学会ホームページ（http://www.zyuusin1512.or.jp/gakkai/yokochian.htm）より一部改変）

● 重症心身障害とは
「重度の知的障害と重度の肢体不自由が重複」（児童福祉法第7条第2項）し，発達期に発症し，医療的ケアの必要な児者

○ 重症心身障害施策の目的
生命を守り，一人ひとりのライフステージに応じた児者一貫した療育・支援の提供

施設施策による対応

◆ 重症心身障害児施設（1967年～）
○ 概要：重症心身障害児施設は，「病院」かつ「児童福祉施設」（医療と福祉の一体化）
→ 医療型障害児入所施設（※2012年4月，児童福祉法改正により一元化）

◆ 指定医療機関（1966年～）
○ 概要：国立療養所に重症児病棟を設置

◆ 療養介護（2006年10月～）
○ 概要：著しく重度の18歳以上の障害者に対し，適切な医療及び常時の介護を提供
重症心身障害児施設等に入所する重症心身障害者や筋ジストロフィー患者などを対象

図3 現在の定義と重症心身障害施策の歴史
（厚生労働省社会・援護局障害保健福祉部障害児・発達障害者支援室．障害保健福祉施策の動向．平成26年度日本重症心身障害福祉協会全国施設協議会「行政説明」資料，2014（平成26年5月15日）より一部改変）

第7条第2項に残された．障害児入所支援の項で，「重度の知的障害及び重度の肢体不自由が重複している児童（以下「重症心身障害児」という）」と規定されている（図3）．また，療養介護の対象者に障害程度区分5以上の重症心身障害者と記載されているのみで，具体的な定義はない（表2）．以上の定義のなかで，かつて「動く重症児」といわれた人たちは，今回も定義や対象からはずされているが，現行の入所者は自立支援法の付帯決議により，また新規利用者も自治体の判断により，特別の医療ニーズがあれば例外的に入所

表 2　療養介護

療養介護
病院において機能訓練，療養上の管理，看護，医学的管理の下における介護，日常生活上の世話その他必要な医療を要する障害者であって常時介護を要するものにつき，主として昼間において，病院において行われる機能訓練，療養上の管理，看護，医学的管理の下における介護及び日常生活上の世話を行います．また，療養介護のうち医療に係るものを療養介護医療として提供します．
【対象者】
病院等への長期の入院による医療的ケアに加え，常時の介護を必要とする障害者として次に掲げる者
（1）筋萎縮性側索硬化症（ALS）患者等気管切開を伴う人工呼吸器による呼吸管理を行っている者であって，障害程度区分が区分 6 の者
（2）筋ジストロフィー患者又は重症心身障害者であって，障害程度区分が区分 5 以上の者
（3）改正前の児童福祉法第 43 条に規定する重症心身障害児施設に入居した者又は改正前の児童福祉法第 7 条第 6 項に規定する指定医療機関に入所した者であって，平成 24 年 4 月 1 日以降指定療養介護事業所を利用する（1）及び（2）以外の者

（厚生労働省．障害福祉サービスの内容．（http://www.mhlw.go.jp/bunya/shougaihoken/service/naiyou.html）より）

表 3　超重症児（者）・準超重症児（者）の判定基準

以下の各項目に規定する状態が 6 か月以上継続する場合[※1]に，それぞれのスコアを合算する．

1．運動機能：坐位まで	
2．判定スコア	（スコア）
（1）レスピレーター管理[※2]	＝10
（2）気管内挿管，気管切開	＝8
（3）鼻咽頭エアウェイ	＝5
（4）O_2吸入または SpO_2 90%以下の状態が 10%以上	＝5
（5）1 回/時間以上の頻回の吸引	＝8
6 回/日以上の頻回の吸引	＝3
（6）ネブライザー 6 回/日以上または継続使用	＝3
（7）IVH	＝10
（8）経口摂取（全介助）[※3]	＝3
経管（経鼻・胃瘻含む）[※3]	＝5
（9）腸瘻・腸管栄養[※3]	＝8
持続注入ポンプ使用（腸瘻・腸管栄養時）	＝3
（10）手術・服薬にても改善しない過緊張で，発汗による更衣と姿勢修正を 3 回/日以上	＝3
（11）継続する透析（腹膜灌流を含む）	＝10
（12）定期導尿（3 回/日以上）[※4]	＝5
（13）人工肛門	＝5
（14）体位交換 6 回/日以上	＝3

〈判　定〉
運動機能が坐位までであり，かつ，2 の判定スコアの合計が 25 点以上の場合を超重症児（者），10 点以上 25 点未満である場合を準超重症児（者）とする．

※1 新生児集中治療室を退室した児であって当該治療室での状態が引き続き継続する児については，当該状態が 1 か月以上継続する場合とする．ただし，新生児集中治療室を退室した後の症状増悪，または新たな疾患の発生についてはその後の状態が 6 か月以上継続する場合とする．
※2 毎日行う機械的気道加圧を要するカフマシン・NIPPV・CPAP などは，レスピレーター管理に含む．
※3（8）（9）は経口摂取，経管，腸瘻・腸管栄養のいずれかを選択．
※4 人工膀胱を含む

（鈴木康之，他．超重症児の判定について―スコア改訂の試み．日重症心身障害会誌 2008；33：303-309 より一部改変）

が継続されているのが現状である．厚生労働省の行政説明で示された重症心身障害の児童福祉法での定義と，歴史的変遷に関する資料を掲載する（図 3）．

表4 障害福祉サービスにおける新しい医療的ケアスコア判定基準

医療的ケア(診療の補助行為)		基本スコア 日中	基本スコア 夜間	基本スコア	見守りスコア 高	見守りスコア 中	見守りスコア 低	見守りスコアの基準(目安) 見守り高の場合	見守りスコアの基準(目安) 見守り中の場合	見守り低の場合(0点)
1 人工呼吸器(鼻マスク式補助換気法, ハイフローセラピー, 間歇的陽圧吸入法, 排痰補助装置, 高頻度胸壁振動装置を含む)の管理 注)人工呼吸器および括弧内の装置等のうち, いずれか一つに該当する場合にカウントする		□		10点	□	□	□	自発呼吸がない等のために人工呼吸器抜去等の人工呼吸器トラブルに対して直ちに対応する必要がある場合(2点)	直ちにではないがおおむね15分以内に対応する必要がある場合(1点)	それ以外の場合
2 気管切開の管理 注)人工呼吸器と気管切開の両方をもつ場合は, 気管切開の見守りスコアを加点しない(人工呼吸器10点+人工呼吸器見守り○点+気管切開8点)		□		8点	□		□	自発呼吸がほとんどない等のために気管切開カニューレ抜去に対して直ちに対応する必要がある場合(2点)		それ以外の場合
3 鼻咽頭エアウェイの管理		□		5点	□		□	上気道狭窄が著明なためにエアウェイ抜去に対して直ちに対応する必要がある場合(1点)		それ以外の場合
4 酸素療法		□	□	8点	□		□	酸素投与中止にて短時間のうちに健康および患者の生命に対して悪影響がもたらされる場合(1点)		それ以外の場合
5 吸引(口鼻腔・気管内吸引)		□		8点	□		□	自発運動等により吸引の実施が困難な場合(1点)		それ以外の場合
6 ネブライザーの管理		□	□	3点						
7 経管栄養	(1) 経鼻胃管, 胃瘻, 経鼻腸管, 経胃瘻腸管, 腸瘻, 食道瘻	□		8点	□		□	自発運動等により栄養管を抜去する/損傷させる可能性がある場合(2点)		それ以外の場合
	(2) 持続経管注入ポンプ使用	□		3点	□		□	自発運動等により注入ポンプを倒す可能性がある場合(1点)		それ以外の場合
8 中心静脈カテーテルの管理(中心静脈栄養, 肺高血圧症治療薬, 麻薬など)		□		8点	□		□	自発運動等により中心静脈カテーテルを抜去する可能性がある場合(2点)		それ以外の場合
9 皮下注射 注)いずれか一つを選択	(1) 皮下注射(インスリン, 麻薬など)	□	□	5点	□		□	自発運動等により皮下注射を安全に実施できない場合(1点)		それ以外の場合
	(2) 持続皮下注射ポンプ使用	□	□	3点	□		□	自発運動等により持続皮下注射ポンプを抜去する可能性がある場合(1点)		それ以外の場合
10 血糖測定(持続血糖測定器による血糖測定を含む) 注)インスリン持続皮下注射ポンプと持続血糖測定器とが連動している場合は, 血糖測定の項目を加点しない		□	□	3点	□		□	血糖測定とその後の対応が頻回に必要になる可能性がある場合(1点)		それ以外の場合
11 継続的な透析(血液透析, 腹膜透析を含む)		□		8点	□		□	自発運動等により透析カテーテルを抜去する可能性がある場合(2点)		それ以外の場合
12 導尿 注)いずれか一つを選択	(1) 利用時間中の間欠的導尿	□	□	5点						
	(2) 持続的導尿(尿道留置カテーテル, 膀胱瘻, 腎瘻, 尿路ストーマ)	□	□	3点	□		□	自発運動等により持続的導尿カテーテルを抜去する可能性がある場合(1点)		それ以外の場合
13 排便管理 注)いずれか一つを選択	(1) 消化管ストーマ	□	□	5点	□		□	自発運動等により消化管ストーマを抜去する可能性がある場合(1点)		それ以外の場合
	(2) 摘便, 洗腸	□	□	5点						
	(3) 浣腸	□	□	3点						
14 けいれん時の坐薬挿入, 吸引, 酸素投与, 迷走神経刺激装置の作動等の処置 注)医師から発作時の対応として上記処置の指示があり, 過去おおむね1年以内に発作の既往がある場合		□		3点	□		□	けいれんが10分以上重積する可能性や短時間のうちに何度もくり返す可能性が高い場合(2点)		それ以外の場合

14項目の基本スコアと見守りスコアの合計が医療的ケアスコアとなる

(厚生労働省. 社会・援護局障害保健福祉部障害福祉課都道府県通知資料)

4. 法律によって定義された医療ニーズの評価

重症心身障害施設は, 医療が生活に必要な人たちが入所する施設で, 病院の形態をとっている. しかし, 医療必要度を明確に規定した定義はなかった. 前述したように, 医療は, 療育視点も含む生活を支える医療として幅の広い概念で捉えられてきた. そのなかで, NICUなどから, これまでの概念とは質的に違う医療ニーズの高い重症児者の利用の増大を受けて, 鈴木らは, 継続的な医療的ケアの程度を基準とした介護度の評価をまとめて, 超重症児の判定基準(表3)として提案した[11]. 2021年6月, 医療的ケア児の全国的な増加と対応の必要性を背景に, 医療的ケア児およびその家族に対する支援に関する法律としての医療的ケア児支援法が施行された[12]. 医療的ケア児支援にかかる国および地方公共団体の責務を明らかにし, 医療的ケア児が心身ともに健やかに成長することができる社会実現を図ることを目的としたものである. この法律の中では, 医療的ケア児は, 日常生活および社会生活を営むために恒常的に医療的ケア(人工呼吸器による呼吸管理, 喀痰吸引その他の医療行為)を受けることが不可欠である児童(18歳以上の高校生等を含む)と定義された.

ⓐ 超重症と準超重症(表3)[11]

超重症の判定基準は, ①運動機能は坐位まで, ②呼吸管理, 栄養法, GERDの有無, 補足項目(体位変換, 定期導尿, 人工肛門など)の各々の項目のスコアの合計25点以上が6か月以上続く場合, を超重症児としてきた. また10点以上25点未満を準超重症児としてきた. 2010年の診療報酬改定でスコア内容が一部修正された. また, 令和3年度の障害福祉サービス等の報酬改訂においては, 動ける医療的ケア児の利用も想定して, ①運動機能は坐位までの項目はは撤廃された.

ⓑ 障害福祉サービスにおける医療的ケアスコア(表4)[13]

医療的ケア児の適切な評価を行う判定基準が開発され, 2021年度の報酬改定から新判定スコアとして取り入れられた. 新判定スコアは, 医療的スコア表に規定される14類型

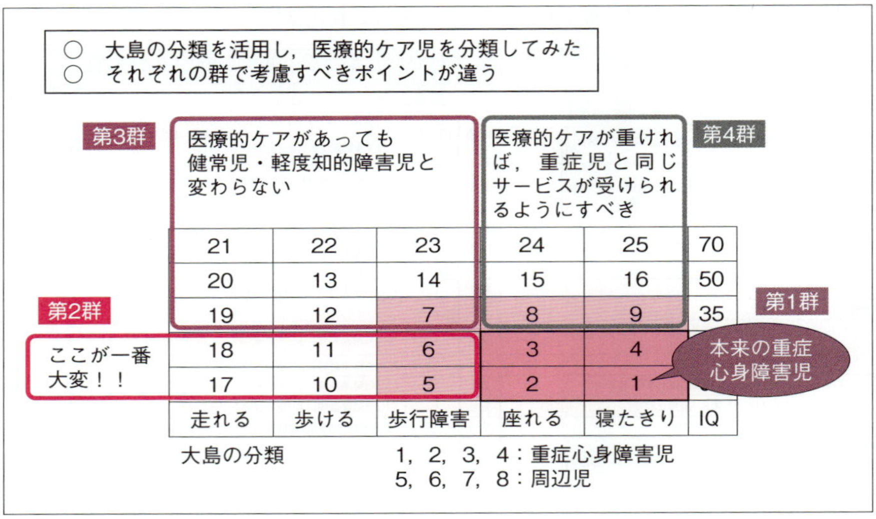

○　大島の分類を活用し，医療的ケア児を分類してみた
○　それぞれの群で考慮すべきポイントが違う

第3群：医療的ケアがあっても健常児・軽度知的障害児と変わらない

第4群：医療的ケアが重ければ，重症児と同じサービスが受けられるようにすべき

第2群：ここが一番大変！！

第1群：本来の重症心身障害児

21	22	23	24	25	70
20	13	14	15	16	50
19	12	7	8	9	35
18	11	6	3	4	
17	10	5	2	1	
走れる	歩ける	歩行障害	座れる	寝たきり	IQ

大島の分類　　1，2，3，4：重症心身障害児
　　　　　　　5，6，7，8：周辺児

図 4　医療的ケア児の分類

（田村正德．令和小児在宅医療基盤整備に向けた課題．令和 3 年度厚生労働省委託事業在宅医療関連講師人材養成事業―小児を対象とした在宅医療分野―小児在宅医療に関する人材養成講習会資料より改変）

の医療行為にかかる基本スコアと見守りスコアの 2 つで構成され，2 つのスコアを合算したスコアを医療的スコアという．

基本スコアは医療行為の該当の有無についての評価であり，保護者や医師，看護職員等への聞き取り等により事業所で判定することが可能である．

一方，「見守りスコア」は，医療的ケアを実施する上でのリスクについて，医療的ケアに係るトラブルが命にかかわるか，主介護者による回復が容易かどうかの評価であり，医師による判定が必要である．

ⓒ 医療的ケア児の分類[14)]

医療的ケア児の分類を図 4 に示した．「ここが一番大変」と示してある，重度の知的障害があり，歩ける以上の運動機能を示す，「動ける医療的ケア児」の存在が新たにクローズアップされてきた．ケアに個別対応が必要というむずかしさがあり，社会的対応が急務となっている．

ⓓ 実態調査による重症心身障害と医療的ケア児の関係

口分田らの日本小児科学会雑誌での委員会報告[15)]によると，高度医療的ケア児のうちでの重症児の割合は全国推計で 54%であった．乳幼児では比率が低く 40%前後であり，12 歳を超えると 70%前後と加齢により重症心身障害の比率が増大した．

日本小児科学会雑誌に掲載された石井らの千葉県における医療的ケア児者および重症心身障害児者の実態調査による報告[16)]によると，医療的ケア児の 64%に重症心身障害があり，重症心身障害児の 55%は医療的ケア児であった．また，医療的ケア者の 93%に重症心身障害があり，重症心身障害者の45%は医療的ケア者であった（図 5）[16)]．このことは重症心身障害ではない医療的ケア児が低年齢では 4 割程度を占めるが，成人になると，医療的ケア児の 9 割以上が重症心身障害といった違いを認めたことになる．重症心身障害のない医療的ケア児が低年齢ほど多く加齢に伴って減少していく要因は，未熟性が原因で運動障害が軽度な医療的ケア児は，新生児医療を中心とした小児科・外科治療の向上と心身の成長に伴って呼吸機能や摂食機能が改善し，就学前までに医療的ケアが不要になる事例が多いこと，介助による導尿が成長して自己導尿に自立していくことなどが考えられる，と報告している．医療的ケア児には小児期の対応が重要である．

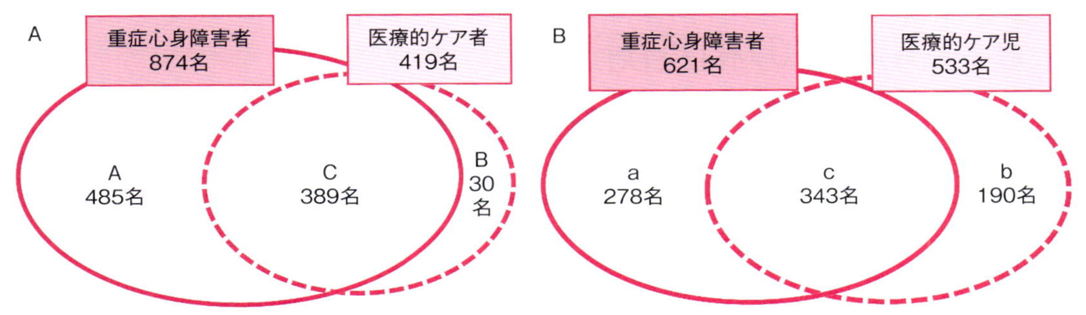

図5 重症心身障害児者と医療的ケア児者の関係

A：重症心身障害者（A/C群）と医療的ケア者（B/C群）の関係，B：重症心身障害児（a/c群）と医療的ケア児（b/c群）の関係
（石井光子．千葉県における医療的ケア児者および重症心身障害児者の実態調査．日小児会誌 2020；124：1649-1656より作成）

文　献

1）小林提樹．重症心身障害児．岸本鎌一（編），精神薄弱の医学．金原出版，1969；248-260
2）見坊和雄．重症児（者）福祉のあゆみ．両親の集い 1976；242：4-10
3）江草安彦，他．重症心身障害児（者）医療療育のあり方に関する総合研究．富士記念財団社会福祉研究・昭和62年度研究報告書．全国重症心身障害児（者）を守る会，1988；6-12
4）岡田喜篤．重症心身障害児の歴史．小児看護 2001；24：1082-1089
5）岡田喜篤．小林提樹その業絞と思想の今日的意味．島田療育センター（編），愛はすべてをおおう　小林提樹と島田療育園の誕生．中央法規，2003；136-167
6）難波克雄．重症心身障害の概念と定義．江草安彦（監），重症心身障害療育マニュアル．第2版，医歯薬出版，2005；8-12
7）大島一良．重症心身障害の基本問題．公衆衛生 1971；35：648-655
8）重症心身障害療育学会ホームページ（http://www.zyuusin1512.or.jp/gakkai/yokochian.htm）
9）厚生労働省　社会・援護局障害保健福祉部障害児・発達障害者支援室．障害保健福祉施策の動向．平成26年度日本重症心身障害福祉協会全国施設協議会「行政説明」資料．2014（平成26年5月15日）
10）厚生労働省．障害福祉サービスの内容．（http://www.mhlw.go.jp/bunya/shougaihoken/service/naiyou.html）
11）鈴木康之，他．超重症児の判定について―スコア改訂の試み．日重症心身障害会誌 2008；33：303-309
12）厚生労働省．医療的ケア児及びその家族に対する支援に関する法律の公布について　通知文
13）厚生労働省．社会・援護局障害保健福祉部障害福祉課都道府県通知資料
14）田村正徳．令和小児在宅医療基盤整備に向けた課題．令和3年度厚生労働省委託事業在宅医療関連講師人材養成事業―小児を対象とした在宅医療分野―小児在宅医療に関する人材養成講習会資料
15）口分田政夫，他．高度医療的ケア児の実態調査．日小児会誌 2018；122：1519-1526
16）石井光子．千葉県における医療的ケア児者および重症心身障害児者の実態調査．日小児会誌 2020；124：1649-1656

［口分田政夫］

B 合併障害の相互関連と，ライフサイクルにおける状態の変化

POINT

- 重症児者では多くの合併障害が相互に関連し悪循環となりやすい
- これらの合併障害は，成長，加齢とともに，悪化していく場合が多く，そのことを見据えながら適切なケアと支援が重要である

1. はじめに

脳性麻痺の合併症の関連と相互関連を示す図 1 は，東京小児療育病院の舟橋による[1]ものである．脳性麻痺に限らず，重症児者における合併症とその相互関係が，心理的な問題も含めてわかりやすく表されており，重症児者の医療とケアに携わる者が常に念頭におくべき，重要で基本的な図である．

この図にあるように，重症児者での合併症，合併障害は，それぞれ単独にあるのではなく，相互に関連する．そして悪循環を形成しやすい．

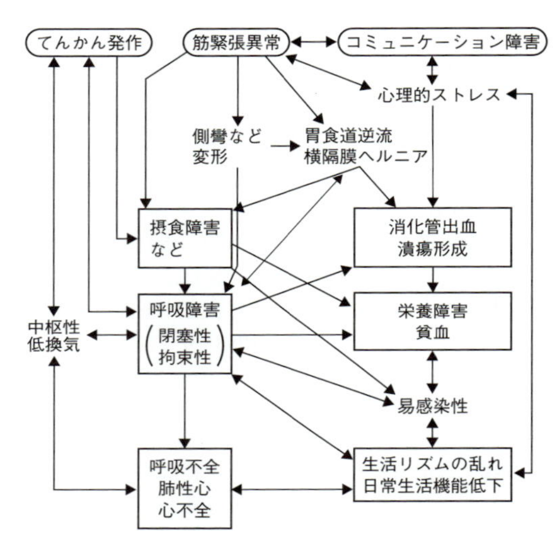

図 1　おもな合併症とその相互関係
（舟橋満寿子．重症心身障害児の日常生活での健康管理．江草安彦（監），重症心身障害療育マニュアル．第 2 版，医歯薬出版，2005；207-212 より一部改変）

2. 相互関係・悪循環の例

たとえば，筋緊張の亢進が強くなることは，下顎や舌根の後退による咽頭狭窄，喉頭部の狭窄，気管狭窄の悪化（気管軟化症の場合）などをきたし，また，緊張により胸郭の動きが抑えられ，呼吸の障害をまねく．呼吸の障害と緊張亢進は，胃食道逆流とそれによる逆流性食道炎という問題を生じさせ，この食道炎による刺激感が，筋緊張亢進をさらに悪化させたり，摂食を低下させる要因となる．これらの問題がさらに睡眠障害の原因となり，睡眠障害はてんかん発作を起こしやすくする要因となる．環境変化や，施設，学校におけるスタッフや周囲の人とのコミュニケーションが成立しにくいなどの心理的ストレスが，このような悪循環の契機となることもしばしばある．

3. 対応の基本

これらの合併症への対応の方法として，狭い意味での医学的治療だけでは限界がある．適切な姿勢の保持や心理面への対応など，日常的な介助やかかわりでの適切な総合的支援が重要であり，そのような支援のほうが，薬や酸素療法などの治療よりも大きな意義をもつ場合が多い．

①心理的な不安を和らげ，また，精神的な充実感が得られるようなかかわりと生活の支援のなかで緊張亢進や心理的問題と関連し

た合併症を防ぐこと

②呼吸が楽にできて胃食道逆流症も予防できるような姿勢を考えて，そのような適切な姿勢がリラックスして保てるように工夫し援助していくこと

③誤嚥を最小限にする適切な条件を整えて食事水分摂取を介助していくこと

などを基本としながら，日常生活の中での対応の仕方が適切に行われるか否かが，それぞれの重症児者の生命と生活の質を大きく左右する．

4. 成長・加齢による，ライフサイクルでの変化

これらの合併障害の問題は成長・加齢によって変化する．

小児期の成長により機能が進歩し，たとえば，乳児期からの経管栄養や酸素療法を終了できる例もかなりある．しかし，特に前思春期や思春期で体格が大きくなる時期に，体格の増大に機能が追いついていかない，変形や拘縮が強くなる，筋緊張が強くなるなどの変化に伴い，合併障害が出現したり悪化してくる場合が少なくない．特に，後頸部の緊張や後屈が強くなる，脊柱側彎の悪化により胸郭の非対称変形が強くなる，胸郭が扁平化する，胸椎腰椎の前彎が強くなる，寝返りができなくなるなどの変化が，嚥下障害，呼吸障害，消化管障害を生じたり悪化させ，それらの悪循環が強くなる．

成人期以降も，加齢による運動機能の低下とともに，これらの合併障害の出現や悪化が生じてくる．表1に，時間的変化を伴い生じてくる症状と要因を整理した．基礎疾患との関係での状態と原因の把握も重要であり，アテトーゼ型脳性麻痺では頸髄症による機能低下への留意が必要である[2]．抗てんかん薬や筋緊張緩和薬などによる機能の抑制を，加齢による機能低下と誤解しないようにすることも重要である．

表1 機能状態や体調の変化・悪化の要因

- **加齢による変化**
  - 変形・拘縮，緊張亢進，胃食道逆流症，気管軟化症
  - 嚥下障害，早期老化・老化，成人病　他
- **疾患特有の加齢による変化**
  - 基礎疾患（進行性疾患，神経変性疾患）進行による悪化
  - 進行性でない疾患での，加齢により生じる特有の変化
    - アテトーゼ型脳性麻痺―頸髄症・頸椎症
    - Down 症―急速退行，早期老化　他
- **一時的要因による機能状態変化と，その恒常化**
  - **病気入院，廃用性機能低下**
  - 気づかれない骨折（腰椎，大腿骨）他
- **精神的要因，環境要因による悪化**
- **薬による機能低下**
- **周期的変化**
  - 生理周期関連変化（月経前症候群など），季節的変化

5. 生じてくる可能性のある問題を見据え，把握しながらの支援

上記のような，成長加齢に伴う問題を見据えながらの支援が重要である．

坐位が不可能な寝たきりの重症児者でも，寝返りが可能である児者は，寝返りが不可能な児者よりはるかに合併症が少ない．側臥位までであっても，寝返り機能が維持されるようにすることが大きな目標となる．腹臥位や側臥位，適切な坐位などいろいろな姿勢をとることに慣れていくように幼児期から支援していくことが重要である．心理的影響により症状が出現したり悪化したりすることも多く，多様な意味での社会性と精神力を培っていくことも重要である．

文　献

1）舟橋満寿子．重症心身障害児の日常生活での健康管理．江草安彦(監)，重症心身障害療育マニュアル．第2版，医歯薬出版，2005；207-212

2）北住映二．小児期から成人期への臨床経過とそのマネージメント－脳性麻痺．小児神経・精神疾患臨床のトランジション．日本臨牀 2010；68：27-32

［北住映二］

C 健康状態の把握と体調変化の判断・評価

POINT

- 重症心身障害の特性を理解し，障害程度を把握する
- 日常の安定状態は一人ひとり異なる
- 特徴的な症状を理解する

1. はじめに

重症児者の医療支援を行ううえで必要な，健康状態の把握と体調変化の判断・評価のポイントについて述べる．重症児者の状態や体調の変化を適切に評価・判断するためには，まず，その重症児者の普段の心身状態がどのようなものであるか把握することから始めなければならない．

2.「重症心身障害」の特徴

重症児者の診療にあたっては，原因疾患や合併症などの疾病の把握はもちろん必要だが，同じく重症児者の「障害」を理解する必要がある．「障害」を理解することにより初めて，どのような支援が必要かを評価・判断することができるからである．

ⓐ診療上の重症心身障害の特徴

「重度の知的障害と重度の肢体不自由を重複する」と定義される重症心身障害は，病態としては重度の脳障害が基盤にある．その特徴として以下のような点があげられる．

①身体の恒常性を保つ機能が未熟で，合併病態が多い．また易感染の状態である
②運動機能，知的機能のみならず，コミュニケーション機能，呼吸機能，摂食機能，排泄機能など生命維持機能に障害がある場合が多い
③自らの心身の不調をはっきりと自覚したり，それを言語で表現することができない場合が多く，さらに状態の悪化をまねきやすい
④運動機能，コミュニケーション機能に重度の障害があったとしても，周囲の環境や相手の感情などは機敏に感じとることが少なくない
⑤わずかな外的環境の変化や侵襲により体調を崩しやすく，悪化し，重症化することが多い

ⓑ診療上必要な障害程度の把握

重症児者では，障害程度を把握しなければ全体的な病態の理解と全身管理がむずかしい．おもに日常生活動作（ADL）をチェックすることで障害程度の把握を行うが，何ができないかを把握することではなく，それによってどのような支援が必要かを知ることが重要である．おもな留意点は以下の通り．

1）四肢運動機能の把握と抑制の必要性の判断

診療協力が得られない場合が多いので，上肢機能がどこまで有目的動作が可能かをチェックする．血管確保時や維持輸液などでの事故抜針を防ぐなど，リスクマネジメントを行うためである．四肢を抑制しなければ点滴治療などでの安全確保が困難な場合もある．ただし，障害者虐待防止法で「点滴・経管栄養等のチューブを抜かないように，四肢をひも等で縛る」という行為も身体拘束禁止の対象となる行為とされており，やむをえず行う場合も，切迫性，非代償性，一時性の3原則を守り，組織による決定と本人・ご家族への十分な説明が必要である．

2）体幹機能（寝返り）と体位

寝返りができるかどうかのチェックは褥瘡予防において，また，呼吸排痰機能や上部消化管障害などとの関係においても重要である．適切な体位変換の指示が必要となる．重症児者の多くは側彎などで体幹変形があり，日常生活上で得意な体位と苦手な体位・頭の向きを確認しておかないと苦痛を与えることがある．また，仰臥位では上気道閉塞，誤嚥を起こしやすく，特に呼吸器感染症罹患時などでは，腹臥位をとることで排痰や呼吸改善が得られることが多い．

3）コミュニケーション機能

どの程度の理解力があるかを把握しておくことは，適切な診療協力を得る意味で大切である．重度の知的障害があっても，周りの雰囲気や感情を理解できる場合も少なくなく，インフォームド・コンセントはむずかしくても，重症児者への説明はできるだけ丁寧に行うべきである．本人の意思決定を尊重し可能な限り意思表示を引き出す支援を行ったうえで，本人の意思表示や反応の仕方を理解するように努めなければならない．また普段の表情や活動の反応程度を把握しておくことで，意識障害などを早期発見できる．

4）呼吸状態

上気道狭窄や胸郭変形などにより，普段から喘鳴がある重症児者も多い．胸郭が十分に広げられないために，CO_2がたまりやすい．呼吸数，呼吸の深さ，リズムなど普段の状態の把握は不可欠であり，普段の血中CO_2分圧も把握しておく．多呼吸や努力呼吸症状（陥没呼吸，鼻翼呼吸など），無呼吸などが新たに出現していないか，痰などの分泌物の多さや色をチェックする．パルスオキシメータで酸素飽和度（SpO_2）が低下していなくても，高CO_2性アシドーシスとなっている場合も少なくなく，必要に応じて血液ガス分析や$EtCO_2$（呼気中CO_2分圧）なども調べる．

5）摂食機能

普段の食事形態と摂食能力を把握する．経口摂取可能な重症児者であっても，むせを伴わない誤嚥（サイレントアスピレーション）が多いことが知られている．したがって誤嚥はその有無ではなく許容範囲が問題となるが，自宅では経口摂取可能でも，感染症罹患時や環境の変化がある場合などでは摂食機能が悪化し，誤嚥の危険性が急速に高まることもあるので注意が必要である．

6）視聴覚機能…どの程度の距離から見える？　聞こえる？

脳障害の程度によって視聴覚機能に障害がある場合が多い．数メートル先からでも声を聞き分けることができる場合もあれば，30 cm程度まで近づかないとみえない場合もある．診療上の適切な支援を適切に行うためには，どの程度の距離で視聴覚機能が働くかの把握が重要である．

7）情緒発達…プライバシー，ジェンダーへの配慮

重度の知的障害がある場合は，情緒発達も遅滞していることが多い．特に言語理解が全く不可能で意思表示もできない場合は，情緒発達も1歳未満の場合が多いが，暦年齢で少なくとも学齢期以上の場合には診察上の更衣などではジェンダーの配慮が必要となり，プライバシーの面から個室対応を考慮すべき場合もあるので，情緒発達を的確に判断する．

3. 重症児者にとっての安定した状態・体調とその把握の留意点

障害の種類や程度，合併病態の種類や程度によって，日常の安定しているといえる状態が一人ひとり異なっている．したがって，体調がよいと判断するには，生理的状態が安定し，病的状態がコントロールされていることが指標となる．これら個々の状態をしっかり把握し，チーム間で情報を共有しておくことが重要である．

ⓐ 生理的状態の安定…重症児者の障害特性をふまえて

①楽に呼吸ができること
②食事が快適であること（おいしい，満腹感が得られるなど）
③いい便が規則的に出ること
④よく眠れること

ⓑ 病的状態をコントロールする…合併症への適切な対応

①痛みがないこと
②苦しくないこと

ⓒ健康状態把握の留意事項…日常の個々の状態の把握と情報共有

①良好と思われる健康状態を把握しておく
②いくつかの指標で，１日のうちの変化を把握する
③「いつもと様子が違う」と気づく
④複数の目で確認する
⑤時間を追って観察する

4. おもな健康チェック項目における重症児者の特徴

ⓐ呼　吸

①解剖学的・生理的に発達が不十分な場合が多く，適切なポジショニングがされていないと胸郭の動きが制限されたり，気道狭窄が起き，呼吸状態を悪化させる
②脊椎・胸郭の変形や呼吸筋の協調運動不全がみられる．側彎などにより胸郭が著しく変形している場合は，圧迫される側の肺機能が低下し，呼吸音が弱く，左右差がみられる
③反復性の呼吸障害を起こしやすく，慢性に無気肺や炎症があるときは患側が弱くなっていることが多い
④体位交換の後は痰が移動しやすく，窒息や誤嚥などのリスクが高くなる
⑤呼吸中枢の障害のため睡眠時無呼吸など呼吸器系の問題が起きやすい．特に夜間は十分な観察を要する
⑥肺の大きさや許容量は個々様々であり，解剖学的視点で肺機能を把握しておくことが必要である（喘鳴，肺雑音を聴診するときはどのような音が，どの部位で，どのようなときに聞こえるかを確認する）
⑦観察時は咳嗽・分泌物（痰・鼻汁など）の有無，顔色，表情・機嫌はどうかも確認する
⑧呼吸苦の状態がみられなくても低酸素血症や高 CO_2 血症であることがある

ⓑ循　環

①脈拍は，身体に触れただけで緊張して増加することがある
②入眠時と覚醒時では差があることが多く，入眠時は極端に徐脈になることがある
③長期臥床などの弊害により循環調節機能が弱いため，体位交換後などは変動が大きい．急に上体を挙上したり，長時間坐位姿勢をとると低血圧を起こすことがある．また高齢者では心不全が進行していることがあり，NT-proBNP 測定なども検討する
④経管栄養を急速に注入したり，経口摂取でも高浸透圧の流動物を多量に摂取した場合，早期ダンピング症候群により低血圧となる場合がある
⑤大量の排便があったときに血圧が低下することがある
⑥測定と同時に苦痛・疼痛・筋緊張・四肢の浮腫・尿量減少・冷汗などの有無，顔色，けいれん，意識障害・傾眠傾向はないか観察を行う
⑦血圧測定時，年齢別規格のマンシェットを使用できないことも多く，測定部位 2/3 を覆うものを使用する

ⓒ体　温

①体温調整機能が未熟なため，室温や湿度，衣類や寝具などの環境の影響を受けやすい
②防御機能が低く，易感染のため発熱しやすい
③代謝障害の場合は低体温になりやすい
④興奮や筋緊張が続いたり，けいれん発作後は体温が上昇することが多い
⑤水状態や発汗が多くても発熱する

ⓓ意識・活気（活動）

①個々により開眼，発声，応答運動など反応の仕方は様々である
②日常的に体動も少なく寝たきりで，呼びかけなどにも反応が乏しく，意識や活動性の変化を判断しにくい場合が多い
③１日の睡眠覚醒リズムを把握して意識状態をみる必要がある
④抗けいれん薬・抗精神薬の内服により傾眠傾向の場合がある
⑤かかわり方，かかわる人で反応の仕方が変わることがある
⑥不自然な四肢の動き，筋緊張の強い場合は苦痛や疼痛の表現として現れることが多い
⑦活気がない，不自然と思われたときは，全身状態も再度チェックする

ⓔ食欲（咀嚼・嚥下）

①精神的（心理的）なものが影響しやすく，介助方法が異なったり，環境が変化しても

食事を拒否することがある

②体調不良が現れやすく，開口しない，咀嚼・嚥下せず口腔内にため込むなどで把握できる

③歯や口内炎などの口腔に異常がある場合も食思は低下する

④長期的には体重の変化も定期的に観察しなければならない

f 排　泄

①運動量の少なさや身体の変形などの姿勢の特徴，薬剤の影響で便秘傾向になりやすい

②毎日排便があっても宿便がみられることも多く，個々の適切な排泄量の把握が必要である

③神経因性膀胱の場合は残尿から膀胱尿管の逆流が起こることがあり，排尿間隔や尿量の把握が必要である

5. 重症児者によくみられる症状とその解釈のポイント

重症児者では，脳障害に起因する運動障害，精神遅滞，てんかんなどとともに，二次障害として様々な合併症がみられる．重症児者は自覚症状を訴えることが困難であることから，前述のように普段の状態と違いをみつけることが，症状・病態把握の第一歩となる．さらに，一般的な症状と比べて，重症児者での特有の原因や症状の出方があることを念頭におく必要がある．重症児者によくみられる症状とその判断，解釈のポイントを簡潔に述べる．

a 意識障害（嗜眠傾向，活気の低下）

特に寝たきり重症児者の場合は，普段でも自発運動に乏しく，働きかけがないと入眠がちとなっていることが多く，意識障害の発見が遅れることがある．重症児者が普段と比較して入眠時間が長い場合，外的刺激への反応が鈍い場合は，常に意識障害を念頭におき，脳炎などとともに，抗けいれん薬の副作用（特にバルプロ酸などによる高アンモニア血症），VP シャントトラブルなどを考える必要がある．VP シャントトラブルの場合は，嘔吐やけいれんの症状の前に嗜眠傾向がみられることがある．随伴する徐脈などの頭蓋内圧亢進症状のチェックを忘れてはならない．また，発熱に伴う脱水や電解質異常でも容易に意識障害をきたすことがあるので，注意が必要である．

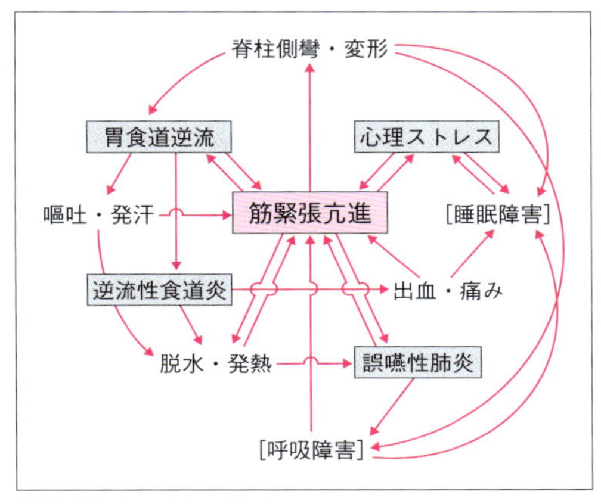

図 1 筋緊張の悪循環

（平元　東．よくみられる症状とその対応．江草安彦（監）．重症心身障害通園マニュアル．第 2 版．医歯薬出版，2004；95-122 より）

b 筋緊張亢進

筋緊張の亢進は，睡眠障害，呼吸障害，胃食道逆流症などをもたらし，悪循環を生じることが多い（図 1）[1]．間欠的な強い緊張亢進がてんかん発作（強直性けいれん）と混同されることもある．筋緊張亢進の原因として，感染症による発熱，身体に痛みがある場合（骨折，脱臼，尿路結石，う歯など），消化管障害（逆流性食道炎，胃拡張，イレウス，便秘，胆石など），誤嚥などによる呼吸障害，心理的要因（不安，不満，興奮）など医学的原因をまず検討する．また，長時間同一姿勢，車椅子の不具合，不適切な環境とともに，周囲の人との広い意味でのコミュニケーション不良，適切なかかわりがなされないなど，療育者との関係不良による精神的なストレスが，緊張亢進の原因のこともある．

c 発熱（高体温）

重症児者では，平熱といわれる体温の個人差や日内変動が大きい場合がある．たとえば，普段の体温が 34℃の重症児者が 36℃台になれば，発熱と考える．日内変動が 2℃以上ある重症児者もおり，一人ひとりの目安を設定しておく必要がある．

重症児者で急な体温上昇がみられた場合，多くは感染症（ウイルス感染，尿路感染，副

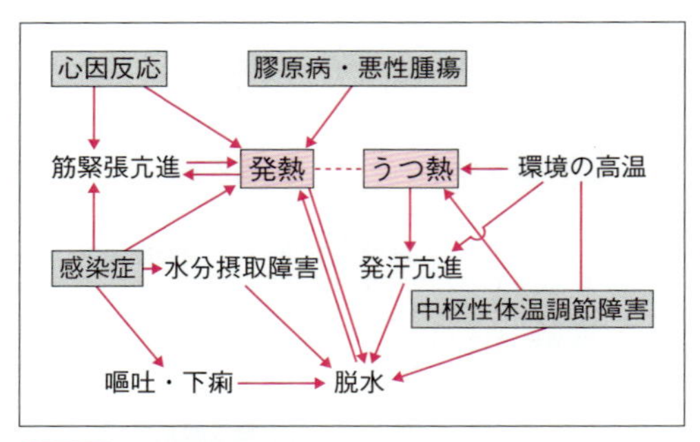

図２　重症児者の高体温と脱水
（平元　東．よくみられる症状とその対応．江草安彦（監）．重症心身障害通園マニュアル．第２版，医歯薬出版，2004；95-122 より）

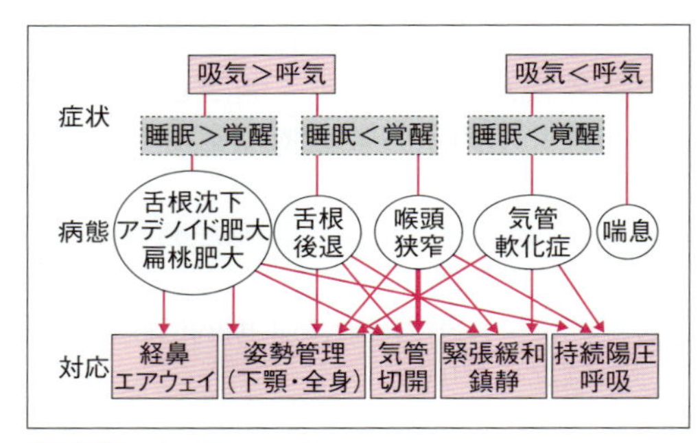

図３　重症児者の喘鳴の原因とその対応
（北住映二．重症心身障害児（者）の診察のポイント－臨床症状からの病態の把握－．小児内科 2008；40：1569-1575 より一部改変）

鼻腔炎など）であるが，誤嚥による炎症（誤嚥性肺炎），けいれん重積や筋緊張持続亢進に伴う筋肉運動による発熱もよくみられるので，注意が必要である．抗けいれん薬のゾニサミドやトピラマートは，発汗抑制作用があり，高体温を起こすことがある．

重症児者は体水分量が少ない場合が多く，また体温調節中枢が未熟なため，高温，多湿，無風などの環境下では容易に高体温になる．また同時に簡単に脱水状態にもなるため，さらに高体温を引き起こす悪循環となる（図2）[1]．環境温度や厚着をしていないかなど外部環境要因のチェックも必要である．インフルエンザ罹患時など横紋筋融解症による急速な全身状態悪化も起こしやすいので，40℃以上の急激な発熱とその持続がある場合などは慎重に経過観察を行わねばならない．

ⓓ 喘鳴と多呼吸

喘鳴は重症児者の呼吸障害の症状としてよくみられる．原因としては，痰や唾液による分泌物の気道への貯留によることが多い．鼻腔や口腔，咽頭部の分泌物貯留は吸引で喘鳴を解除できるが，気管内貯留の場合は改善が困難であり，頻回の吸引は逆効果な場合もある．舌根沈下または扁桃肥大による上咽頭狭窄や過緊張での下顎後退・舌根後退による中〜下咽頭狭窄の場合でも，喘鳴の持続がみられる．過緊張の場合は，覚醒中に多くみられるが，入眠すると消失することが多い．呼気優位の狭窄性喘鳴など気管支喘息のような喘鳴がある場合は，気管軟化症，気管扁平化，気管内肉芽，気管浮腫など気管狭窄を考慮する必要がある．気管軟化症が重度の場合はキューキューという吸気性喘鳴もきたす（図3）[2]．

喘鳴や多呼吸などの呼吸障害の症状の原因は，呼吸器疾患とは限らない．特に多呼吸は逆流性食道炎による誤嚥，骨折や脱臼など痛みへの反応，ストレスによる不安，興奮，吸引刺激，啼泣などでも出現する．

ⓔ 頻脈と徐脈

頻脈は，発熱に伴うものや，けいれん発作・筋緊張時にみられるが，呼吸障害（低酸素血症，高 CO_2 血症）の症状のことも少なくない．特に頻脈で高 CO_2 血症の悪化に気づく場合がある．また疼痛の症状のことも少なくないので，骨折，尿路結石，胆石など痛みを伴う状態が発生していないかチェックする．

重症児者で徐脈がみられた場合は，まず頭蓋内圧亢進のサインではないかと疑う．特にシャントトラブルには注意が必要である．甲状腺機能低下が徐脈の原因となっていることもある．もちろん致死的な洞不全症候群や薬の副作用による致死的不整脈のこともあるので，心電図チェックは行っておく．

ⓕ 嘔吐と腹部膨満

重症児者でみられる嘔吐の原因を示す（表1）[2]．胃食道逆流やイレウス，便秘などの消化器疾患は重症児者では高率に発症する．ただし，消化器疾患以外での嘔吐も少なくない．感染症，電解質異常など代謝障害，頭蓋内圧亢進による中枢性嘔吐や尿路結石など痛みに伴う場合など多岐にわたるので，鑑別診断が重要となる．嘔吐は誤嚥性肺炎罹患や，

表1 重症児者の嘔吐の原因

- **心理的要因（心因性嘔吐）**
  拒否の表現としての嘔吐，要求表現としての嘔吐
- **中枢神経障害**
  てんかん発作，水頭症，VP シャント不全
- **咽頭の刺激による嘔吐，咳による嘔吐**
- **消化管障害**
  食道狭窄，胃食道逆流症，胃軸捻転，幽門通過障害，十二指腸通過障害（上腸間膜動脈症候群），腸回転異常，総腸間膜症，結腸軸捻転症，胃腸炎，虫垂炎，腹膜炎，便秘
- **食物アレルギー**
- **異食，誤飲による腸閉塞**
- **多量の空気嚥下（呑気症）による胃拡張**
- **内分泌代謝異常**
  ACTH/ADH 過剰分泌症，月経前症候群，月経困難症，甲状腺機能低下による腸蠕動低下，アセトン血性嘔吐症
- **肝臓障害，胆嚢炎，胆石，膵炎**
- **尿路結石**
- **卵巣嚢腫，卵巣捻転，精索捻転**
- **水頭症 VP シャントの腹側部端の嚢腫と炎症**

（北住映二．重症心身障害児（者）の診察のポイント－臨床症状からの病態の把握－．小児内科 2008；40：1569-1575 より一部改変）

けいれん誘発，また脱水状態の進行など全身状態の悪化につながるので，注意が必要である．

腹部膨満は，便秘やイレウスに伴うものが多く，急性腹症として緊急手術も必要なこともある．重度知的障害にみられる呑気症による腹部膨満も少なくない．神経因性膀胱による排尿障害での巨大膀胱が腹部膨満の原因となった例もある．

❽ 顔色不良

顔色不良がみられた場合，原因としては，低酸素状態によるチアノーゼ，高 CO_2 血症などによるアシドーシス，出血による貧血，そしてショック時などの血圧低下がある．早急にバイタルサインチェックや血液ガス分析が必要となる．高 CO_2 血症によるアシドーシスは見逃されやすいので，パルスオキシメータの SpO_2 が低下していないのに，顔色が不良で意識低下，頻脈などがみられた場合は高 CO_2 血症を念頭において必要な検査を行うことが重要である．

文　献

1）平元　東．よくみられる症状とその対応．江草安彦（監）．重症心身障害通園マニュアル．第2版，医歯薬出版，2004；95-122
2）北住映二．重症心身障害児（者）の診察のポイント－臨床症状からの病態の把握－．小児内科 2008；40：1569-1575

参考文献

・中西今日子，他．バイタルサインのチェックと観察の留意点．浅倉次男（監），重症心身障害児のトータルケア．へるす出版，2006；45-49
・平元　東．日常の健康管理．江草安彦（監）．重症心身障害通園マニュアル．第2版，医歯薬出版，2004；65-69
・平元　東．全身管理の全般的な注意点．小児内科 2008；40：1589-1593
・舟橋満寿子．健康管理の基本的な考え方とチェックポイント．江草安彦（監），重症心身障害療育マニュアル．第2版，医歯薬出版，2005；207-212

［平元　東］

D 診察，アセスメント

POINT

- 視・聴・触・嗅覚をフルに活用し，本人とのコミュニケーションを図りつつ，状況や姿勢による変化も考慮しながら，状態を把握する
- 表情や心拍数を基本的な手がかりとしつつ，「いつもの状態との違い」を把握する

1. 基本的ポイント

重症児者では自分からの訴えが困難である．歩ける医療的ケア児でも知的障害のある子どもや気管切開の子どもでは訴えることが困難な場合が多い．視・聴・触・嗅覚を活用し，話しかけや問いかけなどによる本人とのコミュニケーションを図りつつ本人の表情変化などによる微細な表出を感知し（第3章C重症児者とのコミュニケーション参照，p.284），保護者・介助者による判断を尊重しながら，状態の把握を行う必要がある．

表1のようなポイントが重要である．本人のおかれた状況や姿勢によって状態が左右されることが少なくない．胸部の診察は，外来や通所などでは，車椅子坐位での診察のほうがよいことが多いが，唾液や分泌物の貯留による喘鳴が強い場合には臥位，側臥位で喘鳴が軽減し本人も楽な状態で診察できることが多い．表情や，胸部，腹部の状態など，「いつもの状態との違い」を適切に判断することが状態悪化時の適切な対応のためにも，重要である．一般的な標準値を器械的に当てはめての数値だけでの判断を避ける．

表1　診察・アセスメントのポイント

●**視覚的評価（視診）**
表情　顔色　皮膚色：平常の状態との違い
胸廓のふくらみ・陥没呼吸：左右差・平常の状態との違い
分泌物：性状，吸引でどこから分泌物が引けるか
●**聴覚での評価**
喘鳴：狭窄性喘鳴か貯留性喘鳴か　吸気と呼気での差
聴診：生じやすい病態を想定しての聴診
　例：左凸側彎→右下葉の水泡音　イレウスでの蠕動音
聴診器の合理的使用：膜型部分を服の上から胸に当てての心拍確認
ベル型部分を鼻・口に当てての呼気の確認
●**触診での評価**
皮膚の熱感・冷感
胸部：痰の貯留の推定　腹部：緊満度の平常との違い
●**嗅覚での評価**
尿臭（尿路感染），栄養剤のにおい（胃食道逆流），分泌物・皮膚（副鼻腔炎，褥瘡感染など）
■**姿勢**
本人が不安にならない姿勢　緊張がゆるんだ姿勢
坐位で唾液・分泌物貯留による喘鳴が強いときには，臥位
腹部触診では腹壁の緊張がゆるむような仰臥位や側臥位
■**介入による状態の変化**
精神的安定での状態の改善
体位を変えての改善や悪化　下顎挙上しての呼吸の改善
■一般的な基準値を器械的に当てはめての判断を避ける

2. 具体的ポイント

ⓐ 心拍数

心拍数は，心循環系自体の問題だけでなく様々な問題を反映する．重症児者では特に重要な基本的指標である．表2のようなポイントが重要である．

体調も心理的にも安定している平常状態での覚醒時と睡眠時（浅眠時と深眠時）の心拍数，体調がよいが心理的変化があるときの心

表2 心拍数変化と把握のポイント

●**平常時・安定時の，心拍数の把握**
覚醒時　睡眠時（浅眠時と深い眠り）　姿勢による違い
●**経時的変化の把握**
半年単位，年単位での心拍数増加：呼吸不全等悪化
月経周期による変動
●**その日，その時の心拍数での，状態の推定**
精神的不安・緊張・ストレス　姿勢の不適切
体調不良　呼吸障害悪化　痛み（骨折など）
■パルスオキシメーターでの心拍数の変動が大きい場合は，実測する
■橈骨動脈で脈拍がわかりにくい場合，触診で心拍が上がりやすい場合は，胸部聴診で実測する
服の上からでも，聴診器の膜型のほうを胸部に当て，心音を聴いて，心拍数測定が可能
■不整脈（期外収縮）が疑われる場合は，聴診での確認と触診での確認を同時に行う

拍数を，把握しておく．最重度で顔面筋麻痺があり睡眠中も閉眼できない例では，心拍数により，覚醒しているか眠っているかを判断できることが多い．

睡眠時には40/分台の徐脈となるケースもある．これは心配ない場合が多いが，期外収縮のためにパルスオキシメーターが脈波を検知せずに心拍数が低く表示されていることもあり，実測による確認と，心電図モニターやHolter心電計での確認が必要である．

重症児者では橈骨動脈の拍動触知が困難なことが多い．聴診器を胸部皮膚に当てたり，橈骨動脈を触診するため手に触れるだけで，緊張して心拍が上がるケースもある．聴診器の膜型部分を衣類の上から胸部に当てての心音聴取による心拍数確認が，本人への心理的ストレスもない実際的な方法として有用である．

心理的要因や発熱のほかに，頻脈の原因として表3のようなものがある．大腿骨顆上骨折（膝のすぐ上の部分の骨折）は気付かれにくいが，頻脈が診断の手がかりになることが多い．てんかん発作では，痙攣発作が停止して眠っているような状態でも頻脈が続く場合には発作状態が継続している可能性を考慮する．

ⓑ呼吸障害

表4のような，ポイントがある．

1）視診，触診

左右の胸郭の動きの違い，陥没呼吸の左右差など平常の状態の把握と，平常と比較しての状態確認が重要である．聴診よりも，視診，触診による情報が多い場合がある．

表3 頻脈の医学的原因

・感染症　・低換気（気道閉塞）　・無気肺
・誤嚥性肺炎　・人工呼吸器の加温加湿器の異常
・胃食道逆流　・ダンピング症候群　・便秘　・膵炎
・尿路結石　・筋緊張亢進　・骨折　・てんかん発作
・脱水　・食物アレルギー　・上室性頻拍
（以上は，「頻脈の原因：当院での経験」（愛知県医療療育総合センター丸山幸一先生講義資料）より）

その他の見逃しやすい原因
・う歯　・鼻閉　・胆石　・結腸捻転　・精索捻転
・卵巣嚢腫，卵巣捻転　・月経前症候群
・水頭症VPシャントの腹腔側端の嚢腫，炎症

2）上気道狭窄を軽減しての診察

舌根沈下や喉頭軟化症などによる上気道狭窄による喘鳴が強いと，その音が響いて気管・気管支，肺胞音の正確な聴診が困難となる．このような場合に，下顎を挙上させたり（舌根沈下の場合），頸部を軽く前屈させながらおとがい部を前に出す（喉頭軟化症の場合）ことによって上気道を拡げて，上気道狭窄性喘鳴を軽減させて，胸部聴診を行う．

3）姿勢による違い

姿勢によって上気道の狭窄，気管・気管支の狭窄，分泌物の貯留の状態が変化し得る．したがって，仰臥位，側臥位など，姿勢を変えての診察が状態の把握に必要な場合がある．

4）病変が生じやすい部位を想定しての確認

右凸の脊柱側彎による胸廓変形が強いケースでは左肺下葉に慢性病変が生じやすくこの部分の感染の再燃悪化も多く不調時にこの部分に水泡音が聴取されやすい．左凸側彎では心臓は右に偏位しその後にある右肺下葉に慢性的肺病変と感染を生じやすい．強い右凸側彎では右の気管支の狭窄から右肺下葉の無気肺を生じやすい．このような悪化しやすい部分を想定しておき，十分に聴診することが重要である．

5）呼気の気流の確認

表4のような方法により呼気の気流を確認することが，鼻閉の有無や，気管切開児者での上気道からの換気の確認に有用である．鼻からの呼気がないか微弱な場合には，鼻カニューレを使用してのカプノメーターによる

表 4　呼吸障害の診察・アセスメント

- ●呼吸数　　　●心拍数
- ●呼吸パターン：胸郭のふくらみ，陥没呼吸など
  左右差，平常の状態との違い
- ●喘鳴，呼吸音
  狭窄性喘鳴（カーッカーッ，グーグー，ヒューヒュー，ゼイゼイ）か貯留性喘鳴（ゼロゼロ，ゼコゼコ）か
  吸気優位か呼気優位か
  生じやすい病態を想定しての聴診
  上気道狭窄の場合は，下顎挙上し上気道からの狭窄性
  喘鳴を軽減させて聴診
- *聴診器のベル型の部分を左右鼻孔，口に当てて，音を聴くことにより，それぞれからの呼気を確認できる
  呼気が弱いときには，金属の舌圧子で呼気による金属面の曇りをみることによっても，少量の呼気を確認することができる（鼻からの呼吸・鼻閉の確認，気管切開ケースでの上気道の通過性の確認）
- ●触診
  分泌物の確認は聴診より触診でのほうが把握しやすい
- ●分泌物：色・性状，どこから引けるか
- ●姿勢（坐位，仰臥位，側臥位）による所見の変化
- ●機器による評価
  - ・カプノメーター鼻からの呼気がない場合は不正確
  - ・ハロースケールによる換気量測定

呼気中 CO_2 分圧測定は意味がなく，口のほうにカニューレを入れて測定する．

6）分泌物吸引の状況

分泌物の性状とともに，どの部位から分泌物が引けるかが重要である．副鼻腔炎の合併が重症児者では多く治療上も重要であるが，鼻からの吸引の途中で粘稠な分泌物が引かれるということによって副鼻腔炎の悪化再燃が把握されることがある．また，鼻から入れた吸引チューブは頸部が後屈した状態では気管に入ることが多いが，この姿勢で長めに（たとえば体重 20 kg の子で 16 cm 以上）吸引チューブを入れて吸引される痰は，咽頭でなく気管にたまっている痰である可能性がある．

7）心拍数

傾眠状態で発熱もないのに平常より心拍数が多い場合には，高二酸化炭素血症による意識障害の可能性を考慮する．

C その他のポイント

1）腹部所見

緊張が強い場合には，仰臥位では股関節と膝を軽く屈曲させたり，腹側臥位として，腹部の緊張がゆるむ状態で触診を行う．圧痛の有無の判断は本人の表情変化が手がかりになるが表情変化が明らかでないこともあり心拍数変化での判断も重要である．胃拡張やイレウスを生じやすいケースでは，腹部の膨満や緊満の状態と蠕動音の「いつもとの違い」が重要である．脊柱の前彎がある場合に，腹部触診で腹壁近くに椎体が触知され，これが腫瘤と間違われることがある．

2）嗅覚による判断

自宅で保護者がおむつの尿臭から尿路感染と判断し適時に抗菌薬を使用して改善し，検査をするとその判断が正しいという場合がかなりある．鼻汁など気道分泌物のにおいや，褥瘡などでの皮膚のにおいが，細菌感染症の判断の手がかりになることも多い．経管栄養注入中に，ゼロゼロゼコゼコという喘鳴が生ずる場合，唾液貯留による喘鳴なのか，栄養剤が逆流してきたための喘鳴なのかの判断にあたって，口元での栄養剤のにおいが手がかりになることもある．

3）血圧など数値による判断の注意

寝たきりで活動量も低い重症児者では，平常の安定している状態でも血圧が拡張期も 80 台であるなど低めであることがまれではないが，一般病院に入院したときにこれが病的な低血圧であると判断されることがある．安定している平常状態でも，SpO_2 が 90 台前半や 80 台後半になりやすかったり，CO_2 分圧が 50 台後半である例もあり，このような値でも直ちに治療が必要と判断しなくてもよい場合もある．一般的な標準的な値からの器械的な判断が過剰な判断と介入につながらないような合理的な判断が重要である．

［北住映二，伊藤正恵］

第2章

おもな障害に対する
診療と看護ケア

A　呼吸障害の治療・看護

1　重症児者・医療的ケア児者の呼吸障害の病態・対応の基本

- 気道狭窄が大きなウェイトを占める
- 姿勢の影響が大きく，適切な姿勢とすることを基本にしたケアが重要
- 筋緊張異常による影響が大きい
- ケアにおいて一般医療と異なる留意点がある
- 痰などの分泌物への対処は，安易に吸引だけに頼らないことが重要

1. 呼吸障害の諸要因と対応の注意点，一般医療との違い

重症児者の呼吸障害は，図1[1)]に示すような要因が複合的に関与して生じ，また悪化する．それぞれのケースについて，どの要因が問題なのかを把握しながら適切に対処していくことが，平常においても，急性期対応においても必要である．一般の医療と違う留意点もある．特に留意すべき特徴と対応のポイントと注意点を図2に示した．

- 気道狭窄が呼吸障害の大きなウェイトを占め，姿勢調節や経鼻エアウェイの使用などによる気道確保が重要である．
- 姿勢（下顎の位置や頸部の角度，全身的姿勢）の影響を大きく受けやすく，換気状態が姿勢によって大きく左右されることがかなりある．重度脳性麻痺では腹臥位マットなどを利用しての腹臥位で換気の改善が得られる例が多く，下気道感染から急性呼吸不全が進み気管内挿管での呼吸管理が必要となりかけたが，本人用の腹臥位マットを集中治療室に持ち込んで腹臥位とすることより，呼吸不全が劇的に改善した例もある．
- 一般医療では上気道の確保のために肩枕を入れて頸部を強く伸展させるが，この肩枕は喉頭部や気管の狭窄のある重症児者では逆効果となりやすい．
- むせを伴わない誤嚥（サイレントアスピレーション）が多く，これが肺炎の原因となりやすい．また，唾液の下咽頭喉頭への貯留，気管内誤嚥が生じやすく，これが上体挙上姿勢で悪化し，それによりゼロゼロという貯留性喘鳴の増強と呼吸状態悪化をもたらす例がかなりある（第2章A-2 上気道狭窄，図11 参照，p.31）．
- 筋緊張異常が呼吸障害の大きな要因となる．たとえば，肺炎になった場合，肺炎自体は重度でなくても，ストレスなどから筋緊張亢進が強く出て，それが気道狭窄や胸郭呼吸運動障害を悪化させ呼吸不全に至ることがしばしばあり，筋緊張亢進を緩和するための対応（腹臥位などの姿勢管理，薬物療法，心理的対応）が呼吸悪化防止のために重要である．一方で，筋緊張緩和薬・睡眠薬による筋緊張低下が呼吸を悪化させることも多く，適正な使用が必要である．
- 胃食道逆流症（GERD）による呼吸器系の問題が生じやすく，呼吸の悪化が胃食道逆流をさらに悪化させるという悪循環を生じやすい．
- 慢性的に呼吸障害がある重症児者では，SpO_2が平常90〜88未満であっても大きな問題は生じずに過ごせている例，CO_2分圧が高め（50〜60台）でも代謝性の代償機能が働き問題なく生活できている例が少なくない．このような例では，気管内挿管などでの呼吸管理治療導入の基準は，呼吸困難症状が強くなければ一般の基準よりゆるめに考えてよいことが多い[2)]．

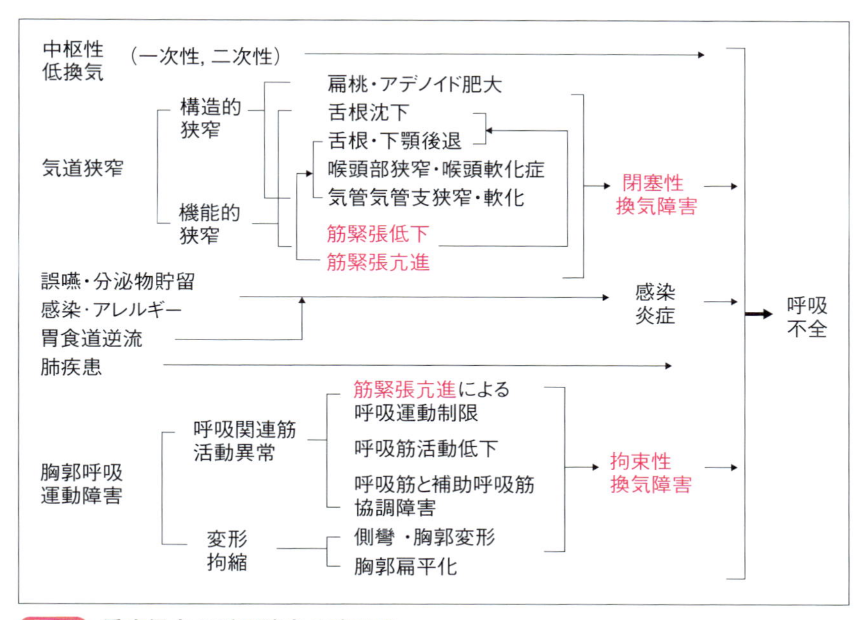

図1　重症児者の呼吸障害の諸要因

（北住映二，他．呼吸障害―病態の理解，姿勢管理，エアウェイ，痰への対応，吸引，酸素療法．日本小児神経学会社会活動委員会，他（編），新版　医療的ケア研修テキスト．クリエイツかもがわ，2012；36 より一部改変）

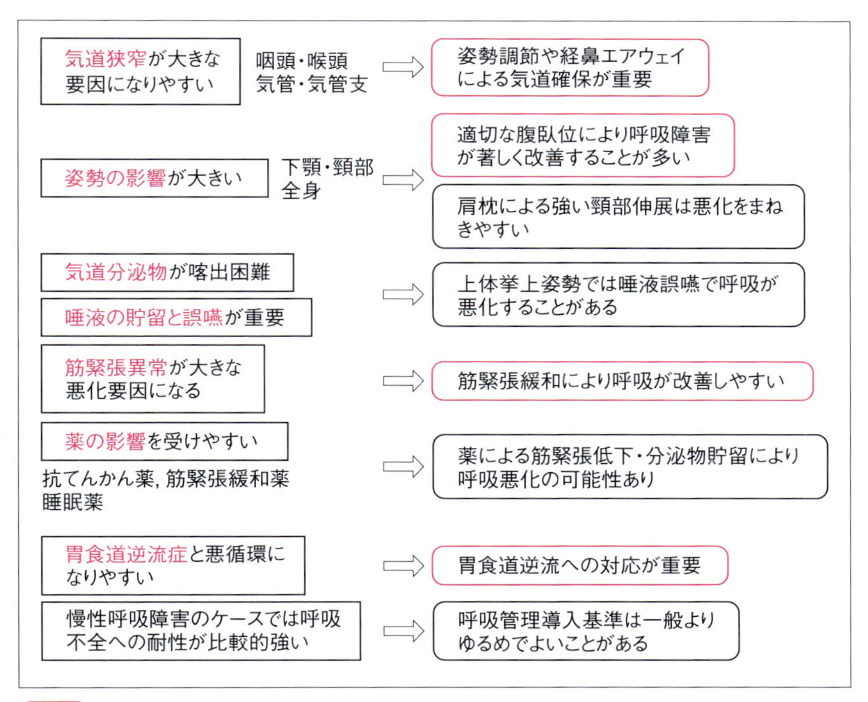

図2　重症児者の呼吸障害の特徴と対応の注意点

表１　重症児者の呼吸障害への対応方法

扁桃・アデノイド摘出手術
経鼻エアウェイ
下顎・頸部の姿勢管理
直接的介助，器具による保持（ネックカラーなど）
全身的姿勢管理ポジショニング―腹臥位，側臥位 前傾坐位
呼吸理学療法―換気介助を中心に
高頻度胸壁振動ベスト（SmartVest®）
マスクでの陽圧（加圧）補助換気
蘇生バッグ＋マスク
IN-EX SUFFLATOR（カフアシスト，カフマシン）
パーカッションベンチレーター（IPV）
酸素療法
ハイフローセラピー
体外式レスピレーター（RTX）
非侵襲的人工呼吸器治療（CPAP，NPPV）
気管切開―重度誤嚥を伴うケースでは，食道気管 分離術式
気管切開による人工呼吸器治療
誤嚥への合理的対応
胃食道逆流症への対応

2. 具体的対応の方法とその基本

表１に列挙したような対応の方法があるが，対応の基本を平易にまとめたのが図３[1)]である．①気道，特に上気道がしっかり開いているようにすること，②換気のための胸郭や横隔膜の動きがしっかりできるようにすること，③痰などの分泌物が呼吸を阻害しないようにすることが，ケアの基本となる．

適切な姿勢を取ることは，この３つのすべてに共通する．

気道に貯留する分泌物は，嚥下できない唾液，鼻孔から出せない鼻水・鼻汁，咽頭・喉頭・気管気管支・肺で分泌された痰などである．嚥下しきれない食物と水分も混じる．逆流してきた胃液や栄養剤も含まれる．これらの分泌物が貯留しないようにすることが重要であるが，安易に吸引だけに頼ることは適切ではなく，分泌物などが出やすい姿勢とすること，気道を広げるための対応，胸郭の動きをよくする対応も行うことが重要である．た

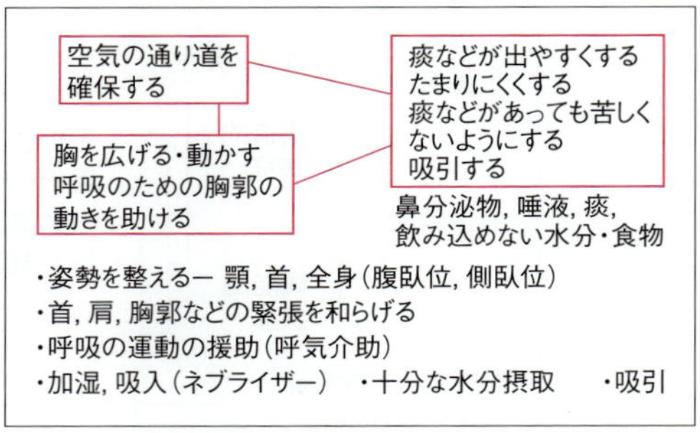

図３　呼吸障害への基本的な対応方法
（北住映二，他．呼吸障害―病態の理解，姿勢管理，エアウェイ，痰への対応，吸引，酸素療法．日本小児神経学会社会活動委員会，他（編），新版　医療的ケア研修テキスト．クリエイツかもがわ，2012；36より一部改変）

とえ分泌物があっても，気道が広ければ呼吸は苦しくなく，分泌物が移動して出やすくなる．

喘鳴には，分泌物などが気道にたまって生じる**貯留性の喘鳴**（ゼロゼロ，ゼコゼコ，ゴロゴロ）と，気道の狭窄による**狭窄性の喘鳴**（ガーガー，カーッカーッ，ゴーゴー，グーグー，ゼーゼー，ヒューヒュー，キューキュー）がある．喘鳴が，狭窄性か貯留性かどうかを見極めながら対応することが重要であり，貯留性喘鳴と狭窄性喘鳴が混在する場合は，分泌物への対応よりも気道狭窄を改善するための対応が重要であることも多い．

文　献

1）北住映二，他．呼吸障害―病態の理解，姿勢管理，エアウェイ，痰への対応，吸引，酸素療法．日本小児神経学会社会活動委員会，他（編），新版　医療的ケア研修テキスト．クリエイツかもがわ，2012；36
2）北住映二，他．呼吸障害―病態の理解，姿勢管理，エアウェイ，痰への対応，吸引，酸素療法．日本小児神経学会社会活動委員会，他（編），新版　医療的ケア研修テキスト．クリエイツかもがわ，2012；69-75

［北住映二］

A　呼吸障害の治療・看護

2　上気道狭窄

POINT

- 狭窄の部位を把握して適切な対応を行う
- 症状（喘鳴，陥没呼吸）の出方や喘鳴の音の種類により，狭窄部位を推定できる
- 下顎保持・頸部の角度の調節が重要
- 全身的姿勢の調節（ポジショニング）も重要である

1. 上気道狭窄の病態・症状

気道の狭窄が重症児者の呼吸障害にとって大きなウェイトを占めている．狭窄の部位と病態により適切な対応法を選択する必要がある．内視鏡検査だけでなくX線透視によっても病態がある程度把握できるが，喘鳴や陥没呼吸などの症状の出方の違い(吸気時優位か，呼気時との違い，覚醒時と睡眠時の違い）や狭窄性喘鳴の音の種類をふまえた臨床的観察によって，狭窄の部位や病態は，臨床的にもかなり推定が可能である（図1，表1）[1]．

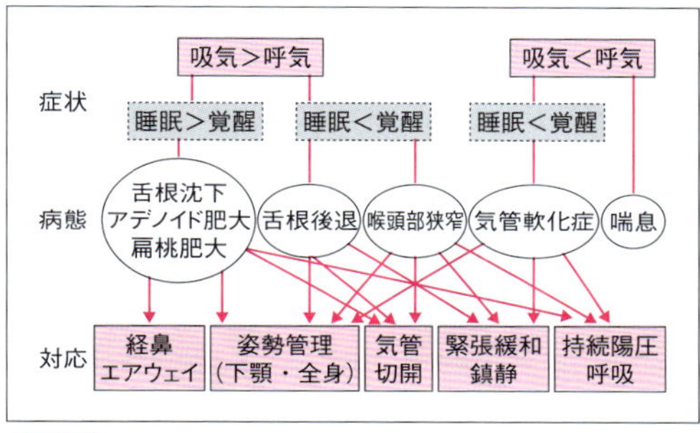

図1　重症児者における気道狭窄症状（喘鳴・陥没呼吸）と対応

おもな関係を示す．症状には，これに，貯留性の喘鳴と代償性の症状（うめき・呻吟様の呼気性喘鳴など）が加わる
（北住映二．重症心身障害児（者）の診察のポイント―臨床症状からの病態の把握―．小児内科 2008；40：1569-1575 より一部改変）

ⓐ 上咽頭（鼻咽頭）の狭窄

アデノイド肥大による狭窄が一般的だが，それによらない上咽頭の狭窄例もかなりある．ガーガーというイビキ様の喘鳴が吸気時に発生する．

ⓑ 中咽頭～下咽頭の狭窄

舌根の沈下ないし後退が上気道狭窄の最多の原因である．下顎の発育が不十分で下顎が小さく後に引けている状態に，筋緊張の異常が重なって生じやすい（図2）[2]．狭窄が強いと閉塞性無呼吸となる．

低緊張による下顎・舌根の沈下は，睡眠時に強く出現し，喘鳴，陥没呼吸，閉塞性無呼吸，酸素飽和度の低下などをきたすが，重度ケースでは覚醒時にもみられ，これによる呼吸障害のために椅子坐位が維持できない場合もある．喘鳴は，ゴーゴー，あるいはカーッカーッという音が基本的に吸気時に生じる．

緊張亢進も，下顎・舌根の後退から咽頭の狭窄をもたらす．覚醒時にこれによる閉塞性無呼吸が頻発しているケースもある．このような場合，緊張による頸部の過伸展・後屈が，さらに咽頭狭窄を悪化させ，さらに喉頭狭窄もまねいている例もある．

首の微妙な角度により上気道の通過性が左右され，日常的に首を後に反らした軽い頸部過伸展後屈姿勢により上気道が開き，呼吸が楽な状態を保っている例もある．このような場合も，頸部後屈・過伸展姿勢が，緊張亢進により強くなると，気道は逆に狭くなってしまいやすいので注意が必要である（図3）[2]．

ⓒ 喉頭部の狭窄

脳性麻痺での上気道狭窄の約3割では，喉

表1　重症児者の気道狭窄

狭窄部位	原因・病態	症状（喘鳴・陥没呼吸など）覚醒時　睡眠時	吸気時　呼気時	経鼻エアウェイ効果
上咽頭（鼻咽頭）	アデノイド肥大	−〜＋＜＋〜＋＋	＋〜＋＋＞−〜＋	＋＋
	その他	−〜＋＜＋〜＋＋	＋〜＋＋＞−〜＋	＋＋
中〜下咽頭	扁桃肥大	−〜＋＜＋〜＋＋	＋〜＋＋＞−〜＋	＋〜＋＋
	舌根沈下	−〜＋＜＋〜＋＋	＋〜＋＋＞−〜＋	＋〜＋＋
	下顎舌根後退	（筋緊張亢進時）	＋〜＋＋＞−〜＋	−〜＋
	頸部 過伸展	（筋緊張亢進時）	＋〜＋＋＞−〜＋	−
喉頭部	頸部 過伸展	（筋緊張亢進時）	＋〜＋＋＞−〜＋	−
	喉頭軟化	＋〜＋＋＞−〜＋	＋〜＋＋＞−〜＋	−
	喉頭狭窄・浮腫	＋〜＋＋	＋〜＋＋	−
気管	気管軟化症	筋緊張亢進時↑	＋＜＋〜＋＋	−
	気管狭窄	＋＋	＋＋	−

（北住映二．重症心身障害児（者）の診察のポイント—臨床症状からの病態の把握—．小児内科 2008；40：1569-1575 より一部改変）

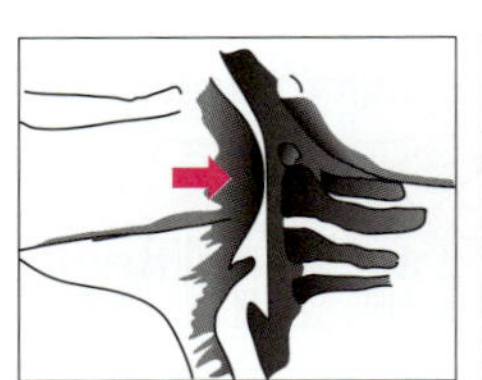
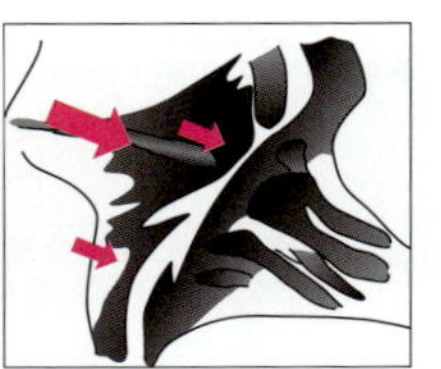

図2　舌根沈下，舌根後退

X線透視画面からトレースしたもの
（北住映二，他．呼吸障害—病態の理解，姿勢管理，エアウェイ，痰への対応，吸引，酸素療法．日本小児神経学会社会活動委員会，他（編），新版 医療的ケア研修テキスト．クリエイツかもがわ，2012；40 より一部改変）

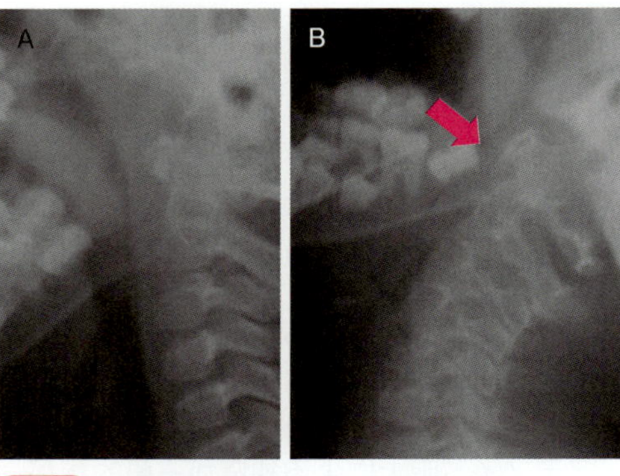

図3　筋緊張亢進による上気道狭窄

A：筋緊張が緩和した頸部中間位では上気道が開き呼吸が苦しくない．
B：緊張亢進→頸部後屈（過伸展）→下顎舌根後退・咽頭喉頭狭窄→呼吸が苦しくなる
（北住映二，他．呼吸障害—病態の理解，姿勢管理，エアウェイ，痰への対応，吸引，酸素療法．日本小児神経学会社会活動委員会，他（編），新版 医療的ケア研修テキスト．クリエイツかもがわ，2012；40 より引用，一部改変）

頭部の狭窄が呼吸障害の要因となっており，筋緊張の変動のあるケースではこれが多い．表2[2)]に原因と対応をまとめた．喉頭軟化症がそのおもな原因であり，喉頭蓋や喉頭の背側にある披裂部が吸気時に下に落ち込み，気道を狭窄させる状態が内視鏡検査やX線透視で確認される（図4）．程度により，披裂部が前方に落ち込む type 1，披裂喉頭蓋ヒダが声門部に落ち込む type 2，喉頭蓋も下に落ち込む type 3 がある（Olney の分類）．扁平喉頭を合併している場合もある[3)]．

喉頭部の狭窄は，緊張亢進，感染，アレルギーにより悪化しやすく，また，胃食道逆流で逆流した胃液の刺激による喉頭部の炎症・浮腫によると考えられる場合もかなりある．逆流した胃酸による声帯の刺激が急激な呼吸困難を起こすこともある．

喉頭部の狭窄では，喘鳴は吸気時のグーグーという音である．喘鳴や陥没呼吸などの症状は，喉頭部の狭窄では舌根沈下のときと

表2 喉頭部狭窄

症状　睡眠時＜覚醒時（器質的狭窄でない場合）
原因，要因
　喉頭軟化症　扁平喉頭　声門狭窄
　頸部過伸展　筋緊張亢進　努力性呼吸
　喉頭攣縮・ジスキネジア　喉頭浮腫腫脹
　胃食道逆流液刺激　食物喉頭侵入
　感染　アレルギー　気管内挿管
対応　姿勢管理ー頸部前屈，前傾，腹臥位
　鎮静，入眠，持続陽圧呼吸
　気管切開
　経鼻咽頭エアウェイは，上・中咽頭狭窄が合併しているときには有効であり得る

（北住映二，他．呼吸障害ー病態の理解，姿勢管理，エアウェイ，痰への対応，吸引，酸素療法．日本小児神経学会社会活動委員会，他（編），新版 医療的ケア研修テキスト．クリエイツかもがわ，2012；42より一部改変）

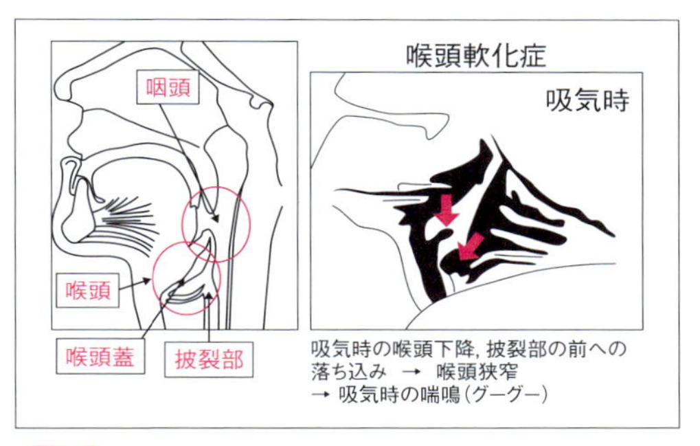

図4 喉頭軟化症
右図はX線透視画面からトレースしたもの

は反対に，覚醒時に強く出て，眠ると軽減・消失するという傾向がある．眠りの浅いときは症状があり，眠りが深くなると改善する例もある．

喉頭部の狭窄では，①後に述べる経鼻エアウェイは基本的に有効でない，②薬を使ってでも緊張をやわらげることがまず重要，③頸部の強い伸展はこの喉頭狭窄を特に悪化させやすい，などのことから，舌根沈下とこの喉頭狭窄を混同しないことが重要である．

2. 上気道狭窄への対応

気道狭窄への対策として，表3[2)]のような方法がある．

ⓐアデノイド・扁桃摘出手術

これらの肥大が主因の場合は摘出手術により劇的な改善があり得るが，他の要因による狭窄が合併している場合には手術効果は無効ないし限定的であり，手術前の十分な評価が必要である．

表3 重症児者の気道狭窄への対応

気道狭窄	対策・治療
鼻腔狭窄 鼻咽頭（上咽頭）狭窄 （アデノイド肥大＋〜ー） 扁桃肥大 舌根沈下・後退 下顎後退 頸部後屈→咽頭喉頭狭窄 喉頭狭窄 喉頭軟化症 気管狭窄・気管軟化症	アデノイド・扁桃摘出 経鼻咽頭エアウェイ法 下顎・頸部の姿勢管理 　直接的介助により下顎を前に出す 　器具による下顎保持* 全身的姿勢管理 　側臥位　腹臥位　前傾位 筋緊張緩和 （ボツリヌス毒素注射等） 持続陽圧呼吸（CPAP） 気管切開

*ネックカラー（既製，オーダーメイド），下顎保持装具，スリープスプリント
体重の減量により咽頭狭窄症状が改善することがまれにある
（北住映二，他．呼吸障害ー病態の理解，姿勢管理，エアウェイ，痰への対応，吸引，酸素療法．日本小児神経学会社会活動委員会，他（編），新版 医療的ケア研修テキスト．クリエイツかもがわ，2012；42より一部改変）

ⓑ手での介助による下顎，頸部の保持・姿勢管理

下顎を前に出して上気道を広げるようにすることが対応の基本である（図5）[2)]．直接の介助としては，手でコントロールすることにより舌根沈下を防ぎ上気道スペースを確保することができる（図6）[2)]．通常の気道確保の方法である肩枕を入れて頸部を強く伸展させることは逆効果のことも多く，むしろ後頸部の緊張と過伸展を抑えることが必要なことが多く，これに下顎の前への引き出しや，軽い前屈を加えることが有効である．

喉頭軟化症など喉頭部の狭窄の場合には，下顎を前に出すだけでなく，首を軽く前に曲げて，かつ顎を前に出すようにしてあげることで喉頭部が開いた状態となる．この姿勢を坐位でも保つようにすることが必要で，腹臥位もこのパターンとなり喉頭部狭窄が改善する（図7）[2)]．

Ⓒ 器具による下顎や頸部の保持・姿勢管理

器具によって下顎を保持することも舌根沈下などによる上気道狭窄への対策として有用なことがかなりある．ソフトなネックカラー（頸椎症用の既製の物をそのまま使用，または装具業者に削ってもらって高さを低くして使用，完全なオーダーメイドでの作製が必要なこともある），手製のネックカラーや，タオルやパッドによる単純な保持なども対策とし

下顎後退・舌根沈下→上気道閉塞

対策：下顎を前に出して気道を広げる

舌根沈下→上気道閉塞

肩枕は，頸部を過伸展させ，かえって上気道を閉塞させることがある
喉頭部狭窄がある場合に特に注意

図 5　舌根沈下とその基本的対応
（北住映二，他．呼吸障害—病態の理解，姿勢管理，エアウェイ，痰への対応，吸引，酸素療法．日本小児神経学会社会活動委員会，他（編），新版 医療的ケア研修テキスト．クリエイツかもがわ，2012；43 より一部改変）

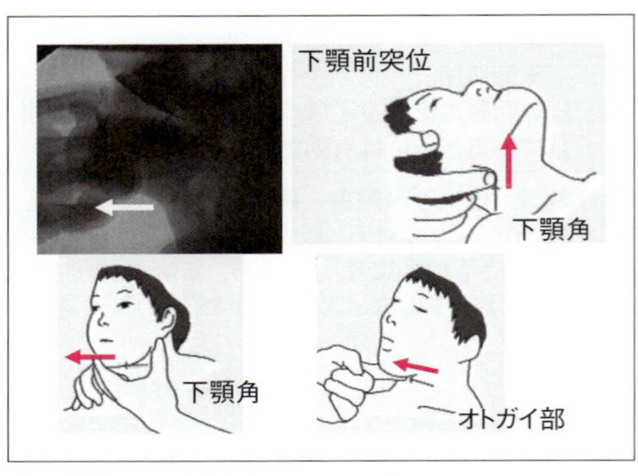

図 6　介助者の手による下顎コントロール
（ビデオ＜重症児とともに・応用篇「呼吸障害への取り組み」＞北住映二，鈴木康之制作．重症心身障害児（者）を守る会監修（2001 年）より引用）
（北住映二，他．呼吸障害—病態の理解，姿勢管理，エアウェイ，痰への対応，吸引，酸素療法．日本小児神経学会社会活動委員会，他（編），新版 医療的ケア研修テキスト．クリエイツかもがわ，2012；44 より一部改変）

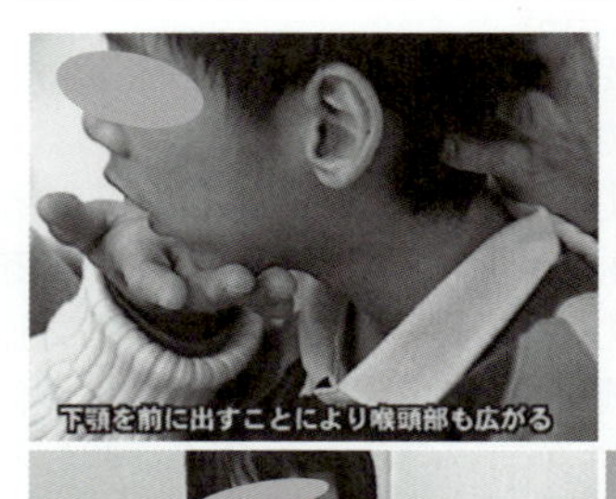

- 舌根沈下の場合より，むずかしい
- 「喉頭部を広げる」というイメージで，
- 頸部前屈しながら下顎を前に出して保持する
- 腹臥位で，このパターンを得やすい

前傾坐位

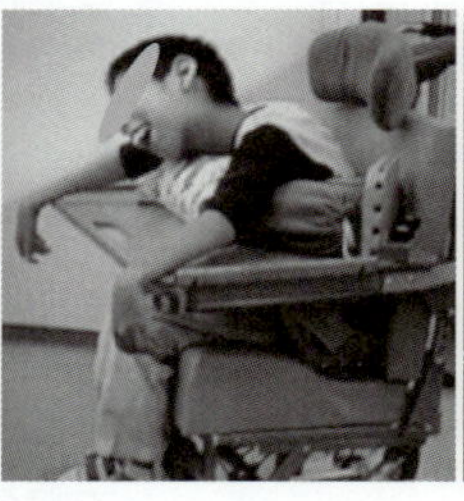

プローンキーパーによる腹臥位

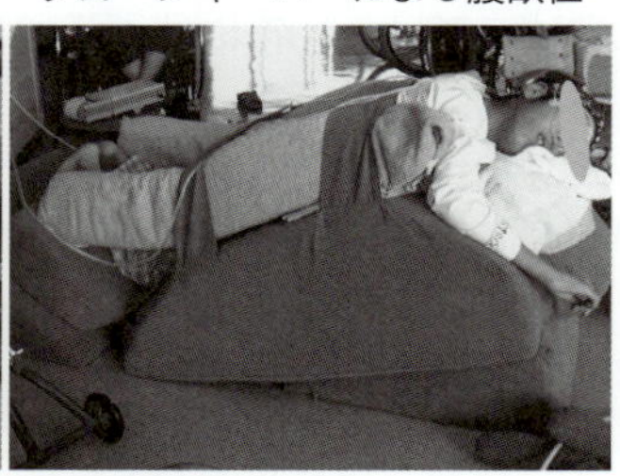

図 7　喉頭部狭窄のケースの頸部下顎，全身の姿勢管理
（写真は，ビデオ＜重症児とともに・応用編「呼吸障害への取り組み」＞北住映二，鈴木康之制作．重症心身障害児（者）を守る会監修（2001 年）より）
（北住映二，他．呼吸障害—病態の理解，姿勢管理，エアウェイ，痰への対応，吸引，酸素療法．日本小児神経学会社会活動委員会，他（編），新版 医療的ケア研修テキスト．クリエイツかもがわ，2012；44 より一部改変）

て有効であり得る（図 8）．アルミニウムやスチールの棒にスポンジやビニールをコーティングしたものを，下顎を持ち上げるような形で首の周りにセットして下顎を保持することもできる．

d 経鼻咽頭エアウェイ法（経鼻エアウェイ）

鼻腔から咽頭の狭窄による呼吸障害に対し，鼻から咽頭まで挿入してトンネルとして気道を確保する経鼻エアウェイが，日常的対応として極めて有効であり得る．これにより，呼吸障害の改善，睡眠の安定化，表情の改善，精神活動の改善，胃食道逆流症の改善，体重増加などが得られ，気管切開をしなくてすむ場合も多い．この経鼻エアウェイを通して CPAP や NPPV が可能な場合もある．気道感染の急性期での上気道狭窄の一時的悪化や，けいれん重積後の管理，重症児者の手術後の管理などにも有効なことがあり，これにより気管内挿管を避けられる場合もかなりある．ポイントを表 4 にまとめた[4]．

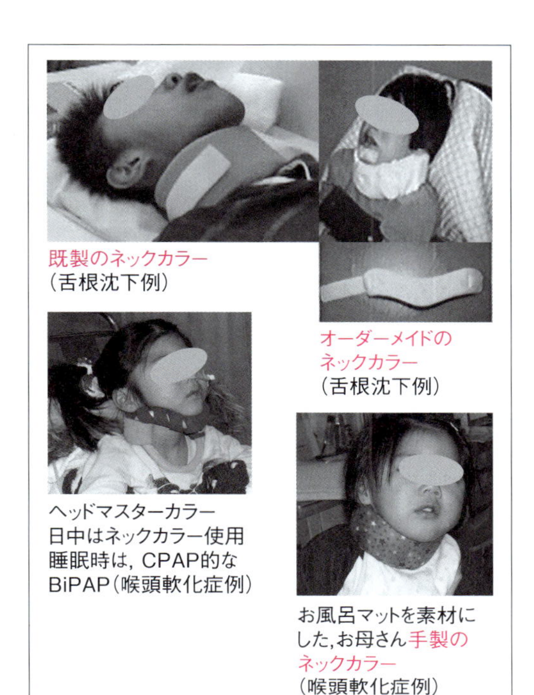

既製のネックカラー
（舌根沈下例）
オーダーメイドの
ネックカラー
（舌根沈下例）
ヘッドマスターカラー
日中はネックカラー使用
睡眠時は，CPAP的な
BiPAP（喉頭軟化症例）
お風呂マットを素材に
した，お母さん手製の
ネックカラー
（喉頭軟化症例）

図 8　ネックカラーでの下顎保持による上気道狭窄への対応例

表 4　経鼻エアウェイ使用・管理のポイント

・使用チューブ

コーケン経鼻エアウェイカーブタイプ：筆者らが業者と開発作成し，改良したもの．適度な軟らかさとカーブのシリコン製．内径は 3.5〜5.5 mm（0.5 mm 単位で 5 サイズ）．エアウェイチューブが奥に入りこまないように，鼻孔に固定する部分をラッパ状にし，テープで止めるための固定翼を付けてある．0.5 cm ごとに入れてある溝の部分で先端をカットすることにより長さの調節ができる．カットした断端が鋭くならないような溝の形状にしてある（図 9）．

PORTEX アイボリー経鼻気管内挿管用チューブ：上記で対応できない場合に，やむを得ない対応として，材質が軟らかいこの挿管用チューブを切って使用する．先端の尖り部分による刺激症状がある場合は先端カットし断端は細かな紙ヤスリで平滑にする．固定が不十分でエアウェイチューブが咽頭の奥のほうに行き喉頭や食道に入りこむ事故の可能性に十分な留意が必要で，この予防のために固定をしっかり行う．チューブの鼻から出た部分を上部だけ短冊状に約 3〜4 cm 残して切り，その短冊状の部分を上に反転させて鼻梁にテープで固定する．短冊状切り残しの幅は確実な固定のために広めにし，テープは 1 枚を直接鼻梁に貼った短冊状の部分を乗せ，その上をもう 1 枚のテープで固定．固定をさらに確実にするためには，短冊状の部分をテープ固定するとともに短冊状の上の部分に紐を通し，その紐を額に固定する．煙突型の固定もあり得る．エアウェイの中に吸引チューブを挿入するときにエアウェイを押し込むことがないように注意が必要．

・チューブによる鼻粘膜刺激や副鼻腔炎の発生，刺激症状の軽減のために，太すぎないサイズのチューブを使用する．
・左右の鼻からの交互挿入が望ましいが，入りにくい側から無理に入れることは避ける．
・鼻咽頭狭窄が主体の場合は浅めでよく，中〜下咽頭の狭窄の場合は深めに必要になるが，深すぎると喉頭蓋，喉頭を刺激する可能性があるので注意が必要．X 線側面像やエアウェイを通しての内視鏡で確認する．咳込みが強い場合は咳のときの喉頭の上下動でチューブ先端が喉頭を痛めることがあるので，無理をしないでエアウェイを浅くするか抜く．
・夜間睡眠時だけの使用ですむ例が多いが，日中もずっと必要な場合もある．そのようなケースで，食事水分摂取可能なケースでは摂取のときにはエアウェイは抜くか，少し引き抜いて浅くして固定する．
・細めのエアウェイで吸引チューブが 8 Fr サイズでも入りにくい場合は，吸引チューブにオリーブ油を少量を付けて滑りをよくして吸引を行う．

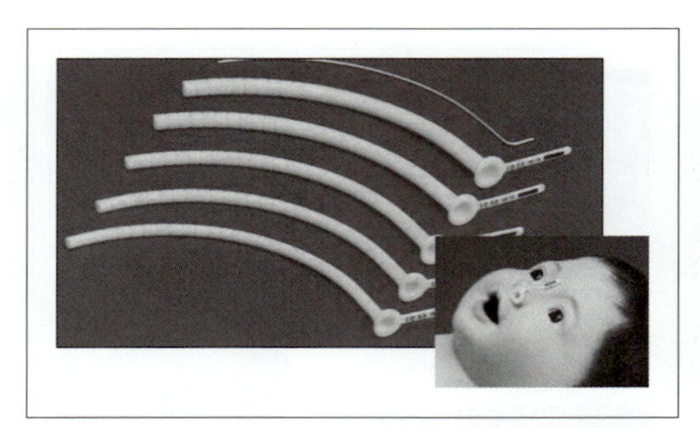

図９　コーケン経鼻エアウェイカーブタイプと人形での装着例（株式会社高研 提供）

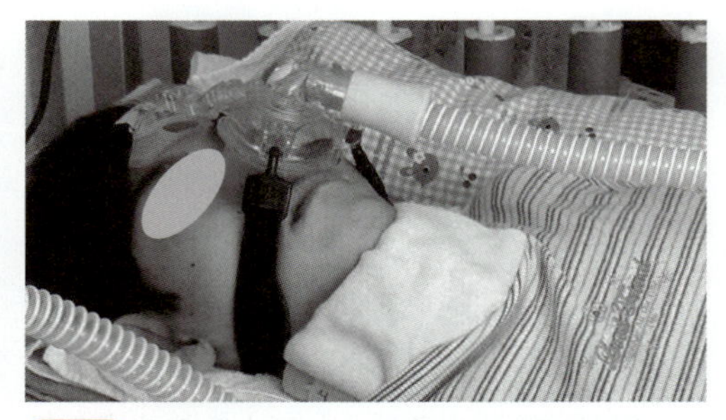

図10　ネックカラーと CPAP の併用例

舌根沈下例：経鼻エアウェイは受容できず，ネックカラーを，日中は坐位でも臥位でも装着．睡眠時は，ネックカラー装着しながら鼻マスクでの CPAP

ⓔ持続陽圧呼吸療法（CPAP）

舌根沈下や重症の喉頭軟化症による睡眠時の上気道閉塞に対して，鼻マスクや経鼻エアウェイを通して経鼻エアウェイから気道に持続的に陽圧をかけておく持続陽圧呼吸療法（CPAP：continuous positive airway pressure）が，重症児者でも有効に使用できる場合がある．図10のケースは，覚醒時はネックカラーでの下顎保持ですむが，睡眠時は CPAP を併用し，15年以上これにより安定して過ごせている．

ⓕ筋緊張亢進の緩和

頸部～上部体幹の後屈・過伸展をきたす後頸部～上部体幹の筋緊張亢進は，舌根後退，喉頭部狭窄，気管狭窄・気管軟化症を悪化させる．緊張による胸郭呼吸運動制限も呼吸悪化要因となる．これらの筋緊張亢進を緩和するため次のような対応が必要である．

- 姿勢管理：腹臥位マット（本人用のものがあることが望ましい）での腹臥位，体を丸くした屈曲パターンでの坐位など
- 心理的対応：ストレスの除去，気分の転換と安定化
- 薬物療法：副作用（筋緊張低下など）に注意しながらの，内服薬，坐薬，ボツリヌス毒素注射，持続的バクロフェン髄腔内注射

ⓖ全身的姿勢の調節（ポジショニング）

全身的な姿勢の調節が，気道の狭窄への対応としても他の呼吸の問題にも重要である．呼吸が楽になるように全身的な姿勢を適切に整え，リラックスできてかつ安全にその姿勢を保持できるようにしていくことが，呼吸障害への日常的対応として最も基本的なものとなる．重症児者では，筋緊張，嚥下障害・誤嚥，胃食道逆流，胃からの排気や，その他の問題にも，全身的な姿勢の取り方が大きく影響する．したがって，ポジショニングは，呼吸障害への援助というだけでなく重症児者への日常的な援助の基本である．それぞれの姿勢の，以下のような特徴や注意点を認識しておくことが必要である．

1）仰臥位

下顎・舌根が後退・沈下しやすい．顎や肩を後退させるような緊張が出やすい．痰，唾液などが気道にたまりやすい．十分な呼気がしにくい．背中側の胸郭の動きが制限される．分泌物，誤嚥した物が，肺下葉にたまりやすい．胸郭の扁平化をきたす．胃食道逆流が起きやすい．排気（ゲップ）が出にくい．

2）腹臥位

舌根の沈下や，唾液や痰が気道にたまることを防ぐことができる．喉頭部の狭窄も軽減しやすい（図７）．胸郭呼吸運動の効率も改善することが多い．慢性的な肺の病変が肺下葉に生じやすくなるが，それが悪化し感染を起こさないようにするためにも腹臥位が重要である．胃食道逆流症も腹臥位で軽減できる．排気もしやすく胃拡張を防ぐ姿勢である．腹臥位に慣れてくると緊張がとてもゆるむことはしばしば経験される．

腹臥位は，事故防止のための注意が十分に必要である．口や鼻が塞がれて窒息することのないように，また，横や下へずり落ちる事故を防ぐために，個々のケースにあわせて作成した腹臥位用マットなどを使用し，見守りをしっかり行い，リスクのあるケースではパルスオキシメータでのモニターを行う．胸郭

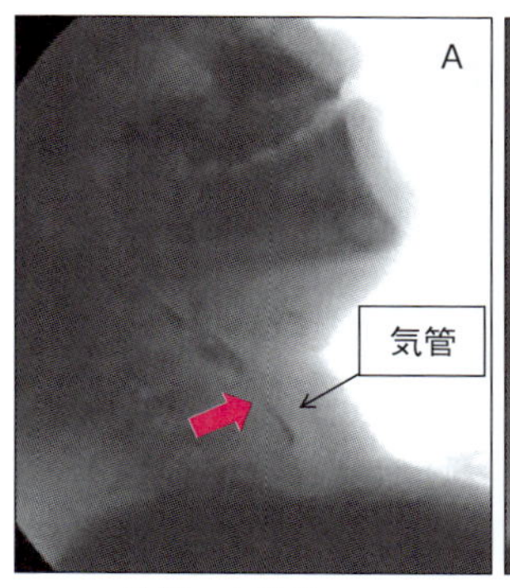

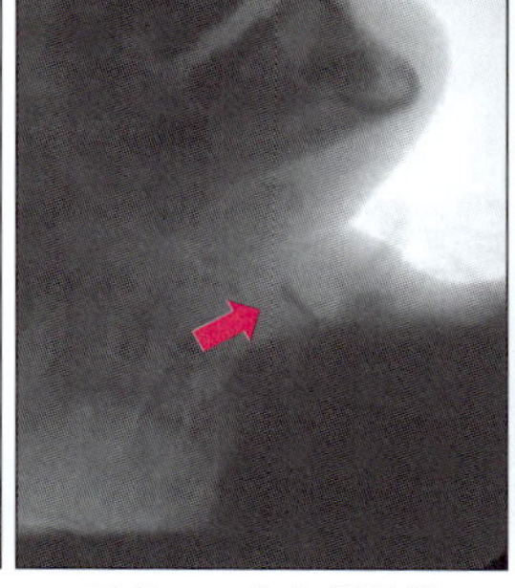

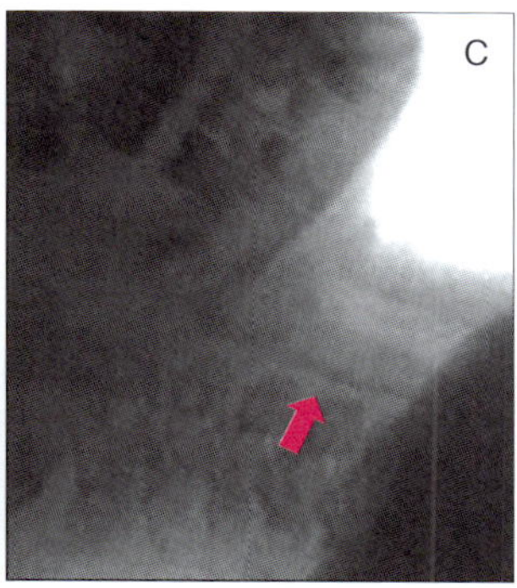

バギー上坐位
背もたれは，水平
から40°

三角マット上仰臥位
上体15°

水平仰臥位＋枕

図 11 上体挙上姿勢では，唾液の貯留・誤嚥のため，ゼロゼロしてきて呼吸が苦しくなるケースの嚥下造影所見

バギー上坐位（A）では，造影剤がすぐに気管に誤嚥される．上体を少し上げた姿勢（B）では，造影剤は喉頭進入して気管に少し入りかけてまた喉頭に戻る．水平仰臥位（C）では誤嚥なし．造影剤は唾液で希釈されており，この画像の所見は，唾液の嚥下の状態を反映している．

が扁平な例では気管も扁平となっており，腹臥位で胸部が圧迫されると気管がさらに扁平化し呼吸が悪化することがあるので特に注意が必要である．

3）側臥位

舌根沈下や，唾液・痰が気道にたまることを防ぎ，呼吸が楽にしやすい姿勢である．緊張がゆるんだ状態になりやすい．胸郭の扁平化は気管の狭窄や肺容量の低下をきたすが，その予防のために側臥位を励行することも重要である．胃食道逆流症がある場合に右側臥位では逆流が増え，そのために喘鳴が強くなることがあるので注意が必要である．

4）坐位，上体挙上位

舌根沈下や喉頭部狭窄がある例では，リクライニング坐位は，仰臥位と同様に呼吸にとって不利で，むしろ，軽い前傾位での坐位姿勢により呼吸状態が改善する場合が少なくない．特に，喉頭部狭窄の強い児では，腹臥位で呼吸が楽になることが多いが，頸部の前屈と上体の軽い前傾で呼吸が改善し，緊張も緩和する．唾液が口と咽頭にたまってきて貯留性の喘鳴が出てきて呼吸が苦しくなりやすい場合も，軽い前傾姿勢のほうがよいことが多い．重度の嚥下障害がある場合，坐位ではリクライニング姿勢でも唾液が気管に誤嚥され呼吸が悪くなることがある（図 11）．

文　献

1）北住映二．重症心身障害児（者）の診察のポイント―臨床症状からの病態の把握―．小児内科 2008；40：1569-1575
2）北住映二，他．呼吸障害―病態の理解，姿勢管理，エアウェイ，痰への対応，吸引，酸素療法．日本小児神経学会社会活動委員会，他（編），新版　医療的ケア研修テキスト．クリエイツかもがわ，2012；40-44
3）長谷川久弥．重症心身障害児者における気道病変―内視鏡を中心とした管理―．日重症心身障害会誌 2013；38：27-32
4）北住映二，他．呼吸障害―病態の理解，姿勢管理，エアウェイ，痰への対応，吸引，酸素療法．日本小児神経学会社会活動委員会，他（編），新版　医療的ケア研修テキスト．クリエイツかもがわ，2012；46-51

［北住映二］

看護・ケアのポイント　筋緊張亢進による呼吸困難への対応

1. 呼吸困難になった場合

まずは，日頃から行っている筋緊張をゆるめる方法を用いる．身体的な対処だけでなく精神的な対処も含めて，かかわる人たちはその方法を共有する．

筋緊張亢進により上気道閉塞が生じると，呼吸苦からさらに筋緊張が亢進する悪循環に陥る．この場合には早急な気道確保が必要となる．下顎角から下顎を前下方に引き出すと気道が開通し，筋緊張がゆるむ（図１）．

2. 予防としての取り組み

首回りや呼吸関連筋をゆるめ，できるだけ胸郭を動きやすくするケアを日常的に実践することが大切である．

①閉塞性換気障害

- 下顎の引き出し：方法は前述のとおりだが，痛みがでないように徐々に行うことがポイントである．向き癖のある重症児者では，頭蓋骨に対して下顎が一方にずれていることが多い．ずれている側に向かって動かすと痛みが生じにくい場合がある．
- 前頸部の伸長：鎖骨から下顎に向けて優しくゆっくりと伸ばす（図２）．
- 後頸部の伸長：頭のそり返りが強い場合，後頭部をしっかり持ち，後頸部を伸ばす（図３の赤囲い部分）．
  下顎の引き出しを同時に行うことが有効な場合もある（図３）．

②拘束性換気障害

- 屈曲姿勢になりやすく，肩が前に出ているタイプ
  腋窩から大胸筋を掴まえた親指で肩方向に筋肉を伸ばしながら，もう一方の手で胸を広げる方向に肩をまわす（図４）．
- 体幹の屈曲/伸展の動きが少ないタイプ
  脊柱の脇にある肋椎関節に指を置き，脊柱を伸展させる方向に押す（図５-A）．
- 腰の筋肉が硬いタイプ
  下部肋骨と骨盤の間にある腰方形筋をゆっくり指で押してゆるめる（図５-B）．

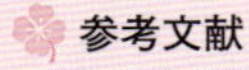

参考文献

・金子芳洋（監），尾本和彦（編）．障害児者の摂食・嚥下・呼吸リハビリテーション　その基礎と実践．医歯薬出版，2005：87-90

［直井富美子］

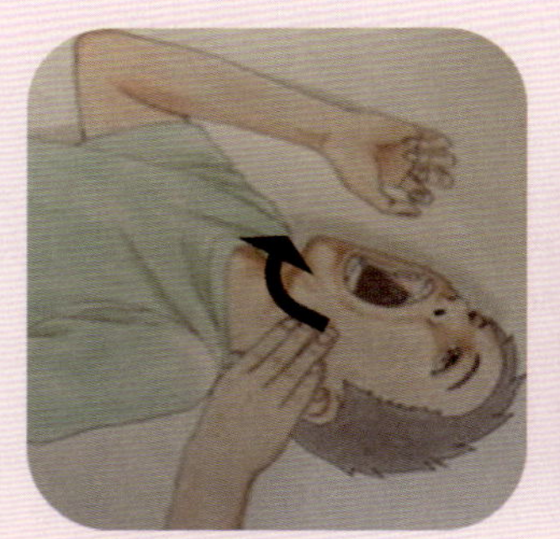

図１　下顎の引き出し

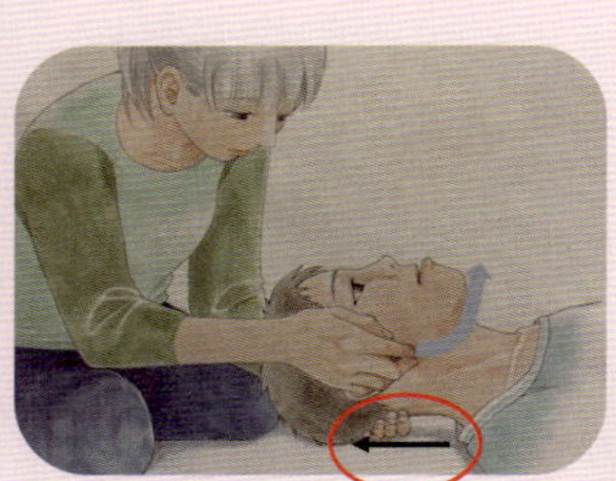

図３　後頸部の伸長

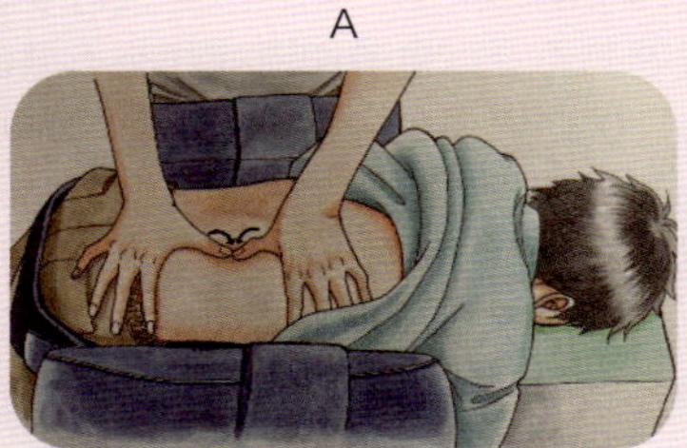

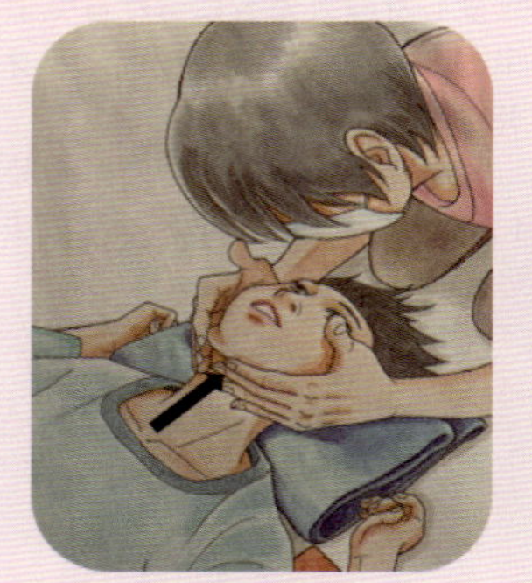

図２　前頸部の伸長

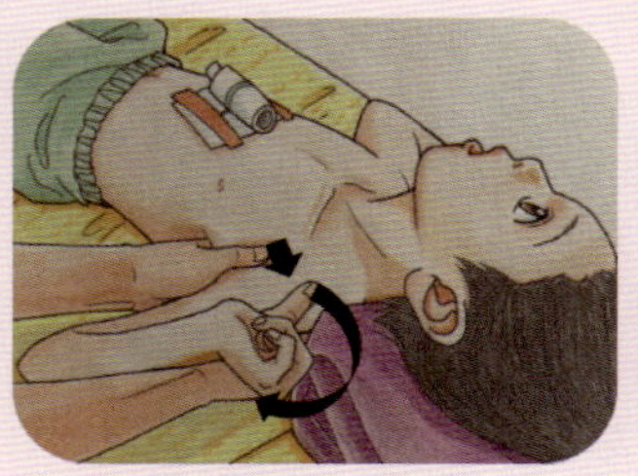

図４　前胸部を拡げる

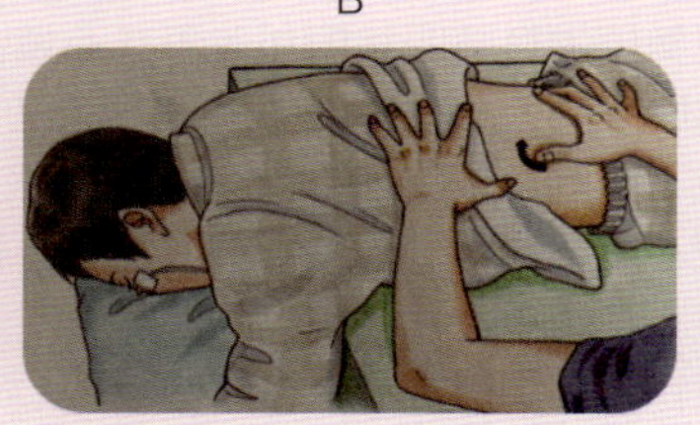

図５　背部肋骨の運動性改善

A 呼吸障害の治療・看護

3 気管気管支軟化症・狭窄の病態と対応

POINT

- 気道感染，胸郭の変形，脊椎のねじれや変形，筋緊張異常，気管切開などを誘因に，気管気管支軟化症や狭窄をきたしやすい
- 気道閉塞症状や感染徴候などを急激に発症したり，再燃再発を繰り返しやすい
- 誘因の予防や除去，軽減を図ることが重要で，保存的治療から手術による方法など各症例に応じた対応が必要となる

1. 定義と病態

ⓐ 気管軟化症の定義

気管軟化症は気管壁の全般的または局所的な脆弱性のため，呼気時もしくは胸腔内圧上昇時に気管内腔が高度に虚脱する病態と定義されている．正常者では，呼気時気管内腔の狭窄率は40%以下である．50%以上の狭窄率を呈する場合に，気管軟化症と規定されている．

ⓑ 気管軟化症の病態

一般に小児期は先天性，成人では後天性の気管軟化症が多いといわれる．先天性の気管軟化症は血管奇形，食道閉鎖などの奇形，先天性嚢胞や腫瘍，骨系統疾患や先天代謝異常症などに合併する．一方，後天性の気管軟化症の発生原因としては，炎症や機械的刺激などがあげられる．重症児者の検討では，先天性気管軟化症の原因を有する例は少なく，後天性と考えられる例が多い．筋緊張の亢進（症例によっては低下），下気道感染の反復，喀痰の貯留しやすい例において，胸郭変形，特に胸骨と胸椎との圧迫が加わることが発生誘因と考えられ，気管から気管支にかけ軟化症が起こりやすい．気管挿管や気管切開後の気管カニューレ挿入そのものも気管軟化症の発生誘因となる[1]．また，同様の機序で気管や気管支の狭窄を合併することも少なくない（図1）．

2. 症状と所見

ⓐ 症　状

原因のいかんによらず，50%以上の狭窄をきたす機能的変化であり，無症状から突発的な気道閉塞症状まである．吠えるような咳や，咳嗽失神や喘鳴が出現する．呼出障害および分泌物喀出障害のため反復性気道感染をきたす．啼泣，緊張，発熱などで努力性呼吸により胸腔内圧が高まると症状が出現，悪化しやすい．また，不安や興奮，吸引の刺激などが誘因となることがあり，急性のチアノーゼ発作や呼吸困難，呼吸停止を示すことがある．特に高度の軟化症では dying spell といわれる急性窒息症状が特徴的である．なかには急性死や突然死にまで至る症例もある．また，側臥位や腹臥位で緊張を緩和する体位が勧められるが，腹臥位で気道閉塞症状を誘発する例もあるので注意が必要である．

ⓑ 病型と所見

気管軟化症の型では，刀鞘型と三日月型が知られており，刀鞘型は肺気腫や慢性気管支炎の例にみられるといわれている．重症児者の検討では，扁平型とした症例が最も多く，その原因として，気管軟化症に気管肉芽や気管狭窄の併存が考えられる（図2）．すなわち，気管前壁に発生する肉芽や前後方向での気管狭窄が関与している[2]．また他の原因として，胸骨や腕頭動脈を含む前部胸郭の気管壁への圧迫も考えられる．

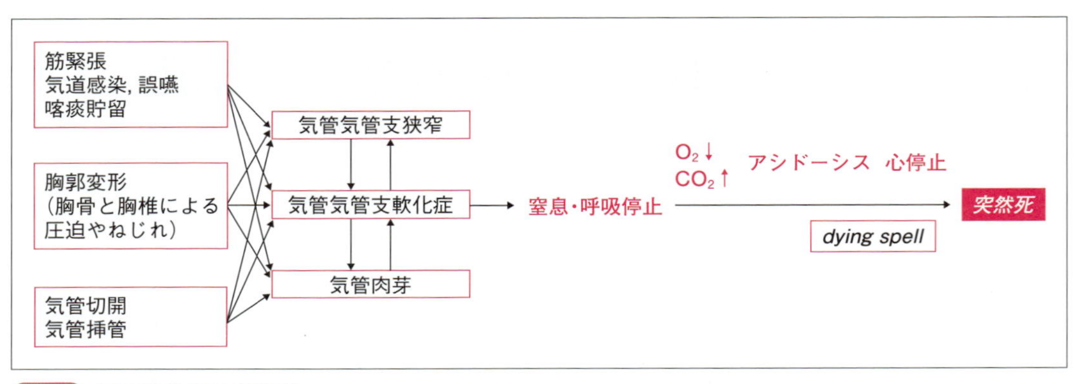

図 1　気管軟化症の病態図

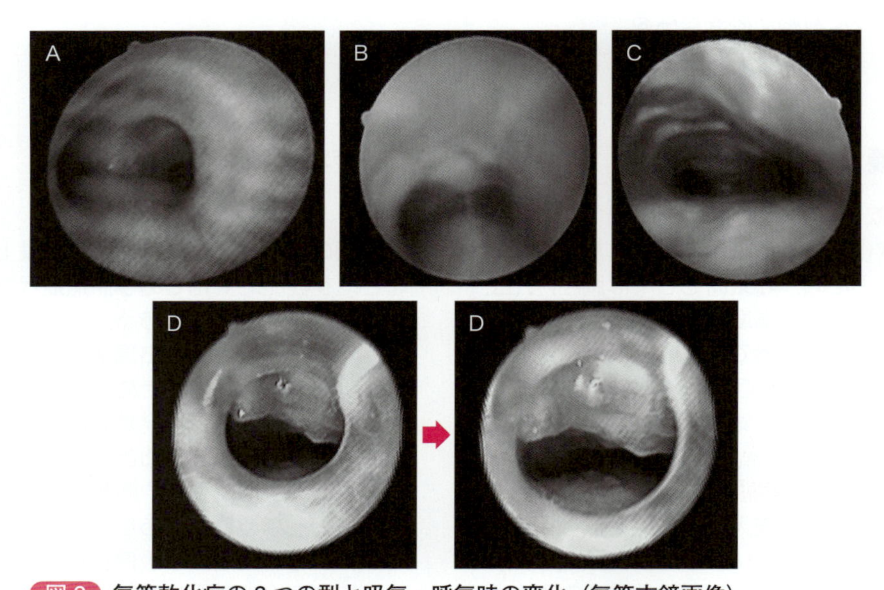

図 2　気管軟化症の 3 つの型と吸気・呼気時の変化（気管支鏡画像）
A：刀鞘型，B：三日月型，C：扁平型，D：吸気時（左）から呼気時（右）の内腔狭小化を示す

ⓒ 気管気管支狭窄について

気管気管支狭窄は，単独で発生することも，気管気管支軟化症や気管肉芽と合併して発生することもある．内腔から狭窄する場合と外部からの圧迫によって狭窄する場合とがある（図 3）．長期間にわたる気管カニューレの留置や，胃食道逆流症（GERD）に伴う慢性の逆流内容物の気道内流入と，それによる炎症も気管狭窄をきたしうる．気管支病変では，気管支肺炎症例に，気管支粘膜の浮腫・発赤・充血の炎症性変化がみられ，無気肺合併例では該当の気管支内腔に膿痰貯留と狭窄がみられる（図 4）[3]．

3. 鑑別診断と検査

ⓐ 鑑別すべき疾患・病態

咳嗽や呼気性喘鳴をきたす気管支喘息との異同が問題となる．おもな相違点を表 1 に示した．また，GERD の食道外症状として，気道症状や喘息様症状をとることもある．食物摂取中にチアノーゼや無呼吸発作を起こすこともあり，誤嚥と間違えやすいが，食物が食道通過の際に気管を圧迫することで誘発されると推測されている．また，当初てんかん発作と思われた一過性チアノーゼ発作が気管軟化症の症状であったと考えられる例も存在す

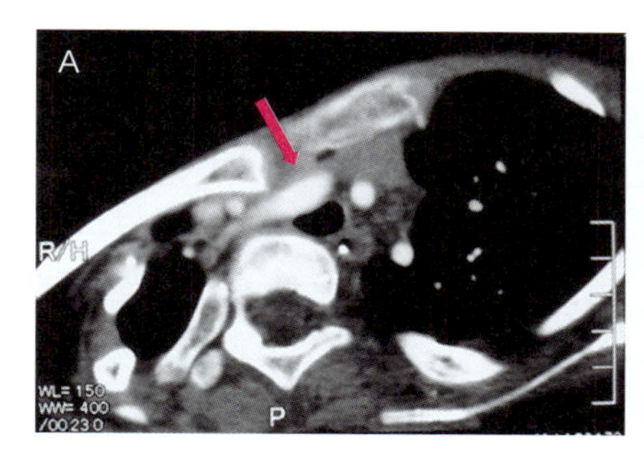

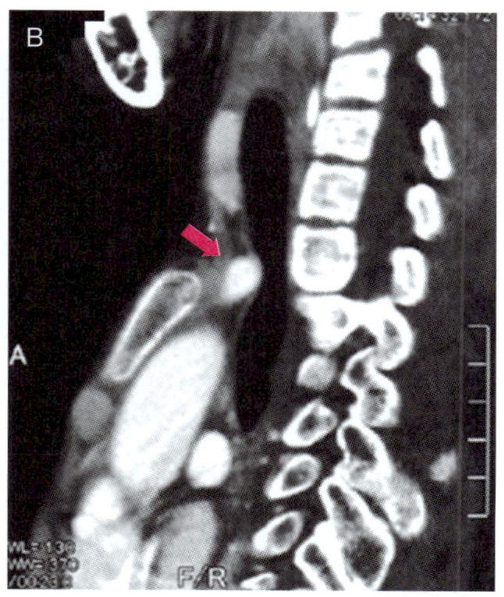

図3 気管狭窄病変のCT画像
胸郭の扁平化により，胸骨と腕頭動脈（➡）と胸椎に挟まれ狭小化した気管を示す．
A：水平断，B：矢状断

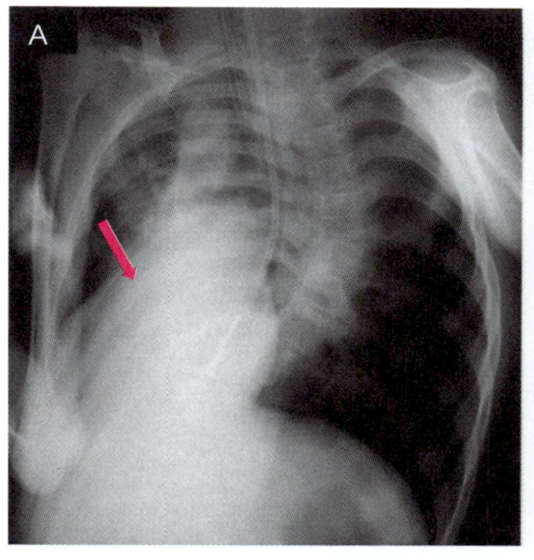

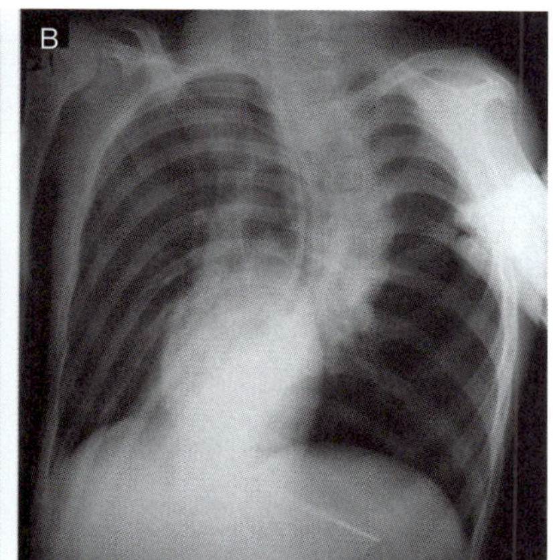

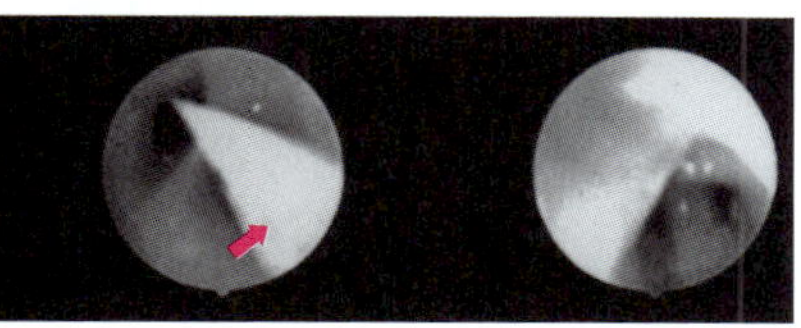

図4 無気肺と気管支狭窄
A：右中下葉の無気肺（➡），B：無気肺改善後（胸部X線画像）
C：狭小化した右気管支内に貯留した痰（➡）を吸引除去している気管支鏡画像の連続写真
（水野勇司，他．重症心身障害児（者）における無気肺の発生要因の検討と気管支鏡による治療の有効性．脳と発達 2004；36：304-310より一部改変）

る．

ⓑ検　査

血液検査，単純X線検査，気道X線透視検査，CT検査，気管支鏡検査（ビデオ内視鏡），喀痰の培養検査や細胞診，気道内圧検査などを用いた正確な診断が求められる．特に軟化症のような機能性病変は気管支鏡が有用で，狭窄のような器質的病変にはCT検査がすぐれている．また，症例によってはGERDに対する検査も必要である．

表１　気管気管支軟化症と気管支喘息の異同

	気管気管支軟化症	気管支喘息
咳嗽，呼気性喘鳴	＋	＋
夜間睡眠中の症状悪化	−	＋
緊張や怒責による悪化	＋	−
突発的呼吸困難	＋(dying spell〜突然死)	＋(喘息死)
感染症の併存，増悪	＋〜−	＋〜−
血液検査	好酸球正常 IgE 正常	好酸球増多 IgE 高値
吸入抗原への感作	−	＋
気道過敏性の亢進	−	＋
喀痰細胞診	異常なし	好酸球増多
胸部Ｘ線検査・CT 検査	気管気管支の狭小化	肺の過膨張，気管支壁肥厚
気管支鏡所見	呼気時の虚脱	異常なし
筋緊張緩和	効果あり	効果なし
体　位	側臥位，腹臥位が楽 (腹臥位で悪化する例もある)	起坐位が楽
気管支拡張薬の効果	−	＋
ステロイドの効果	−〜＋(浮腫を伴う場合)	＋
気管切開・手術の効果	＋ (気管切開が誘因となる例もある)	−

4. 気管気管支軟化症・狭窄への対応

ⓐ誘因の除去や予防

1）反復性気道感染への防止対策

重症児者の気道感染症は頻度が高く反復することも多く，その原因としては誤嚥によると考えられる．気管切開も決して誤嚥を防止できず，むしろ喉頭声帯機能障害をきたし誤嚥を助長することがある．誤嚥や GERD などへの対応が必要である．

2）筋緊張緩和，ポジショニングなどのリハビリテーションや療育

筋緊張を緩和するようなポジショニングやリラクセーション，療育体験活動は重要である．

3）排　痰

吸入や吸引，体位ドレナージ，カフマシーンやパーカッションベンチレーターなどの排痰機器の利用や気管支鏡による直接吸引が有効である．

4）体幹の変形や四肢拘縮の予防と緩和

リハビリテーション，筋弛緩薬，ボツリヌス治療などによって，少しでも変形拘縮を予防したり緩和することが必要である．バクロフェン髄注治療（intrathecal baclofen therapy：ITB）や機能的脊髄後根神経切断術，整形外科的治療も考慮される．

5）気管切開の回避

気管切開は後天性の気管軟化症の原因となりうるので，気管切開を回避するために非侵襲的人工呼吸器療法（noninvasive positive pressure ventilation：NPPV）を試みることも必要である．

6）気管カニューレの抜去

気管切開ではカニューレを抜去すると気管孔が自然閉鎖しやすくなるが，気管開窓では気管カニューレ抜去により肉芽や穿孔は防止できる．ただこの場合でも，軟化症や狭窄を予防できるとは限らない．

ⓑ保存的治療と外科的対応

1）薬物治療

筋弛緩薬，抗不安薬，鎮静薬や反復性気道感染を予防する抗菌薬などは試みられるべきである．気管支拡張薬はほとんど無効である．

2）外科的治療

先天性の気管軟化症の場合，大動脈胸骨固定術が有効であり，保存的治療で自然軽快する例もあるが，後天性の場合では自然治癒は

表2 気管気管支軟化症・狭窄に対する対策

1．保存的治療	2．積極的治療
1）筋緊張緩和薬，鎮静薬 （気管支拡張薬は効果なし） 2）リハビリテーション リラクセーション ポジショニング 呼吸理学療法 3）排痰 体位ドレナージ 排痰機器の使用 気管支鏡による除去 4）酸素投与 （ただし，高炭酸ガス血症に注意） 5）加圧補助呼吸 （PEEP弁付き自己膨張式バッグ，ジャクソンリース等を使用して）	1）気管切開カニューレ留置 調節型気管カニューレレティナ 2）人工呼吸器装着 高PEEP療法 3）外科的方法 ステント留置 気管形成術 大動脈胸骨固定術（先天性に有効） 腕頭動脈離断術 胸郭入口部形成術 胸骨部分切除術 4）その他 バルーン拡張術（狭窄に対して）

（水野勇司．気管切開後の合併症とその管理法．重症心身障害の療育 2009；4：1-8より一部改変）

期待できない．人工呼吸器下の高PEEP（吸気終末陽圧）療法も推奨されるが，呼吸器からの離脱が困難となる．ステント留置，気管形成術，腕頭動脈離断術，胸郭入口部形成術，胸骨部分切除術など外科的治療も試みられている．気管切開は重症の気管軟化症には有効でかつ救命のためには必要な処置であるが，気管カニューレの選択には慎重でなければならない．調節型気管カニューレは長さを自由に変更でき，狭窄部を越えて留置することができる．ただし，このカニューレでも新たな軟化症や肉芽の発生や気管腕頭動脈瘻合併の危険性は残る（表2）[4]．

文　献

1）水野勇司，他．重症心身障害児（者）における気管軟化症の臨床的検討．脳と発達 2005；37：505-511
2）水野勇司，他．重症心身障害児（者）における気管内肉芽の病態と対策に関する臨床的検討．脳と発達 2009；40：456-459
3）水野勇司，他．重症心身障害児（者）における無気肺の発生要因の検討と気管支鏡による治療の有効性．脳と発達 2004；36：304-310
4）水野勇司．気管切開後の合併症とその管理法．重症心身障害の療育 2009；4：1-8

［水野勇司］

コラム　自己膨張式バッグ（救急蘇生バッグ，アンビューバッグ，バッグバルブマスク等）

呼吸の悪化や呼吸停止の際に他動的に強制換気を行うためのバッグは，通称や商品名として救急蘇生バッグ，アンビューバッグなどとよばれる．バッグバルブマスクという呼称もあるがこれはバッグとマスクを含めた名前である．このバッグの機能を表現する名称は「自己膨張式バッグ」であり本書では自己膨張式バッグとして統一して表記している．このバッグは救急蘇生だけでなく，肺機能維持のリハビリテーション的目的での用手陽圧換気，気管切開下人工呼吸器療法ケースでの入浴時などの対応，呼吸状態がやや低下や悪化した時の換気補助，気管切開からの吸引の際の排痰の促進などに使用され，重症児者および気管切開の医療的ケア児者の日常的ケアにとって，極めて有用である．シンプルなバッグの他に以下の種類がある．

PEEP弁付き自己膨張式バッグ：バッグを押していないとき（本人は呼気のとき）にも，気道に陽圧がかかるようにする弁が付いている（第3章A-1状態悪化時の対応，救急・準救急的対応，図3参照，p.262）．気管軟化症のある児者へのバギングでは，これを使用しないと呼吸が改善しないか悪化する．本人に合わせたPEEP圧設定をしておき，使用時にその設定通りになっているかを毎回確認する．個々に合わせた設定通りの使用では，使用時の血液ガス分圧測定は不要で，SpO_2確認も必須ではない．気管軟化症のないケースでの不用意な使用（特に生理的PEEPである通常の4 cmH_2O程度を超える圧設定）では「息が吐けない」状態をきたすリスクがあり注意が必要である．

過圧制限弁付き自己膨張式バッグ：過剰な圧が肺にかからないようにするための，過圧制限弁（リリーフ弁）が付いている（第2章A-10-② 気管切開人工呼吸器療法（TPPV），図4参照，p.83）．設定圧は弁のつまみに印字されており小児用では成人用より低い．カフ付きカニューレ使用例ではこのタイプの使用が望ましい．使用時には，弁が有効な状態になっているか無効な状態にロックされていないかを確認する．

［北住映二］

看護のポイント　気管軟化症

気管軟化症の特徴は，呼気時に気管が狭くなることである．呼吸運動に伴い，呼気時における気管・気管支の著しい扁平化および閉塞の所見を呈する．呼気時のゼーゼー，ヒューヒューという喘鳴を伴うことが症状の特徴で，そのほかにも，吠えるような咳，啼泣時のチアノーゼ，繰り返す呼吸器感染などがある．この症状は，気管支喘息と症状が類似しているので注意が必要であり，気管支拡張薬が有効ではない．また，喉頭軟化症では吸気時の喘鳴が特徴となるなど，気管軟化症に対して適切にアセスメントを行う必要がある．重症例では，dying spell 突然死もある．dying spell は啼泣などをきっかけに中枢側の気道が先につぶれてしまい，胸腔内圧が高い陽圧となったまま呼気ができなくなり呼吸停止，心停止に至る重篤な発作である[1)]．そのため泣くことや不安，興奮，吸引の刺激などが誘因となる場合があるので観察に注意が必要になってくる．

気管軟化症への対応は，泣くことや不安，興奮が誘因となることからまずはリラックスさせる．また呼吸を頑張ろうとするとさらに呼吸状態が悪化するため，声掛けやタッチングを行う．あるいは前傾姿勢や腹臥位にするなどポジショニングにより筋緊張を緩和させることが大切である．腹臥位をする際は，口や鼻を塞がないように注意する．痰が邪魔をしているときは，生理食塩水や薬物吸入を行い痰を出しやすくしたり，努力様呼吸でさらに呼吸困難を悪化させないように早期の酸素投与を開始する．鎮静のための薬や酸素投与を開始しても改善がない場合は，呼気時気道閉塞の悪化を予防するため PEEP 弁付きの自己膨張式バッグで気管を膨らますように陽圧呼吸をかけ呼吸状態の安定を図ることが必要となる．PEEP 弁付きの自己膨張式バッグは本人が息を吐いているとき（マスクを押していないとき）にも気管に陽圧がかかるようにする弁がついている自己膨張式バッグである．重度の場合はジャクソンリースや人工呼吸器で陽圧をしっかり保つことが必要[2)]となるため日頃からそれらの手技について学習しておくことが大切である．

保存治療としては，Hight PEEP 療法が行われている．日々呼吸状態を観察・管理しておくことが非常に大切で，加湿や体位ドレナージ，IPV やカフアシストを活用し気道クリアランスを維持しておくことで気管内挿管下での人工呼吸器管理を避けることもできる[3)]．またポジショニングは気管軟化症だけでなく他の呼吸障害への対応としても重要である．呼吸が楽になるように全身的な姿勢を適切に整えリラックスでき，かつ安全に，その姿勢を保持できるようにしていくことが呼吸障害への日常的な対応として最も基本となることである．

リスク管理として，気管腕頭動脈瘻や気管内肉芽形成のリスクがあることを認識し，カニューレの管理を行うこととカニューレの抜去時などの対応についてもマニュアルを作成しておくことが望ましい．また，PEEP 弁付き自己膨張式バッグは，PEEP をかけることによって循環動態に悪影響を及ぼす可能性があるため，使用する場合は，必ず血液ガス分析装置や生体情報モニターを使い，患者の容態・循環状態を注意深く観察する必要[4)]がある．

文　献

1) 長谷川久弥．気管・気管軟化症．小児科診療 2019；82：49-57
2) 北住映二，口分田正夫，西藤武美，重症心身障害児・者診療看護ケア実践マニュアル．診断と治療社，2017；33-38
3) 北住映二，他．新版　医療的ケア研修テキスト．クリエイツかもがわ，2014；52-54
4) IMI アイ・エム・アイ株式会社．「アンブ蘇生バックシリコーン製オーバル」の付属品（PEEP バルブ），「アンブ蘇生バックシリコーン製」の付属品（PEEP バルブ）取り扱い説明書．2019，第 4 版

参考文献

・和佐正紀，他．気道病変―喉頭軟化症，気管・気管支軟化症．Neonatal Care 2014；27：370-376

［久米初美］

呼吸障害の治療・看護

4　気管切開
①気管切開，誤嚥防止手術，合併症

POINT

- 気管切開は呼吸困難を救う目的で前頸部に新たな気道を作成する
- 誤嚥防止手術は，重度の誤嚥に対し確実な気道防御のため気道を消化管から独立させる
- 新たに作成した気道には気管切開チューブを装用するため適切な管理が重要である

1. 気管切開術について

気管切開術とは，一般に呼吸困難を救う目的で気管を前頸部皮膚に開窓し，上気道をバイパスした新たな気道を作製する外科的処置である．その歴史は極めて古く，紀元前3600 年のエジプトでも行われていたといわれている．

1799 年，ジョージ·ワシントンは急性喉頭蓋炎のためと考えられる上気道閉塞で他界した．当時彼の主治医は，すでに欧州の一部では行われていた気管切開のことを知ってはいたが，未経験であり施術をためらったといわれている．1940 年代には全世界的なポリオの流行があり呼吸管理の重要性が認識され，呼吸管理のための気管切開術が普及し，基本的に今日と同様の術式が確立された．

ⓐ適　応

一般に気管切開の適応は大きく以下の 3 つに集約される．

1）上気道の閉塞あるいは高度狭窄

鼻腔・口腔，咽頭・喉頭の器質的あるいは機能的な閉塞ないし高度狭窄により，それらを介しての換気が困難な場合．腫瘍性病変や浮腫などの器質的な病変による場合のみならず，舌根沈下などの機能的な病態によることもある．

2）下気道の分泌物貯留の処置と予防

重症の肺炎などで大量の気道分泌物が貯留し，自力での喀出が極めて困難な場合．誤嚥物の処置（排除）を目的とする場合もあるが，誤嚥そのものは気管切開により改善することはなく，むしろ悪化することが多い．

3）呼吸不全などに対する呼吸管理

自力での呼吸が困難な場合に気道の死腔の減少あるいは呼吸抵抗の軽減，人工（補助）呼吸を目的とする場合．

ⓑ施術の時期

気管切開はその施術のタイミングから緊急気管切開と選択的（計画的・待機的）気管切開に分けられる．緊急気管切開は救急救命処置としてほかの方法での速やかな気道確保が不可能であるときに行われ，重症児者においても変わりはない．一方，重症児者に対する選択的気管切開は慢性的な状況に対して行われることから，施術時期を定義することはむずかしい．単に医学的な状況のみならず，患児の療育環境などにも十分に配慮し判断する必要がある．

ⓒ術　式

緊急気管切開あるいは将来的に閉鎖する（できる）ことを念頭におく場合には単純気管切開が行われる．手術時に特別な処置を付加しない限り，気管切開チューブ（カニューレ）の装用を中止することで気管孔は自然閉鎖するが，気管皮膚瘻部分（横孔）の内面が脆弱な粘膜で被覆されているためカニューレ交換の際に傷つきやすく，気管孔周囲に肉芽が生じやすい．

一方，将来的に閉鎖が望めない場合には，横孔内面に前頸部皮膚を縫い込み被覆することで気管孔を形成し，カニューレの管理のしやすさを優先させる気管孔形成術を行うことがある．また，重度の嚥下障害·誤嚥を伴う場合には，その時点で気管切開術ではなく後述の誤嚥防止手術の適応を考慮することもある．

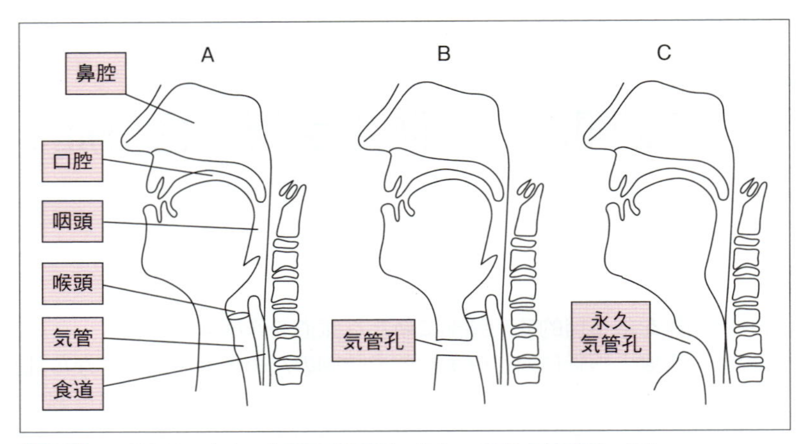

図 1　正常解剖（A），気管切開術後（B），喉頭全摘術後（C）
単純気管切開の気管皮膚瘻は前頸部に向かい気管に横孔を開けた状態となる．横孔部分は通常粘膜あるいは瘢痕で覆われている

なお，誤嚥防止手術である喉頭気管分離術や喉頭全摘術などでは，頸部気管断端を前頸部皮膚に直接縫合し，これを“永久気管孔”と称することがあるが，小児においては気管軟骨が柔軟であるため“永久気管孔”であってもカニューレが装用されていなければ徐々に狭くなることがある．気管孔の定期的な観察は必須である（図 1）．

2. 誤嚥防止手術について

嚥下障害・誤嚥が極めて重度なとき，原疾患やその予後によっては生命予後を重視し，気道を消化管から完全に分離・独立させることが必要となる．誤嚥防止手術は根本的な構造改変による確実な気道防御獲得を第一の目的とする．発声機能を犠牲にせざるを得ないことが多い．誤嚥はなくなるものの，術後の嚥下能力の改善を保証するものではない．食塊の搬送機能を改善するものではないため，経口摂取の可否は術前からの残存機能によるところが大きい．鼻腔・口腔・咽頭はもはや気道として使われることはなく，頸部の永久気管孔のみを介して呼吸する．

ⓐ 声門上喉頭閉鎖術・声門閉鎖術

声門上喉頭閉鎖術は，喉頭蓋，仮声帯，披裂喉頭蓋襞などを縫縮し喉頭入口部を閉鎖，声門閉鎖術は左右の声帯を閉鎖することによって誤嚥を防止する方法である．声門後部で再開通してしまうことが多く，閉鎖を補強するような変法が数多く考案されている．

ⓑ 喉頭気管分離術（図 2-B）

近年，重症児者に対しては第一選択とされることが多い術式である．一般に第 3・4 気管輪間で気管を離断し，肺側気管断端は喉頭摘出術に準じ，前頸部皮膚に開口，永久気管孔とする．喉頭側気管断端は縫縮し盲端とする．解剖学的には喉頭は温存され，また喉頭内腔には直接手術侵襲が及ばないため，喉頭は自然な形で温存される．したがって嚥下障害が改善した際の再建が理論的には可能である．

＊ 気管食道吻合術（図 2-C）

前述の喉頭気管分離術は本法の変法として考案されたものであり，離断した喉頭側気管断端を盲端として閉鎖するのではなく，食道前壁に端側吻合する本法が原法である．喉頭気管分離術と比べると手術は複雑であるが，喉頭に侵入した食塊を気管食道吻合部を介し食道に落とし込めることから，食塊の搬送機能の改善がなくとも経口摂取が期待できる．さらに食道に取り込んだ空気の吐出によって声帯を振動させることができ，発声の可能性を残す．

ⓒ 喉頭摘出術（図 2-D）

本来，進行した喉頭癌に対して行われる手術であるが，最も確実な誤嚥防止手術である．一方，喉頭を摘出してしまえば再建は不可能であるため，将来的にわずかでも回復が期待できるような症例に対する適応には慎重でなければならない．

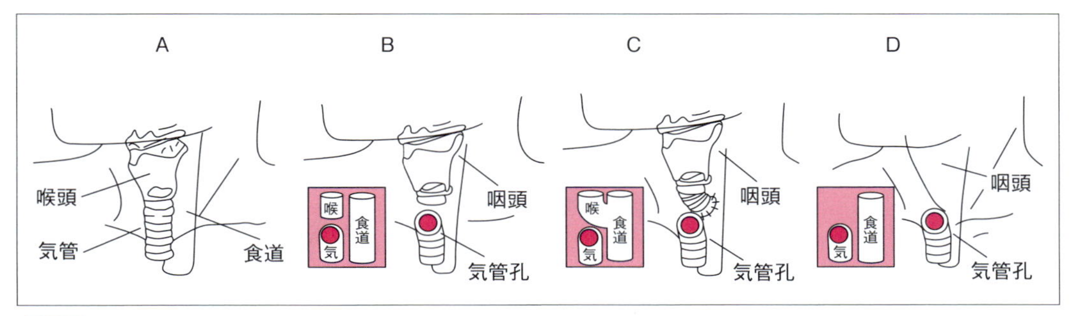

図2 正常解剖（A），喉頭気管分離術後（B），気管食道吻合術後（C），喉頭摘出術後（D）

外科的な治療を要するほどの嚥下障害には，栄養障害に加えて気道の障害も合併している．手術に先立って非経口ルートを使用して極力栄養状態を改善するとともに，可能な限り，排痰・呼吸訓練を行うことが，術後の合併症予防，早期回復へ向けて重要である．

3. 合併症について

気管切開術にまつわる周術期の一般的な合併症は出血，皮下気腫，縦隔気腫，気胸などがあげられるが，以下では重症児者で特に問題となる中・長期的に生じる合併症とその対策を中心に述べる．

4. 気管孔あるいはカニューレに起因する合併症

頸部気管孔は生体に人工的に開けた創であり，生来の創傷治癒機転により自然に閉鎖しようとする．その治癒機転に対し，気管孔を開存・維持し続けるために装用されるのがカニューレである．気管内に挿入されるカニューレは異物であり，本来固体に触れることのない繊細で華奢な気管粘膜に対して接触・干渉すれば，過剰な機械的刺激となり，重篤な合併症を引き起こすことがある．

ⓐ気管（孔）からの出血

気道から自然に出血することは極めてまれである．おもな原因は以下の３つである．

①カニューレの不適合・固定不良
②粗暴な，高圧での気管内吸引
③気管内の乾燥，感染，外傷など

重症児者では頸部・体幹の変形のため気管も屈曲していることが多く，既存のカニューレを使用する場合には，太さ・長さのみならず，形状・機能に関しても適切な選択や固定方法などに特別な配慮が必要となる．カニューレが気管孔から気管内腔にかけての彎曲に適合していないと，カニューレ先端が気管内壁に干渉し同部にびらん，潰瘍，肉芽，瘢痕を形成する．また固定に際して気管孔に無理な力が加われば同部に肉芽を生じる．不随意運動や緊張の強い患児ではさらに危険性が増す．

全身的な出血性素因などが見当たらなければ，カニューレの選択，気管内吸引，カニューレの交換手技などを再度チェックする必要がある．出血が続き，その原因が不明なときは，最も重篤な致死的合併症，後述の気管腕頭動脈瘻の前兆である可能性も否定できない．特に気管内の前壁に潰瘍や肉芽を形成している場合にはカニューレの固定を工夫するなどして，カニューレの先端が気管前壁に干渉しないようにすることが重要である．

＊気管腕頭動脈瘻について

カニューレないしはカニューレのカフと気管前面を横切る腕頭動脈との間に挟まれた気管壁が阻血状態から壊死に陥り，腕頭動脈と気管の間に瘻孔を生じるものである．気管内腔へ向けて動脈性の大出血をきたす．原因はカニューレ先端による場合，過剰なカフ圧による場合，高位の腕頭動脈をカニューレそのものが圧迫する場合などがある（図3，4）．気管腕頭動脈瘻の合併頻度は0.3〜12.7%と報告によりかなりの差がある．気管切開術後のみならずカニューレを装用する誤嚥防止術後でも発症し，特に緊張や頸部の変形の強い重症児者では発症率が高い．最近では気管軟化症を合併するようなリスクの高い症例や

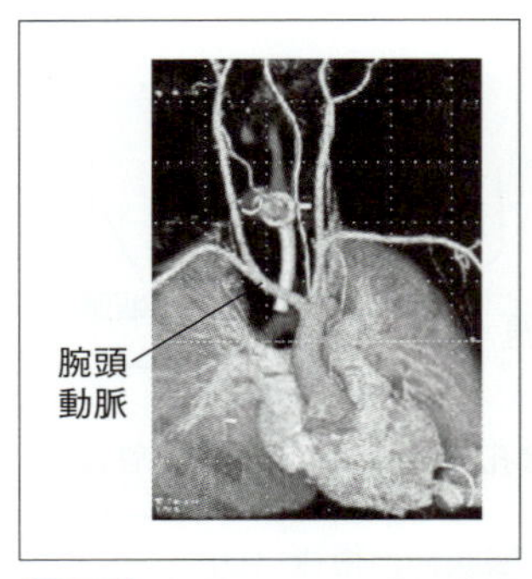

図 3　気管チューブと腕頭動脈との位置関係
気管腕頭動脈瘻をきたした症例の 3D-CT

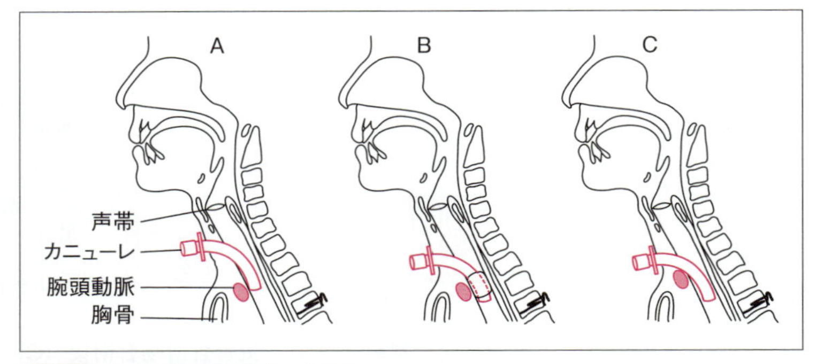

図 4　気管腕頭動脈瘻の原因
カニューレ先端の干渉（A），カフの干渉（B），高位腕頭動脈とカニューレの干渉（C）

気管切開後に少量の新鮮血出血が持続するなど先行症状を認めた場合には，早期に腕頭動脈切離術などの手術治療を勧める報告もあるが，最も重要な点はそれ以前の予防である．

頸部・体幹の変形のため気管も屈曲していることが多い重症児者で既存のカニューレを使用する場合，カニューレの選択，固定などに特別な配慮が必要である．気管切開後の定期的な気管内視鏡検査，適切なカニューレの選択，一定の場所にカニューレの先端が当たらない工夫などがあげられる．

カニューレを挿入固定した状態でその先端が気管分岐部に正対していれば，先端が気管壁に当たっている可能性は低いと考えられるが，カニューレ内腔を介した内視鏡による観察や胸部 X 線検査，CT などでカニューレ先端の位置や腕頭動脈の走行を確認することが望ましい．

万が一，気管切開孔からの動脈性の大出血に遭遇するようなことがあれば，気管腕頭動脈瘻の可能性が高い．気道を確保し出血による窒息を回避しつつ，点滴路の確保などの救命処置を直ちに行い，胸部外科のある施設への緊急転送を考慮する．致死的な合併症ではあるが救命される例もあり，危急の際の心構えは必要である．

ⓑ 気道の狭窄

びらんや潰瘍などをきたすような原因が慢性的に加われば，大出血をきたさなくとも肉芽や瘢痕形成により気管孔や気管内腔が狭くなる．カニューレの挿入が困難になり，さらに高度になればカニューレを装用しても気道が確保できなくなる．原因の究明と除去による対処が基本だが，できてしまった肉芽に関してはごく少量の 1～5%硝酸銀やクロールチンキでの焼灼のうえ，リンデロン®-VG 軟膏などを塗布しておく．カニューレにキシロカイン® ゼリーの代わりにリンデロン®-VG 軟膏を塗布する方法もある．ただし漫然とステロイド軟膏を塗布し続けるようなことは避け，数日から数週間経ても軽快傾向を認めなければ肉芽切除も考慮する．ただし切除しても原因が取り除かれない限り再発の可能性は極めて高く，原因の除去，予防が最も重要である．

ⓒ 感　染

カニューレは異物であり，気管切開孔は開放創でかつ気管内は無菌であると考えれば気管切開を受けている患者は常に呼吸器感染の危険にさらされていることになる．

気管孔や気管内のびらんや肉芽は，局所の感染によって増悪し，またそこが感染源ともなり，結果として悪循環をきたすので，予防および積極的な処置が望ましい．

ⓓ 気道異物

カニューレあるいは気管切開孔から異物が侵入すれば，最悪の場合，窒息をまねくことになる．自力で喀出できないようであれば緊急に内視鏡などによる摘出を行わねばならず，したがってそのような事態にならないように普段の注意が極めて重要である．たとえば気管孔の消毒の際に用いる綿球，綿棒などは不意に気管孔から吸引されないようにしっかりと把持する．綿球などが気管内に吸引されれば気道異物になり，窒息につながる可能性があることを常に十分に意識していなければならない．

5. 気道の変更による弊害

健常な上気道を介さずに頸部気管孔から直接呼吸することは数々の不利益を生じる(表1).

発声用の（側孔付き）カニューレなどを用いない限り，呼気が喉頭（声帯）を通らないため声を出せない．吸気も鼻腔・口腔を通らないため加湿・加温されず，気道が乾燥し喀痰が粘稠になるとともに，気道粘膜の線毛運動も抑制され，カニューレが閉塞しやすくなる．このため頻繁にネブライザーを行い，室内が乾燥しないように気をつけなければならない．また吸気・呼気が鼻腔を通過しないため，においは嗅げず，鼻をかむこともできない．

摂食との関係ではいわゆる“啜る”動作ができない．麺類などは避けるか短く刻むなどの工夫が必要である．また口で吹いて冷ますこともできないため汁物などの温度にも注意が必要である．

排便の際には，呼気努力をしながら，喉で息を詰めることで胸腔内圧，腹圧を上げている．気管切開後は腹圧をかけがたく便秘傾向になるため，消化のよいものを選び，場合によっては緩下剤を使用したほうがよい．排尿時も同様で前立腺肥大などがあれば尿閉をきたしやすくなる．

また，排痰に関しては，喀出ルートは短縮されるものの，“息む”ことができないため喀出力は弱くなる．気管孔よりも吻側にある痰は呼気が流れないために自力では喀出できなくなる．

6. 嚥下障害と気管切開

気管切開により嚥下機能そのものが改善するという報告は見当たらず，悪化するという報告が散見される．気管切開により誤嚥などに対して下気道の管理が容易になることはあっても，嚥下機能には悪影響を及ぼしていると考えるのが妥当である．それは以下の４つの理由が考えられる．

①術創およびカニューレにより喉頭挙上が阻害され嚥下時の喉頭閉鎖が不完全になるため

②気管孔よりも吻側に呼気が流れないため，喉頭に流入してくるものを排除できないため

③カニューレという異物の存在により喉頭・気管の咳嗽反射閾値が上昇するため

④カフ付きカニューレのカフが過膨張していれば食道を圧迫するため

表1 頸部気管孔呼吸による不利益

・空気が鼻を通らないので…
　　においが嗅げない，鼻がかめない
　　味がわかりにくい，味気ない
・空気が口を通らないので…
　　啜れない，吹けない
・空気が喉頭を通らないので（“息む”ことができず）…
　　声が出せない
　　咳がしにくい，喀出力が弱い
　　誤嚥しやすい
　　便秘・排尿困難　など

7. 気管軟化症と気管切開

気管軟化症では，気管切開を受けると気管内圧が開放されるために気管内の呼気時の生理的陽圧が消失し，気管が狭窄・虚脱しやすく内腔を保つことが困難になり，人工呼吸器依存状態になる可能性がある．気管がつぶれないように長いカニューレを使用する場合もあるが，気管カニューレの先端より末梢部分の気管内腔が狭小化し，気管カニューレ先端と気管壁が接触・干渉するために気管内肉芽が生じやすく，気管腕頭動脈瘻のリスクも高いので何らかの対応が不可欠である．薬剤や心理的サポートによる鎮静，酸素投与，前傾姿勢などの姿勢の工夫，加圧補助呼吸が有効な場合がある．

参考文献

・堀口利之．気管切開，誤嚥防止手術．北住映二，他（編著），子どもの摂食・嚥下障害—その理解と援助の実際—．永井書店，2013；104-117
・堀口利之，他．気管切開の管理．日本小児神経学会社会活動委員会，他（編），新版 医療的ケア研修テキスト．クリエイツかもがわ，2012；89-113
・堀口利之．気管切開とカニューレの選択．Monthly Book Medical Rehabilitation 2005；57：187-196

［堀口利之］

A 呼吸障害の治療・看護

4 気管切開 ②気管カニューレ選択と，定期交換・応急的挿入のポイント

POINT

- 内視鏡，単純 CT などでの検討による，適切なカニューレの選択が肝要
- カニューレ挿入困難の可能性に留意しながらの交換と応急的挿入の備えが重要

1. 気管カニューレ選択，適合性の検討と対応

ⓐ気管カニューレの選択

気管の走行や状態への適合性，気管腕頭動脈瘻や肉芽の発生のリスクなどを考慮し，表1のポイントと注意点をふまえ，適切な気管カニューレを選択する．変形などによる高いリスクが想定される場合には，事前の単純 X 線検査と CT（単純 CT でも可）による評価のもとでの選択が重要である．気管切開後に，これらの検査や内視鏡検査により適合性を確認し必要に応じてカニューレの変更も検討する．特に，内視鏡検査での，カニューレ先端の気管壁への当たり具合と腕頭動脈による気管壁の動脈性拍動の部位の確認，CT 矢状断再合成像での気管走行とカニューレの適合性の確認が重要である．

1）長　さ

腕頭動脈が気管に接する部分より手前にカニューレ先端が位置する長さであることが望ましい．同じ径の規格品で多様な長さが選択できるものとして，気管切開 NEO 固定式，シルバーラセン入り気管切開チューブがある．コーケンシリコーンカニューレ P 型は長めと短めの規格品がある．フランジが可動で長さの調節ができるものとしてアジャストフィット（短めの S と，小児用の NEO もある），アジャスタブルフランジ気管切開チューブ（ポーテックス），RUSCH トラキ

表1　気管カニューレ選択のポイント，注意点

長さ	長	利点	抜けにくい．気管狭窄がある部位をカバーできる
		欠点	気管先端でのトラブルが生じやすい．トラブルが生じた場合の対処が困難
	短	利点	気管先端でのトラブルが生じにくい
		欠点	抜けやすい
角度（カーブ）	強め	利点	気管後壁への先端の当たりが軽い．抜けにくい
		欠点	気管前壁に先端が当たりやすい→気管腕頭動脈瘻発生のリスク高い
	ゆるめ	利点	気管前壁への先端の当たりが軽い
		欠点	気管後壁に先端が当たりやすい．抜けやすい
材質，気管の走行への適合性			軟らかいほうが気管への影響が少ないが，折れ曲がり（キンキング）のリスクあり．金属螺旋入りは，可撓性，耐キンク性があり，変形へも適合できるが，材質は硬くなることに注意必要
カフ			誤嚥軽減（完全防止は困難），人工呼吸でのリーク防止，カニューレの先端による気管壁刺激軽減に，使用
吸引ライン			外付けタイプでの刺激症状，内蔵タイプでのカニューレ外径の増加に，注意
フランジ（固定翼）			形状（直線型と V 字型），フランジとパイプ部分の接続が回転可動か不動か

（北住映二．気管切開のケアの実際の諸問題―特注カニューレの活用，事故抜去への対応など―．日重症心身障害会誌 2020；45：33-40 より一部改変）

オフレックスセットがあるが，体外部分が長いのが管理上の問題である．

2）角度，気管走行や変形への適合性

カニューレ先端が気管壁に無理な当たり方にならない角度であることが重要である．年長児〜成人用カニューレでは 100〜105°が多いが，小児用ではもっとゆるく 115°（シャイリーなど）〜120°（ピボナなど）が一般的である．喉頭気管分離手術の場合は，角度が非常にゆるいもの（135°，コーケンシリコーンカニューレ，コーケンシリコーンカニューレ P 型の S タイプ）が使用される．（角度のイメージは図 3 を参照．）金属の螺旋入りのカニューレ（アジャストフィット，気管切開 NEO 固定式，シルバーラセン入り気管切開チューブ，ピボナなど）は気管走行に合わせて角度が変わり得るが，表 1 に記した問題点があり，また，弾力により元の角度に戻る傾向がありそれが気管に影響する可能性に注意が必要である．

3）カフ，吸引ライン，フランジの回転可動性

人工呼吸の場合も最近の器械はリークを補正するのでカフは不要の場合が小児では多い．気管の変形が強い場合に，カフを適度に膨らませることによりカニューレ先端が気管壁に当たるのを防ぐ効果も期待し得る．吸引ラインがカニューレの外側に突出する形で付けてあるものでは，突出部分の刺激での分泌物増加をきたすことがある．吸引ラインがカニューレ壁内に内蔵で作られているタイプでは同じ内径でも吸引ラインなしより外径が太くなっていることに注意する．フランジとパイプとの回転可動性があるものは，気管の左右への変形があるケースで有用である．

4）特注カニューレ

既製品での対応が困難な場合には特注カニューレの活用が極めて有用である．コーケンシリコーンカニューレは，長さとフランジ回転可動性の特注が可能である．メラ・ソフィット（フレックス）シリーズは，長さ・カーブ角度・カフ位置・フランジとパイプの取付け角度の特注が可能である．成長に伴いカニューレを内径がより大きいものに変更する場合には，長さも長くなることに注意が必要であるが，内径は太くしながら長さは短めにするために特注を要することもある．

5）その他のカニューレ

気管内分泌が多く頻繁にカニューレ交換が必要という場合に複管カニューレの使用を考慮するが内径は細くなる．気管孔閉鎖予防のためだけであればレティナ（カフスボタン型）使用が選択肢になるが交換手技への習熟が必

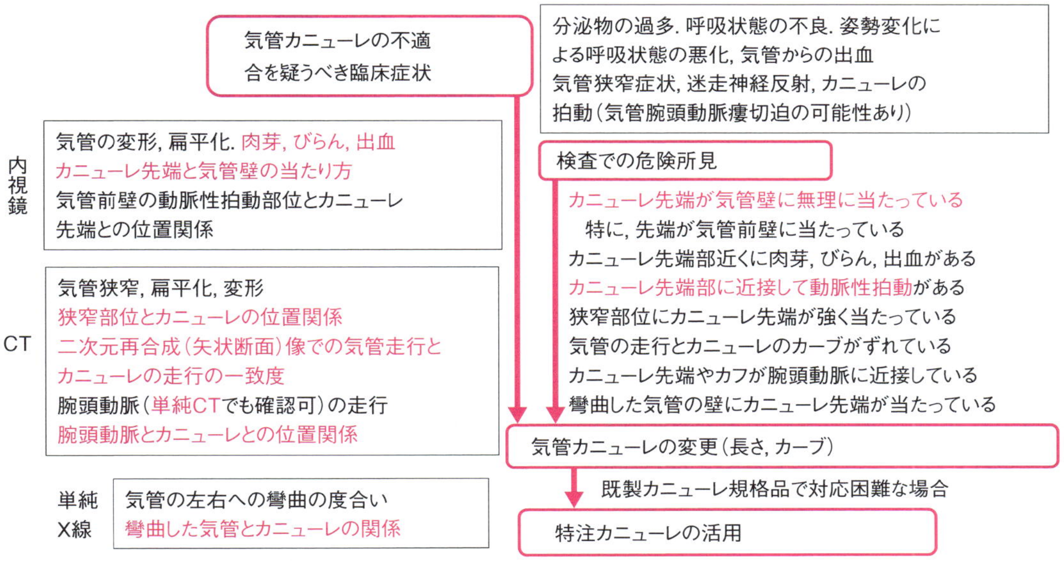

図 1 気管カニューレの適合性の検討と対応

（北住映二．気管切開のケアの実際の諸問題―特注カニューレの活用，事故抜去への対応など―．日重症心身障害会誌 2020；45：33-40 より一部改変）

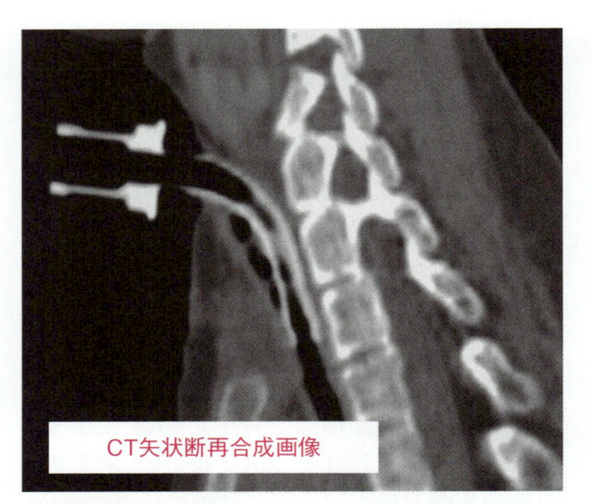
CT矢状断再合成画像

図２ 気管走行とカニューレの不適合の例
カニューレ中央部が，気管後壁を圧迫し，先端は気管前壁に当たっている．
ゆるい角度のカニューレに変更し症状改善．

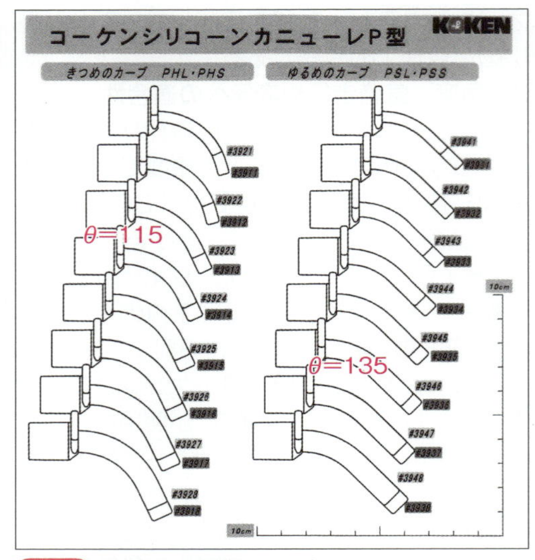
コーケンシリコーンカニューレP型
KOKEN
きつめのカーブ　PHL・PHS
ゆるめのカーブ　PSL・PSS
θ=115
θ=135
10cm

図３ 原寸大の透明テンプレート
（株式会社 高研 提供）

要である．

ⓑ気管カニューレの適合性の再検討と対応

図１のような症状がある場合には，内視鏡（カニューレからの内視鏡検査は奥に入れ過ぎないように注意すればリスクがなく専門医でなくても可能），胸部単純Ｘ線，CT（単純CTでもかなり確認可）により，カニューレの適合性を再評価し適切なカニューレへの変更を検討する．

図２の例は，分泌物過多，SpO_2低下，左側臥位でさらに悪化という症状があったが，ゆるい角度のカニューレに変更した後は，著しく改善している．

コーケンシリコーンカニューレＰ型検討用の透明プレート（図３，115°と135°のカニューレ画像が原寸大でプリントされている）をCT矢状断再合成像にあわせて検討することにより，他社のカニューレ製品についても角度や長さの適合性を評価できる．

既製の気管カニューレでは対応できない場合は，前述のような特注カニューレを活用する．図４の例は，内径７mmを維持しながら（内径６mmカニューレでは短くなるが細くなるため自発呼吸維持が困難）長さだけ短くした特注カニューレ（メラソフィット）に変更し，気管腕頭動脈瘻のリスクを回避しながら日中は自発呼吸で順調に生活できている．

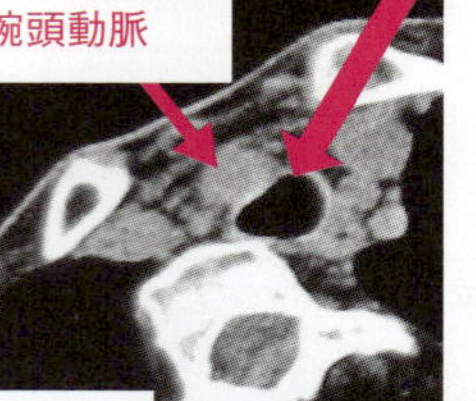
内視鏡
気管前壁に腕頭動脈による拍動性の突出あり，その部位へのカニューレ先端の当たりあり
単純CTでも腕頭動脈が気管壁を圧排．
気管腕頭動脈瘻発生のリスク大きい
腕頭動脈
同じ内径で，長さが標準品より10 mm短い特注カニューレに変更し，内径は太めに維持しながら気管腕頭動脈瘻発生のリスクを回避
単純CT

図４ 特注カニューレに変更の例

2. 気管カニューレの交換・挿入方法

定期的な交換のときと，事故抜去時の応急挿入のポイントや注意点を表２にまとめた．

ⓐカニューレ挿入困難の可能性への対処

最も重要なこととして，気管切開後の初回の交換時や，その後も間もない時期での交換時には，同じ太さのカニューレが入らない可

表2 気管カニューレ定期交換，事故抜去時応急的再挿入の手順，注意点

		定期交換	事故抜去（計画外抜去）時の応急的挿入
準備 初期対応		鎮静が必要な例もある．抜去前に気切孔周囲の汚れがあれば綿棒などで取る．カフ付きカニューレでは，抜去前にカフの空気を抜く（抜去時に空気を抜いたカフのヒダで気管と気管孔を傷付けないように少量の空気は残しておいたほうがよい場合もある．唾液誤嚥が多い例ではカフ空気抜きは交換直前に行う）	慌てない，本人を緊張させない，不安にさせない リラックスして呼吸しやすい姿勢の保持 カフ付きカニューレが抜けてそれを再挿入するときは，カフの空気をシリンジで抜く（このためのシリンジを用意しておく） 実施者の手袋装着は不要
		抜去後に気切孔に痰があれば拭き取るか見える範囲を吸引．気切孔の消毒は基本的に不要．	
姿勢	体位	一般的には仰臥位で行うが，本人の状態や，場面によっては，椅子坐位や，車椅子上での姿勢のままで再挿入を行うほうがよい場合もある	
	頸の姿勢	頸の後にタオル枕を入れ，頸部を伸展位（軽い後屈位）とする．一般にはこれは過度には行わないようにするのがよいが，頸が短い例ではタオル枕をしっかり入れて気切孔が十分に見えるようにする必要がある．逆に，タオル枕を入れずにフラットの姿勢のほうがよい場合もある 応急的挿入に備え定期交換のときの頸の姿勢を確認しておき，応急挿入でも定期交換のときに準じた姿勢とする．必要に応じ上肢と体幹をバスタオルでくるみ動きを抑制するが，これで子どもが不安になるなら行わない．向き癖が強い例では頭部を正中位に保持する	
挿入カニューレ		気管切開術後間もない時期での交換や，定期交換時の挿入で抵抗感や出血がある例では，同じサイズのカニューレが挿入できない可能性を考慮し，1サイズ細いカニューレも用意しておく	抜けたカニューレか同じサイズの新しいカニューレか，緊急時に同じサイズのカニューレが挿入できない可能性を考慮し1サイズ細いカニューレ，カフなしカニューレかを，決めておく．抜けたカニューレ再挿入の場合はアルコール綿か清拭綿で清拭（緊急時はガーゼで拭くのみで可）
スタイレット		スタイレットを使用したほうが挿入がスムーズな例では使用する	定期交換でスタイレット使用例では応急的挿入でも使用．このため新しいカニューレ常備必要
潤滑剤（ゼリー）		ゼリーを使用するほうがスムーズに挿入できる（キシロカイン入りは基本的に使用しない）．応急的挿入でもゼリー使用する．ゼリーはカニューレ外壁に薄めに付ける．トロッと垂れるような付け方は避ける（ゼリーが気管内やカニューレ内に入り込み呼吸を阻害しないように）．ガーゼに付けたゼリーをカニューレ外壁に薄く塗るという感じで行う	
挿入方法		両手でカニューレの左右のフランジをもち，本人の胸部中央の線にあわせて自分の上体軸を位置させる体勢のほうが確実に挿入しやすい．子どもでは本人の吸気にあわせてカニューレを挿入すると入れやすい．子どもが泣いて息を吐き出している最中にカニューレを押し込むことは避けるほうがよく，一瞬，泣くのをやめて息を吸い込む瞬間にあわせて，吸い込ませるように挿入する．スタイレット使用で挿入するときはスタイレットが抜けて（浮いて）こないようにスタイレットを拇指で抑えながら挿入する．手首のスナップを効かせて，本人の左側からの場合は「つ」の字，右側からの場合は，逆「つ」の字のカーブを描くようにして，カニューレ先端が本人の体幹のほうに（下のほうに）行く方向で，気管に進入させる．カニューレが途中でつかえて進入させにくい感じのときには方向を少し変えてみて進める	
挿入後の固定など		スタイレット使用ケースでは挿入直後にスタイレットを抜く（スタイレットを抜くのを忘れて窒息死亡した例がある）．唾液誤嚥がある例は挿入直後にカフに空気を入れる．挿入したカニューレが抜けないように保持しながら，バンドで固定し，その後，Yガーゼを入れる	
挿入困難な場合の対応		挿入しにくい場合に，気切孔のすぐ下の皮膚を下に引く，あるいは皮膚を左右に開くように引くと，気管切開孔が開いて挿入しやすくなることが多い．このようにすることによりカニューレ挿入までの間，気管切開孔を開いた状態に保てることもある カニューレがどうしても入らない場合は，応急的に，気管挿管用チューブ（医療機関や自宅），吸引チューブ（学校や通所など）を，気切孔から挿入し気道を確保する．これもむずかしい場合はインファントマスクを気管孔に密着させて自己膨張式バッグによる陽圧換気を行う	

能性を考慮し，予備に1サイズ細いカニューレ（当面の気道確保のためであれば他種類でもよい）を手元に用意しておく．その後の時期でも挿入時の抵抗感や出血があるケースでは同様の備えをしておく．事故抜去時の応急挿入も同様である．カフが挿入時の邪魔になることもあるので応急挿入ではカフなしを使用するのが確実である．カニューレが入りそ

うにないときには，医療機関では気管内挿管用チューブを気切孔から挿入し気道確保する（医療機関での定期交換時のカニューレ挿入困難により窒息・低酸素性脳症をきたした例もある）．自宅でも挿入困難が想定されるケースではこの用意をしておく．学校や通所での挿入困難時には，太めの吸引チューブ（12 Fr は内径 2.6 mm）を挿入しての気道確保ができるように用意しておくのが安心である（いずれも 4～6 cm 入れて 10～15 cm でカットし折れ曲がりを防ぎながらテープで固定）．非常に細い気管カニューレを応急的に挿入することも選択肢だが，体格に比較して非常に細いカニューレは，彎曲や長さの不足により気管内に到達しない可能性に留意が必要である．

ⓑその他のポイント

緊張が強く出やすい例，気管軟化症の強い例ではスムーズな交換のために，坐薬や注射薬での鎮静が必要なことがある．気切孔が十分にみえて，かつ，挿入しやすい，頸部の姿勢が重要である．頸が短い例ではタオル枕をしっかり入れることが必要だが，頸部の強い後屈により気管が狭くなりカニューレ挿入しにくくなる可能性に留意する．やせ型で頸の長めの例ではタオル枕は低めか，なしでフラットのほうがよいことが多い．ゼリーを付け過ぎないことも重要である．カフ付きでは，カフのひだによる刺激を軽減するために，挿入前にカフに少し空気を入れておいたほうがよい場合もある．

文　献

1）北住映二．気管切開のケアの実際の諸問題―特注カニューレの活用，事故抜去への対応など―．日重症心身障害会誌 2020；45：33-40

［北住映二］

コラム　歩ける気管切開児での注意点

歩行が可能で，手を使うこともできる子どもで，気管切開を受けている例が増えている．このような子どもでのケアにあたっては下記のような留意が必要である．

- ●気管切開を必要とした理由が上気道狭窄である場合が多い．そのため，活発に動けて平常の呼吸機能は問題がなくても，気管カニューレの事故抜去の際に，気管切開孔が狭窄しやすい子どもでは，呼吸困難となる可能性を十分に確認・検討しておくことが必要である．
- ●動きの活発な子どもでは，固定バンド・テープによるカニューレ固定をきつめにしておくのが必要なことが多い．通常の「頸とバンドの間に小指１本が入る程度」の固定ではゆるすぎることがある．
- ●知的障害もある子どもでは，精神的ストレスなどによりカニューレを自己抜去する例がある．
- ●体育の授業で他児の投げたボールが人工鼻に当たり，人工鼻がはずれなくなった例がある．運動は過度に制限の必要はないが，このような可能性にも留意し，人工鼻，スピーチバルブのリムーバーの常備などの備えが必要である．
- ●気管カニューレ交換は，臥位よりも椅子坐位でのほうが，本人も緊張することなく交換でき，事故抜去時の再挿入も椅子坐位で行うほうがよい場合が多い．
- ●自己管理へのサポート：比較的容易であるオリーブ管での鼻や口からの吸引だけでなく，吸引チューブによる，鼻や口・気管カニューレ（気管）からの吸引も本人が自分で行えるようになることが望ましい．鏡での確認などをしながら手技を習得できていく可能性がある．カニューレの挿入も自分でできれば，事故抜去時の対応も行いやすくなる．教育・社会参加・活動の場の広がりのために，このような自己管理のための練習を意識的に進めていくことが望ましい．

［北住映二］

呼吸障害の治療・看護

4 気管切開
③気管切開している重症児者・医療的ケア児者への看護ケア

POINT

- 吸引は，カニューレ入口から先端までの距離の確認のもとに適正な長さと圧で行う
- 事故抜去が生じないように確実なカニューレ固定の工夫が肝要
- 呼吸状態悪化時はバギングによる換気確保が肝要

1. 気管切開孔衛生管理，保護，加湿

衛生管理：気切孔のガーゼは1日1回以上の交換を行う．消毒は不要だが，こまめに交換して不潔にならないようにする．

保護・加湿・吸入：気管粘膜湿潤化の維持（乾燥による粘膜出血や気道線毛運動障害の防止），分泌物の粘稠化による気管やカニューレの狭窄・閉塞の防止のために，加湿が重要である．異物侵入の防止も兼ねて人工鼻やトラキマスクが使用される（図1）．カニューレフリーの場合には図2のようなものが保護に使用されるが加湿効果は乏しく，カニューレフリー用のパウチ式の人工鼻（プロボックス®）もある．ネブライザーによる生理食塩水吸入の是非については議論があるが，現実的には必要な場合が多く，感染予防と過剰使用に留意しながら行う．スピーチバルブ使用例では加湿が不十分となりやすいので，一定時間は人工鼻の使用が望ましいことが多い．

2. 確実で安全な吸引（表1）

吸引の深さ：カニューレ内だけの吸引は気管粘膜を損傷するリスクがなく，研修を受けた介護職員や教員が行うことが認められているが，看護師が行う場合も基本的にはカニューレ内の吸引で済ませるのが安全である．カニューレより0.5〜1 cm先のところに痰がたまりやすく，その部分までの確実な吸引が必要な場合もある．カニューレ入口から先端までの長さをカタログで確認するか，気管カニューレの実物（本人の使い古しのカニューレ）に吸引チューブを実際に入れて，カニューレ入口から先端までの吸引チューブの入る長さを実測し，それをふまえて個々のケースでの適正な深さで吸引する．カニューレよりかなり奥までの吸引が必要な場合でも，気管分岐部にカテーテルが当たることによる粘膜損傷・出血を防ぐため，気管分岐部の手前までの吸引に留めるのが望ましい．カニューレ先端から気管分岐部までの距離を単純X線検査のモニター画面で計測し，カ

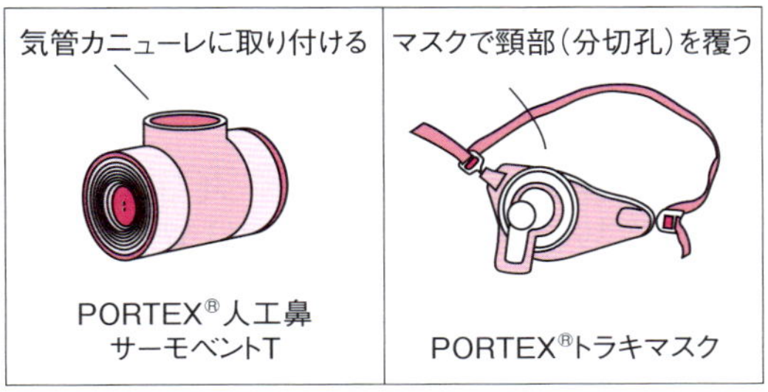

気管カニューレに取り付ける
PORTEX®人工鼻
サーモベントT

マスクで頸部（分切孔）を覆う
PORTEX®トラキマスク

図1　人工鼻・トラキマスクの例

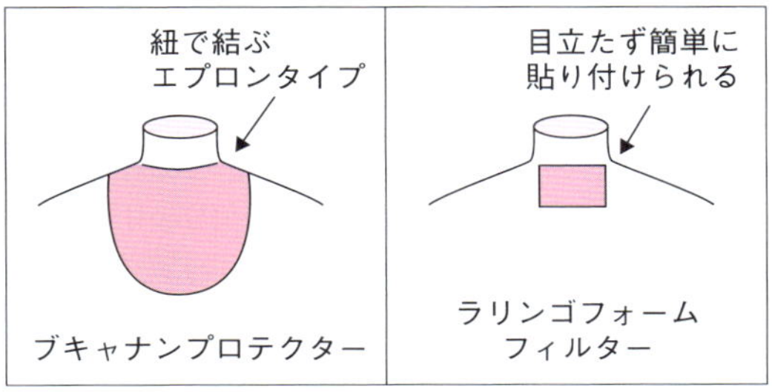

紐で結ぶ
エプロンタイプ
ブキャナンプロテクター

目立たず簡単に
貼り付けられる
ラリンゴフォーム
フィルター

図2　気管切開保護の例

表1　気管カニューレからの吸引の基本

○気管カニューレ内の吸引
・カニューレ内に上がってきている，カニューレ内壁に付いている痰を引くために，はじめから吸引圧をかけながら吸引する
・痰をしっかりと引くために吸引圧は40 kPaまで上げてよい．痰が粘稠な場合にはもっと高い圧が必要なこともある
・喘鳴やSpO_2低下がなくてもカニューレ内壁に痰が付着していることがあるので，定時で吸引するのが確実
○カニューレより奥の気管の吸引
・吸引圧は20 kPa（150 mmHg）が原則
・カニューレの先端の形状がより安全で軟らかい材質の吸引チューブを使用するのが望ましい
・あらかじめ決めてある深さまで挿入してから吸引圧をかける
・気管分岐部直前までの吸引になるべくとどめる

ニューレ入口から先端までの長さにこれを加えて，カニューレ入口から気管分岐部までの距離を確認できる．カニューレより先まで吸引が必要なケースでは，吸引チューブが当たる気管粘膜の部分に肉芽などの問題がないか内視鏡で定期的に検査することが安全なケアのために必要である．

吸引圧：カニューレ内の吸引では，はじめから吸引圧をかけて，カニューレ内に上がってきている痰を手前から吸引していくのが合理的である．痰が粘稠なときなどは40 kPaまで上げて吸引し，カニューレの内壁に付着している痰をしっかりと吸引することが大事である．粘稠な痰によりカニューレが詰まり急に呼吸が悪化することもあり，これを防ぐためにもっと高めの圧でしっかりと吸引することが必要なこともある．痰が粘稠な場合は10 Frサイズの吸引カテーテルを使用する．カニューレより奥の気管からの吸引では，吸引チューブが気管粘膜に直接に当たる可能性があるので，吸引圧は20 kPaとするのが基本だが，カニューレ先端から0.5～1 cmまでの吸引では気管内に肉芽があるなどのリスクがなければカニューレ内の吸引と同じように高めの圧での吸引が必要なこともある．

吸引のタイミング：鼻や口からの吸引は，吸引チューブを挿入される本人の刺激感や苦痛があるので，できるだけ吸引しなくて済むようなかかわり（腹臥位姿勢・排痰補助，吸入など）を行い，症状が改善しない場合に行うのが原則だが，カニューレ内やカニューレより少し先までの吸引は，以下の理由から定時に予防的に行うのが合理的である．

・カニューレの内壁に痰がかなり付着していてもゼコゼコという喘鳴やSpO_2の低下がみられないことが多い．このため，多量の痰がカニューレ内に付着していても気づかれず，症状が出たときには痰詰まりで危険な状態となっていることもある．
・カニューレ内や，肉芽などの問題がない場合のカニューレより少し先の吸引であれば，本人の苦痛や粘膜損傷のリスクはない．
・定時で吸引しておけば，学校などでの授業や活動の途中で中断して吸引することをかなり避けることができる．
・送迎，移動の乗車中に車を止めて臨時で吸引する必要性を減らすためには，乗車前や停車スポットで定時に吸引しておくのがよい．

表2　気管カニューレの事故抜去の原因

・バンド（テープ）の固定がゆるかったために，抜ける（介助者の小指1本が入る程度の固定が原則．もっときつめの固定が必要なこともある）
・4点固定のための下方へのテープでの固定が浮いてしまい抜ける
・くしゃみ，咳に伴って抜ける
・自分で抜いてしまう（自己抜去）
・人工鼻やスピーチバルブをはずす（本人，介助者）ときに一緒に抜ける
・着替え（特にかぶりのシャツ）などのときに引っかかって抜ける
・本人の姿勢の変化により抜ける：頸が後に反ったとき（緊張や，泣いたとき），頭の向きが変わったとき
・介助者が子どもの頸の後に腕を回して介助しているときに介助者の腕が左右に動く，または，本人が左右に頸を回すことにより，固定バンドが左右に動いて，カニューレが左右に引かれて（ズレて）抜ける
・接続している人工呼吸器の回路に引っ張られて抜ける

3. 気管カニューレの確実な固定，事故抜去（計画外抜去）の予防と対応

ⓐ 事故抜去の原因，確実な固定

事故抜去の原因：表2のような原因でカ

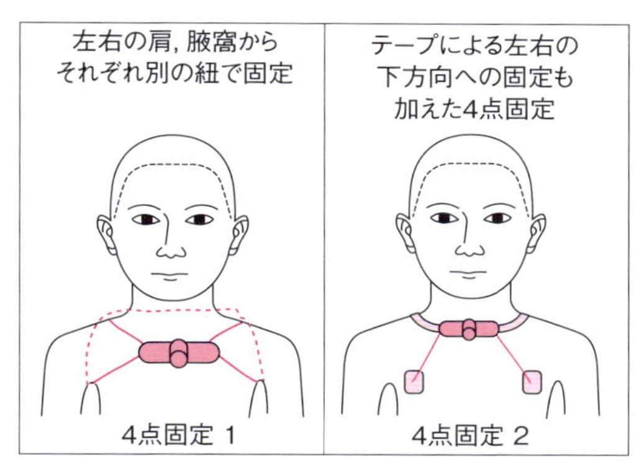

図3 気管カニューレ 4 点固定法

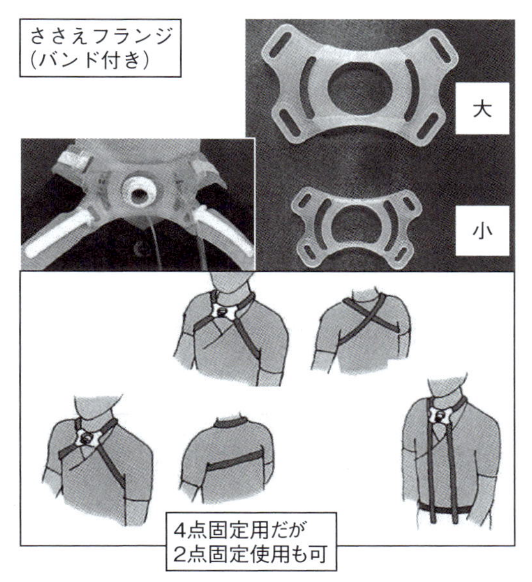

図4 カニューレ固定器具製品（泉工医科工業資料より）

ニューレが抜ける可能性を考慮しながらの注意深いケアと，確実な固定が必要である．

確実な固定：頸まわりだけのテープやバンドでの固定（2 点固定）でも不安定なときには，図 3 のように左右の下からの固定も加えた 4 点固定を行う．頸が後に反る姿勢になりやすい例では，頸が反ったときにカニューレが抜けることが多いので特にこの 4 点固定が必要であり，気管切開孔が下のほうにある場合にもこの 4 点固定が有効である．4 点固定の方法として，下からのバンドを腋窩を通して固定する方法(4 点固定 1)が簡便だが，緊張や反り返りがあると不安定なため，固定翼の左右につないだ細紐で下方にテープで固定する方法（4 点固定 2）もある．カニューレ自体へのバンド固定では不十分なときには，バンドで固定したカニューレを，さらにその上から器具を被せてその器具をバンド固定し，二重に固定する方法（図 4）も有用である．

1. 抜けたときに呼吸困難となる可能性
①気管切開孔の状態
すぐに狭くなり呼吸困難となるか（◯）
②喉頭～咽頭を通しての換気が保たれているか（⟷）
③気管の状態ー気管の肉芽, 狭窄, 軟化症
→カニューレが抜けると気管狭窄で呼吸困難になるか（◯）
2. カニューレが抜けた状態が続いて気管切開孔が狭くなり, 今までの太さのカニューレが入らなくなる可能性
3. 気管切開での人工呼吸器療法では, 人工呼吸器療法ができなくなる

図5 気管カニューレが抜けたときの問題

（堀口利之，他．気管切開の管理．日本小児神経社会活動委員会，他（編）．新版 医療的ケア研修テキスト．クリエイツかもがわ，2012 より一部改変）

ⓑ事故抜去による呼吸困難など

カニューレが抜けた場合，個々のケースでの図 5[1]のような可能性をふまえ対応する．

これらの問題の程度は個人差が非常に大きいが重大な結果に至ることもある．重度の舌根沈下や喉頭軟化症のある脳性麻痺児者や，咽頭喉頭領域の先天的障害による上気道狭窄のため気管切開を受けている子ども（歩ける医療的ケア児ではこれが多い），また，誤嚥防止手術での気管切開では，図 5[1]の 1 の②の経路は閉ざされているので，カニューレが抜けてかつ気切孔が狭くなった場合に呼吸困難を強くきたす．最も重大なのは，図 5[1]の 1 の③のように気管の肉芽，狭窄や気管軟化症が強くあるためカニューレが抜けると気管そのものが非常に狭くなる場合である．これらの場合は，迅速にカニューレが再挿入される必要がある．

ⓒ事故抜去での緊急のカニューレ再挿入

家庭，デイサービス・通所，学校，施設での，事故抜去のときに，個々のケースの状態に応じて緊急のカニューレ再挿入ができるようにしておくことが必要である．カニューレは容易に挿入できる場合もあるが，挿入がむずかしい場合もある．具体的な手順や注意点

表3 気管切開例での呼吸悪化の原因・対応

○気管カニューレ関係の問題 ・カニューレが抜けかかっているか，完全に抜けている →Yガーゼをめくり，この可能性をまず確認する ・カニューレ内への痰の付着により内腔が狭窄している →カニューレ先端まで強い圧と太いチューブで吸引する カニューレを抜いて確認する ・カニューレ先端が気管壁に当たっている 頸の過伸展や回旋により当たっている →姿勢の修正．カニューレの固定や深さを確認 左右に彎曲した気管の壁に先端が当たっている →固定翼を動かしてカニューレの方向を修正 ○気管などの問題 ・痰が気管にたまっている→注意しながら奥のほうまで吸引 ・肉芽が気管の狭窄を起こしている→無理な吸引は肉芽から出血を生ずる可能性あり注意 ・緊張亢進による，気管軟化症での気管狭窄悪化や，胸郭の運動障害→リラクゼーション．精神的安定．鎮静

は，前項A-4-② 気管カニューレ選択と，定期交換・応急的挿入のポイント，表2（p.47）に記されている．再挿入の方法についての家族への指導とともに，学校や通所での看護師による応急的挿入の備えが重要である．学校や通所などで「看護師又は准看護師が臨時応急の手当として気管カニューレを再挿入する行為」は是認されるとの見解が，2018年3月に厚生労働省から示されている．

4. 呼吸が悪化したときの対応

原因と対応：気管切開を受けている児者で呼吸状態が悪くなったときには，気管支炎・肺炎，喘息，けいれんなどによる悪化の可能性とともに，表3のような原因の可能性を考慮して対処する．

カニューレが抜けてきたり折れ曲がったりしていないかを確認することが重要である．カニューレ先端と気管壁との当たりによって呼吸が悪化していることもあり，このときには，全体の姿勢や頸の向きの修正により位置関係が変わり呼吸が改善することがある．気管の奥の吸引を無理に行うと，出血を誘発したり緊張が高まり，かえって呼吸を悪化させることがあるので無理な吸引は避ける．特に

表4 バギングのポイント

・2～3秒間に1回を基本的な目安に，「1」で押して「2，3」でゆるめる．呼吸状態が悪いときには，30回/1分以上，場合により60回/分 ・胸郭が軟らかく空気が入りやすいときは，深くゆっくりめに．胸郭が硬い，気道が狭いなどで，空気が入りにくいときは浅めで速く強く押す ・バッグを押して空気が入ったときの胸の上がり具合と SpO_2 を確認しながら行う．SpO_2 が改善しないときにはリズムを速くするかもっと強くバッグを押す．これでも上がらないときには酸素をつなぐ ・過換気（→低炭酸ガス血症，呼吸性アルカローシス）にならないように注意．酸素なしで SpO_2 が98～100になっているときには，過換気になっている可能性を考え，バギングを弱くするか回数を減らす ・カフ付きカニューレのケースで，バギングでの空気のリークがあるときには，一時的にカフを強く膨らます

気管粘膜の出血，肉芽，浮腫の可能性がある場合には慎重に行う．

バギング：呼吸が悪化し SpO_2 が低下してきたときに換気を維持する最も確実な方法は，自己膨張式バッグによるバギングである．上記のような対処法で改善する傾向がなければ早めにバギングを行う．状態によっては，まずバギングで呼吸を確保しながら他の対処方法を行う．ポイントを表4に示す．カニューレフリーのケースでは，インファントマスクを気切孔に密着させて行う．気管軟化症のあるケースではPEEP弁付きバッグを使用する．

5. その他のケアの注意点など

ⓐ誤嚥防止手術での気管切開ケース

誤嚥防止手術での気管切開を受けている例では，表5のような注意が必要である．

②に対して，胃からの頻回の脱気が必要な例もある．③に対して，十分な加湿，ネブライザーでの吸入を行う．④に対しては，短くゆるいカーブのカニューレ選択で対処するが，リスクの高い場合は腕頭動脈離断術が検討される．

ⓑカニューレフリーの場合

カニューレによる気管トラブル発生を防ぐために，カニューレなしで過ごすようにされ

表5 誤嚥防止手術例の注意点

①気管カニューレが少し抜けて折れ曲がった場合の窒息の危険性が高い
②空気嚥下（呼吸運動による空気の胃への吸い込み）の増加
③唾液の気管内流入がなくなる→痰の粘稠化→窒息のリスク
④気管が前に偏位（喉頭気管分離手術の場合）→気管腕頭動脈発生のリスク

ている（カニューレフリー）例もあるが，表6のような注意が必要である．

①に対して，一定時間はカニューレを挿入しておくか，このリスクのあるケースでは無理にカニューレフリーにしない．②については先の丸い吸引チューブを使用し吸引圧に注意する．介護職等による吸引は法的にはカニューレ内しか許容されていないので，在宅支援や学校などでの制限につながる．④の問題へはインファントマスクを気管孔に密着させて対応する．

ⓒ気管カニューレのカフ圧

本人にカニューレが入っている状態でカフにエアを入れ，カフ圧計でカフ圧を測定し，適正な圧になるエアを入れる．気管軟骨とカフに挟まれた気管粘膜を障害しないカフの最大圧は25 mmHg（3.33 kPa）で，適正なカフ圧は20～25 mmHgとされている．カフインジケータの柔軟度では乳児の耳たぶ程度かやや硬め程度である．カフによる気管粘膜への影響を軽減するために必要度に応じて定期的にカフのエア抜きを行うが，カフ上部に溜まっていた唾液や分泌物がカフエア抜きにより気管に誤嚥される可能性を考慮しながら行う．

ⓓスピーチバルブ

スピーチバルブは一方向弁で，吸気は気管カニューレから入り，呼気は喉頭，咽頭から上に出るようになる．発声の目的だけでなく，唾液や食物の気管内への誤嚥を軽減する目的でも使われる．呼気を上に通す窓孔がパイプの途中に開けてある気管カニューレを使うのが標準的な使い方だが，窓孔の当たる部分に肉芽ができるなどの問題が起きることが多く，実際は窓孔なしの通常の気管カニューレが使われることが多い．この場合，気管カニューレ外壁と気管壁の間に呼気を通すスペースがあることが条件である．呼気に余裕がなくなるので短時間付けて練習する．呼気が余裕ないため本人が嫌がりスピーチバルブをはずそうとして気管カニューレも一緒に自己抜去してしまうことがないように注意が必要である．また，長時間の使用では気管内の加湿が不十分となり，気管内が乾燥し痰が粘稠になる可能性に注意が必要である．

表6 カニューレフリー例の注意点

①気管切開孔やその下の気管の狭窄・閉塞から呼吸困難，窒息を生ずることがある（狭窄部に分泌物がひっかかることも含め）
②吸引チューブがはじめから，直接に気管孔と気管粘膜に当たる→吸引での粘膜損傷のリスクが高くなる
③通常の人工鼻，スピーチバルブが装着できない ガーゼエプロンでの保護・加湿では，粘稠な分泌物が付着したガーゼを吸い込むことによる窒息のリスクに注意
④バギング，排痰補助装置・パーカッションベンチレーターが使用しにくい

文献

1）堀口利之，他．気管切開の管理．日本小児神経社会活動委員会，他（編）．新版 医療的ケア研修テキスト．クリエイツかもがわ，2012

［北住映二，西東広美］

A 呼吸障害の治療・看護

5 気道分泌物についての理解，気道からの吸引のポイント

POINT

- 気道分泌物の吸引は，重症児者，医療的ケア児にとっては生命線である
- なぜ吸引が必要であるか，吸引中，吸引後に医療者への連絡が必要な場合，医師，看護師が行う場合にも特に留意すべき，鼻，口からの吸引のポイント（鼻，口吸引のリスク管理，吸引カテーテルの喉頭，気管内への進入）について
- 気道潤滑去痰薬はそれぞれ作用が異なるため，病態により使い分ける
- 唾液の誤嚥，分泌過多への対応について

1. 気道分泌物とは，気道の分泌物の性状について

気道分泌物とは，唾液（つば），鼻汁（はなみず），痰の３つを含む．狭い意味での痰は，咽頭，喉頭，肺，気管から分泌，排出される，分泌物，老廃物，小さな外気中のゴミ，誤嚥したものなどを含んだ粘液である．ここに，嚥下障害が加わると，嚥下しきれない（飲み込みきれない）食物や水分も含まれ，胃食道逆流があれば，胃から逆流してきた胃液や栄養剤も含まれる．いわゆる痰吸引とは，上記のものすべてを吸引する作業である．

痰とは，気道や気管支からの粘膜からの分泌液である．これに炎症やうっ血などによる各種の細胞を含んだ滲出液や，外部から侵入した細菌や塵埃などの異物と吐き出す際に加わる唾液が混じっている．健康人では，１日100 mLの気道分泌液が作り出されている．これらは気道粘膜の線毛上皮細胞の線毛運動によって，細菌やホコリなどの異物とともに絶えず口腔に向かって送り出され，無意識のうちに食道に飲み込まれている．その輸送速度は，気管では2～3 cm/分，気管支では0.25～1 cm/分といわれている．

吸引された気道分泌物がどのような性状であるか，注意しておく必要がある．それは，異常の早期発見をすることが，自分の言葉で伝えられない重症児者とかかわるうえで大切なことである．通常の気道分泌物は，無色透明でやや白色であり，少し粘り気はあるが，無臭である．感染などある場合は，濁りが強く，黄色や緑色っぽく，粘り気も強く，においがすることもある．アレルギー症状のときは，さらさらであるが量が増える．粘膜などを傷付けた場合は，少量の血液が混じる場合がある．また，痰が硬いときなどは，体内の水分が不足している可能性もある．

2. 吸引についての基本的な考え方

ただし，吸引はあくまでも，吸引しないですむ状況，つまり重症児者，医療的ケア児が自己排痰できる状況を作ってあげることが大前提である．そのうえで必要最小限の医療的対応として吸引するという行為を定着させることが大事である．そのための自己排痰を促す対応について表１に示す．

表１ 自己排痰を促す対応

- 痰が出やすいような姿勢を保持－腹臥位，体位ドレナージ
- 痰が貯留しても苦しくならないように上気道を広げる
- 痰を軟らかく切れやすく（出やすく）する
  - ・全身的な水分補給（体が潤って痰が出やすくなるようにする）
  - ・空気の加湿
  - ・吸入（ネブライザー）
  - ・薬（去痰薬等）
- 体を動かし痰を出やすくする
- 呼吸運動を介助し換気を促進する

3. 吸引のポイント

ⓐ 必要物品（表 2）

ⓑ 吸引手技

口腔内の吸引，鼻腔内吸引，いずれもその解剖学的構造（図 1，2）を念頭におき，表 3 の手順に従って行う.

4. 鼻，口腔吸引のリスク管理

ⓐ 吸引チューブの先端がどこにあるかをいつも意識する

正しい吸引手技は，最初はチューブの先端を鼻孔からやや上向きに数センチ入れる（小児では 0.5 cm）次に下向きにし，そこを這わせて深部に挿入する.

吸引は，たまった分泌物を取り除き空気の通り道をよくして呼吸を楽にするが，吸引カテーテルを挿入して圧をかけるため，利用者には痛みや不快感という苦痛を伴う．また，口腔内，鼻腔，気管内の粘膜は軟らかいため，硬いカテーテルにより傷付くこともある．そのため，挿入する場所やカテーテルの深さについては細心の注意が必要であり，また，その部分の解剖学的知識やリスクについては十分理解して施行するべきである（図 1）[1]．図 1 に示すように，

①鼻粘膜，後鼻腔をチューブが刺激すると，鼻出血に注意が必要である

②咽頭後壁をチューブが刺激すると，悪心，嘔吐，出血に注意が必要である

③梨状窩の底部をチューブが刺激すると，悪心，嘔吐，咳，出血，呼吸の悪化に注意が必要である．梨状窩の解剖学的位置を図 2[1]，3[1]へ示す．また，呼吸器をはずして気管内吸引を施行する場合，その間安定した酸素や空気が入らないため吸引時間が長くなると低酸素状態になることもありうる．そのため，利用者の表情，顔色，パルスオキシメータの値には十分注意する必要がある.

表 2 吸引に必要な物品

- 吸引器，接続管
- 吸引カテーテル（気管カニューレ内用，口腔内・鼻腔内用）
- 滅菌手袋（使い捨て）または鑷子（ピンセット）および鑷子立て（気管カニューレ内用）
- 使い捨てビニール手袋（口腔内・鼻腔内用）
- 滅菌蒸留水・精製水（気管カニューレ内用）
- 水道水（口腔内・鼻腔内用）
- アルコール綿
- 吸引カテーテルの保存容器
  ★口腔内，鼻腔内用カニューレに分けて乾燥させて保存する（薬液浸液法は最近行われない，ドライ保管法が普及している）

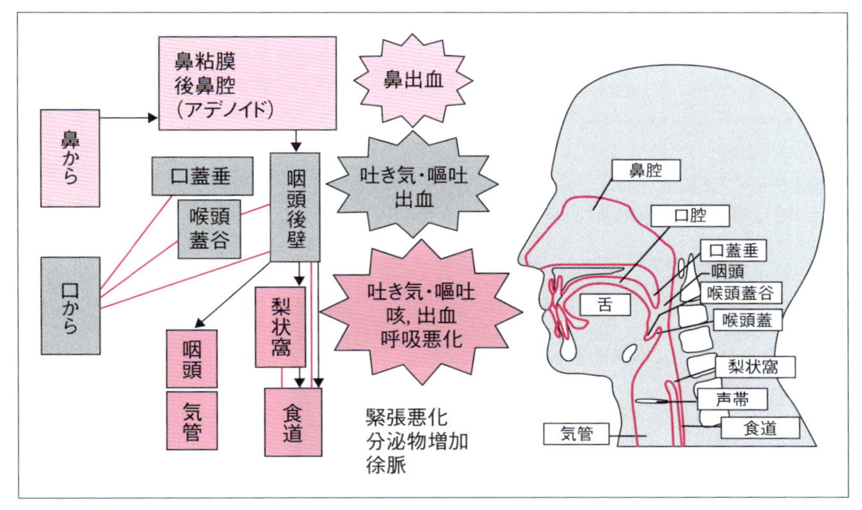

図 1 挿入した吸引カテーテルの行き先とリスク

（北住映二，他．呼吸障害―病態の理解，姿勢管理，エアウェイ，痰への対応，吸引，酸素療法．日本小児神経学会社会活動委員会，他（編），新版　医療的ケア研修テキスト．クリエイツかもがわ，2012；60 より一部改変）

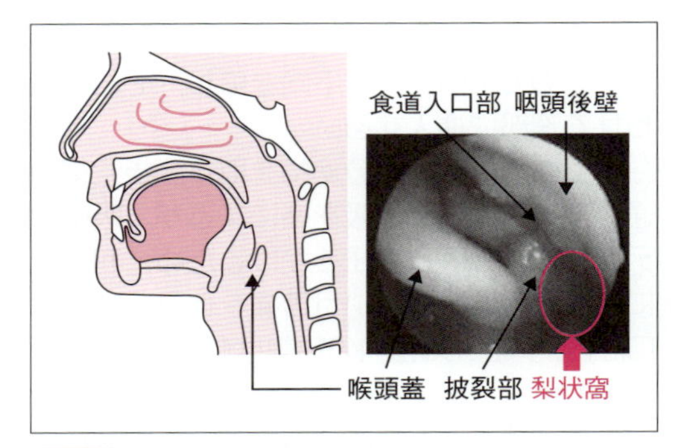

図2　咽頭下部の構造と梨状窩

(北住映二, 他. 呼吸障害—病態の理解, 姿勢管理, エアウェイ, 痰への対応, 吸引, 酸素療法. 日本小児神経学会社会活動委員会, 他(編), 新版　医療的ケア研修テキスト. クリエイツかもがわ, 2012；63より)

ⓑ鼻からの気管内吸引

頸が反った姿勢で鼻から吸引チューブを入れて喉頭から気管内の吸引を行うこともできる. これは, 意識的に行えば極めて有効で, 日常的に家庭で保護者がこれを行い, 学校や通所でも看護師が行っている例もある(図4). その際には, チューブの材質, 形状, 圧の掛け方, 清潔操作, 長さの確認(気管分岐部の手前までに留める)が必要である. 喉頭, 気管内の痰により呼吸状態が悪化したときの応急対応や, 気管内挿管治療の後の抜管後の再挿管を回避するためにも有効である.

表3　吸引の手順(口腔内吸引, 鼻腔内吸引共通)

①手洗い, 手袋装着(速乾性擦式手指消毒薬, 医療機関, 施設, 学校では利き手に使い捨て手袋装着)
②吸引カテーテルを取り出す(先端はほかの物に触れないように心がける)
③吸引器へカテーテルを接続
④吸引器のスイッチを入れる
⑤利用者へ声かけをする
⑥吸引カテーテルの根本を折り曲げ圧の確認をする(吸引圧は, 最初からかける場合と挿入後, 圧をかける場合がある. 圧は, 15～20 kpa〈～25　分泌物が粘調のとき〉)
⑦吸引場所へ決められた長さまでカテーテルを折り曲げながら挿入する鼻腔の手前に粘稠な分泌部があるときや, 気管カニューレ内の手前に分泌物が上がってきているときには, 折り曲げずに挿入し手前にある分泌物を吸引しながら挿入を進める(挿入の長さの例：看護師 10 cm, 教員 7 cm)
⑧少しずつ折り曲げの程度をゆるめ, 3指でカテーテルを回転させながら分泌物を吸引しながら引き抜く
⑨吸引物の性状を確認する
⑩カテーテルの外壁を拭き取る(カテーテルの外壁をアルコール綿で実際に挿入した 2 cm 上から拭き取る)
⑪吸引器のスイッチを切る

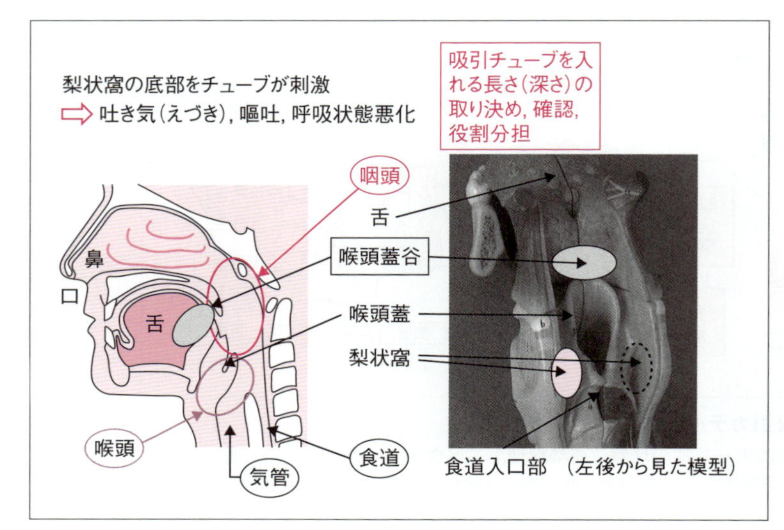

図3　鼻・口腔吸引のリスク管理

(北住映二, 他. 呼吸障害—病態の理解, 姿勢管理, エアウェイ, 痰への対応, 吸引, 酸素療法. 日本小児神経学会社会活動委員会, 他(編), 新版　医療的ケア研修テキスト. クリエイツかもがわ, 2012；60より)

ⓒ 気管内吸引の事故について

頸部後屈姿勢でいることの多い重症児者や医療的ケア児は，頸が反った姿勢で鼻から吸引チューブを入れると，吸引チューブが喉頭，気管に入ることが多い．頸部後屈がなくても入る場合がある（図 5）．

ここで気をつけることは，喉頭や気管にある痰が有効に吸引できるメリットがあるが不用意にこれを行うと，迷走神経反射による徐脈や喉頭攣縮などの呼吸の悪化を起こすことがあるため，十分注意が必要である．

事故防止のためには，吸引チューブを入れる深さ，（長さ）を必ず確認，規定することが重要である．

5. 気道潤滑去痰薬について

ここで，排痰をしやすくするための薬について説明する．去痰薬は，肺表面活性物質の分泌促進作用，気道粘液の分泌促進作用，線毛運動亢進作用などがあり，これらが総合的に作用して，喀痰排出効果を示す．この際，肺表面活性物質の役割としては，気道壁を潤滑化することにより，気道中に存在している粘液を排出しやすくすると考えられている．

ⓐ 去痰薬の種類と作用

粘液溶解薬：ブロムヘキシン塩酸塩（ビソルボン® など）は気道粘液中の糖蛋白のジスルフィド分子結合（粘度に関与）を開裂する

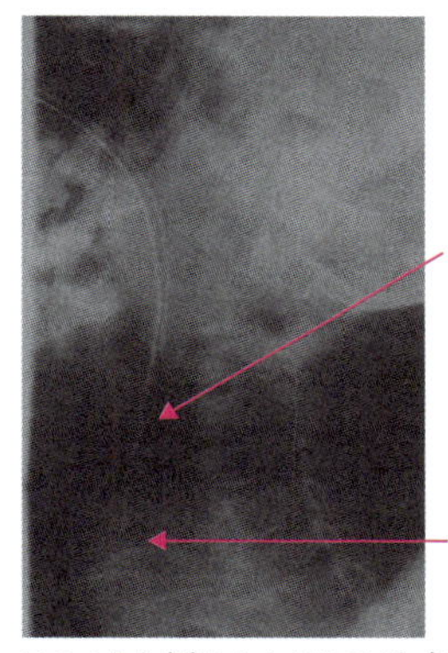

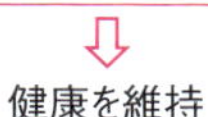

図 4　気管内吸引について
（北住映二，他．呼吸障害─病態の理解，姿勢管理，エアウェイ，痰への対応，吸引，酸素療法．日本小児神経学会社会活動委員会，他（編），新版　医療的ケア研修テキスト．クリエイツかもがわ，2012；63 より）

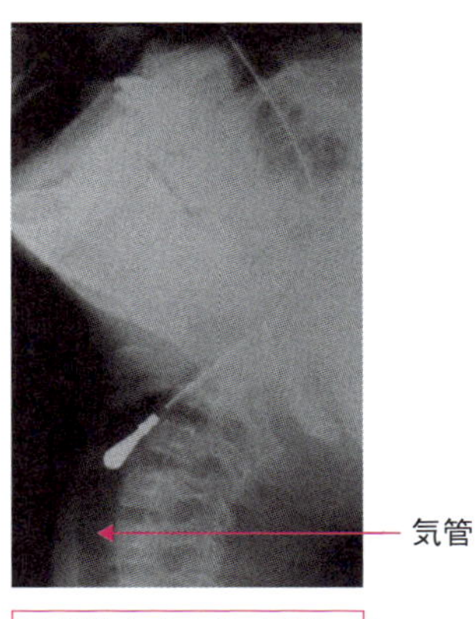

図 5　鼻から挿入した吸引カテーテルの，喉頭・気管内への進入
図の X 線透視画像は，錘付きの栄養カテーテルを透視下に食道から空腸に挿入するときに生じた，カテーテルの気管内進入
（北住映二，他．呼吸障害─病態の理解，姿勢管理，エアウェイ，痰への対応，吸引，酸素療法．日本小児神経学会社会活動委員会，他（編），新版　医療的ケア研修テキスト．クリエイツかもがわ，2012；62 より）

表 4　去痰薬の分類と病態からみた適応

	粘液溶解薬 ビソルボン® アセテイン® チスタニン®	気道粘液修復薬 ムコダイン®	気道粘膜潤滑薬 ムコソルバン®	気道分泌細胞 正常化薬 クリアナール®
固い痰を喀出する場合	＋＋	＋	＋	＋
薄い痰を喀出する場合		＋＋	＋	＋
気道過分泌を生じる場合		＋＋	＋＋	＋＋
気道粘膜病変		＋＋	＋＋	＋＋
肺実質病変		＋	＋＋	＋
反復性・遷延性病変		＋	＋	＋＋

＋＋よい適応，＋適応有
（三上正志，他．去痰薬と鎮咳薬の使い方．内科 2004；93：61-65 より一部改変）

ことで，痰の粘稠度を下げる．痰が薄まると粘りがなくなるので，吐き出しやすくなる．ただし，気道分泌液は増大する．

気道粘液修復薬：カルボシステイン（ムコダイン®）は異常な気道の分泌状態を修復して，分泌物の性状を正常な生理的気道液に近い状態に調整する作用を有する．線毛細胞修復促進作用（気道粘膜の線毛細胞の減少を抑制，線毛運動の機能障害を改善する）を有する．

気道潤滑薬：アンブロキソール塩酸塩製剤（ムコソルバン®）は肺表面活性物質の産生を増加させて気道粘膜を潤滑化し，痰と気道粘膜の粘着性を低下させ，痰が移動しやすい状態にする作用を有する．

気道分泌細胞正常化薬：フドステイン（クリアナール®）は杯細胞の過形成を抑制，痰のフコース/シアル酸化を正常化し，線毛に輸送されやすい気道分泌液の状態にする．

ⓑ 去痰薬と病態からみた適応

表 4[2)] を参照．

6. 唾液の誤嚥，分泌過多への対応

唾液の誤嚥，分泌過多へは，表 5 のような対応方法がある．仰臥位の姿勢では解剖学的にも，原始反射の影響，嚥下の阻害などから，唾液の咽頭部貯留と気管への垂れ込み（誤嚥）が多くなり，側臥位や腹臥位が解剖学的にも筋緊張緩和の点でもよい．上体挙上姿勢（坐位）で唾液誤嚥が増加する場合も多い（第 2 章 A-2 上気道狭窄，図 11 参照，p.31）ことにも留意が必要である．口腔内に吸引チューブを留置しての低圧での持続吸引も有用である．

表 5　唾液誤嚥・唾液分泌過多への対応

- 姿勢管理
  上体挙上では唾液の誤嚥が増加
- 持続吸引
  口腔から　経鼻エアウェイから
  気管カニューレ吸引ラインから
- ロートエキス
  成人の上限量 90 mg を年齢・体重で換算したものを上限量とし，その 1/3〜1/2 から開始し漸増[3)]
- スピーチバルブ（単純気管切開の場合）
  食物・水分の誤嚥防止にも有効でありうる
  カニューレと気管壁の間に呼気が通るスペースが十分にあることが条件
- カフ付き気管カニューレ（単純気管切開の場合）
  限界と問題点をふまえながら活用
- BTX（ボトックス）：唾液腺への BTX 注射

単純気管切開ケースでは，カフ付きカニューレやスピーチバルブの使用により唾液の気管内流入を軽減できるが，限界と注意点に留意する（第 2 章 A-4-② 気管カニューレ選択と，定期交換・応急的挿入のポイント，③ 気管切開している重症児者・医療的ケア児者への看護ケア参照，p.44，49）．カフでの誤嚥防止効果は限界があり，カフ付き吸引ライン付きのカニューレを使用しての吸引ラインからの持続吸引を過度に行うと咽頭喉頭の分泌物を下に引き込んでしまいそれがカフ上部に溜まりカフの外側から気管に垂れ込む可能性に留意する．

頸部へのボトックス（ボツリヌス毒素）注

射により緊張がゆるみ誤嚥が減る場合もあるが，逆に，ボトックスの作用により誤嚥が増えることもある．唾液分泌過多への直接の治療としては，抗コリン薬投与やボツリヌス毒素の唾液腺への注射，放射線治療，唾液腺摘出などの外科的治療が報告されている[4]．ロートエキスが有効との報告[3]，発作性交感神経亢進を合併した真性唾液分泌過多と考えられる病態へのアトロピン硫酸塩の有効性の報告[5]がある．

文　献

1）北住映二，他．呼吸障害―病態の理解，姿勢管理，エアウェイ，痰への対応，吸引，酸素療法．日本小児神経学会社会活動委員会，他（編），新版　医療的ケア研修テキスト．クリエイツかもがわ，2012；60-67
2）三上正志，他．去痰薬と鎮咳薬の使い方．内科 2004；93：61-65
3）須貝研司，他．重症心身障害児（者）の流涎・分泌物過多に対するロートエキスの効果．日重症心身障害会誌 2012；3：258
4）Dias Bl, et al. Sialorrhea in children with cerebral palsy. J Pediatr（Rio J）2016；92：549-558
5）堀田亜紀，他．発作性交感神経機能亢進症を合併した唾液分泌過多に対しアトロピン硫酸塩が著効した重症心身障害児の1例．脳と発達 2021：53：39-43

［鈴木郁子］

コラム　喉頭閉鎖術・声門閉鎖術について

わが国では2000年以降に従来の誤嚥防止術（以下，防止術）の術式の欠点を修正し改良した新たな術式報告が活発である．2008年に鹿野らの報告した喉頭閉鎖・声門閉鎖術（以下，閉鎖術）は，当初長期臥床高齢者に対しカニューレフリーになりやすいメリットがあるとして広まったが，近年は側彎や頸部捻転のある重症児者にも適していることで注目されている．その利点，問題点，注意点を述べる．

1．重症児者に適している理由と利点

鹿野らの報告した閉鎖術は，従来の閉鎖術で問題となっていた「離開しやすさ」と，喉頭を温存する防止術後に生じやすい「気管孔が狭窄する」という2つの問題点を改善した術式である．本術式は声帯の開閉に働く内喉頭筋を上下に分け血流のよい筋組織で声門部の縫合閉鎖を行うため，術後に声帯が開くことなく離開が生じにくい．また喉頭前方の硬組織の甲状軟骨・輪状軟骨の前方を除去することで頸部の高い位置に浅く広い大きな気管孔ができる．そして気管孔の背面は輪状軟骨の後部をアンカーとする構造であるため，頸部が捻転しても狭窄しにくくなっている．最近ではカニューレを留置した場合も，気管孔が高い位置にあるため気管腕頭動脈瘻に対し予防的な術式であるとする報告がある．

2．ケアのうえでの問題点・注意点

カニューレフリーになりやすいメリットがある一方で，管理するうえでの問題点・注意点がある．

①問題点：カニューレフリーのための情報や物品が少ない

口鼻呼吸者の下気道の湿度は100％である．気管呼吸者が直接外気を吸うと乾燥から気道粘膜が損傷し，線毛運動の低下や障害，痰の固形化などが起こる．このためカニューレフリーでは口や鼻にかわる加湿・加温のためのフィルターになるものを装用しなければいけない．しかしながらカニューレフリーの気管孔の管理方法や気管孔用のフィルターに関する物品の情報は非常に少ない．現在のところ喉頭癌などの喉頭摘出患者用に開発されたウインプロン®，気管孔フィルター®，また永久気管孔専用の人工鼻（Provox® HME システム）などがある．特にProvox® HME システムは喉頭摘出者用の人工鼻として2020年9月に保険適用となったが，閉鎖後の場合に保険適用になるかは個々に確認すべきである．この人工鼻の使用により痰量の減少や入浴時の利便性があり生活の質が向上したという報告があるものの，使用者は限定的である．

②注意点：永久気管孔造設状態は生命にかかわる重要な身体情報である

過去の医療事故報告情報で「永久気管孔にフィルムドレッシング材を貼付した事例」が2例ある．いずれもカニューレフリーの永久気管孔を，単純気管切開後に残存した気管皮膚瘻と思い込み，誤って入浴前に永久気管孔にフィルムドレッシング材を貼付したというものである．防止術後には，長期的に複数の医療機関や医療者の介入を受ける場合が多いが，カニューレフリーの永久気管孔を見たことがない医療者も多い．永久気管孔造設状態というのは患者の生命にかかわる重要な身体情報であることを認識し，常に医療者間で情報共有に努める必要がある．

［長井美樹］

A 呼吸障害の治療・看護

6 誤嚥性肺炎・荷重性肺疾患，変形による肺の変化と対応方法

POINT

- 一過性の発熱を繰り返す例は誤嚥が疑わしい
- 荷重性肺疾患は長期の仰臥位での寝たきり姿勢に起因する．予防・治療には日常生活に腹臥位を取り入れることが効果的である

1．誤嚥性肺炎

ⓐ発症機序と原因

誤嚥性肺炎（aspiration pneumonia）は嚥下障害により咽頭の唾液，鼻汁，および食物残渣などと一緒に細菌を気道に吸引することで発症する肺炎で嚥下性肺炎ともよばれる．一般的には逆流・嘔吐した胃内容の誤嚥によって生じる化学性肺炎（aspiration pneumonitis）と区別されるが，意識障害や胃食道逆流症を合併することが多い重症児者では区別がむずかしい場合も多い．咳嗽反射や咳嗽力の低下も原因となる．

ⓑ不顕性誤嚥

食事中などにむせ込む顕性誤嚥と，むせることなく誤嚥する不顕性誤嚥があり，肺炎に至らない場合でも一過性の発熱（半日程度が多い）を繰り返す例がある．そのような例では胸部CTで細気管支の慢性炎症反応を認めることがあり，びまん性嚥下性細気管支炎（diffuse aspiration bronchiolitis：DAB）とよばれる（図1）．

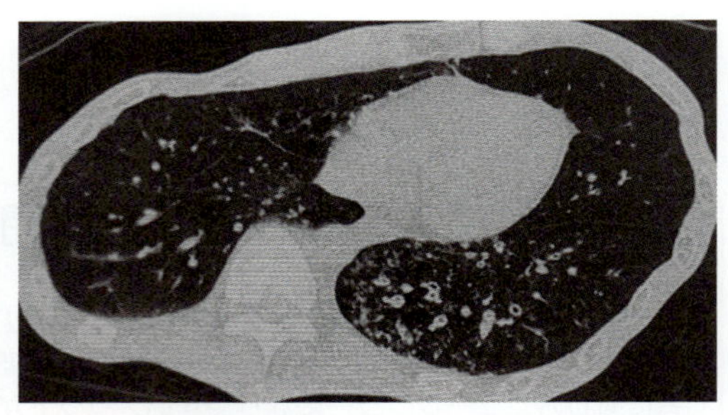

図1　慢性的な不顕性誤嚥によるびまん性嚥下性細気管支炎（DAB）

41歳男性（脳炎後遺症，寝たきり，胃瘻栄養）で繰り返す一過性の発熱を認め，胸部CTで左下葉背側に気管支拡張，気管支壁肥厚，小葉中心性変化（粒状影・線状影）を認めた

ⓒ診　断

嚥下障害や咳嗽不全がある例で発熱，喀痰増加を認め，血液検査で炎症反応（WBC・CRP）の上昇，胸部画像（単純X線またはCT）で肺胞浸潤影を確認して診断する．一般的には左に比して右に多く，左側では下葉背側に多いとされるが，脊柱側彎を合併し気管分岐の角度が変化した重症児者では，流入しやすい側に起こりやすい．実際には誤嚥が原因と断定することは簡単ではなく，総合的な臨床判断により誤嚥性肺炎疑いとして対応する場合も多い．起因菌は従来嫌気性菌が多いとされていたが，最近の報告ではむしろ好気性菌，グラム陰性腸内細菌，緑膿菌などが多い．

ⓓ治　療

治療は適切な呼吸管理と抗菌薬投与であり，下記のいずれかを選択する．緑膿菌感染を疑う例では3)，4)を選択する．

1）抗菌薬の投与例

①スルバクタム/アンピシリン（ユナシン-S® 注）　150 mg/kg/日　3～4回に分けて点滴静注

②セフトリアキソン（ロセフィン® 注）60～100 mg/kg/日　1～2回に分けて点滴静注，およびクリンダマイシン（ダラシンS® 注）25～40 mg/kg/日　3～4回に分けて点滴静注

③タゾバクタム/ピペラシリン（ゾシン® 注）112.5 mg/kg/回（最大4.5 g/回）　1日

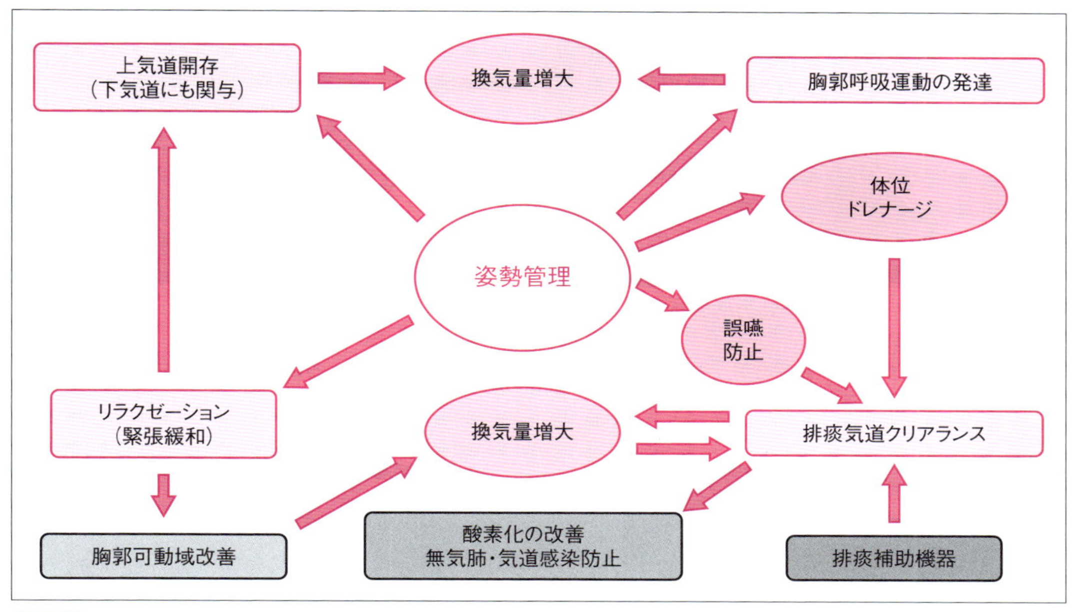

図2 重症児者の慢性呼吸障害に対する姿勢管理の重要性

3回点滴静注

④メロペネム（メロペン® 注）50～120 mg/kg/日（最大3 g/日） 3回に分けて点滴静注

2）ステロイドの併用

中等症以上では抗菌薬に加えて，抗炎症作用による解熱・全身状態の改善と重症化防止を期待して短期間ステロイドの使用を考慮する．

①メチルプレドニゾロン（ソル・メドロール）0.5～1.5 mg/kg/回 1日2～4回点滴静注 3～5日間

2. 荷重性肺疾患と変形による肺の変化

ⓐ発症機序

寝たきりの重症児者が仰臥位をとり続けることで生じる肺障害をさし，下側（背側）肺障害ともよばれる．重力により気道分泌液が貯留して無気肺が生じ，シャント効果により酸素化能が低下する．また長期臥床による胸郭の扁平化や，脊柱の側彎・前後彎による胸郭の変形を合併しやすく，胸郭の運動障害（拡張不全）から肺胞虚脱を起こしやすい．評価には胸部CTが有用である．

ⓑ対応方法

予防・治療には仰臥位以外の姿勢（坐位，側臥位，腹臥位）をとることが大変重要である．日常生活に根ざした多様な姿勢バリエーションを持っていることと，姿勢管理によって得られる筋緊張の緩和（リラクゼーション）は，図2に示すように重症児者の慢性呼吸障害の多くの病態の対応につながっている．特に腹臥位は荷重性肺疾患の対応として大変効果的であり，長時間でなくてもよいので毎日実施することが強く勧められる．ただし，成人例でも突然死の報告があり，夜間睡眠時や十分監視できない状況では行わない．

ⓒ呼吸ケアにおける腹臥位の有用性

荷重性肺疾患に対する腹臥位が有効な理由は以下の2点である．

1）背側肺の換気改善

図3に示すように，横隔膜の形状より腹側に比して背側の肺容量が大きい．腹臥位では，背側肺のコンプライアンスが改善し換気量の増加が期待できる．

2）換気・血流比の改善および体位ドレナージ効果による無気肺の改善

図4に示すように，腹臥位では含気良好な肺野が下側になることで，換気・血流比が改善し，酸素化が改善する．また，重力ドレ

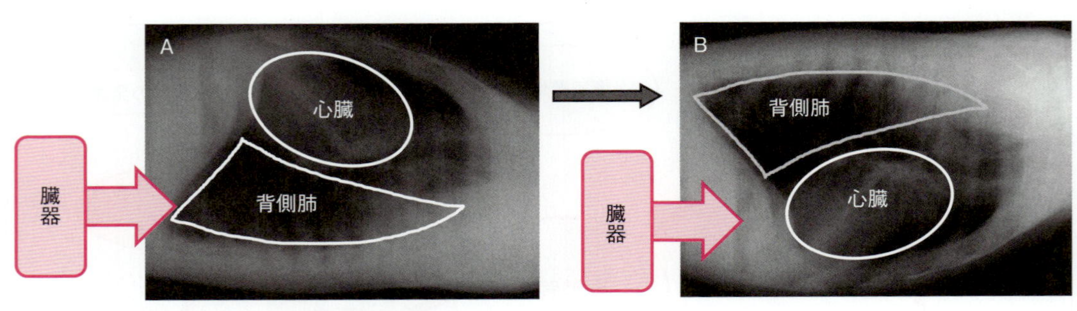

図３ 腹臥位における背側肺の換気改善

A：仰臥位，B：腹臥位
腹臥位では，容量が大きい背側肺が，支持面（床），心臓の重力，腹部臓器による横隔膜運動の制限から解放されるため，膨らみやすくなる

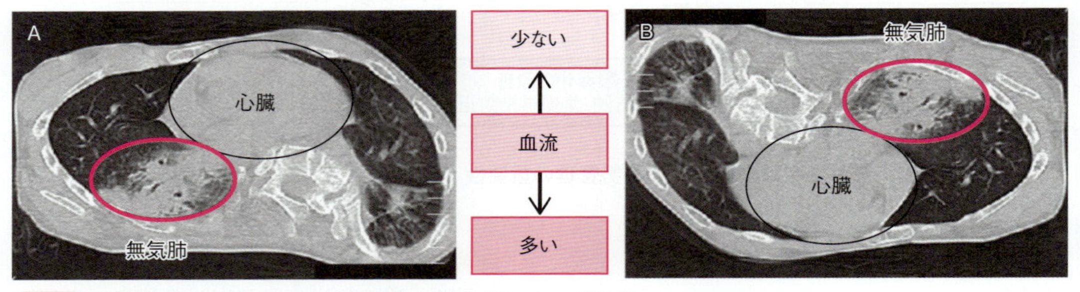

図４ 腹臥位による換気・血流比改善と体位ドレナージ効果

A：仰臥位，B：腹臥位
血液は重力の影響で下方に多く循環する．背側無気肺がある例では，腹臥位にすることで換気・血流比が改善するため，酸素化が改善する

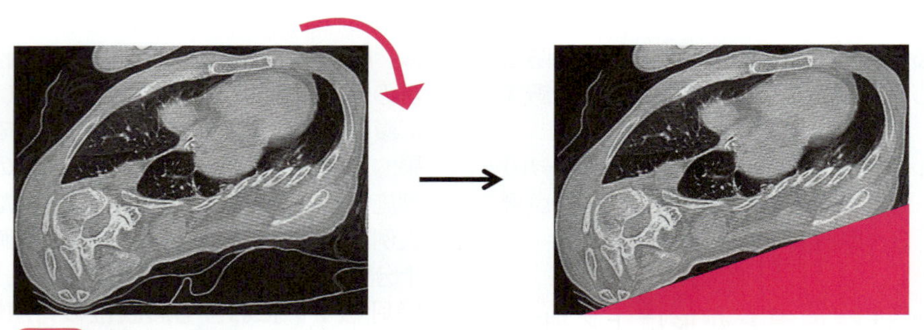

図５ 変形した胸郭への対応

三角クッション等を用いて面で支えて荷重を分散させる

ナージによる排痰効果と，腹臥位による背側肺の換気改善も加わり，継続して実施することで背側無気肺の改善につながる．

ⓓ変形した胸郭への対応

非対称変形が進行した胸郭ではクッション等で支えて，安定した安楽な姿勢をとることが重要である（図５）．回旋しようとする力を修正することで脊柱や股関節の非対称変形（側彎，股関節脱臼）の進行予防も期待できる．

参考文献

・日本呼吸器学会成人肺炎診療ガイドライン 2017 作成委員会（編）．成人肺炎診療ガイドライン 2017．日本呼吸器学会，2017
・Mandell LA, et al. Aspiration Pneumonia. N Engl J Med 2019；380：651-663

［竹本　潔］

A 呼吸障害の治療・看護

7 呼吸障害におけるポジショニング

POINT

- 筋緊張亢進の原因を患者個別に捉えておく
- 安楽な姿勢は，介助者の経験や感覚での「安楽」と思う姿勢とは限らない
- 苦痛や危険を伴わず，個別に無理のない体位変換の方法をみつける

1. ポジショニングとは

ポジショニングとは学術的に定義された用語ではない．おそらく看護の中で，患者の身体の位置や向きを定めるために使われた「positioning of patient」がその語源と思われる，健康な人は自分の身体にとって適切な位置を姿勢制御という機能で定めている．重症児者の多くは姿勢制御に制限があるため，「姿勢」の支援であるポジショニングは生活全般で必要となる．「姿勢」とは，重力に対する身体の位置である「体位」と，頭部・体幹・四肢の各体節での相対的な位置である「構え」と定義されている．ポジショニングは，体位を変えることのみならず，手足や頭の位置を適切な位置に動かしてあげること，保持してあげることとなる．

2. ポジショニングの期待効果（表1）

重症児者の呼吸障害に対するポジショニングのポイントは，①気道確保，②リラクセーション，③体位変換である．①における効果は，努力呼吸の軽減である．②の効果で重要なのは，不均等換気の改善である．不均等換気の改善は，末梢換気（肺胞換気）が改善することで，分泌物（痰）の中枢気道までの喀出（ドレナージ）にも効果がある．③の効果は換気血流比不均等の改善で，血中酸素飽和度（SpO_2）の改善として現れる．また，痰のドレナージ効果は，リラクセーションしている姿勢を30分程度保持できることが目安と，筆者は経験的に感じている．

表1 ポジショニングの期待効果

①気道確保 → 努力呼吸軽減
②リラクセーション → 不均等換気改善 → 肺胞換気改善 → 分泌物喀出
③体位変換 → 換気血流比不均等改善 → 血中酸素飽和度改善

3. ポジショニングのポイントと注意点

まず重要なことは，「変形や関節拘縮のある重症児者にとっての安楽な姿勢が，正常姿勢もしくは介助者の経験や感覚で安楽と思われる姿勢とは限らない」ということである．したがって，個々の重症児者に適切なポジショニングを見つけるためのポイントや方法を理解しておくことが重要となる．

表2 筋緊張亢進（過緊張）のおもな要因

①痛み・不快感	長時間の凸部荷重 関節過剰伸張 胃食道逆流 便秘・膨満感
②努力	意思伝達に伴う習慣的努力 呼吸努力 接触支持面の減少
③不安感・不安定感	精神的不安 重心の位置高さ 支持基底面減少

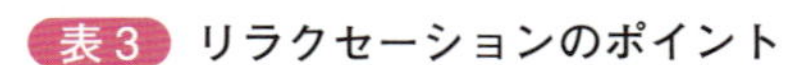

表3　リラクセーションのポイント

①重心は低く，支持基底面の中心へ
②支持基底面は広く，より円に近く
③関節位置は可動域の中間位付近に保持するよう支える

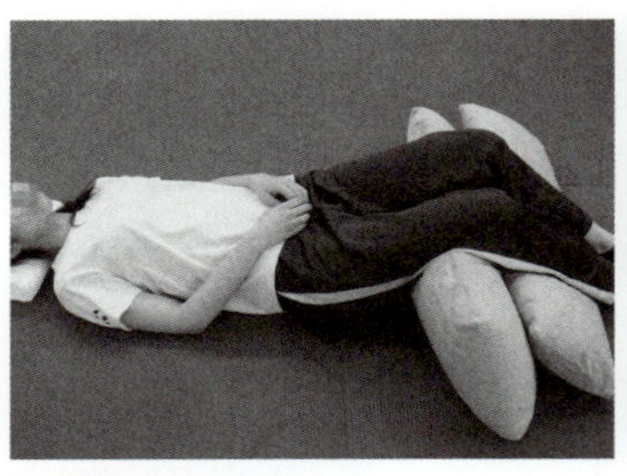

図1　背臥位

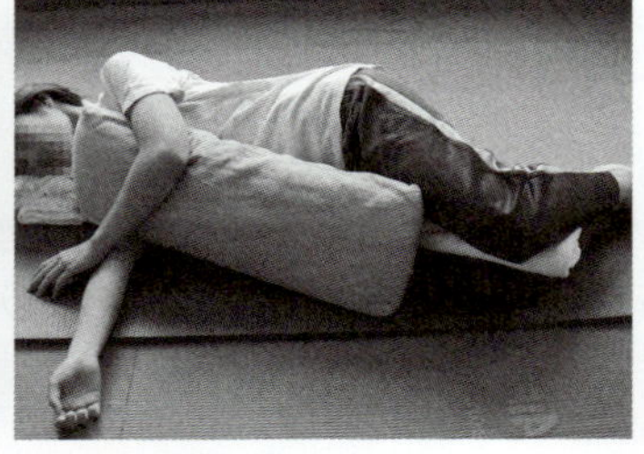

図2　側臥位

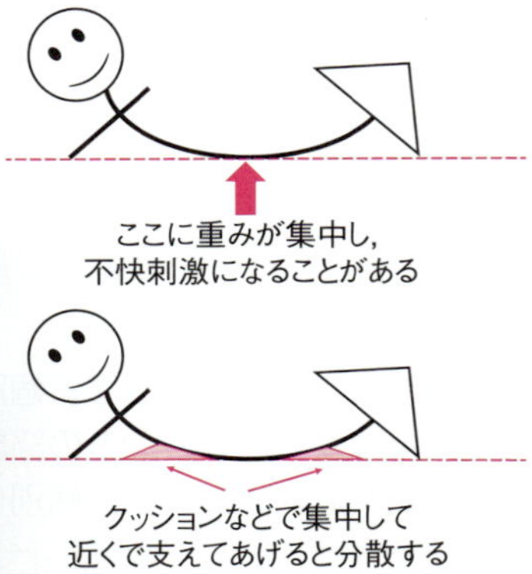

ここに重みが集中し，
不快刺激になることがある

クッションなどで集中して
近くで支えてあげると分散する

図3　側彎の凸部を下にした側臥位での体圧分散

ⓐ筋緊張亢進とリラクセーション

リラクセーション状態とは，「その姿勢を保持するために必要十分な筋緊張状態」と定義することができる．筋緊張亢進はリラクセーションを妨げ，呼吸運動を制限し，換気低下の原因となることで問題となる．筋緊張が亢進する外的な要因は，痛み・不快感，努力，不安定・不安感である（表2）．不適切なポジショニングによっても，凸部過重や関節の過剰伸張による痛み，接触支持面や支持基底面の減少，重心位置の高さや支持基底面内での重心の位置や不安定感が起こり，筋緊張が亢進する．リラクセーションを妨げる筋緊張亢進の原因を患者個別に捉えておく必要がある．

ⓑリラクセーションのポイント（表3）

姿勢の安定がリラクセーションの重要なポイントである．姿勢を安定させるには，重心を低くし支持基底面を広げ，体幹，頭部，上下肢など身体各部を支える支持面（接触支持面）を適切に確保することである．また，リラクセーションを持続させるためには，筋が均等にゆるむように各関節を可動域の中間位付近にポジショニングするとうまくいきやすい．

ⓒ気道確保のポイント

上気道においては，頭部の位置を保つ枕の高さ，形状がポイントである．一般的に頭部の過剰な前後屈や側屈は気道を狭める危険がある．しかし，頸椎や気管に変形がある場合は頸椎の過伸展がよい場合もあるなど，健常者の位置を真似るのではなく，適切な位置，高さを試みて選択することが重要である．特に，背臥位は舌根部沈下により気道狭窄となり，努力呼吸や，肺の不均等換気を拡大し，分泌物の喀出が阻害されることがあるので注意する．

ⓓ体位変換上での注意点

体位変換には，均等な換気を確保し，排痰を円滑にする効果や，同じ体位を続けることによって生じる苦痛を改善できる効果があり，重症児者にとって不可欠な呼吸のケアである．しかし，全身を空中へ持ち上げるような不安定な方法や，苦痛を伴う強引な方法によって，筋緊張亢進・呼吸状態の悪化など，場合によっては骨折を起こしたり，またそのことのおそれから体位変換を躊躇したりすることにもなる．苦痛や危険を伴わず，重症児者個々に適した無理のない体位変換の方法をもつことが重要である．

4. 体位ごとのポジショニングのポイント

ⓐ背臥位（図1）

背臥位は安定し呼吸運動制限が少ない体位である．また，患者にとっても視覚情報が多く好まれやすい体位である．一方，舌根沈下，唾液など分泌物の気管への垂れ込みなどがある場合は厳しい体位にもなる．嚥下が制限さ

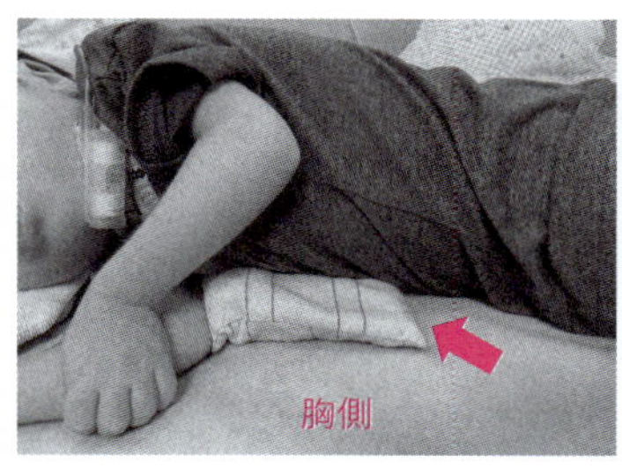

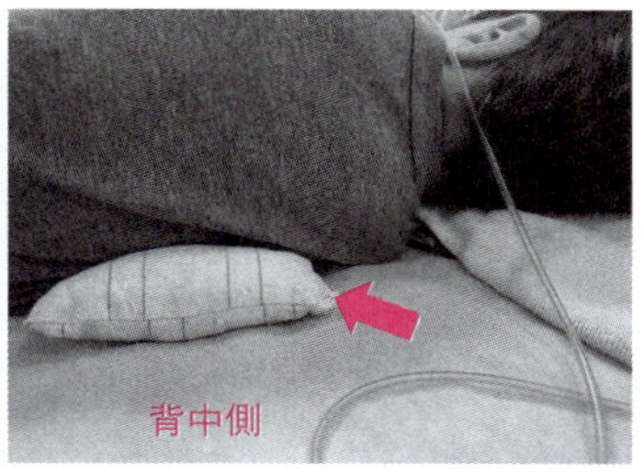

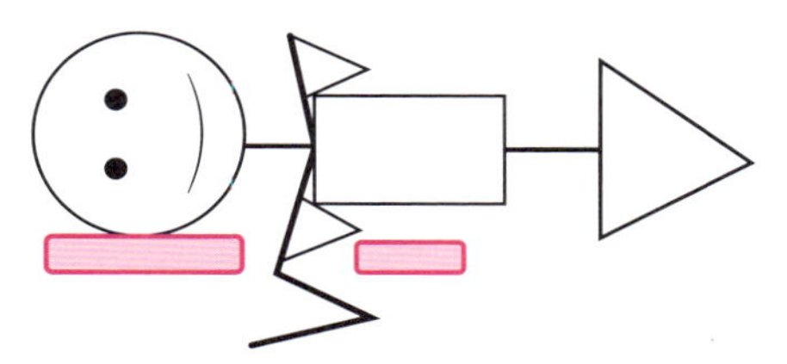

図4 側臥位での下側肩にかかる重みを分散する方法

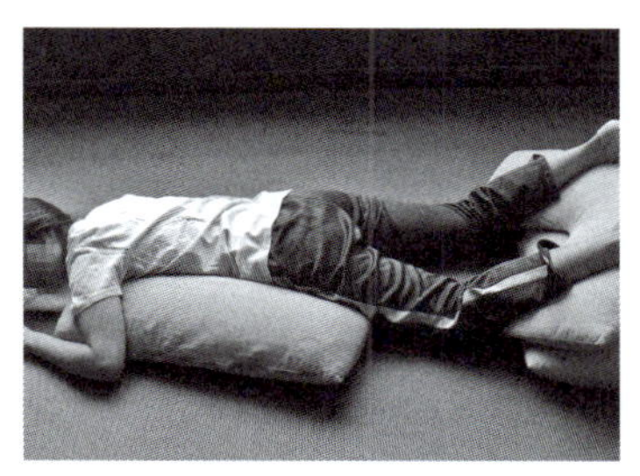

図5 腹臥位

れず気道確保された頭部の位置，肋骨の動きを楽にするための上肢の位置，腹式呼吸を生みだす腹部の動きを制限しないための下肢の位置がポイントとなる．

b 側臥位（図2）

背臥位と比べて舌根沈下の心配が少なく気道確保しやすい．また，排痰時に有効な咳を得やすい体位である．一方，転がりやすく緊張しやすい，下側の肋骨の動きが制限されやすいなどの欠点がある．下側の上下肢の位置を工夫したり，クッションやバスタオルを使ったりして，支持基底面を確保することがポイントである．また，側彎や肩甲帯の可動域制限などのため，下側の肋骨や肩にかかる荷重が不快で反り返り保持困難になる場合がある．その際は，図3，4のようにクッションを入れて凸側の肋骨や肩への負荷を減らしてあげることで保持が持続することもある．

c 腹臥位（図5）

背臥位同様に安定性が高く，比較的気道確保もしやすい体位である．また，分泌部の気管への垂れ込みが起きにくい利点がある．一方，腹部や前面で胸郭の動きが制限されるため，換気効率が低下すると努力呼吸や過緊張を起こすことがしばしばある．背面と側面で胸郭の動きを保障することがポイントとなる．特に下部肋骨の動きを十分に促し，頸部や上下肢が下部肋骨の動きを制限しない位置を探してポジショニングすることがポイントとなる．股関節の伸展が制限されている場合は保持具を使う必要があるが，身体の重さが支持面全体で適度に分散されるように個々にあわせて工夫することが必要である．

d 坐　位

重力で肺が拡張されやすく，呼吸に胸郭運動制限の影響が少ない体位である．一方，重心が高くなり不安定になりやすいため，体幹に崩れや倒れが起きると嚥下や気道確保が困難になり，分泌物の気管への垂れ込みを起こす危険がある．適切な坐位保持装置など用いて，頭部の適切な位置が確保できるように上肢・体幹の位置に気を配り，下葉換気を制限しないように骨盤や下肢の位置をポジショニングすることがポイントである．

※なお，実際については，参考文献のDVDを参考にしてほしい．

参考文献

・大友則恵．肺理学療法．江草安彦（監）．重症心身障害療育マニュアル．第2版．医歯薬出版，2005；186-189
・金子断行，他．重症心身障害児・者の呼吸リハビリテーション．アローウィン，2012（DVD）
・花井丈夫．安心・安全な重症心身障害児・者のための基本介助動作．アローウィン，2013（DVD）
・花井丈夫．呼吸の介助・排痰の介助．日本小児神経学会社会活動委員会，他（編）．新版 医療的ケア研修テキスト．クリエイツかもがわ，2012；76-88

［花井丈夫］

A 呼吸障害の治療・看護

8 重症児者への肺理学療法手技

POINT

- 呼吸介助は，胸郭への触れ方，もち方，力の加え方・方向，介助のタイミングが重要
- 手技は，どれかを集中して行うのではなく，症状の変化に応じて組み合わせて行う

1. 肺理学療法とは

肺理学療法は，肺胞換気を改善することで健康や活動の維持促進を目的する療法である．重症児者においては，特有の胸郭運動障害が引き起こす換気の低下，努力呼吸や排痰困難の改善に有効である．

ここで紹介する呼吸介助手技と排痰介助手技は，重症児者によく用いる徒手的手技である．

2. 触れ方

呼吸や排痰の介助においても重要なことは，身体への触れ方，胸郭のつかみ方である（図1）．必要以上に力を入れない，介助者の重みを掛けすぎないようにすること，急に触れたり，離したりせず，通常は手指全体で優しく触れ，離すときもゆっくりと離す．また，動かす際も触れてからひと呼吸をおいて行うことで，余計な緊張を引き起こすことを防ぐなどが注意点である．

3. 肺理学療法で効果ある症状および状態

強い緊張，咳や吸引の直後，または痰がたまって排痰が困難な状況は，しばしば呼吸が速く，不規則になり，血中酸素飽和度が低下することがある．このような症状が現れたとき，あるいは体位変換時や，深い呼吸を促したいときなどは，徒手で呼吸を介助したり，排痰を介助したりすることで呼吸状態を安定，回復させることができる．原則的に，呼吸が安定するまで繰り返し行うが，実施時間は呼吸介助，排痰介助とも数分間程度を目安とし，いくつかの方法を試して効果を評価し，適宜継続するとよい．呼吸介助の評価は，おもに肺聴診での肺胞呼吸音で行うが，緊張，呼吸数，SpO_2数値も目安になる．

4. 呼吸介助のポイント

【ポイント1】 呼吸を妨げない．あくまで介助であって，矯正することではない．患者の呼吸のタイミングを手や，耳，目を通して感じながら，重症児者の呼吸を妨げないよう調整することが大切である．

【ポイント2】 適切な方向に介助する．重症児者の胸郭の動きを手で感じ，胸郭が動いている方向が適切な方向の目安である．

【ポイント3】 適切な力で介助する．重症児者の胸郭の弾力や抵抗を感じ，一定の力で介助することが重要である．介助者には，自分が加えている力を自覚して，常に加減を調節する慎重さが必要になる．

5. 呼吸介助（a，b，c，d）・排痰介助（e，f）の紹介

ⓐ呼吸介助法（上部胸郭介助および下部胸郭介助）（図2，3）

図は背臥位であるが，実際は体位を問わない．呼息に合わせて，肋骨下制運動を介助する．吸息時の肋骨挙上を妨げないように介助の力を抜く．炭酸ガスの排出を助け，SpO_2

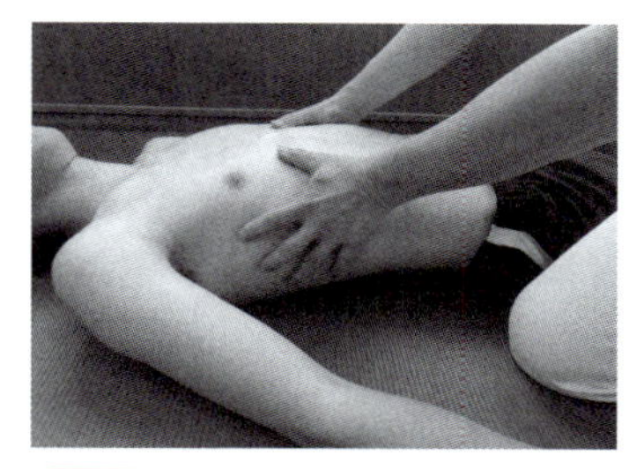

図1 胸郭の触り方

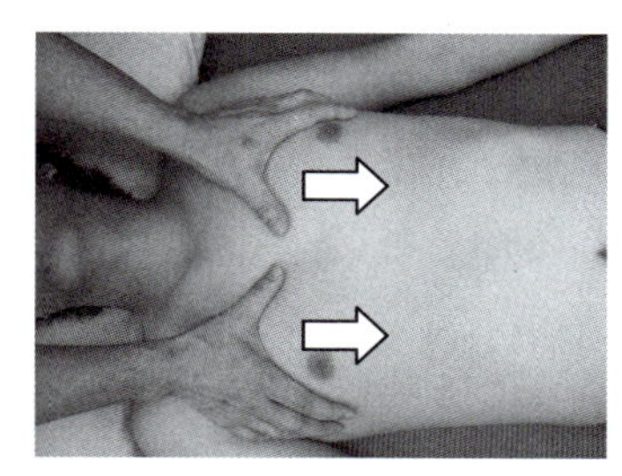

図2 上部胸郭介助

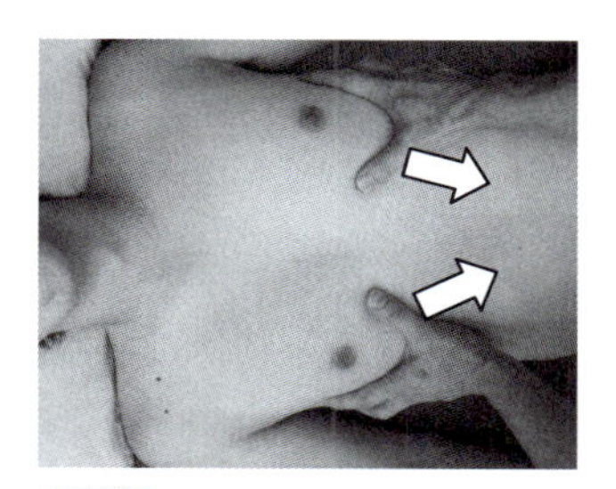

図3 下部胸郭介助

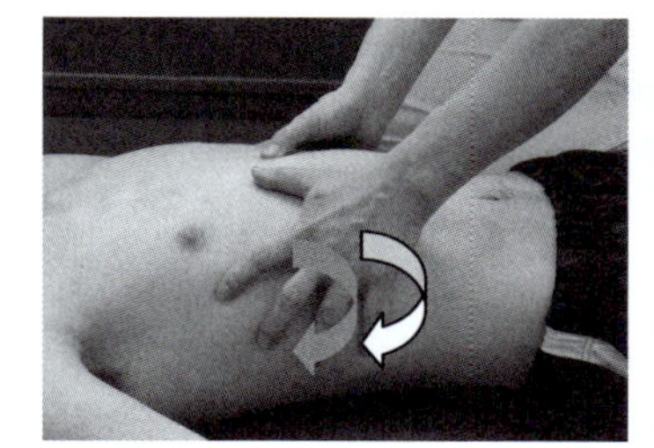

図4 シェイキング法

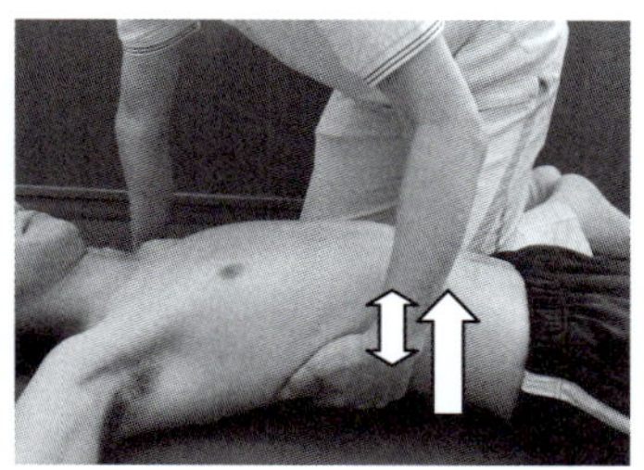

図5 リフティング法

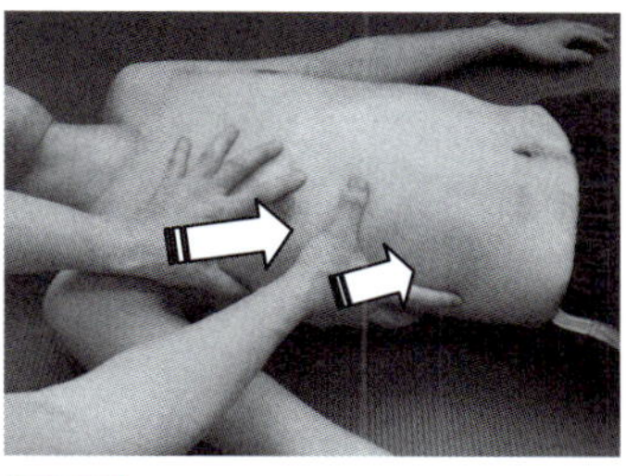

図6 バウンシング法

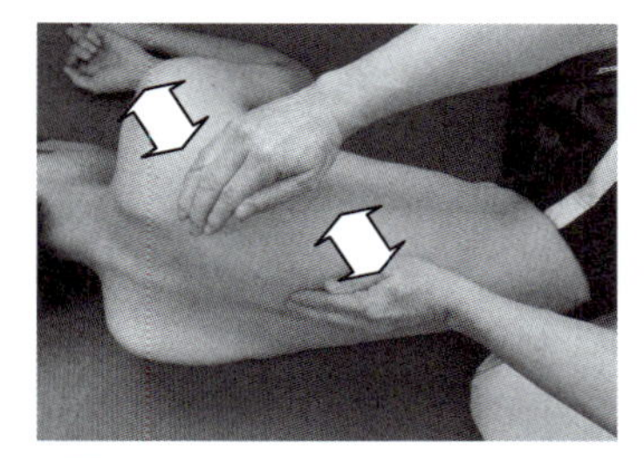

図7 軽打法

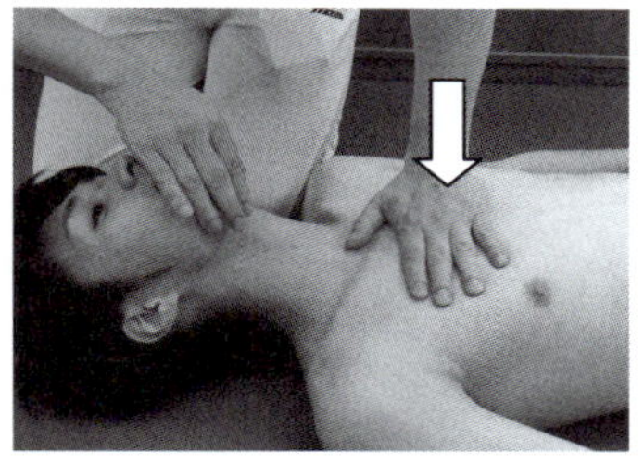

図8 介助ハッフィング法

の改善を助ける．換気が促進することで排痰促進効果もある．

ⓑシェイキング法（図4）

呼吸介助法同様に体位を問わない．呼息にあわせて，胸郭を4〜6 Hz程度で揺すりながら呼吸介助する．呼息時の努力がみられ，深い呼吸を促したいときに用いられる．

ⓒリフティング法（図5）

おもに背臥位で行う．吸息直前に，肋骨を最大吸気位近くまで持ち上げるように挙上し，吸息にあわせて3 Hz程度で揺する．吸息時の努力が著しいとき，あるいは側彎の凹側の可動性を拡大したいときなどに行う．

ⓓバウンシング法（図6）

おもに背臥位で行う．呼吸のリズムと関係なく，安静呼吸より速い，1秒間に1回程度で，バウンドさせるように片側の肋骨を動かす．努力呼吸で吸気位になって動きのない肋骨や側彎凸側の肋骨に動きを促したいときに行う．

ⓔ軽打法（図7）

体位を問わない．手をカップ状にして，手の中の空気を胸郭に当てるように軽打する．呼息時より吸息時のほうが，末梢換気を改善し，排痰に有効なことが多い．特に，吸引後の一過性の酸素飽和度低下時は末梢気道の閉塞が予測され，その改善に有効である．

ⓕ介助ハッフィング法（図8）

おもに背臥位，坐位で行う．気管まで上がった痰をスムーズに吐き出されるよう介助する方法．肺内にある空気を使って，介助でより速い呼気を起こし分泌物を咽頭内へ喀出させる．呼息開始直後に「ハッツ」というような浅くて速い呼気が起きるように，胸骨も

しくは残気量の多い左右どちらかの上肋骨部あたりを少し沈むように押し下げる（心マッサージのような5 cmは必要としない）．咳嗽の弱い気管切開のある重症児者では，吸引のときに行うことによって，カニューレの中まで痰を誘導することができる．

6. 重要な注意事項

体位変換直後に呼吸介助を行い急激に換気改善が起こると，分泌物が一気に中枢気道に集中し一過性の痰つまりが起こることがある．SpO_2が急激に低下するなどはその症状と考えられる．特に，咳嗽力の弱い重症児者では分泌物をためて出すより，少しずつ穏やかに出していく方針で臨むほうが大きなトラブルになりにくく，本人の負担も少ない．

参考文献

・大友則恵．肺理学療法．江草安彦（監），重症心身障害療育マニュアル．第2版，医歯薬出版，2005；186-189
・金子断行，他．重症心身障害児・者の呼吸リハビリテーション．アローウィン，2012（DVD）
・花井丈夫．安心・安全な重症心身障害児・者のための基本介助動作．アローウィン，2013（DVD）
・花井丈夫．呼吸の介助・排痰の介助．日本小児神経学会社会活動委員会，他（編），新版 医療的ケア研修テキスト．クリエイツかもがわ，2012；76-88

［花井丈夫］

A 呼吸障害の治療・看護

9 パーカッションベンチレーター（IPV），カフアシスト，ハイフローセラピーなど

POINT

- 排痰，胸郭の可動性維持向上を目的とした機器を用いた呼吸理学療法を4種類紹介
- マスクや加圧に対する慣れは必要だが，継続することで様々な効果が期待できる
- ハイフローセラピーは酸素療法と持続陽圧呼吸療法（CPAP）の間の役割をもつ

1. はじめに

重症児者では，下気道感染の管理が生命予後を規定する．肺内パーカッションベンチレーター（intrapulmonary percussive ventilator：IPV）が治療用人工呼吸器として応用され，重症児者の急性下気道感染症に対する治療効果が報告[1,2]されている．

器械による咳介助（mechanical in-exsufflation：MI-E）は，神経筋疾患の呼吸治療として標準化され，重症児者の排痰などに臨床応用[2]されている．

自己膨張式バッグによる陽圧換気は家庭でも簡便にでき，深呼吸をとれない重症児者の換気改善に有効な報告がなされつつある．

高頻度胸壁振動法（high-frequency chest wall oscillation：HFCWO）は換気介助は行わないが，振動により排痰を促す作用が期待され，受け入れやすさから使用が拡がっている．重症児者への上記の4機種の治療方法は，報告が少なく治療が標準化されていない．今回筆者らの経験に基づき使用方法・注意点などを紹介する．特徴のまとめについては表1を参照されたい．

2. 治療対象

急性気道感染症，慢性呼吸障害，排痰困難，肺コンプライアンス低下による肺胞低換気，高炭酸ガス血症などが治療対象となる．

3. 実施方法

ⓐ IPV

排痰・換気改善・加湿を目的に行う．治療条件は症例に応じて受容可能範囲に設定する．筆者らの経験では12 psiの低作動ガス圧から開始し，徐々に20〜30 psiまで圧を上昇させると受容しやすい．駆動頻度も同様にEasy（ダイヤル5〜6）から開始し，徐々に低頻度のHard（ダイヤル9〜11）に切り替えていく．治療時は呼吸音を必ず聴取し，炎症部や無気肺野への換気を確認する．Easyでは痰の粘稠性の改善，Hardでは痰の喀出作用があり，EasyとHardを繰り返すと排痰効果が期待できる．また吸入薬の薬液吸収率は，超音波ネブライザーより高い．治療をEasyで終了すると流動化した痰が喉頭周囲に停留し，窒息の危険性があるため，必ず治療最後にHardに設定し，気道のクリアランスをした後，治療を終了する．さらに実施直後の呼吸抑制遷延の報告もあり，治療後数分間の観察は必須である．実施時間は症例に応じるが，筆者らの経験では5〜30分である．腹臥位での施行は，より換気改善の効果が得やすい．食前など胃内残留が少ない時間帯に1〜4回/日実施する．

ⓑ MI-E・排痰補助装置

MI-Eは吸気に陽圧（+5〜+50 cmH_2O），呼気に陰圧（−5〜−50 cmH_2O）を与え，肺胞を拡張させ，痰の喀出を補助する機器である．

症例の呼吸にあわせ吸気時に陽圧，呼気時

表１ 各治療法のまとめ

	IPV	MI-E	バギング	HFCWO
排痰メカニズム	パーカッション性の小換気団の噴流が肺胞まで達しそこで反転，肺胞向きの流れと気道壁に沿って外向きの流れが同時に発生(向流の生成)．外向きの拍動性の流れが痰を押し上げ排出する	深く息を吸って内部に1～4秒陽圧をかけ，患者の肺容量上限まで空気を吸わせる．次に1～3秒陰圧をかけて咳をさせる	深い吸気にすることで，呼気時に通常より強い気流が生じて排痰を促す	胸壁に振動を与えることで中枢側へ向かう小さな気流（小さな咳）を高頻度に起こし，痰を排出する
肺内の圧力	おもに陽圧．開放型であるためPEEP*はかかりにくい	陽圧と陰圧の切り替え	おもに陽圧	気道内圧はあまり変化しない
持続陽圧換気の効果	おもに陽圧のため，CPAP*様の効果が期待でき，気道は段階的に平衡状態まで拡張する	通常使用ではできない	通常はないが，PEEPバルブ付きのバッグであれば施行中はCPAP様の効果が期待できる	なし
無気肺改善	期待できる	期待できる	期待できる	期待できるが，他の呼吸理学療法との併用が望ましい
患者の受容	マスクに慣れないと導入困難．挿管・気管切開症例では導入しやすい	マスクに慣れないと導入困難なことが多い	マスクに慣れないと導入困難．挿管・気管切開症例は導入しやすい	一般に受け入れがよい
患者の負担	長時間になるのでマスク患者は労力大．気管切開症例は負担軽減	慣れれば短時間で可．負担は大きくない	慣れれば負担は軽い	負担は通常軽い
介護者の労力	長時間になるので慣れても介護者の労力は中等度．特に姿勢変換必要な場合は，2人以上必要	設定に慣れると短時間で可．負担軽度．介護者1人でも可	対象者が嫌がらなければ負担は軽い	介護者1人でも可能で負担は軽い
排　痰	加湿・流動化作用があり，末梢気道からも排出できる	加湿・流動化作用がなく喀出は中枢気道が多い	加湿・流動化作用がなく喀出は中枢気道が多い	加湿作用はないが流動化作用はある．末梢気道からも排出できる
容量容圧損傷	現在まで明らかな損傷は報告されていない	設定圧が高すぎると損傷の危険性あり	現在まで明らかな損傷は経験していない	危険性はない
胸郭・肺の可動性	肋間筋・傍脊柱筋の振動での緊張緩和の効果で胸郭可動性改善例あり	opening pressure作用があり，肺胞拡張に有効．吸気時に著明に胸郭拡張可	opening pressure作用がある．吸気時に胸郭が拡張される．いずれもMI-Eと比較すると弱い	肋間筋・傍脊柱筋の振動での緊張緩和の効果で胸郭可動性改善例あり
適用注意	bullaのある肺気腫の既往，気胸や気縦隔の疑い，人工呼吸による肺障害，中枢性低換気，気管軟化症	bullaのある肺気腫の既往，気胸や気縦隔の疑い，人工呼吸による肺障害	bullaのある肺気腫の既往，気胸や気縦隔の疑い，人工呼吸による肺障害	骨粗鬆症や血液凝固障害など，わずかな外力でも重篤な外傷を負うリスクが高い場合
禁　忌	肺の過膨張，出血性気管内肉芽（特に前壁），緊張性気胸の急性期	肺の過膨張，出血性気管内肉芽（特に前壁），緊張性気胸の急性期	肺の過膨張，出血性気管内肉芽（特に前壁），緊張性気胸の急性期	頭頸部，胸背部，肺の外傷や侵襲的な処置後早期（手術，腰椎穿刺後など）

*PEEP：end-expiratory pressure，CPAP：continuos positive airway pressure

に陰圧を連続して2〜3呼吸与える．吸気・呼気の時間はおおむね1〜4秒である．多くの重症児者は機械の吸気・呼気のタイミングに合わせることが当初困難であるため，初めは手動モードで低圧から吸気にあわせて陽圧を加え，胸郭の拡張を視聴診で確認した後，手動で陰圧に切り替えて，呼気を誘導する．もしくは，吸気をトリガーにして加圧を開始する機種を使用する．筆者らの使用経験では，トリガー感度に機種間の差はあるが，比較的重症児者の受け入れがよく，施行者も使いやすい．

MI-Eは種々の陽圧換気法の中でopening pressure（虚脱肺胞開放初期圧）を最も与えやすく，虚脱肺を拡張させる有効な手段である．また，中枢気道に貯留する痰の吸引にも有効である．しかし，容量・圧損傷のリスクがあるため，設定圧と治療時間は注意したい．数分休憩後に同様の条件で行い，呼吸抑制が遷延しなければこれを1セットとし，急性感染時に1〜4セット/日実施する．使用経路は，通常IPVと同様にフェイスマスクである．気管切開部からのアクセスは，直接肺が加圧され換気量が大きくなりやすく，慎重な圧と時間の調整が必要である．

ⓒ 自己膨張式バッグによる用手陽圧換気（バギング）

自己膨張式バッグを用いて対象者の吸気にあわせてタイミングよくマスクを当て一気に加圧する．安静時1回換気量（TV）の3〜5倍程度の容量を目安に開始し，視診・聴診で胸郭・肺の広がりを確認して量を調整する．1セットあたり1〜5呼吸，1日あたり1〜3セットと指示することが多い．容量はバッグの押し方を変えるかバッグそのものを変えることで調整する．押し方はバッグを手にもったままかベッドに置くか，バッグを押し切るか半ばまでにするかなどで容量が2倍以上異なるので，あらかじめどのような押し方にするか家族に伝え，定期的に確認する．

ⓓ 高頻度胸壁振動法（HFCWO）

その名の通り胸壁に高頻度振動を与えることで痰を中枢気道，ひいては肺外へ排出することを促す．実際の手技としてはまず本体で振動頻度（10〜20 Hz），施行時間（5〜15分）を設定し，対象者の胸壁にベストまたはラップを巻き，本体とホースで接続してベスト内の空気を振動させ，施行後吸引をする．合計1〜3セット行う．午前・午後など間隔を空けて複数回行えば，なお効果的である．HFCWO施行時の最も注意すべき点は窒息の予防であり，具体的には必ず吸引の準備をしたうえで適切なモニタリング下で行うことである（詳細後述）．

4. モニタリング

実施時にはSpO_2，$ETCO_2$（終末期呼気炭酸ガス濃度），呼吸数，心拍数をモニターする（ただし，$ETCO_2$は実施中にはモニターできず，前後に測定しCO_2の過剰排出を検出する）．高炭酸ガス血症は呼吸抑制と関連するため定期的なモニタリングが勧められる．さらに実施前後にTVを計測すると換気改善の効果を判定しやすい．また，急性感染時は可能な限り胸部X線とCTを実施前と寛解後に比較する．重症児者では，治療効果の詳細な診断にはCTが望ましい．

5. 治療効果

ⓐ IPV

重症児者は，呼吸予備能が少なく，一度下気道感染などの負荷がかかると，治癒しても元のレベルに戻り難い．筆者らは10例以上の急性感染患者においてSpO_2，$ETCO_2$，TVなど，パラメータの改善を認めた．重症児者の急性肺炎・無気肺を寛解させ，元の呼吸レベルまで復帰させた経験もある．慢性期の使用例は，改善よりむしろ呼吸機能維持の目的が主で，感染予防，健康増進を目標に在宅IPVを施行している．在宅IPV例で1年間の肺炎・下気道感染の罹患日数などが激減した例もある．

ⓑ MI-E

急性期・慢性期の呼吸障害に対し治療する．筆者らは，MI-E治療は慢性期での使用例が多い．週に1〜2回の定期的なMI-Eとほかの呼吸療法を併用し，治療前後1年間の比較で，年間の下気道感染罹患日数が明らかに減少した例もある．急性期治療でもTV，SpO_2，$ETCO_2$のパラメータの改善や画像上

の改善例がある．特に MI-E は感染に罹患する前から肺胞拡張・無気肺予防の目的で使用すると，急性期に治療導入しやすい．急性期使用により排痰を促進でき，元の呼吸状態に治癒した例もある．

ⓒバギング

排痰補助に加え気道内圧を高め，胸郭の可動性を維持・向上させる目的で行っている．介助により深吸気位とすることで最大呼気流速（peak cough flow：PCF）の増加を得たという筋ジストロフィーを対象とした報告がある[3]．重症児者でも施行後に排痰がみられることがある．また側彎などにより自発呼吸では開きにくくなった肺野にも呼吸音が聴取されることがしばしば経験され，日常的なケアに組み込むことで肺・胸郭の可動性の維持・向上が期待される．MI-E と比較した利点は簡単な器具で行えて導入しやすいこと，外出・外泊時に持ち運びが容易であること，介護者が習熟してくると成長や状態にあわせて手技の微調整が可能であること，バッグは購入品になるので状態・手技が安定していれば必ずしも毎月受診をしなくてもよいことがあげられる．

ⓓHFCWO

気道内圧を高める手技ではないので opening pressure は与えられないが，末梢の痰を中枢へ移動させることができる．

排痰介助が必要となる様々な神経疾患に対し有用性や安全性，処置の容易さが検証されている．小規模であるが脳性麻痺の症例でもその有用性を検討されており，気道感染による抗菌薬投与回数や入院の減少，有効な吸引（いわゆる痰が「引けた」感じ）の頻度が増加し，けいれん頻度も減少するなど有効性が示唆された[4,5]．これらの報告に自験例も含めると気管切開後の方にも少なからず施行されている．

また HFCWO は手技が比較的シンプルなため日々の介護負担が少ないことも特徴であり，脳性麻痺，神経筋疾患を有する方の介護者へのアンケート調査によると，用手的肺理学療法と比較して指示通りに実施されやすい[5]．

経験的には HFCWO は比較的重症児者でも受け入れがよい．また手技に熟練を要さず急性期も含めて導入しやすい手技であり，排痰を促したいがマスクに慣れていない場合などに選択しやすいと感じる．重症度が高く側彎が強い例でも施行しており，やはり痰がよく「引ける」ことは経験される．施行前後で筋緊張がゆるみ，結果として呼吸状態が改善することも経験される．

6. 注意が必要な点

IPV，MI-E，バギングはいずれも陽圧換気療法であるため常に容量・圧損傷に注意すべきである．

ⓐIPV

治療後の呼吸抑制が多数報告されており，駆動頻度の調整は慎重に行う．施行中は常時の観察を行い，終了直後から自発呼吸が整うまでは CO_2のモニターを行う．ただし，普段 CO_2が正常範囲にある例では，１分以内に元のレベルに回復する一過性の CO_2減少なら許容範囲と考えられる．設定条件を一定にすれば，日常看護業務に組み入れることは可能である．一方で，フェイスマスクによるアクセスを受容しにくい場合は，有効圧まで条件を高められない例もある．気管カニューレからアクセスする場合は，IPV の振動により，カニューレが，気管内壁を損傷する危険性があり，施行中はカニューレを施行者が指で保持する．この方法による数千回以上の治療経験で気管内出血を生じた例はない．

ⓑMI-E

重症児者で，協力が得られずにフェイスマスクでの送気を嫌がる場合は，手動モードで低陽圧から開始し，施行者が対象者の吸気にあわせて陽圧を加え，慣れていく必要がある．吸気トリガー機能を使用することで，送気への受け入れが向上することがある．陰圧はより高いほうが排痰効果を得られやすいと考えられるが，咽喉頭・気管の軟化症や狭窄がある場合，気道が変形・虚脱して呼気が停止することがあり，その際には陰圧をゆるめることが必要である．

ⓒバギング

バギングは陰圧を与えることができないので気管や喉頭にある痰を除去することはできない．そのため十分な咳嗽が出ない対象者では他の呼吸理学療法を検討するか吸引器を忘れずに準備する．マスクや加圧が受け入れにくい場合は，施行前の声掛けや，顔・体に 1 度軽くバギングする予告を取り入れたり，自宅でマスクを当てる練習から始める．

ⓓ HFCWO

総じて合併症をきたしにくく安全という報告が多い．しかし個別には咳嗽が十分に出ない重症児者で窒息の報告がある[6]．窒息の可能性を予見することは特にむずかしいので，HFCWO 施行時には適切なモニタリングと吸引の準備が必須である．また気管カニューレの場合は振動による気管内壁の損傷に注意する．

ⓔ 診療報酬

これらの技法を選択する際に，患者や家族の好み・病態やチームの経験に加えて影響を与えるのが診療報酬を得られる方法かどうか，という点である．IPV は人工呼吸器の扱いであり，在宅・入院いずれにおいても人工呼吸器として算定可能であるが，すでに人工呼吸器を使用しているケースでは算定対象外となる（併用して効果が得られることはあるが）．MI-E は在宅人工呼吸療法の排痰補助装置加算という形で算定できる．入院等では重症児スコア・医療的ケアスコアの加点の対象であり，場合によっては報酬の加算につながることがある．HFCWO の専用機（Smart-Vest）は保険収載されていないが，MI-E に HFCWO のオプションがついた機器（コンフォートカフⅡ）は MI-E を使用することによって在宅で使用可能である．専用機に比べて振動が弱くなりやすく，特に成人例などでは背面が十分振動するような設定強化やポジショニングの工夫が必要になることが多い．

7. 禁　忌

ⓐ IPV，MI-E，バギング

中枢性低換気で自発呼吸が著しく弱い例は慎重に適応を判断する．緊張性気胸の急性期，hyper inflation，気管前壁の出血性の肉芽は絶対禁忌となる．

ⓑ HFCWO

頭頸部・胸背部，肺の外傷や侵襲的な処置後早期（術後，腰椎穿刺後など）は禁忌である．骨粗鬆症や血液凝固障害などで合併症のリスクが高い場合は慎重に適応を判断する．

8. ハイフローセラピー

ハイフローセラピー（high flow nasal cannula：HFNC）は十分に加温加湿された高流量の酸素を経鼻的（まれに経気管的に）投与することで，一般的な酸素療法のもつ低加湿の問題や，CPAP や低侵襲陽圧換気法（NPPV）のもつマスクフィットの問題等を回避できる可能性があり，おもに NICU や急性期医療機関で使用されているが，重症児者での使用も増えている．メリットとしては気道が加湿され，吸入酸素濃度が安定する以外にも，高流量による解剖学的死腔の減少，若干の気道内圧の上昇，（場合によっては）口腔内分泌物が口から外に出ることなどがあげられる．

対象としては NPPV や CPAP を使うほどでもない呼吸障害の多くが適応になるが，人工呼吸器が使えない/使わないケースの代替療法としても用いられる．一方，在宅で利用される場合には，酸素療法よりも軽度の気道内圧上昇をおもな目的とされているケースが多い印象である．

機器構成は酸素-空気ブレンダ・加温加湿器・回路・専用の鼻カニューレからなり，ブレンダと加温加湿器が一体化した専用機器も購入・レンタルすることができる．酸素-空気ブレンダには酸素・圧縮空気それぞれの配管が必要だが，専用機器は空気のブロワーを内蔵しており酸素の配管のみで使用することができる．専用カニューレはメーカーごと複数のサイズがあるため，適当なものを使用する．気管カニューレに接続できるアタッチメント（Optiflow OPT570）を使用すると気管切開のケースでも使用が可能である．在宅では CPAP の亜型として在宅向け人工呼吸器・加温加湿器・酸素濃縮器を用いて実施されていることが多い．必要な流量は吸気時にも鼻孔脇からフローが漏れる程度であるが，突然の高流量に驚いて装着困難となる可能性があり，低流量から徐々に増量する．吸入酸素濃度は必要性に合わせて調節する．

人工呼吸器に比べて機器自体のモニタリン

グ・アラームが貧弱であり，特に回路はずれ/低圧アラームがないことが多く，使用中の SpO_2 モニタリングや回路チェックが必要となる．

注意点としては，鼻カニューレがはずれやすい，鼻カニューレや固定テープによる皮膚トラブルがある．また，呼吸障害が重症なケースでNPPVや気管挿管・人工呼吸へのステップアップが遅れる可能性が指摘されており，人工呼吸療法へ移行する可能性のあるケースでは頻回の評価が必要である．

文　献

1）金子断行，他．重症心身障害児（者）の呼吸障害に対する肺内パーカッションベンチレータの効果の検討．脳と発達 2005；37：262-264
2）金子断行，他．：重症心身障害児（者）の呼吸障害に対する肺内パーカッションベンチレータとインエクスサフレータの使用経験：日重症心身障害会誌 2006；31：35-43
3）Ishikawa Y, et al. Cough augmentation in Duchenne muscular dystrophy. Am J Phys Med Rehabil 2008；87：726-730
4）Plioplys AV, et al. Pulmonary vest therapy in pediatric long-term care. J Am Med Dir Assoc 2002；3：318-321
5）Yuan N, et al. Safety, tolerability, and efficacy of high-frequency chest wall oscillation in pediatric patients with cerebral palsy and neuromuscular diseases：an exploratory randomized controlled trial. J Child Neurol 2010；25：815-821
6）Willis LD, et al. Acute hypoxemia in a child with neurologic impairment associated with high-frequency chest-wall compression. Respir Care 2007；52：1027-1029

［金子断行，西田裕哉，村山恵子，山口直人］

コラム

在宅でのハイフローセラピーの実際

ハイフローセラピーとは，十分な加温（37℃）と加湿（絶対湿度44 mg/L，相対湿度100％）を行った高流量の吸入気を使用した新しい原理の呼吸管理方法のことである．気管切開孔から使用するものと，鼻カニューレを使用する（nasal highflow therapy：NHFT）ものの二通りの方法があるが，在宅ではもっぱら鼻カニューレを使用する．酸素は必ずしも必要としない．「加温加湿された高流量療法」が正確な名称であろう．日本でも海外でも，用語の統一がなされておらず，high flow therapy（HFT），heated humidified high-flow nasal cannula（HHHFNC），high flow nasal（HFN），high flow nasal cannula（HFNC）など様々な名称でよばれる．従来の酸素療法と比較して高精度な呼吸管理が行えるうえに，飲食やコミュニケーションも可能で，患者の不快感も少ないためQOL維持のうえでも有用とされ，近年ICUや救急外来などの現場を中心に使用が増えてきており，2016年度の診療報酬改定で，保険収載されてから急速に広がっている．

近年，在宅でも，マスクを用い，圧をかけて呼吸補助を行う非侵襲的陽圧換気療法（non-invasive positive pressure ventilation：NPPV）に比べ，患者の受け入れがよいため，ハイフローセラピーの使用が増えてきた．当院では約10年前から既存のNPPV用の人工呼吸器を用いて，ハイフローセラピーを行っていた．当初は，ハイフローセラピー専用の機器はなく，保険収載もされていなかったので，保険上は，非侵襲陽圧換気療法として扱わざるを得なかった．しかし，2020年11月にハイフローセラピー専用のメディオックス60という機器が初めて保険収載され，ハイフローセラピーが在宅でも実施できるようになった．以降，種々のハイフローセラピーが可能な機器が使用できるようになり，ハイフローセラピー用のインターフェイス，鼻カニューレもいくつかの種類が流通するようになり選択の幅が広がった．

通常，鼻腔から上気道には CO_2 を多く含んだ呼気ガスが貯留する死腔が存在するが，ハイフローセラピーでは高流量の気流を投与し続けることで，鼻咽頭に貯留した呼気ガスを外に排出することができる．上気道も酸素の豊富なガスで満たすことで１回肺胞換気量を増やすことができるため呼吸効率が上がり酸素化が改善される．また，加温加湿器によって十分に加湿した気流が供給できるため，気道粘膜の線毛機能を高めて痰を出しやすくする効果もある．

当院では，重症心身障害児の呼吸管理から，脳腫瘍で唾液や痰の排出が困難な子どもの呼吸補助にも使用し，良好な結果を得ている．今後，さらにその活用の場面は広がると思われる．

［前田浩利］

A 呼吸障害の治療・看護

10 人工呼吸器療法 ①非侵襲的人工呼吸器療法（NPPV）

POINT

- NPPVは，重症児者の呼吸不全に対する有効な治療法の1つである．重症児者は，急性呼吸不全時の挿管人工呼吸後，抜管困難に陥りやすいことから，急性期呼吸障害の際のNPPV導入によって挿管を回避できる利点は大きい．慢性期使用例では，換気障害の改善により覚醒レベル向上などの効果が期待できる
- 導入の成功のためには，気道確保，インターフェイス，呼吸器設定の調整が重要である．重症児者のNPPVでは，排痰，緊張・姿勢管理，皮膚ケアなどの全身管理が重要であるので，多職種の密な連携が望まれる
- 在宅患者に対しては，短期入所の提供や訪問看護などによる家族支援のほか，呼吸状態の定期評価と体調不良時の入院対応などの医療環境の整備が必要である

1. はじめに

非侵襲的人工呼吸器療法は非侵襲的陽圧換気療法（noninvasive positive pressure ventilation：NPPV）ともいい，気管内挿管や気管切開を行わずにインターフェイス（鼻マスク，フェイスマスクなど）を用いた人工呼吸である．神経筋疾患の呼吸不全において使用が始まり，成人の呼吸器疾患などへの適応は次第に拡大している[1]．

重症児者の呼吸不全に対するNPPVは，患者の協力が得られにくいことや排痰困難などの重症児者特有の問題点のため，従来，治療法として普及していなかったが，近年になり有効例の報告が増加している[2,3]．当院でも，近年，NPPV症例は増加し，急性呼吸不全に対する人工換気適応例ではNPPVが第一選択となっている．また，慢性期使用例も増加しており，近年，気管切開を選択しない在宅NPPV患者は増加している．

重症児者におけるNPPVのガイドラインはこれまでなく，各施設がそれぞれの方法で取り組んでいるが，最近になり，重症児者NPPV症例経験の多い施設の協同により，プラクティカルガイドの作成が開始されている[4]．

本項では，当院における重症児者NPPVの取り組みの状況を述べる．

2. 適応病態

急性期NPPVは，肺炎や気管支喘息に伴う急性呼吸不全（慢性呼吸不全の急性増悪を含む）において，内科的治療不応例，つまり，酸素増量にかかわらず酸素化不良時，呼吸筋疲労により浅表性呼吸や努力呼吸出現時，高炭酸ガス血症による意識障害出現時に導入する．その他，気道狭窄に伴う呼吸障害進行例やけいれん重積に伴う呼吸障害例，抜管後呼吸管理目的での使用例がある．

慢性期NPPVは，換気障害による慢性呼吸不全症状を呈する例に対して導入することが多い．慢性期NPPVでは睡眠時換気障害の改善目的で夜間のみ呼吸器を使用することが多い．急性期導入例のなかで，急性呼吸不全の反復例や睡眠時呼吸障害の合併例では呼吸状態の改善を目的に夜間NPPVへ移行することがある．

3. 導入手順[5]

当院における急性期NPPV導入手順を表1[5]に記した．導入の成功のためには，気道確保の工夫，適切なマスク選択，呼吸器設定調

表1　当院における重症児者急性期 NPPV の実際

1．**導入を考慮する状況**

急性呼吸不全（慢性呼吸不全の急性増悪を含む）において下記のいずれかを認めたとき

1）酸素増量を行っても，酸素化不良時

2）呼吸筋疲労により，浅表性呼吸，努力呼吸出現時

3）高炭酸ガス血症による意識障害出現時

2．**開始手順**

1）開始前に経皮炭酸ガス分圧モニター装着

2）インターフェイス

・鼻マスクは，口腔内吸引や腹臥位管理が容易という利点があるので第一選択

・口からのリークが多い場合には，チンストラップの併用，口鼻マスクへの変更を検討

・上気道狭窄に対しては，経鼻エアウェイ併用

3）呼吸器初期設定

・S/T モード，IPAP 10 cmH_2O，EPAP 3～5 cmH_2O，回数 10～15/分，吸気時間 1.0 秒で開始

・自発呼吸のトリガーが弱い場合には，T モードへ変更する

4）開始後の呼吸器設定の調整

・患者の自発呼吸への同調を確認後，換気効果を認めるように IPAP，回数，吸気時間を調整

・通常，IPAP を 15～20 cmH_2O まで漸増する

3．**効果判定**

・自発呼吸が呼吸器と同調し，胸郭が十分に挙上し努力呼吸が軽減すれば，有効と判定する

・有効例は，開始 60 分以内に，頻脈の改善（HR 20/分以上の低下），SpO_2の上昇，PCO_2の低下（10 mmHg 以上の低下）を認める

・効果がみられない場合，気道確保が不十分，リークが多いこと，呼吸器設定が患者の呼吸パターンに合っていないことが原因のことが多いので，インターフェイスの変更やチンストラップの併用，呼吸器設定の調整を行う

4．**導入後の治療**

・NPPV 開始後，胸郭の動きが改善するので，開始早期からの姿勢管理，呼吸理学療法を併用することによって，排痰が促進する

・呼吸状態改善後，日中の短時間の離脱後，夜間のみ装着へ変更することが多い状態安定後，終日離脱を試みる

・急性呼吸不全反復例や睡眠時換気障害を有する症例では，長期使用への移行を検討する

S/T：自発呼吸を感知して作動するモード，T モード：自発呼吸とは無関係に作動するモード，IPAP：吸気圧，EPAP：呼気圧

(松井秀司．重症心身障害児者における非侵襲的陽圧換気療法（NPPV）の実際　重症心身障害児者施設での取り組み．日重症心身障害会誌 2013；38：59-63 より一部改変)

整の3点は特に重要である．

導入は，経皮炭酸ガス分圧モニター装着下で開始する．換気モードは，通常，S/T (spontaneous/timed) モードを選択する．これは，自発呼吸を補助し換気を行いながら，最低換気回数を保証する設定である．インターフェイスは，通常，鼻マスクを始めに試み，口からのリークが多い場合にはチンストラップ（顎バンド）の併用を行う．SpO_2，CO_2分圧，頻脈の改善，努力呼吸の軽減を効果判定の指標とし，マスクや呼吸器設定を調整する．有効例では，自発呼吸が呼吸器と同調し，努力呼吸は軽減し頻脈は消失する．

慢性期導入の手順は，急性期とほぼ同様であるが，慢性期の場合，マスクの受け入れを良好にするために，吸気圧を低めに設定するなど慣らす程度から開始することが多い．

4. 呼吸器とインターフェイスの選択

当院では株式会社フィリップス・ジャパンの製品を使用している．急性期 NPPV では，酸素濃度の設定が可能な Trilogy® O2 を使用することが多い．慢性期 NPPV では，小型で軽量という特徴を有する BiPAP® A40 システムシリーズ，あるいは，Trilogy® 100 を使用することが多い．後者は，SIMV や従量式での換気が可能である．

インターフェイスは，通常，ネーザルマスク（鼻マスク），フェイスマスク（口鼻マスク），鼻プラグ，マウスピースが用いられる．当院では，図1のマスクを使用している．

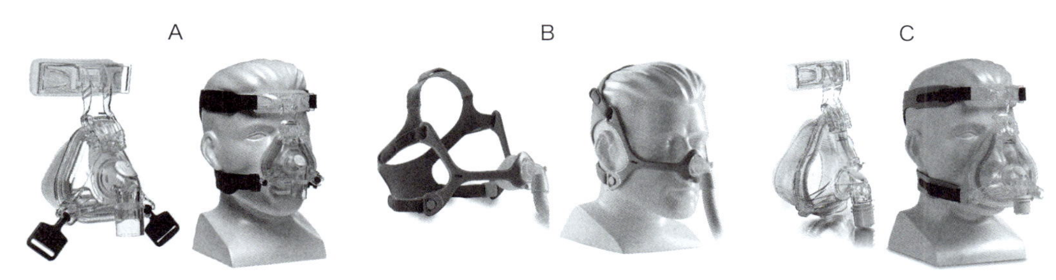

図1 当院で使用しているおもなマスク

A：コンフォートジェルブルー ネーザルマスク：ジェルクッションが軟らかく，フォーヘッドパッドによってフィット良好．マスク脱装着がスムーズ．
B：ウィスプ ネーザルマスク：視界良好，接触面が小さく軽量のためフィット良好で快適性高い．
C：コンフォートジェルブルー フルフェイスマスク（販売終了にてヴィテラフルフェイスマスクに変更中）：装着中に鼻梁の圧力を軽減し，フィット感良好．
（画像提供：株式会社フィリップス・ジャパン）

5. NPPV導入の際の注意点，ケアの留意点[6]

ⓐ気道確保およびエアリークへの対策

重症児者は舌根沈下などによる上気道狭窄を有していることが多いが，気道感染や嚥下障害に伴う気道分泌物増加や換気障害に伴う意識状態低下によって，上気道狭窄が増悪することがしばしばみられる．上気道狭窄によって気道確保が不十分である場合には，チンストラップ，ネックカラー，経鼻エアウェイの併用を検討する．口からのエアリークが多い場合にもチンストラップやネックカラーの使用で改善がみられることが多い．鼻マスクでの口からのエアリークでは口元を吸湿性のよいキッチンペーパーで覆いチンストラップ等で固定する方法が有効な場合もある[7]．リークが減少しない場合には口鼻マスクへ変更する．口鼻マスクでは，吐物の誤嚥や窒息のリスクがあるので注意を要する．

ⓑ分泌物貯留への対策

インターフェイスが口鼻マスクの場合，吸引のたびにマスクをはずす必要があるため，分泌物の吸引が不十分となりやすい．一方，鼻マスクの場合には口腔内吸引がしやすいので，重症児者のNPPVでは鼻マスクがインターフェイスとして適していると考える．NPPV開始後，胸郭の動きが改善し，排痰が促進される症例をしばしば経験するので，NPPV開始早期から側臥位あるいは腹臥位管理など姿勢療法や呼吸理学療法の併用は排痰促進に有効である．IPV（肺内パーカッションベンチレーター），MI-E（機械による咳介助）の使用も症例によって検討する．

ⓒ皮膚障害への対策

皮膚発赤や潰瘍の発生予防のため，除圧に努める．軽く軟らかいマスククッションを選択し，マスクを強く締めすぎない．予防のため，あるいは，発赤出現時には，マスクとの接触部位（鼻根部や頬部）にハイドロサイトなどの被覆材やコットン，カブレステープなどを貼付する．皮膚症状が強い場合にはマスクの変更を検討する．

ⓓ腹部膨満への対策

空気嚥下による腹部膨満がみられる場合，胃管からの脱気や高位開放による減圧のほか，便通の調整やIPAP圧設定など呼吸器設定条件の調整，気道確保状況の再確認を行う．

ⓔ鼻・眼合併症予防

呼吸器の送気やマスクからのエアリークによって，鼻腔粘膜の乾燥，鼻閉，鼻出血，眼充血や眼乾燥を生じることがある．リークを減らすためにマスク位置を調整する．乾燥予防のため，点鼻・点眼を適宜行う．加湿の調整が必要となることもある．症状が強い場合には，インターフェイスの変更が必要な場合もある．

ⓕ筋緊張が強い場合への対策

マスクは圧迫感が少なく，フィットしやすいものを選択する．呼吸器設定の際には，患者の呼吸パターンに合わせ，換気モードや圧設定を調整する．筋緊張が強い場合でも，

NPPVによって呼吸が楽になったと感じると筋緊張は軽減し入眠できることもある．マスク装着の際，過緊張が軽減せず，NPPV継続がむずかしい場合には，鎮静薬や入眠薬の使用を検討する．

❸呼吸状態の観察における留意点

NPPV中は，呼吸状態の観察（酸素飽和度の数値，上気道閉塞の有無，呼吸音の聴取，胸郭の動き，努力呼吸の有無，気道分泌物の性状や量等），腹部の状態の観察，眼球充血，マスク接触部の皮膚障害，マスクは顔を覆ってしまうため，顔色，口唇色，表情の観察が特に夜間はむずかしいことに注意する．重症児者の夜間のみNPPVにおいては，朝，NPPVが終了し，自発呼吸のみの呼吸が安定するまでの間，一時的に換気が低下する場合があるので，NPPV終了時には呼吸状態の観察が必要である．換気低下を認めた場合は，呼吸介助や酸素投与を行う．

6. NPPV導入を成功させるための留意点

重症児者の呼吸状態は急激に変化するため，NPPVを迅速に開始できる医療体制の整備が望まれる．医療スタッフがNPPVの扱いを熟知していること，院内に呼吸器やマスクが常備され，すぐに使用できる状況になっていることなどが望まれる．特に，マスクは使用頻度の高いものをサイズごとに揃えておくと使用しやすい．また，NPPV無効例は挿管し，人工呼吸に移行する可能性もあるため，挿管を想定した物品の準備も必要である．

重症児者の呼吸障害では，NPPVと他の治療法（呼吸理学療法，姿勢管理，IPV，MI-Eなど）の併用によって，呼吸状態の改善や機能維持が可能になることが多いことから，多職種の連携が不可欠である．また，間接嚥下訓練，口腔ケアの充実による誤嚥感染予防，栄養状態の改善による基礎体力の向上が呼吸状態の改善につながることもあり，これらの配慮も必要である．

円滑な治療開始のためには，日頃から家族と治療方針を話し合い，呼吸状態悪化時の治療法に関する家族の意向を確認しておくことが必要である．家族へ説明する際には，長期使用となった場合の問題点について事前に説明することが望まれる．

7. 在宅NPPV導入の手順と在宅支援の在り方

在宅移行の際には，家族へ患者の病態，NPPVの特徴，機器の取扱い，マスクを含めた日常ケアの方法，家庭での観察ポイント，緊急時対応方法（アラームの対応を含め）について説明する．スタッフによる家庭訪問，試験外泊（院内，家庭）などを経て，在宅移行する．

在宅移行後の支援体制の整備も重要である．介護負担軽減のための定期的な短期入所や訪問看護の利用のほか，体調不良時の治療入院の受け入れ体制の整備も必要である．長期使用の場合には，重症児者の病状に応じて，呼吸器設定やマスク調整が必要になる場合が多いため，定期的な検査入院や短期入所時の呼吸状態評価は必須と考える．

文　献

1）日本呼吸器学会（編）．NPPV（非侵襲的陽圧換気療法）ガイドライン．南江堂，2006；87-92
2）松井秀司，他．重症心身障害児（者）の呼吸不全に対する非侵襲的陽圧換気療法の有用性の検討．脳と発達 2012；44：284-288
3）下村英毅，他．重症心身障害児者の急性呼吸不全に対する非侵襲的陽圧換気療法の有効性．日小児会誌 2013；117：606-612
4）西田裕哉，他．重症心身障害児者におけるNPPV（非侵襲的陽圧換気療法）のプラクティカルガイド作成にむけて．脳と発達 2013；45：396
5）松井秀司．重症心身障害児者における非侵襲的陽圧換気療法（NPPV）の実際　重症心身障害児者施設での取り組み．日重症心身障害会誌 2013；38：59-63
6）石川悠加．人工呼吸療法ケアの注意点．日本小児神経学会社会活動委員会（編），新版医療的ケア研修テキスト．クリエイツかもがわ，2012；126-129
7）竹内伸太郎，他．神経筋疾患における睡眠時鼻マスクNPPVの口からのエアリーク対策．人工呼吸 Web版 2015；32（1）

［松井秀司，和田恵子，佐原　要］

A　呼吸障害の治療・看護

10　人工呼吸器療法 ②気管切開人工呼吸器療法（TPPV）

POINT

- 回路にはリークポート使用回路と呼気弁使用回路があり，それぞれ長所・短所がある
- 回路はずれを確実に感知するために，回路はずれアラームに加えて最低限の換気量アラームを設定しておく
- 気道の加湿・クリアランスを維持するために，適切に加温加湿器・回路を選択する

1. はじめに

気管切開人工呼吸療法（tracheostomy positive pressure ventilation：TPPV）は人工呼吸器と気道を接続する方法としては最も確実な方法であり，重症児者で常時人工呼吸管理が必須な例や，嚥下障害が高度で気管吸引が不可欠な例ではNPPVよりTPPVが選択される．

2. 人工呼吸器の機種

在宅や施設入所で使用される人工呼吸器は圧縮空気や高圧酸素の配管が不要で電源のみで作動する機種が選択される．図1に現在国内でよく使用される機種を示す．最近の在宅用人工呼吸器は，性能が向上し小型で静かでバッテリー駆動時間も長く，ほとんどの機種は体重5 kg以上の小児に対応している．また操作性も日本語主体で使いやすい．どの機種でも慢性期の呼吸管理には十分対応可能といえる．在宅管理の場合の機種の選択は，その地域での業者（代理店）の普段および緊急時の対応力が一番大事なポイントかもしれない．

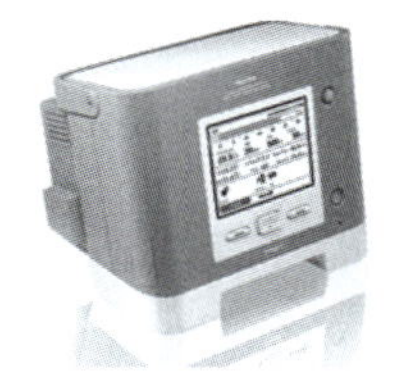
トリロジー®100plus

トリロジー® Evo

クリーンエア アストラル®

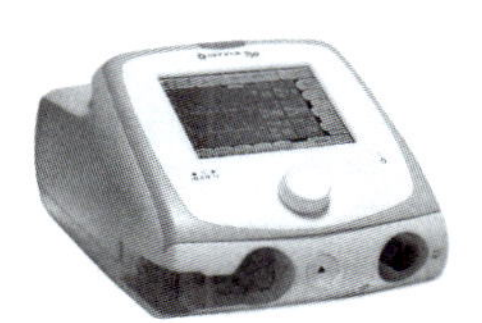
モナール®T50

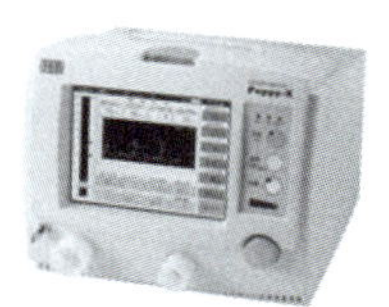
パピー®X

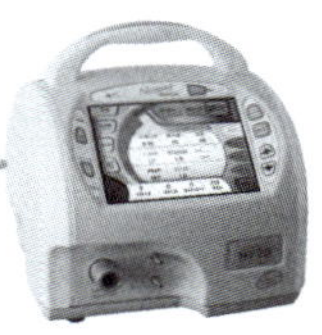
ニューポート® HT70

ピューリタンベネット® 560

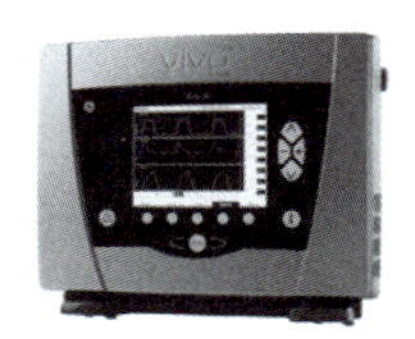
Vivo® 50・60

Vivo® 45LS

図1　おもな在宅用人工呼吸器

トリロジー®Evoは体重2.5 kgより対応可能で，15時間の内部バッテリー駆動が可能．Vivo® 45LSは最も小型で軽量（2.4 kg）である．

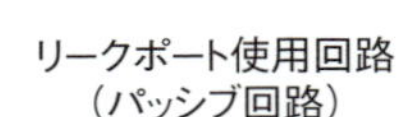

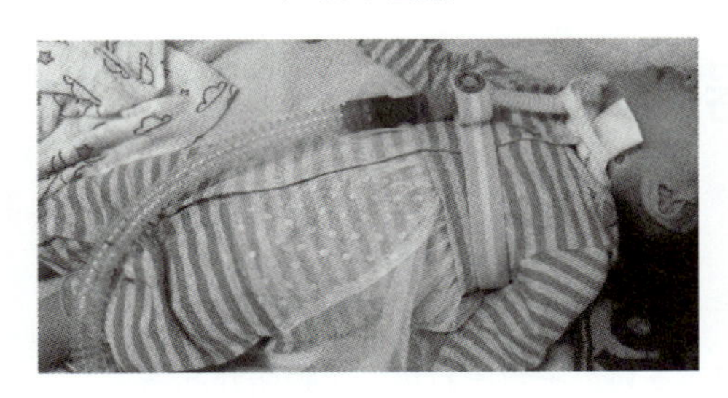

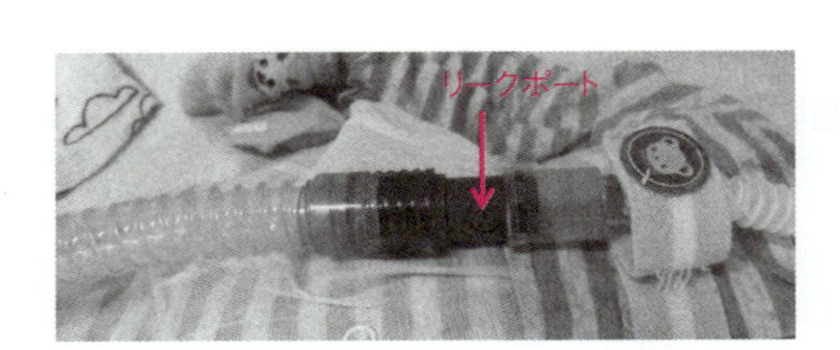

呼気弁使用回路
（アクティブ回路）

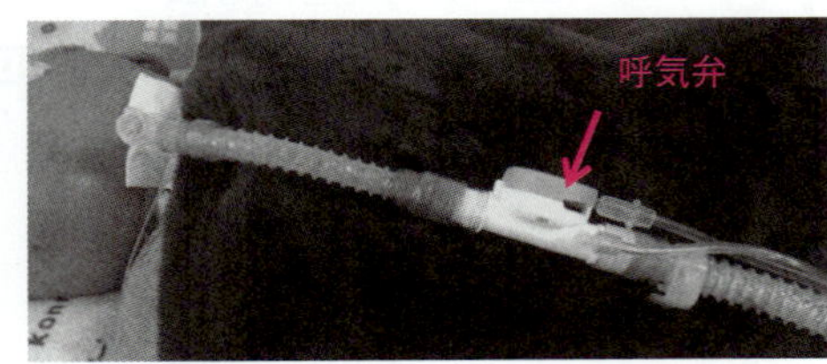

シングルブランチ

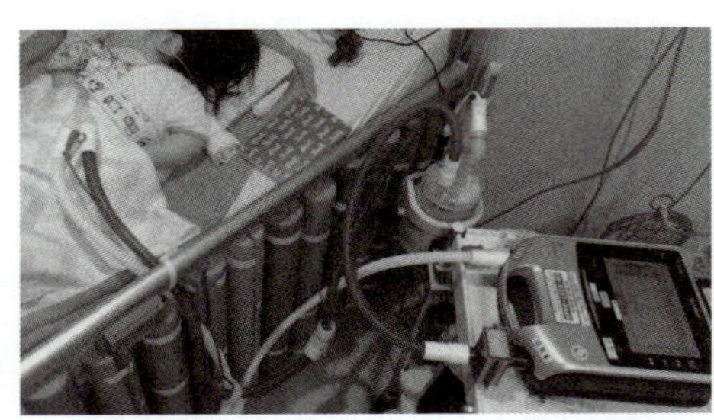

ダブルブランチ

図2　人工呼吸器の回路は2タイプに分かれる

表1　人工呼吸器の回路の長所・短所

	リークポート使用回路	呼気弁使用回路
長所	1本のシンプルな回路で回路交換が簡単 リークがあるのでファイティング時の気道内圧の過剰な上昇が抑えられ不快感が軽減	高い気道内圧にも対応可能 PEEP＝0の設定が可能 （NPPVで会話や食事をする場合には必須）
短所	リークがあるため回路内の流量が増加する ⇒・加湿不足による分泌物の硬化 ・酸素使用時 FIO_2が上がりにくい リークがあるので硬い胸郭や肺だと十分な拡張が得られない リークポートを塞がないように注意が必要．向きによっては低温やけどのリスクあり	回路構成がやや煩雑（気道内圧チューブが付随） 気道内圧チューブ内の水滴によるアラームの誤作動

3. 人工呼吸器の回路

人工呼吸器の回路には2種類ある（図2）．表1に両者の長所・短所を示す．

ⓐリークポート使用回路

パッシブ回路ともよばれる．NPPVをTPPVへ応用した回路で，本人に近いところに呼気を排出するリークポートがある．呼気CO_2の洗い出しのために最低限のPEEP（4 hPaが多い）が必須である．トリロジー®（フィリップス社）が最初に応用したが，ほかの機種（アストラル®やVivo®など）でも広く使用されている．

ⓑ呼気弁使用回路

アクティブ回路ともよばれる．従来型の呼気弁から呼気が排出される回路で，気道内圧測定のためのチューブ（通常は2本）が付随する．呼気弁が回路に組み込まれるシングルブランチと，本体に内蔵された呼気弁に呼気が戻るダブルブランチがある．後者は呼気換気量が把握できるため，詳細な呼吸管理が可能になる利点があるが，回路構成が煩雑になるため在宅ではあまり選択されない．

表2 従量式と従圧式

	従量式（VC：volume control）	従圧式（PC：pressure control）
長所	気道抵抗や胸腔内圧に関係なく換気量が保証される	自発呼吸への同調性にすぐれる プラトー圧があるので不均等換気や気道クリアランス（排痰）の改善が期待できる 同じ換気量なら最高気道内圧は低い
短所	気道内圧上昇のリスク 自発呼吸との同調性が悪化する可能性 カフなし気管カニューレで気道リークがあると換気量が保証されない	換気量が保証されない ⇒気道抵抗・胸腔内圧が上がると低換気になる

4. 人工呼吸器の換気条件の設定

ⓐ換気モードの選択

1）従量式と従圧式

表2に両者の長所・短所を示す．どちらがよいか決定的な優劣を示した報告はないが，小児では医師の慣れもあり従圧式を選択することが多い．カフなし気管カニューレの使用が多いことも一因である．

2）急性期と慢性期

肺炎など不均等換気が存在する急性期管理では従圧式を選択する．重症児者によくみられる筋緊張亢進や痰で換気量・SpO_2が頻繁に低下する例では，カフ付き気管カニューレ＋従量式に変更すると安定する例があり，慢性期管理では従量式も選択肢に入る．

ⓑ換気条件の設定

1）換気量（圧または量）

適正換気量はCO_2分圧（血液ガスまたは経皮/呼気モニター）で判断し，適正換気でもSpO_2＜95%であれば酸素使用を考慮する．ただし，必ずしも正常範囲のCO_2分圧（35～45 mmHg）を目指す必要はない．高い気道内圧が必要な例では低換気（CO_2高値）を許容したり，気道クリアランス（排痰）を優先したい例では肺を十分拡張させるためにある程度のCO_2低値を許容する場合もある．

2）呼吸回数

年齢に応じた安静時の正常呼吸数を参考に設定するが，I/E比は原則的に1を超えないようにする．

3）吸気時間

短すぎるとプラトー圧がなくなり換気効率（不均等換気の是正効果）や気道クリアランスが低下する．NICUからの移行例では，新生児期の設定のままで吸気時間が短い例があるので注意する．自発呼吸に依存した圧補助換気（PSVやS/Tモード）で，吸気時間が短く呼吸数が増加する例では，SIMVやACモードに変更して一定の吸気時間を保証することで安定する場合がある．逆にカフなし気管カニューレで気道リークが大きい例では，吸気流速が減速しないために吸気時間が長くなり過ぎるので注意する．

4）ライズタイム

基本的に短い時間（速い吸気流速）で問題ないが，本人の意向が確認できる例や，硬くコンプライアンスが低下した胸郭/肺では，ライズタイムや吸気時間を長めに設定したほうが受け入れがよい場合がある．

5）吸気トリガー

鈍感だと自発呼吸を感知できない（ミストリガー）．吸気努力が小さくてミストリガーが解消されない例では，吸気トリガーが鋭敏なダブルブランチ回路を考慮する．

6）PEEP（positive end expiratory pressure：呼気終末陽圧）

TPPVでは生理的PEEPの代用として肺胞虚脱防止目的で4 hPa程度かけておくのが一般的である．気管軟化症では高いPEEPが必要になる例がある．不必要な高いPEEPを漫然と使用することは，気道内圧上昇による循環への影響や，肺の圧損傷を考慮し避けるべきである．

ⓒ設定の工夫

1）換気量保証従圧式

目標とする1回換気量まで自動的に圧を調節する従圧式設定で，目標1回換気量と許容する最高気道内圧を設定する．機種によって呼称（AVAPS，ターゲットボリュームな

表 3　加温加湿器

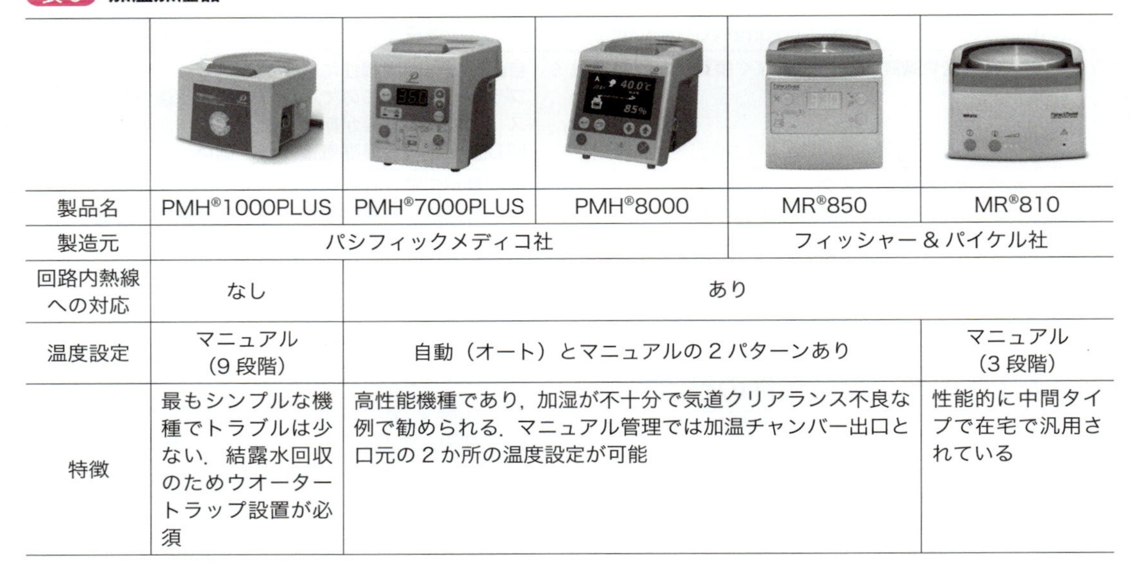

製品名	PMH®1000PLUS	PMH®7000PLUS	PMH®8000	MR®850	MR®810
製造元	パシフィックメディコ社			フィッシャー & パイケル社	
回路内熱線への対応	なし	あり			
温度設定	マニュアル（9 段階）	自動（オート）とマニュアルの 2 パターンあり			マニュアル（3 段階）
特徴	最もシンプルな機種でトラブルは少ない．結露水回収のためウオータートラップ設置が必須	高性能機種であり，加湿が不十分で気道クリアランス不良な例で勧められる．マニュアル管理では加温チャンバー出口と口元の 2 か所の温度設定が可能			性能的に中間タイプで在宅で汎用されている

ど）は異なるが，大半の機種に装備されている．筋緊張，痰，腹部膨満などで頻繁に換気量・SpO_2が低下する例がよい適応である．ただしカフなし気管カニューレでは換気量の信頼性が乏しく効果は限定的である．

2）複数設定（プリセット）の活用

複数の換気設定を目的に応じて簡便に切り替えることが可能で，特に在宅管理で有用である．以下のような使用法がある．

・下気道感染時や喘息発作時などを想定し普段より高い吸気圧や PEEP を設定
・外出時の人工鼻使用時は気道抵抗が上昇するので吸気圧を上げた設定
・夜間のみの使用で朝の離脱が困難な例に対して，ウィーニング用に吸気圧や呼吸回数を下げた設定

5. アラーム設定

ⓐ 回路はずれの感知

回路はずれで確実に鳴ることが必須であるが，従圧式設定で，細い気管カニューレ（おおむね内径 5 mm 以下）が回路（フレックスチューブ）に接続したままで抜去した場合は回路はずれアラームが鳴らないことに注意する．換気量アラームで回路はずれを感知できるように設定しておく必要がある．リークポート使用回路では呼気の分時換気量下限値（最小値でよい）を設定しておく．呼気弁使用回路（シングルブランチ）の場合は，吸気量で判断するため 1 回換気量上限値の設定が必要になる．しかし，カフなし気管カニューレ例では気道からのリーク量が変動するため，適切なアラーム設定が困難な場合もある．

ⓑ パルスオキシメーターの併用

常時パルスオキシメーターを併用し不測の事態に備える．特に在宅では対処不要なアラームが鳴らないように事前に十分確認しておく．介護者の睡眠確保と，人工呼吸器のアラームを“オオカミ少年”にしないことが大切である．アラームはあまり鋭敏にせず，痰の貯留などはパルスオキシメーターで対応するのが現実的である．

6. 気道の加湿

ⓐ 加温加湿器の選択

気道クリアランスを維持するうえで，気道の加湿は非常に重要である．肺胞気で 37℃・相対湿度 100%・絶対湿度 44 mg/L が理想であり，そのためには加温チャンバーで温めて水分を含んだ吸気を引き続き熱線で加温し，温度を低下させずに患者へ運ぶことが重要である．表 3 に汎用される加温加湿器を示す．分泌物が硬い例では高性能加温加湿器への変更を考慮する．

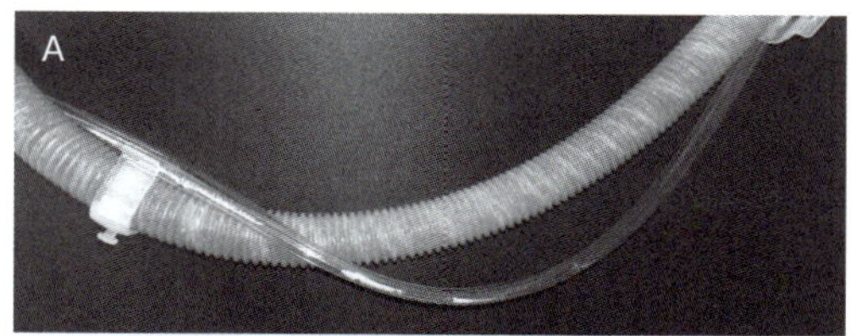

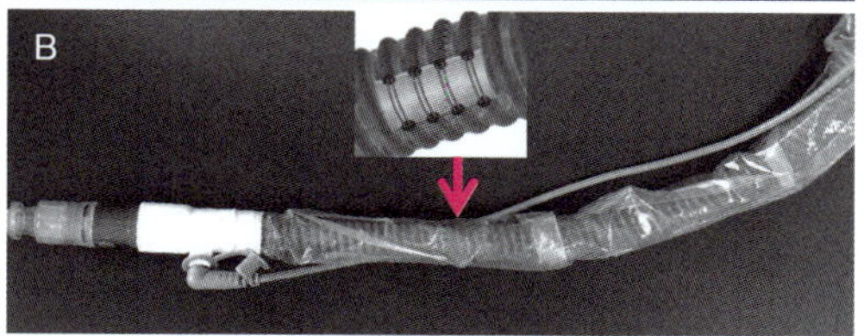

図3 呼吸器回路の熱線
A：通常の回路内熱線コイル
外気に触れる外側に結露が多く発生する．
B：エンベッドヒーターワイヤ回路
外側から均等に加温されるため結露が発生しにくい．
このように回路をビニールスリーブで覆うとさらに結露は減少する．

ⓑ在宅での結露対策

気道の加湿および回路の結露対策は在宅人工呼吸管理の最重要課題である．冬期は施設に比して家の室温は低いことが多く，また居住地域や家屋の種類（戸建て・マンション）にも大きな影響を受ける．吸気の温度が低下すると多量の回路内結露が発生し，その処理のため介護者の安眠を妨げる．吸気の温度・絶対湿度を維持するためには，回路をカバーで覆って外気と遮断したり，回路内腔を均一に加温する外巻き熱線回路（エンベッドヒーターワイヤ回路）に変更すると効果的である（図3）．高性能加温加湿器では，加温チャンバー出口から口元へ温度が上昇するようにマニュアル設定（例：37℃→40℃）すると結露が大幅に減少する．加温加湿器は患者より低い位置に設置し，結露水が患者に流入しないよう回路の高低差に配慮する．

ⓒ外出時

一般的には人工鼻に切り替えるが，加湿不足による分泌物の硬化や低体温に注意する．支障が出るようなら，ポータブル蓄電池で加温加湿器の使用を考慮する．

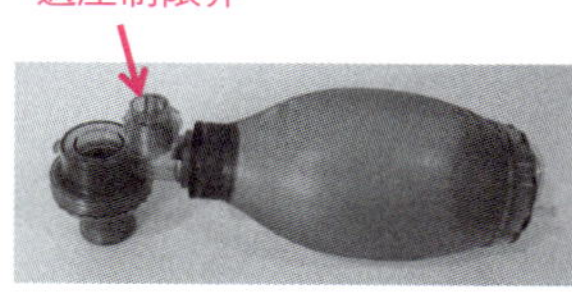

小児用バッグには過圧制限弁がある

高圧が必要なときは弁を押しこんで換気する

図4 過圧制限弁付き自己膨張式バッグ

7. 緊急時対応

ⓐ救急蘇生バッグの用意

呼吸状態の急変時や呼吸器の故障時に直ちに使用できるように，自己膨張式の救急蘇生バッグを常に傍に準備し，外出時も必ず携帯するように指導する．急変時は，人工呼吸器に頼らずに躊躇せず救急蘇生バッグで換気し，胸郭の拡張と SpO_2 の改善の有無を確認する．痰による気道閉塞であっても，バッグ換気が痰を押し込んで呼吸状態を悪化させることはない．

ⓑ救急蘇生バッグの注意点

体格やカフの有無に応じて，肺が十分拡張する適切なサイズ（乳児/小児/成人用がある）を選択する．乳児・小児用には，安全のため過圧制限弁（40 cmH_2O の設定が多い）があり，高い圧が必要な事態（痰による閉塞など）では換気不能に陥る可能性がある．念のため過圧制限弁を押し込んで換気する方法も指導しておくとよい（図4）．

参考文献

・小児在宅人工呼吸検討委員会（編著）．小児在宅人工呼吸療法マニュアル．日本呼吸療法医学会，2017
・日本小児医療保健協議会．小児在宅医療実技講習会マニュアル．「在宅人工呼吸器」．日本小児科学会ホームページ　重症心身障害児（者）・在宅医療関係．（http://www.jpeds.or.jp/modules/members/index.php?content_id=64）

［竹本　潔］

A　呼吸障害の治療・看護

10　人工呼吸器療法 ③陽陰圧体外式人工呼吸器療法（BCV）

POINT

- 重症児者の急性呼吸不全時の呼吸補助療法として陽陰圧体外式人工呼吸器療法（BCV）方式のRTX® は有用であり，非侵襲的陽圧呼吸療法（NPPV）と比較しても遜色がない
- 重症児者の肺理学療法としてもRTX® は有用であり，無気肺の急性期の治療や日常的な無気肺の予防・沈下性肺炎のケアに積極的に導入すべきである．特に腹臥位での実施は，腹臥位による体位ドレナージ効果との相乗作用で排痰がいっそう促されるため，より効果的である

1. RTX® について

近年，陽陰圧体外式人工呼吸法（biphasic cuirass ventilation：BCV）方式の体外式人工呼吸器（RTX® レスピレータ，以下RTX®）の有用性が報告されており[1～5]，重症児者の呼吸障害においても，筆者の報告[4]も含め，有用であるとの報告が多い．なお，biphasicは陽圧・陰圧の両方が使えることを意味しており，cuirass（キュイラス）は陽陰圧をかけるために胸腹部にかぶせる亀の甲羅状のもののことである．重症児者や小児でのRTX® の適用は，おもに急性呼吸不全時の呼吸補助目的と排痰を促す肺理学療法目的で使われている．RTX® の換気モードは，①continuous negative，②control，③respiratory triggered，④respiratory synchronized，⑤secretion clearanceがある．小児や重症児者の急性呼吸不全時の呼吸補助目的で使う場合は，①ないしは②のモードで使用するが，①のほうが導入しやすい．排痰を促す肺理学療法の目的で使用する場合は，⑤のモードないしは①（あるいは②）と⑤を組み合わせて使用する．

RTX® の陰圧では胸郭を広げつつ横隔膜全体を引き下げることによって肺を膨らませるため，非侵襲的陽圧換気療法（noninvasive positive pressure ventilation：NPPV）などの陽圧換気法と比べて，背側の肺も膨らみやすく，気道が詰まってきている抵抗の高いところにも空気が入っていきやすい．なお，RTX® の注意事項として，胸腔が陰圧となるため，「上気道閉塞や気管軟化症例に対する使用は推奨しない」とされている．筆者らは，間欠的陽圧換気（intermittent positive pressure ventilation：IPPV）やNPPVなどの陽圧呼吸法との併用での実施は問題ないと考えている．

変形が高度な患者ではキュイラスを密着させることがむずかしい場合があるが，筆者らの施設では，隙間にタオルを詰め込むなどの工夫をしている．密着が悪いと隙間風による気化熱のため低体温になるので注意が必要である．沈下性肺炎の治療・予防目的で，腹臥位で実施している気管切開患者の様子を図1に提示した．詳細な設定条件などは，筆者らの施設での実践例[4]や販売会社のアイ・エ

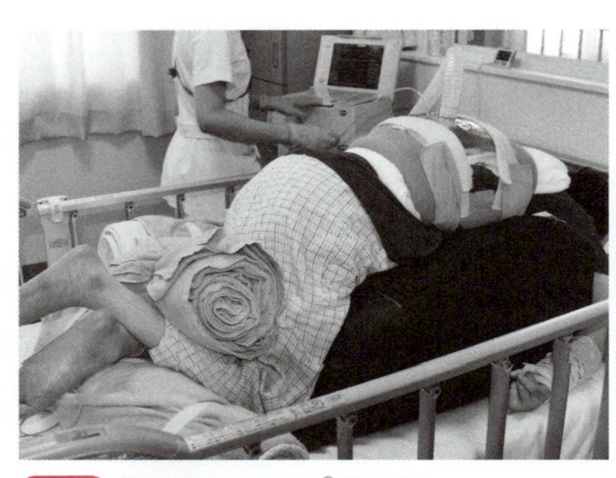

図1　腹臥位でのRTX® 使用例

ム・アイが提供している手引書を参考にしていただきたい．

2. 重症児者の無気肺や沈下性肺炎に対する機械を使用する肺理学療法

重症児者の無気肺や沈下性肺炎に対する機械を使用する肺理学療法としては，RTX® の⑤secretion clearance モードのほかに，肺内パーカッションベンチレーター®（intrapulmonary percussive ventilator：IPV）や SmartVest® などがあげられる．IPV は気管切開患者では効率よく実施できるが，気管切開をしていない患者に実施する場合はマスクを使用することになり，効率が悪くなる．一方，RTX® は，気管切開の有無にかかわらず効果的に実施できて，仰臥位だけでなく，腹臥位でも実施することにより体位ドレナージの効果も得られて，背側の無気肺や沈下性肺炎に対する治療として非常に有用である．重症児者における RTX®，IPV などの適応に関する筆者の考えを表 1 に提示した．RTX® は急性呼吸不全時の呼吸補助としても有用であり，重症児者や小児では continuous negative が使いやすい．呼吸補助として NPPV と RTX® とどちらがより有効であるかはケースバイケースだが，NPPV と RTX® の併用が効果的な場合もある．

表 1　重症児者における RTX®，IPV などの適応

	気管切開あり	気管切開なし
急性呼吸不全の呼吸補助	①IPPV＋RTX® (CN，control，synchro)	①NPPV ②RTX®，NPPV＋RTX® (CN, control)
無気肺の急性期治療	①IPV ②RTX® (clearance) (CN＋clearance) ③SmartVest®	①RTX® (clearance) (CN＋clearance) ②IPV ③SmartVest®
沈下性肺炎の慢性期治療	①IPV ②RTX®（腹臥位も） (clearance) (control＋clearance) ③SmartVest®	①RTX®（腹臥位も） (clearance) (control＋clearance) ②IPV ③SmartVest®

CN：continuous negative

【参考】

最近，高度医療機関での ICU や神経難病施設・重症心身障害施設等での RTX® の導入が進んでいる．RTX® を使用した場合のおもな診療報酬点数（2020 年 4 月）を以下に示す．入院中に呼吸管理目的で使用した場合は J045 の人工呼吸器療法が請求可能．DPC 採用施設でも呼吸器使用が許容される病名であれば 500 点/日前後の請求が可能．小児入院医療管理料取得施設においては，1 日 5 時間を超えて体外式陰圧人工呼吸器を使用した場合は 1 日につき 600 点の加算．外来で在宅患者に呼吸器として使用した場合は C164-3 人工呼吸器加算（陰圧式人工呼吸器）7,480 点/月．排痰・呼吸筋リハビリ目的で使用した場合，又は院内にて排痰目的で使用した場合，J026-3 体外式陰圧人工呼吸器治療 160 点/日．

文　献

1) 佐藤庸子．胸郭外陰圧式換気法は使えるか？　安本和正，他（編），人工呼吸器療法における 30 の謎．克誠堂出版，2008；83-88
2) 岡田邦之，他．胸郭外陰圧式換気法は小児急性呼吸不全に使えるか？　安本和正，他（編），呼吸療法における不思議 50．アトムス，2011；111-116
3) 吉田省造．胸郭外陰圧式換気法は離脱困難症例に使えるか？　安本和正，他（編），呼吸療法における不思議 50．アトムス，2011；117-121
4) 山本重則．重症心身障害児者における RTX レスピレータを用いた陽陰圧体外式人工呼吸法（BCV）の適用．日重症心身障害会誌 2013；38：39-44
5) 港　敏則．呼吸窮迫で入院した小児患者に対する Biphasic Cuirass Ventilation の有効性と安全性に関する検討．日小児呼吸器会誌 2018；28：175-187

［山本重則］

A　呼吸障害の治療・看護

10 人工呼吸器療法 ④在宅，学校，通所などでの人工呼吸器使用

POINT

- 呼吸器本体だけでなく，回路の取り扱いや結露対策についても意識を高める必要がある
- 自己膨張式バッグは人工呼吸器のトラブルなどの緊急時だけでなく，排痰ケアとしても有用であるため，使い方をあらかじめ学習しておくことが望ましい

1. 呼吸器回路の取扱い

学校や通所施設では病院とは異なり，車椅子と床上との移乗や体位変換が多いため，回路のゆるみや脱落，呼気ポート（図 1-A）や呼気弁(図 1-B)の閉塞のリスクが高くなる．回路や圧ラインのはずれに気づいたら，看護師でなくてもその場にいる職員が速やかに接続することが望まれる．呼気ポート(図 1-A)は穴が小さいため，姿勢やタオルで容易に閉塞する．看護師以外の職員も回路に対する意識をもつ必要がある．

2. 加温加湿器の取扱い

ⓐ 回路交換のリスク

学校などの外出先では，加湿器を使用しない外出用回路を使用することが一般的であり，フレックスチューブに呼吸器用の人工鼻（図 1-C）を装着して加湿をする．しかし昨今は，学校や通所施設などの外出先でも加温加湿器回路を用い，人工鼻回路は移動時の一時的な使用とする場合が多くなってきた．

その理由は，病院と異なり学校や通所施設では夏以外は室温が低く乾燥しているため痰が粘稠になりやすいこと．小児は気道や力

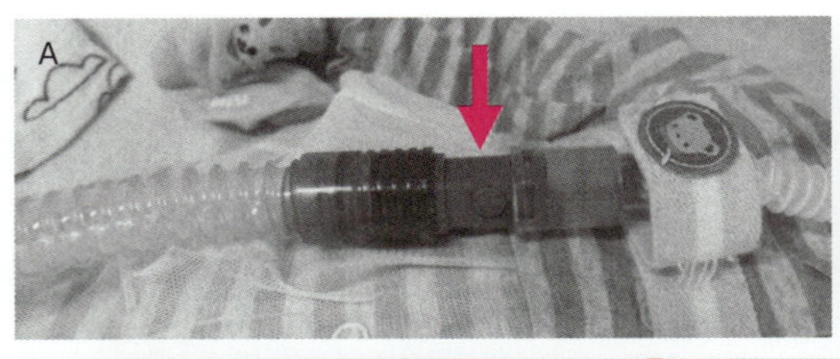

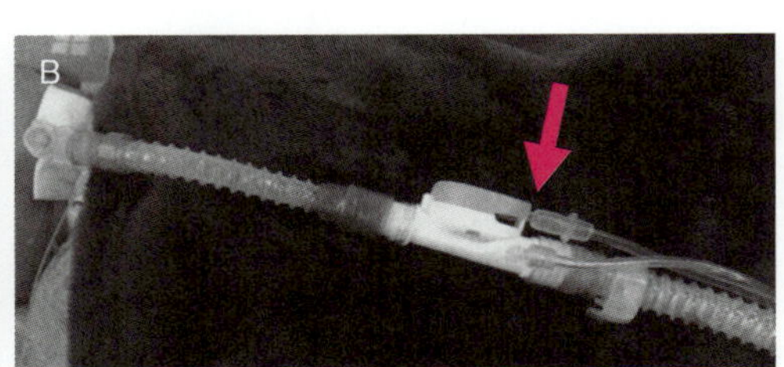

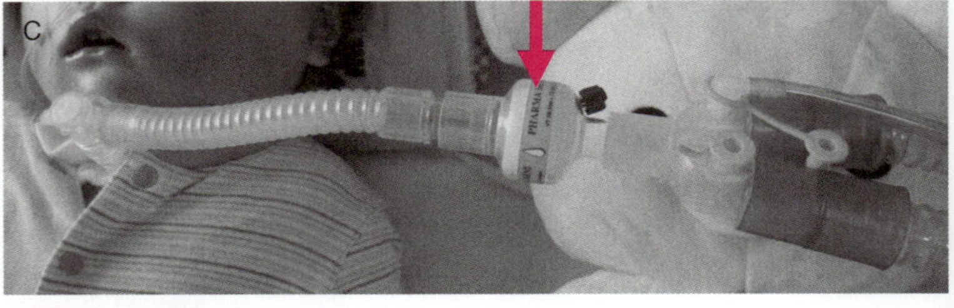

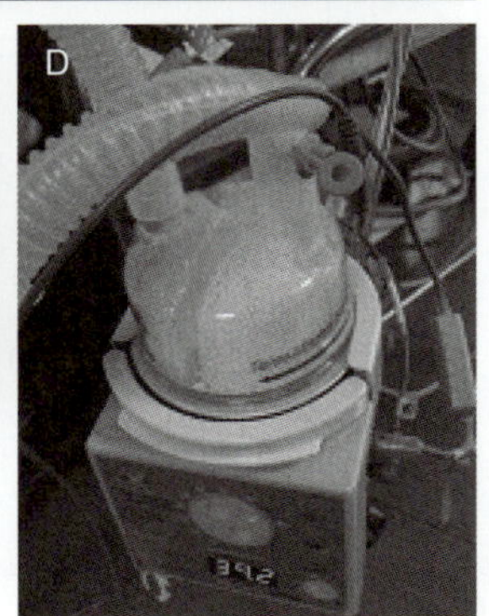

図 1　呼吸器回路と加湿器

A：呼気ポート，B：呼気弁，C：外出用回路の人工鼻，D：加温加湿器
（厚生労働省．平成 29 年度 小児在宅医療に関する人材講習会スライド．2017 より一部改変）

ニューレが細いため痰が粘稠になりやすく，低体温になりやすいため吸気の温度を高めに保つ必要があるなど，小児特有の理由がある．

自宅と学校との間の移動中は加温加湿器回路に電源を入れずに登校してくるケースも多いが，なかには加温加湿器のない外出用人工鼻回路で登校し，登校後に加温加湿器回路に組み替える子どももいる．そのような場合，加温加湿器（図 1-D）に誤って人工鼻回路（図 1-C）を装着すると，人工鼻の気道抵抗が上昇し換気量が低下するので，回路の組み替えには注意が必要である．

ⓑ 回路の結露対策

学校や通所施設で加温加湿器回路を使用する場合，加温加湿器や回路内の水滴に関するトラブルが生じることがある．室温が低い環境下では回路内に結露が生じやすい．回路内の水滴をいかに適切に処理するかは小児の在宅人工呼吸管理の最重要課題である．水滴がカニューレ内に流れ込むと呼吸困難になり，呼吸器本体や呼気弁に流れると呼吸器の故障につながる．呼吸器というと呼吸器の本体にばかり目が向くが，回路や加温加湿器の取り扱い，回路内の結露（＝水滴）の除去方法などについても，職員は学習する必要がある．

3. 排痰ケアと自己膨張式バッグ

人工呼吸療法が必要な子どもの多くは，肺の奥から気道分泌物を出せないため，吸引だけでは対処できず，排痰を促す姿勢配慮や呼吸介助が重要な課題である．排痰介助には様々な方法があるが，上気道により近い中枢側の痰を喀出させるためには，胸郭圧迫による咳介助すなわち呼気介助が有用である．昨今は様々な排痰補助装置が在宅や学校でも使用されている．

肺の末梢からの排痰を促すためには，体位ドレナージやスクイージングなどの呼吸リハの技術が有用であるが，自己膨張式バッグによる用手換気も，末梢にある痰を中枢側に移動させる効果がある．用手換気に慣れてくるとバックの硬さや胸の上がり方で気道狭窄，すなわち痰の詰まり具合がわかるようになる．自己膨張式バッグによる用手換気は緊急時対応というイメージがあるが，排痰ケアとして日常的に使用することが望ましい．

4. 呼吸不全と自己膨張式バッグ

自宅で人工呼吸器を使用していても，学校や通所施設では人工呼吸器をはずして生活している子どもが少なからずいる．しかし，人工呼吸器をはずして過ごすことで気道の加湿が不十分になり，排痰のため用手換気と吸引を繰り返したところ自発呼吸が消失し，車椅子に登載していた人工呼吸器を装着した事例など，人工呼吸器をはずしての生活が可能であっても呼吸不全に陥るリスクは常にある．

呼吸不全に対しては，自己膨張式の救急蘇生バッグによる用手換気が有用である．気管切開をしている子どもでは，気道閉塞などの呼吸状態の急変時に直ちに使用できるよう，自己膨張式の救急蘇生バッグを側に準備しておく．特に人工呼吸器を使用している子どもでは，機械の故障に備えて外出時も常に携帯する．人工呼吸器装着児で呼吸状態が悪化したときは，躊躇せずこのバッグで換気を行う．自己膨張式バッグには乳児用・小児用・成人用があるので，肺が十分拡張する適切なサイズのバッグを選択する．乳児用・小児用には，安全のため過圧制限弁が付いているタイプ（第２章 A-10-② 気管切開人工呼吸器療法（TPPV）図４参照，p.83）が多い．このため，看護師でも安全に使用できる一方，強い閉塞時（粘稠な痰詰まり等）には換気が不十分になることがあるので，必要時は過圧制限弁を押し込んで換気する．

5. 人工呼吸療法と自己膨張式バッグ

自己膨張式バッグは，人工呼吸器のトラブルや停電などの緊急時だけでなく，車椅子や床上への移動時など，短時間呼吸器をはずす場面でも使用できる．吸引前に換気を促し痰の喀出を促すために排痰ケアとしても日常的に使用できる．学校や通所施設で人工呼吸療法が必要な子どもがいる場合，職員は自己膨張式バッグの使い方をあらかじめ学習しておくことが望ましい．

［石井光子］

B 消化器障害の治療・看護

1 胃食道逆流症・食道裂孔ヘルニア ①病態と内科的治療・姿勢管理

POINT

- GERD は筋緊張の亢進や呼吸障害・嚥下機能障害などと密接に関連し（悪循環が形成されやすい）重症児者の QOL を低下させる要因の１つ
- 経年齢的に症状の発現や増悪が認められ，誘因を理解したうえでの薬剤投与方法の工夫や予防的対応，および外科治療選択のタイミングの判断も重要[1)]
- 姿勢管理は GERD だけでなく，呼吸，筋緊張，変形・拘縮の悪化などあらゆる点を考慮して行う

1．胃食道逆流症の病態

ⓐ 胃食道逆流症の症状

胃食道逆流症（gastroesophageal reflux disease：GERD）とは胃酸を含めた胃内容が食道に逆流して起こる症状の総称で，表1[1)]はその具体的な症状の代表を示したものである．嘔吐は必須の症状ではなく，嘔吐することが少ない症例では診断が遅れることもある．なかには致死的な症状もあり，重症児者にとって早期発見・治療が必要な疾患である．

ⓑ 胃食道逆流症の誘因

重症児者には直接的または間接的に GERD 発症に関与する可能性がある因子が多数あり，しかも複数の誘因によって発症していることもまれではない．その誘因によって治療方針や対応方法が異なってくることから，治療方針を決定するためには個々のケースでの GERD の誘因を正しく把握することが肝要となる．

1）一過性下部食道括約部弛緩に関連する GERD

胃の噴門部分には走行の異なる２種類の平滑筋層があり，他の部分よりも内圧が高く（静止圧は 10～20 mmHg 程度），胃内圧が上昇しているときには食道裂孔を形成する横隔膜の筋束からの圧も加わり，内圧はさらに 60～100 mmHg ぐらいにまで上昇する[2,3)]．

表1 胃食道逆流症に関連する症状・疾患

1．胃酸の食道への逆流に関連する症状・疾患 食道炎，吐血，唾液分泌増加，不機嫌，食欲不振，体重増加不良，食道狭窄など
2．迷走神経や横隔神経を介して反射性に起こる症状 喘息発作，無呼吸，徐脈，吃逆（しゃっくり）
3．胃内容・胃酸の逆流により気道に起こる症状・疾患 咽頭炎，歯肉炎，副鼻腔炎，喉頭炎，クループ様症状，気管狭窄，気管支れん縮，肺炎，膿胸，慢性咳嗽など

（中谷勝利．重症心身障害児・者の胃食道逆流症―その特徴と治療法・日常的支援の工夫について―．重症心身障害療育 2009；4：161-172 より一部改変）

下部食道括約部（lower esophageal sphincter：LES）の内圧の調整は延髄の迷走神経背側運動核や，各種消化管ホルモンによって行われ，嚥下に伴って弛緩し，食物の通過後に収縮して胃からの逆流を防いでいる．また胃内圧の上昇により胃底部が伸展拡張することや，脂肪摂取によって増えるコレシストキニンによって一過性下部食道括約部弛緩（transient lower esophageal sphincter relaxation：TLESR，いわゆる“げっぷ”の仕組み）が起こる．一方，粘度の高い食物が胃に溜まっていくことで胃内圧が上昇して適応性弛緩（胃底部が伸展して胃内圧が下がる）が起こったときには，下部食道括約部の収縮は強まる．このように LES の内圧は複雑な仕組みによって調整されている．

①TLESR が生じたときに胃内容が胃底部にある場合

TLESR が生じたときに噴門付近にあるものが気体であれば“げっぷ”ですむが，食物や胃酸などの胃内容が食道に逆流すると胃食道逆流となり，弛緩している食道を勢いよく逆行してしまう．噴門付近の胃底部に胃内容が存在するのは，仰向けで過ごしている場合や胃軸捻転が起こっている場合である[1)]．

②TLESR の頻度が増す場合

TLESR の頻度が増すのは胃底部が気体や液体で拡張しやすい状態にあるときで，前述の胃軸捻転のほか，空気嚥下の増加や胃排出遅延がそれにあたる．空気嚥下は食塊の口腔内から咽頭への送り込みの稚拙さや，指しゃぶりなどで増えることが多く，胃排出遅延は抗てんかん薬（特にゾニサミド〈エクセグラン®〉）などの副作用や，筋緊張亢進による消化管運動の抑制によるもののほか，甲状腺機能低下症（薬剤の副作用による場合もある）や十二指腸以下の通過障害によっても起こる．

2）逆流防止機構の破綻による GERD

胃内容の逆流防止を担っているのは，おもに LES の内圧と食道裂孔を形成している横隔膜の筋束，および下部食道と胃底部との間の角度（His 角）の 3 つである（図 1）[1)]．

①LES 内圧の低下

LES の内圧の調整は前述のとおりであり，延髄の背側の機能低下により LES の内圧（静止圧）が低下していると，逆流が生じやすくなる．また重度の逆流性食道炎がある場合にも内圧は低下しやすい．

②横隔膜の筋束の収縮力の低下

食道裂孔を形成する横隔膜はおもに右脚とよばれる筋束から成り立っている．これは横隔膜の一部であるから，吸気時には食道裂孔を締めつける圧が上昇し，呼気時には胃内圧程度まで下がる．横隔膜右脚の起始部である第 2〜4 腰椎に左凸の側彎と椎体の左向きの回旋が起こると，起始部の移動により締めつけが弱まってしまう[1)]．また，閉塞性呼吸障害に伴う胸腔内の陰圧増強や，緊張亢進・けいれんなどによる腹腔内圧の上昇により，筋束に過剰な外力が長期にわたって繰り返しかかることで筋の虚血性変化（筋細胞の壊死による線維化や脂肪変性）が起こり，筋束の収縮力が低下することでも締めつけが弱まってしまい，逆流が起こりやすくなる．

③His 角の鈍角化

His 角は食道と胃底部の間の角度で通常は鋭角（90° 未満）である（図 1）．しかし，下部胸椎から腰椎に左凸の側彎がある場合は鈍角になってしまい，また腹部食道（食道裂孔よりも下にある食道）が短くなると，吸気時に胃底部が横隔膜に押されて鈍角になり胃食道逆流が起こりやすくなる[1)]．腹部食道の短縮は胸椎の生理的な後彎状態が消失している場合に起こりやすい[1)]．

3）その他の誘因

下記の①を除くと，原因食物の除去や急性期の治療のみで解決することも多い．①に関しては GERD の内科的な治療の対象となることもある．

①反芻や心理的な訴えに伴うもの

TLESR や嘔吐反射を利用している場合が多いと思われる．

②食物アレルギー

③胃腸炎などの消化管感染症

④上気道炎に伴うもの

障害児（者）には比較的多い．咽頭で絡んでいる分泌物を出そうとして，または空気嚥下が増えることで，および咳嗽によって腹圧が上がることで嘔吐が誘発される．

2. 食道裂孔ヘルニア

食道裂孔を形成している横隔膜の筋束による締めつけがゆるんでいると起こりやすいと考えられ（ほかに横隔膜下面の筋膜と連続する横隔食道膜の発達や柔軟性も関与[2,3)]），前述の GERD を発症させる誘因と状況は同じであり，実際に GERD を合併している場合も多い．ただし，噴門形成術後に噴門部の形が保たれた状態のまま胸腔内に上がった場合などでは，His 角が鋭角であるため逆流は起こりにくい．

3. GERD の内科的治療・姿勢管理

GERD の治療には，噴門形成術をはじめとする外科的治療と，誘因に対する治療や症状を緩和するための内科的治療がある．内科的

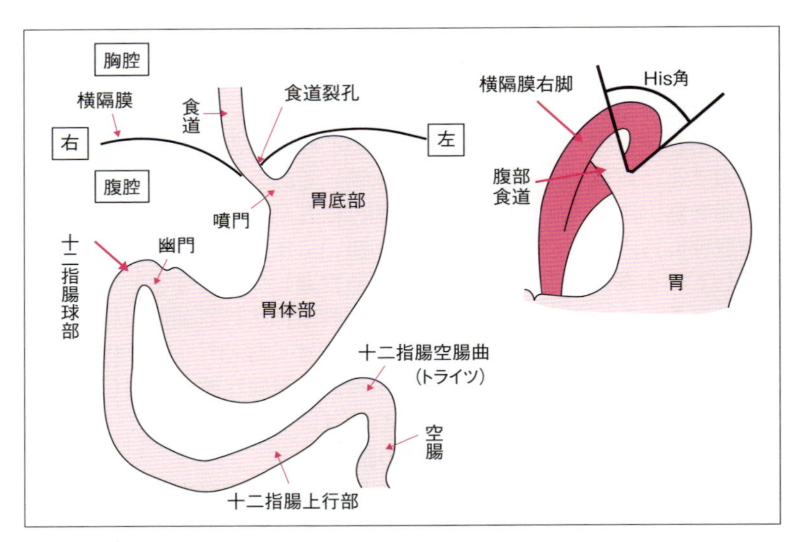

図１　食道・胃・十二指腸および食道裂孔の解剖学的位置関係

（中谷勝利．重症心身障害児・者の胃食道逆流症―その特徴と治療法・日常的支援の工夫について―．重症心身障害療育 2009；4：161-172 より一部改変）

治療では逆流そのものをゼロにすることはできないが，うまく組み合わせればケースによっては逆流に伴う症状のコントロールが可能である．

ⓐ制酸薬・胃酸中和薬

誘因が何であれ，内科的治療は制酸薬の投与が中心になる．表２[1]にあるようにH_2ブロッカーとプロトンポンプ阻害薬の２種類がある．反射性に起こる症状も含め胃酸の逆流に伴う症状を緩和（または防止）することを目的としており，逆流が発生しやすい時間帯に薬の効果が高まるように投与時間を調整する．作用点が異なるため，２種類をうまく時間を分けて投与しているケースもある．ただし，胃酸による殺菌効果が低下するため，注入物の衛生には十分注意する．

そのほか，逆流性食道炎による疼痛や出血に対して，胃酸中和作用のある薬剤が一時的な胃内容の中和と粘膜保護を目的に投与される（表２）．

ⓑ誘因に対する治療

1）TLESR が関与する逆流

胃内容が胃底部にとどまらないようにするには，食後や注入後の姿勢管理と胃内容の排出促進が重要である．姿勢としてはうつ伏せや坐位（特に前傾坐位）が推奨され，これらの姿勢では十二指腸の通過障害に対しても有効なことが多い．同時に呼吸障害が改善され，リラックスした状態が保持されれば，胃の蠕動も抑制されにくい．このほか，胃内容の排出は上部消化管運動機能賦活薬（表２）の投与でも促進される．ただし胃内容が液体の場合には，胃の蠕動運動が起こる前に胃内圧の上昇により十二指腸に排出されるので（ダンピング症候群に注意），注入前の胃内容残留量が多くなければ胃内容の排出を促進させる薬剤を投与する必要性は低い．これらの薬剤を投与する場合でも，胃体部や幽門付近に胃内容が存在する姿勢（うつ伏せや坐位）が望ましい．胃内容が粘性の高い物であれば，左側臥位（胃内容は胃底部～胃体部に存在）でも何とか蠕動運動による排出に期待できる．右側臥位の場合は，側彎の強いケースでは胃内容が噴門と幽門付近の両方に分布するため，噴門が弛緩したときに逆流が生じてしまうことがある．

胃軸捻転が起こっている場合には，臥位よりも坐位や立位などの抗重力姿勢のほうが，捻転が解除される場合が多い．ただし，抗重力姿勢を不適切な状態で保持していると変形が助長されてしまうので注意が必要である．臥位のなかではうつ伏せが最も有効で，仰向けや右側臥位では噴門・胃底部に胃内容が分布してしまう．また小腸以下のガスを減少させることで軸捻転が解除できることもあり，排ガス・排便を促す工夫が必要になる（第２章 B-3 便秘参照，p.99）．

食事中の空気嚥下が多いケースでは，食塊の咽頭への送り込みに問題があることが多く，摂食時の姿勢（頸部と上体）や食形態な

表2 胃食道逆流症の治療・対応で用いられるおもな薬剤

制酸薬：胃酸分泌の低下によるビタミンB_{12}やカルシウム・鉄・銅などの吸収低下に注意

H_2ブロッカー（H_2受容体拮抗薬）

ファモチジン（ガスター®）：作用時間が長く，逆流が起こりやすい時間帯の直前に，1日1回の服用でも有効

ニザチジン（アシノン®）：胃蠕動促進作用もあるといわれている

シメチジン（タガメット®）：抗てんかん薬血中濃度上昇，中枢神経・内分泌系副作用あり

プロトンポンプ阻害薬（PPI）：急激な中止による胃酸分泌のリバウンドに注意

エソメプラゾール（ネキシウム®）：剤型として懸濁用顆粒が発売されており，経管栄養でも投与可能

ボノプラザンフマル酸（タケキャブ®）：錠剤を粉砕して胃内に投与しても，胃酸で不活化しない製剤

ランソプラゾール（タケプロン®）：カプセルは，中の腸溶錠（マイクロカプセル）をそのまま投与することもできるが，粒子が大きいのでチューブが詰まる可能性がある．OD錠は軽く叩いて崩し，少量の水でコロイド状にして投与．乳鉢ですり潰してしまうと，有効成分が胃酸で不活化されやすくなる

上部消化管運動機能賦活薬

ドンペリドン（ナウゼリン®，他）：胃や十二指腸にあるドパミン受容体を遮断し，胃の内容物の腸への排出を促す．脳の嘔吐中枢を選択的に抑える作用あり．錐体外路症状の発現に注意

モサプリド（ガスモチン®）：胃や十二指腸壁にある受容体を刺激してアセチルコリンを遊離させ，胃腸の運動を促進させる

六君子湯：胃内圧が一定以上に上昇したときに胃底部の平滑筋を弛緩させ（胃適応性弛緩増強作用），胃の内圧を低下させて胃内容の許容量を増やす．さらに，胃排出能促進作用・消化管運動促進作用もあり，結果としてTLESRの頻度は減少すると考えられる．そのほか，胃粘膜保護作用・胃粘膜血流改善作用や，食欲を増進させるグレリンの分泌促進作用もある．甘草が含まれているため，偽アルドステロン症（高血圧，浮腫，低カリウム血症など）に注意

LESの一過性弛緩（TLESR）の頻度減少

バクロフェン（ギャバロン®，他）：$GABA_B$神経のagonistとして作用し，一過性弛緩に抑制的に作用

六君子湯：胃適応性弛緩増強作用による間接的作用，上記参照

粘膜抵抗性増強薬：下記のスクラルファート以外，単剤での効果はあまり望めない

スクラルファート（アルサルミン®，他）：潰瘍治療において，単剤でH_2ブロッカーと同等の効果が認められている．他の薬剤（フェニトイン，チラーヂン®，ニューキノロン系の抗菌薬など）を吸着して，吸収を阻害するため注意．長期投与でアルミニウム脳症，アルミニウム骨症の発症に注意

胃酸中和作用および粘膜被覆による保護薬

水酸化アルミニウムゲル・水酸化マグネシウム合剤（マグテクト®，他）：確実に胃酸を中和するためには，投与1回につき0.5 mL/kgが必要で，しかも効果は一時的．他の薬剤の吸収を阻害するため注意

（中谷勝利．重症心身障害児・者の胃食道逆流症―その特徴と治療法・日常的支援の工夫について―．重症心身障害療育 2009；4：161-172より一部改変）

どの工夫が必要である．指しゃぶりなどで空気嚥下が増えるケースには日中活動の見直しなどのアプローチが必要になる．それでも空気嚥下量が多い場合には，うつ伏せや坐位などげっぷを促しやすい姿勢をとらせる．逆に食事中や食後のTLESRの頻度を減らすためには，バクロフェンの投与や六君子湯の投与が有効である（表2）．ただし，嚥下した空気による腹部膨満の悪化には注意が必要となる．

2）逆流防止機構が破綻していることによる逆流

逆流防止機構がすでに破綻している場合には内科的治療が奏効しないことが多い．制酸薬の投与と胃底部に胃内容がとどまらないような姿勢管理（前記）を行い，何とか凌げることもあるが，早期に外科的な治療を選択したほうがよい場合が多い．

胸腔の陰圧増強や腹腔内圧の増強によって逆流が誘発される場合には，上記のほかに，閉塞性呼吸障害に対する対応や筋緊張緩和などを行うことで，逆流の頻度を減少させることができる．また幼少時からこれらの対応を行うことで横隔膜の筋束の収縮力低下を防止でき，噴門形成術後にこれらの対応を怠らないことで逆流や食道裂孔ヘルニアの再発を防止できる．

c 食事・注入方法の工夫

胃内容を減らして胃内圧の上昇や排出遅延に対応しようと少量頻回投与が行われることがある．同時に胃内容の排出を促しやすい姿勢の工夫（うつ伏せや坐位）も必要になることが多く，あまり回数が多くなると生活時間

を圧迫することにもなりかねない．そういった場合には栄養カテーテルを十二指腸や空腸まで挿入して栄養剤を投与することも検討する（第2章C-4-③経鼻空腸カテーテル・経胃瘻空腸カテーテルの挿入・管理法参照，p.124）．

またイオン飲料などでは胃排出遅延はないが，栄養剤では遅延がみられるといったケースでは，栄養剤を脂肪含量の少ないものや浸透圧が血液のそれに近いものに変更することも検討される．

胃内容の逆流によって呼吸器症状が認められるケースでは，上記とは逆に胃内容の粘性を高め（栄養剤の半固形化やミキサー食の注入），逆流したものが咽頭にまで到達しないように工夫することがある（粘性が高まると胃の蠕動運動とLESの内圧上昇にも期待できる）．この場合は胃排出も促し，胃の適応性弛緩も増強してくれる六君子湯を投与しておくと効果的である．ただし，下部食道への逆流は残存することもあるので食道炎に対する治療は併用するほうがよい．

4. まとめ

姿勢管理も含めたGERDの内科的治療は，その誘因によって個々のケースで異なる様相となり，全く逆の治療方針になることもある．姿勢管理についても，GERDへの対応に適した姿勢ではあっても，呼吸や筋緊張の状態を悪化させるような姿勢をとることはできず，治療方針の決定に際しては総合的な判断が要求される．

文　献

1）中谷勝利．重症心身障害児・者の胃食道逆流症―その特徴と治療法・日常的支援の工夫について―．重症心身障害療育 2009；4：161-172
2）鳥橋茂子，他．胃食道逆流防止機構．消外 2003；26：15-20
3）眞部紀明，他：胃食道逆流関連疾患　食道胃接合部の逆流防止機構．臨消内科 2008；23：867-875

［中谷勝利］

コラム　吃逆の原因と対応

吃逆は左右の横隔膜に不随意な収縮が起こった後，ほぼ同時に声帯が閉鎖することによって特有の音が生じる現象であり，呼吸器系反射の一種とされている．中枢は延髄疑核近傍網様体にあり，その反応はGABAによる抑制を受けている．遠心路は横隔神経と反回神経（迷走神経）で，求心路として判明しているのは舌咽神経咽頭枝だが，そのほかにもあると考えられている．

48時間以上持続するものを慢性吃逆，1か月以上続くものを難治性吃逆とよび，背景に何らかの原因疾患が存在することが多い．また持続が48時間未満の急性吃逆でも，断続的に続く場合には原因となる疾患への対応が必要になる．原因疾患としては，中枢神経系では腫瘍・血管障害・多発性硬化症や水頭症などの器質的な疾患，脳炎・髄膜炎や脳症，低カルシウム血症・低ナトリウム血症や尿毒症などの代謝性疾患による影響のほか，ニューキノロン系抗菌薬やステロイドなど中枢神経系でGABA拮抗作用を有する薬剤によっても引き起こされることがある．求心路に影響を及ぼす疾患としては，上気道周辺や縦隔・胸腔内の炎症や腫瘍などの疾患，食道・胃・胆嚢や膵臓などの消化器系の疾患などがあげられる．このほか，ストレスやヒステリー・興奮などの心因性でも起こるとされている．

治療の第一は原因疾患を精査して治療・対処することだが，それに時間を要する場合や治療がむずかしい場合には，GABA-B作動薬のバクロフェンの投与が推奨される．バクロフェンは血液-脳関門を通過しにくい薬剤のため頓用薬としての効果は期待できず，筋弛緩薬として使用する量に準じた量で継続的に投与する必要がある．ベンゾジアピン系薬剤もGABA-A作動薬であり，睡眠が吃逆停止の大きな要因でもあることから効果があるように思われるが，覚醒したところで吃逆が再開する例も多く，吃逆を悪化させたとする報告もあり，第一選択薬とはなりにくい．クロルプロマジンは保険適用薬ではあるが，おもな作用はドパミン受容体拮抗作用であり，吃逆の反射弓のどの部分に作用しているのかが不明であり，副作用も多いことから漫然と使い続けることは避けたほうがよい．このほか，漢方薬で心窩部の張り，吐き気や頭痛で用いられる呉茱萸湯（ゴシュユトウ）にも保険適用がある（コタロー，ジュンコウ，太虎堂）．

［中谷勝利］

B 消化器障害の治療・看護

1 胃食道逆流症・食道裂孔ヘルニア ②胃食道逆流症への外科的治療

POINT

- GERDの呼吸器症状は外科的治療の適応である
- 重症児者のGERDは進行性（難治性・再発性）である

1. 適　応

①呼吸器症状は致命的となることがあり，呼吸器症状から診断されたGERDは，外科的適応である

②保存的療法が奏効しないGERD

重症児者のGERDは進行性であり，胃瘻だけ造設して保存的療法を続けても，一時的に症状が軽快することがあるが，次第にGERDの症状が強くなっていく．基本的には，重症児者では，GERDがあれば手術が必要で，手術を受けるまでの治療として保存的治療をするとの考え方でもよいと思われる．手術時期は，診断がつけば年齢が若いほど，その後のQOLをよりよく向上させることができる．20歳を過ぎて体重が20 kg以下の重症者を時折みかけるが，ほとんどはGERDが小児期からあり，体重増加が得られなかったものと思われる．乳児期にGERDの手術，1歳時に喉頭気管分離術を受け，その後は成長曲線内に入っている患者もいる．どちらのQOLがよいかは一目瞭然である．

2. 術　式

術式は腹腔鏡下噴門形成術で同時に胃瘻造設術をすることが多い．

噴門形成術は，腹腔鏡下にて施行できる．腹腔鏡下手術は開腹術に比べて侵襲が少なく，特に術後の呼吸状態に良好な影響を与える．開腹術だと創の痛みで，呼吸が十分できなくなり，術後呼吸器合併症を起こすことがある．腹腔鏡下の手術では，創が小さいため呼吸が術前と同じようにできることが多く，呼吸器合併症の心配も少ない．重症児者にとっては術後の呼吸器合併症は重篤になることもあり，避けたい合併症である．

腹腔鏡下噴門形成術式では，代表的なものとしてNissen法がある．食道を食道裂孔から剝離して，胃底部で食道を巻く手術である（図1，2）．消化管を切断したり吻合したりしないので，早期から栄養を胃内に入れることができる．

3. 術後管理

腹腔鏡下噴門形成術の術後は，呼吸状態が改善し，術前と比べ患児も養育者も楽になる．術後の栄養管理は，経口摂取または同時に作成した胃瘻からの経管栄養となる．術後に胃からの排出遅延がなければ，術翌日から栄養管理が開始できる．筆者らは，術翌日に胃内にガストログラフィン®を注入し，2時間後に腹部単純X線を撮影する．X線写真で胃から十二指腸へのガストログラフィン®の排出を確認し，経口摂取や，胃瘻からの栄養剤の注入を始める．噴門形成の術後は，一時的に，食道，胃，十二指腸の協調した蠕動が損なわれたり，小腸から下部腸管の蠕動が低下することがある．術後に腹部膨満が認められたら浣腸をして排ガスや蠕動を促すようにする．胃瘻から栄養を注入すると，特に小児では，悪心様症状が出ることがあるが，六君子湯を投与すると症状は軽快する．術後1か月くらいすると，その症状も消失する．胃瘻からの注入は，1回量を2時間くらいから始

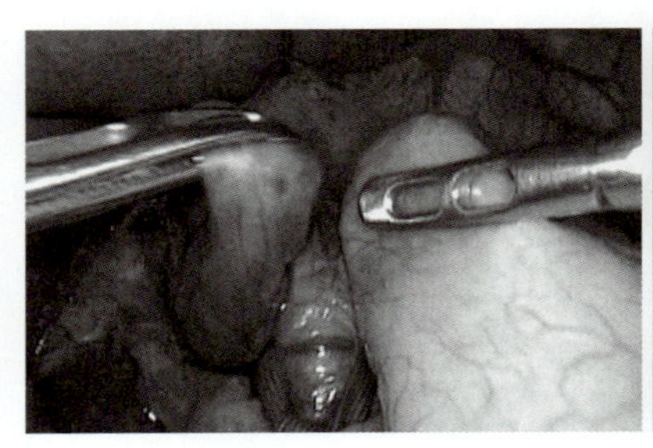

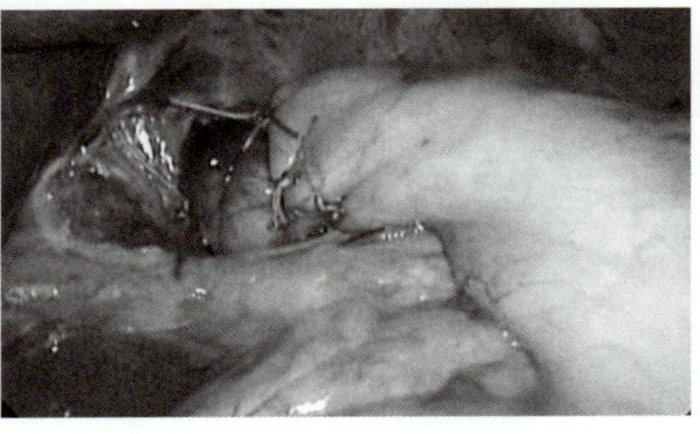

図1　噴門形成術
食道を胃（胃底部）で巻く

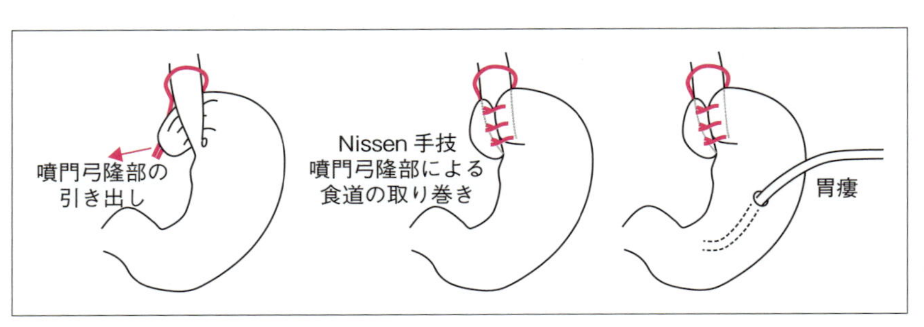

図2　噴門形成術の模式図

める．術後1か月後には，1回量を30分から1時間で注入ができるようになる．

経口摂取している重症児者は，まず誤嚥がなければ水分から始め，次第に硬さを増していく．ミキサー食なら術後1週間過ぎから摂取できる．普通食を食べている症例でも1か月を過ぎると術前と同じ形態のものを食べることができる．筆者らは，経口摂取ができて胃瘻を造設しないときは，経鼻胃管を挿入し，術後1週間は栄養剤を注入し，2週間目には経鼻胃管を抜去して，ミキサー食を開始する．特に水分は誤嚥の可能性もあるため，このようにすると安全にスムースに経口摂取を進めることができる．術後しばらくは，消化管への栄養投与を控える施設もあるが，早期に栄養投与を始めることができるのが，腹腔鏡による手術のメリットで，術後の回復を早めることができる．筆者らは，翌日から栄養投与を開始するため，退院は術後4～5日目となり，入院は1週間程度である．

噴門形成術（図1，2）では，胃から食道への逆流が起きないようにするため，胃内に空気や食物が多量に貯留することがある．原因としては，胃からの排出が不良になっているために起こる．術後早期には，幽門機能不全で胃からの排出が不良なことがあり，そのときは，胃瘻があれば胃瘻から，胃瘻がない場合は，経鼻胃管にて排気をしながら，幽門機能の回復を待つ．遅くても術後1か月以内には改善する．術後時間がたってからは，多量の空気嚥下などで，胃内に空気が貯留することがあるが，胃瘻があれば，必要時に胃瘻から排気するようにする．経口摂取をしている場合は，六君子湯の内服で改善することがある．

4. まとめ

重症児者のGERDは進行性であるために，診断がついたらできるだけ早期に手術するのがよいと思われる．手術は腹腔鏡下噴門形成術が基本であり，術後早期の栄養開始ができる．

参考文献

・ 寺倉宏嗣．上部消化管（食道，胃）の修復，再建医療．周産期医 2002；32：1213-1217

［寺倉宏嗣］

B 消化器障害の治療・看護

2 重症児者における消化管通過障害・イレウス

POINT

- イレウスは重篤な合併症であるが，重症児者では自他覚所見がわかりにくいため，CTなどの画像検査を積極的に行い，迅速に診断と治療に結びつける必要がある
- 単純性イレウスと，緊急手術を要する複雑性イレウスとの鑑別が特に重要であるが，重症児者ではこの判別がむずかしい．常に外科と緊密な連絡をとり，手術のタイミングを逸しないことが大切である
- 重症児者に特徴的な様々な消化管通過障害があり，それぞれの病態に応じた適切な対応が必要になる

1. イレウスの診断と治療

イレウスは，腸管内容物の肛門側への流れが停止する状態と定義される．重症児者におけるイレウスの発症率は近年高齢化に伴って増加傾向にあり，死亡原因の第12位（約2%）を占めている[1)]．イレウスは腸管の器質的な原因によって起きる「機械的イレウス」と，腸管の運動異常による「機能的イレウス」の2つに大別される．機械的イレウスは，腸管の血行障害がなく癒着や異物などによる「単純性イレウス」と，捻転や絞扼，ヘルニアの嵌頓，腸重積などによって血行障害を起こし緊急手術を要する「複雑性イレウス」に分けられる．また機能的イレウスは，腸管運動が弱い重症児者に多い「麻痺性イレウス」と，逆に腸管がけいれん性に収縮して起きるまれな「けいれん性イレウス」に分けられる．

ⓐイレウスの診断

1）症　状

腹痛，嘔吐と腹部膨満が主要な症状である．腹痛は疝痛が間欠的に襲ってくるが，重症児者では苦悶様の表情や不穏状態として観察される．複雑性イレウスでは，激烈な腹痛が急速に増大する．嘔吐は消化管内圧上昇のため，時に噴水状となる．普段から腹部膨満のある重症児者では，異常所見の判別がむずかしい．

2）理学・診察所見

重症児者では，十分な所見を取ることがむずかしい[2)]．単純性イレウスでは，聴診で有響性金属音（metallic sound），流水音や振水音が聴取できる．麻痺性イレウスでは，腸管の蠕動音は減弱または消失する．複雑性イレウスでは，蠕動音は病状の進行につれて減弱・消失する．腸管壊死や穿孔をきたすと，筋性防御や反跳性圧痛など腹膜刺激症状を示すとともに，急激な全身状態の悪化を伴う．脱水状態のため皮膚粘膜は乾燥し，脈拍・呼吸数の増加と血圧の低下を生じる．

3）画像診断

イレウスが疑われた場合，画像検査が緊急に必要になる．

①腹部単純X線写真

立位か坐位がとれれば，拡張した腸管内のガスと液体による鏡面像（ニボー：niveau）がみられる（図1）．立位がとれなくても，デクビタスポジションでニボーの確認が可能である．仰臥位では腸管の拡張所見として，小腸ではKerckring皺襞が，大腸ではハウストラ（haustra）が広い間隔でみえる．上部小腸の閉塞では，Kerckring皺襞が矢はず模様（herring bone appearance）を呈する．ガスが少なく腸液が貯留すると，ソーセージ状腫瘤像（pseudotumor sign）がみられる．絞扼性イレウスでは，絞扼部位前後の腸管の口径差（caliber change）が生じる．麻痺

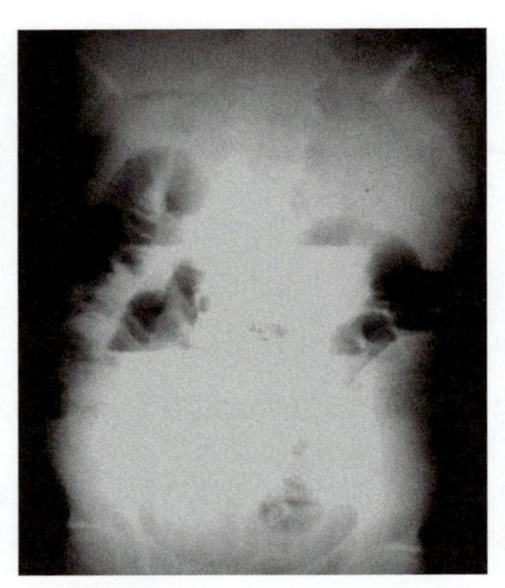
図１　単純性イレウスの立位Ｘ線像
40歳代男性．小腸の拡張と多数の鏡面像（ニボー：niveau）形成がみられる．

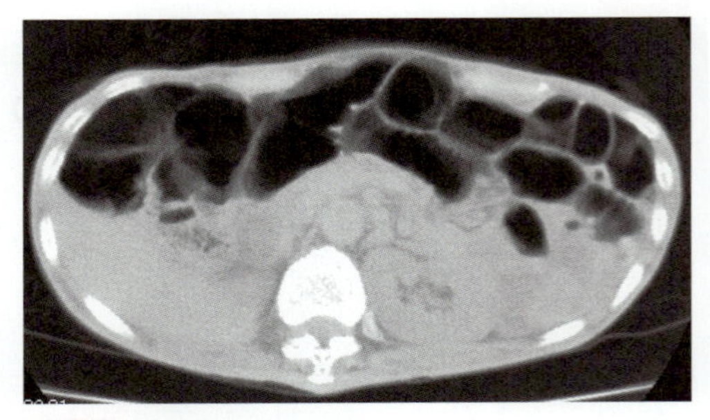
図２　腹部単純CT像
50歳代男性．原因不明の麻痺性イレウスを起こし，単純CT像では腸管全体の拡張がみられる．

性イレウスでは，全腸管の拡張像を呈する．

②腹部単純・造影CT検査

最も重要な検査である[3]．腸管の拡張・虚脱・腸管壁の状態，腸管穿孔を示す腹腔内free airの存在，腹水や腹腔内膿瘍の有無など多くの情報が迅速に得られる（図２）．造影CTは，血行障害を伴う複雑性イレウスの診断には不可欠な検査である．複雑性イレウスではその他，腸間膜の浮腫，腸間膜血管の怒張や集束像，腸管の不整な異常肥厚がみられる．

③腹部超音波（エコー）検査

腸管の拡張，腸管内の液体の貯留，循環障害時の腸管壁の肥厚，腹水がリアルタイムで観察できる．単純性イレウスでは，腸管内容物が行ったり来たりする移動所見（to and fro movement）や，Kerekring皺襞のkey-board signが観察できる．一方複雑性イレウスでは，to and fro movementは消失し，腸管壁の不整な肥厚とKerekring皺襞の消失，腸間膜の浮腫や腹水がみられる．

4）血液検査

脱水症の所見（ヘマトクリットや尿素窒素の上昇），感染所見，電解質異常がしばしばみられる．複雑性イレウスで腸管壁の壊死が進行すれば，AST，CPK，LDHやアミラーゼが上昇し，代謝性アシドーシスや乳酸の上昇を伴う．また重症児者では，腸管壁の菲薄化により粘膜バリア機能が低下していて，腸管内で細菌が異常増殖して腸管内の圧が高まると，細菌が腸管粘膜を通過して血液中に入り（bacterial translocation），敗血症や敗血症性ショックを起こしやすい．

ⓑイレウスの治療

1）保存的治療

単純性イレウスでは当初は原則として保存的治療を優先するが，その期間はおおむね5〜7日までが限界であり，その間も常に外科と緊密な連絡を取っておく．

①絶飲食と輸液

絶飲食および輸液が治療の基本になる．早期から十分量の輸液による脱水の是正とともに，電解質の補正が必要になる．

②減圧法

腸管内の減圧を行い局所の安静を図る．軽度のイレウスや上腹部のイレウスでは，通常は経鼻胃管による減圧（ショートチューブ法）で対応できるが，中等度以上のイレウスでは，除圧能力がより高いイレウス管によるロングチューブ法を行う．大腸イレウスでは，経肛門的イレウス管や大腸ファイバーを挿入して減圧を図る．

③薬物療法

大建中湯は有用な漢方薬である．疝痛に対しては，塩酸ペンタゾシン（ソセゴン®）を使用する．bacterial translocation予防のために，グラム陰性桿菌と嫌気性菌に有効な抗菌薬の投与が必要になる．耐性乳酸菌製剤を併用しておく．麻痺性イレウスでは，腸管運動促進薬であるパンテノール（パントール®），パンテチン（パントシン®）やプロスタグランディン$F_{2\alpha}$（プロスタルモン-F®），ネオスチグミン（ワゴスチグミン®）を使用する．

2）外科的対応

複雑性イレウスや腸管穿孔の場合には，緊急手術が必要になる．複雑性イレウスではまず腸管の循環障害の解除を行うが，腸管が壊死に陥ったり穿孔をきたした場合には，腸管切除が必要になる．単純性イレウスはまず保存的治療を優先するが，重症児者では単純性イレウスと複雑性イレウスの鑑別は容易ではない．特に腹膜刺激症状はわかりにくいので，確診できなければ早急に外科へコンサルトする．手術は，癒着部分の剥離，索状物の除去，腸管切除や吻合，バイパス手術などを組み合わせるが，時に人工肛門の造設を要する．

2. 重症児者に特徴的な消化管通過障害

ⓐ食道瘢痕狭窄

逆流性食道炎において，繰り返す粘膜下組織に達する障害の瘢痕性治癒過程で起きる．一般には胃食道逆流症患者の 15%に狭窄が生じる．治療は内視鏡下で，プラスチックダイレーターやバルーンによって狭窄部位を拡張させる．

ⓑ胃の軸捻転・変形や位置異常

重症児者では，胃の軸捻転，食道裂孔ヘルニア，横隔膜の挙上や身体の変形が加わり，様々な胃の位置や形態の変化が生じる．そのため食物の十二指腸への排出が遅延するので，上部消化管造影検査によって体位を工夫する．

ⓒボール・バルブ症候群（ball valve syndrome）

バルーン型胃瘻を使用する際，胃内のバルーンが引き込まれて幽門や十二指腸球部が塞がれることがある．嘔吐とチューブの可動性が急に悪くなることで気づかれる．繰り返すようなら，胃瘻をバルーン型からバンパー型へ変更する．

ⓓ上腸間膜動脈（SMA）症候群類似状態

痩せて長期に仰臥位をとっている重症児者に多くみられる．十二指腸周囲の脂肪織の減少や脊柱の変形などにより，十二指腸水平脚が上腸間膜動脈（superior mesenteric artery：SMA）と大動脈・脊柱に挟まれて狭窄ないし閉塞する．胃内での栄養剤の停滞や

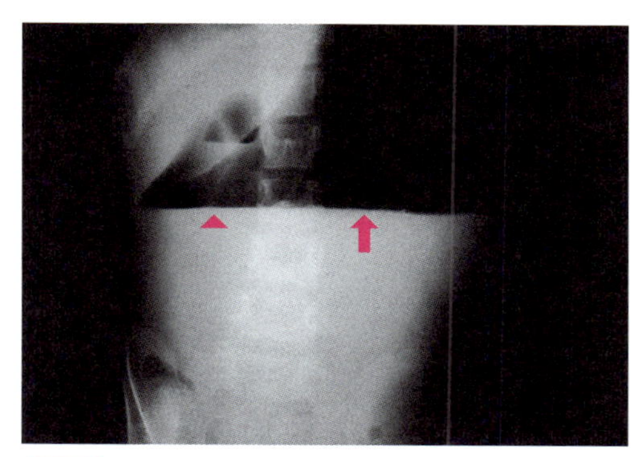

図 3　上腸間膜動脈症候群患者の立位 X 線像
10 歳代男性．著明に拡張した胃（↑）と十二指腸（▲）がみられる（double bubble sign）．

胃拡張の反復を慢性的に生じるが，急に強い症状が出ることもあり，そのような例では突然の上腹部膨満と胆汁を混じた嘔吐が出現し，立位 X 線では拡張した胃と近位十二指腸像（double bubble sign）がみられる（図 3）．対応は，まず必要により中心静脈栄養も用いてエネルギーを増量し腹腔内の脂肪を増やす．場合によっては，X 線透視や内視鏡下で，空腸チューブを狭窄部位を越えて留置する．腹臥位や前傾姿勢での管理が有効であることも多いが，繰り返す場合は腸瘻の造設や十二指腸・空腸吻合術などの外科的な対応をとる．

ⓔ麻痺性イレウス

もともと腸管の慢性的な運動不全がみられる重症児者に多い．甲状腺機能低下症も原因となる．食事内容（水溶性繊維やオリゴ糖）の工夫，向精神薬などの減量・中止，腹部のマッサージ，温罨などの一般的な対応と，腸管運動を促進する薬剤を使用する．

ⓕ先天性腸回転異常症

胎生期の腸管回転の過程で，不完全または異常な回転をきたしたために起きる，まれな腸管の先天異常である．多くは新生児期に発症するが，重症児者では成長に伴う身体変形などにより，年長または成人になってからイレウスを生じることがある．軸捻転からいきなり絞扼性イレウスとして発症することも多い（図 4）．

ⓖS 状結腸慢性軸捻転

S 状結腸が慢性の軸捻転をきたすと，巨大に拡張した S 状結腸が腹腔を占め，腹部膨満

とともに，逆U字馬蹄型でコーヒー豆様のX線所見（coffee bean sign）を示す（図5-A）．空気嚥下症，S状結腸過長症，慢性の便秘を合併している重症児者に多い．治療は下部消化管からの脱気・整復を行う．繰り返す場合や絞扼性イレウス発生の危険性が高い場合には，S状結腸切除術を行う（図5-B）．

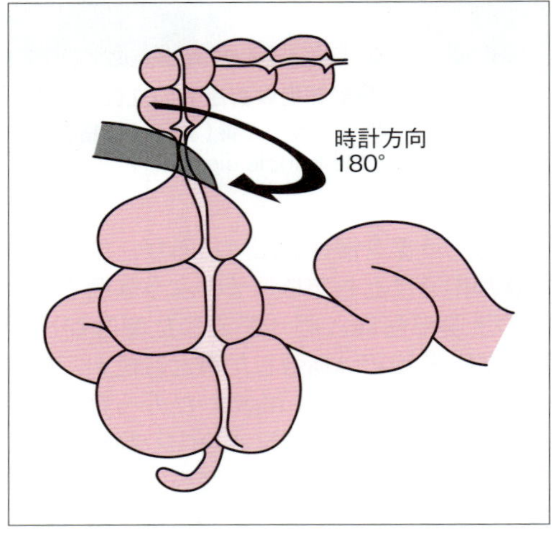

図4 腸回転異常によるイレウス例（術中シェーマ）

20歳代女性．Bill分類ⅢC型（トライツ靱帯傍内ヘルニア型）の腸回転異常で，上行結腸軸捻転症により緊急手術を受けた．

ⓗ 異食（消化管異物）

行動障害を伴う例では，様々な物を異食する．食道内異物は食道穿孔の危険があり，緊急性が高い．異食によるイレウスではしばしば小腸の完全閉塞をきたすので，単純性でありながら複雑性イレウスに類似した所見（持続性疝痛と内容物の動きの少ない腸管拡張）を示し，時に予後不良となる．

ⓘ 宿便性（糞便性）イレウス

重症児者では，時に宿便を形成してイレウス状態（糞詰まり）になることがある．処置としては，摘便，浣腸や腸洗浄により直腸内に貯留した便塊を除去する．予防策としては，日頃からの便秘対策が重要である．

文 献

1）三上史哲，他．公法人立重症心身障害児施設入所児（者）の実態調査の分析—施設入所児（者）の死亡—．日重症心身障害会誌 2009；34：171-180
2）Khalid K, et al. Surgery for acute abdominal conditions in intellectually-disabled adults. ANZ J Surg 2006；76：145-148
3）Sebastian VA, et al. Intestinal obstruction and ileus：role of computed tomography scan in diagnosis and management. Am Surg 2007；73：1210-1214

［小川勝彦］

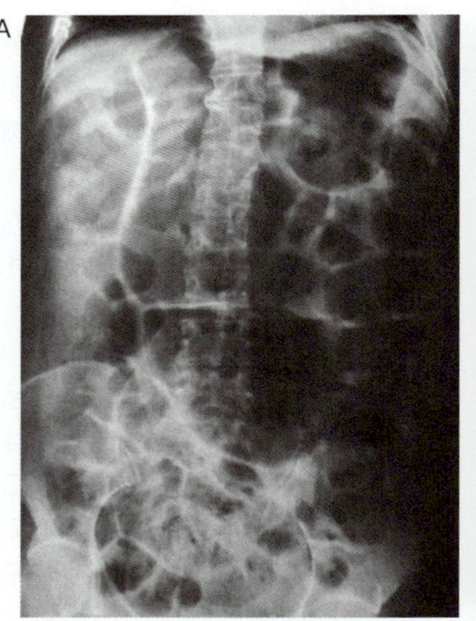

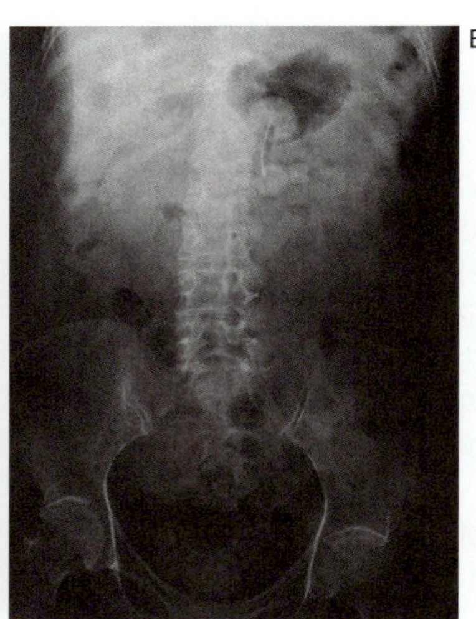

図5 慢性S状結腸軸捻転症

空気嚥下症と慢性便秘症を伴う70歳代女性．著明に拡張したS状結腸が腹腔内全体を占め，コーヒー豆様のガス像（coffee bean sign）を呈している（A）．増悪してきたため，S状結腸切除術と人工肛門造設術，および胃瘻造設術が施行され(B)，トラブルなく経過している．

B 消化器障害の治療・看護

3 便　秘

POINT

- 便秘とは，3 日以上排便がない状態，または毎日排便があっても残便感がある状態をいう．重症児者では，残便感など愁訴の存在は不明である
- 重症児者は排便メカニズムが正常に働きにくく，さらに内服している抗けいれん薬や抗精神薬の影響で，ほとんどが慢性便秘症である
- 便秘に対しては下剤や浣腸の使用ばかりでなく，プロバイオティクス，プレバイオティクスの摂取により便秘を予防することも重要である

1. 排便のメカニズム（図 1）[1]

排便が起こるためには通常は以下のようなメカニズムが働いている[2]．

1）起床時結腸反射：起床し大脳が目覚めると，内臓全体が活発化する．

2）胃結腸反射：胃に食物が入ると内臓の運動が活発になり，小腸内容物が大腸に流れ込む．

3）大蠕動：胃結腸反射を契機に横行結腸の右側から強い大腸の蠕動運動（大蠕動）が起こり，S 状結腸まで伝わる．これにより S 状結腸内の便は一気に直腸に移動する．

4）便意：多量の便（150～200 mL）が直腸に入って直腸内圧が急激に高まる（55 mmHg）と，直腸壁や肛門挙筋内のセンサーを通してその情報が仙髄にある排便中枢ならびに延髄や大脳皮質などの上位中枢に送られ，便意を感じる．

5）排便反射：便意を感じると交感神経の緊張がとれ，副交感神経（骨盤神経）を興奮させ，直腸蠕動が促進され内肛門括約筋（不随意筋）をゆるめる．上位中枢は陰部神経を介して外肛門括約筋（随意筋）の弛緩と腹圧の上昇（いきみ）を起こし，恥骨直腸筋の弛緩に移行．

6）恥骨直腸筋の弛緩（図 2[3]）：排便時に坐位（前傾姿勢）を取り，いきむことによって恥骨直腸筋が弛緩し，直腸肛門角が開大する．「く」の字になっていた直腸がほぼ真っ直ぐになることで排便される．

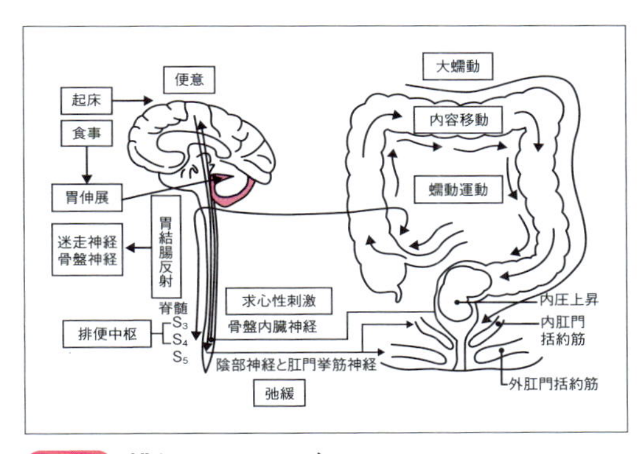

図 1　排便のメカニズム
（勝　健一．理解しよう！下痢と便秘．Medicina 2006；43：1982-1983 より）

重症児者の多くは重度の中枢神経障害を負っており，便意をはじめ胃結腸反射や排便反射が生じにくく，通常の排便メカニズムは働きにくい．腹筋の発達も悪いため腹圧も不十分であり，さらに坐位で弛緩する恥骨直腸筋が臥位では弛緩せず，直腸を「く」の字に曲げるため臥位での排便の多い重症児者の排便をより困難にしている．これらが慢性便秘の大きな要因になっている．

2. 重症児者の慢性便秘分類（表 1）[4]

2017 年に慢性便秘症診療ガイドラインが作られ，慢性便秘症の分類も大きく変更された．分類・診断のための検査は重症児者で

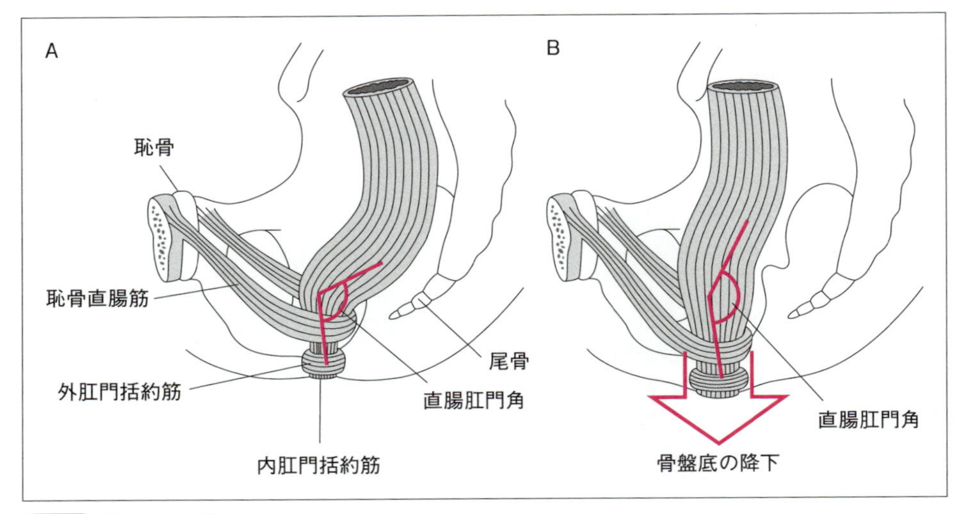

図２　静止時と排便時のシェーマ
いきみや前傾姿勢で恥骨直腸筋は弛緩．臥位では弛緩しにくい
（眞部紀明，他．便秘症の病態．Medicina 2020；57：1435 より作成）

表１　慢性便秘（症）の分類

原因分類		症状分類	分類・診断のための検査方法	専門的検査による病態分類	原因となる病態・疾患
器質性	狭窄性	—	大腸内視鏡検査，注腸 X 線検査など	—	大腸がん，Crohn 病，虚血性大腸炎など
	非狭窄性	排便回数減少型	腹部 X 線検査，注腸 X 線検査など	—	巨大結腸など
		排便困難型	排便造影検査など	器質性便排出障害	直腸瘤，直腸重積，巨大直腸，小腸がん，S 状結腸瘤など
機能性		排便回数減少型	大腸通過時間検査など	大腸通過遅延型	特発性 症候性：代謝・内分泌疾患，神経・筋疾患，膠原病，便秘型過敏性腸症候群など 薬剤性：向精神薬，抗コリン薬，オピオイド系薬など
				大腸通過正常型	経口摂取不足（食物繊維摂取不足を含む），大腸通過時間検査での偽陰性など
		排便困難型	排便造影検査など	硬便による排便困難	硬便による排便困難・残便感（便秘型過敏性腸症候群など）
				機能性便排出障害	骨盤底筋協調運動障害，腹圧（怒責力）低下，直腸感覚低下，直腸収縮力低下など

（味村俊樹，他．便秘の病型分類・外来での鑑別法と重症度評価．Medicina 2020；57：1439 より作成）

はほとんど実施することは困難であるため，原因となる病態から検討して一部修正された重症児者の慢性便秘分類に従い記載することとした．

重症児者の慢性便秘は，ほとんどが機能性便秘であり，排便回数減少型および排便困難型に分類される．病態から排便回数減少型の大腸通過遅延型と排便困難型の機能性便排出障害が考えられる．また，重症者の高齢化に伴い大腸癌により生ずる狭窄型の器質性便秘は常に鑑別診断として留意される．

ⓐ機能性便秘

1）排便回減少型（大腸通過遅延型）の原因

①神経疾患による症候性便秘：便秘に関与する障害の多くは自律神経系の障害といえるが，重症児者のような重度の中枢神経障害

の場合はさらに覚醒リズム障害や便意の喪失も関与している．延髄がその中枢である胃結腸反射が生じず，大蠕動が起きにくい可能性がある．

②薬剤性便秘：重症児者に関連する薬剤としては，抗けいれん薬や向精神薬の多剤併用，制酸薬（アルミニウム化合物）が身近である．刺激性下剤の習慣性使用も注意を要する．

2）排便困難型（機能性便排出障害）の原因

①腹圧の低下：寝たきりにより筋力低下を生じ腹圧がかかりにくい．

②直腸感覚の低下：頻回の浣腸が直腸粘膜の反応閾値を減少させ，便意が生じにくくなり正常な排便反射が起こらない．

③臥床姿勢による排便困難：重症児者は臥床状態での排便がほとんどであり，いきみもかけづらく恥骨直腸筋が弛緩しにくい．そのため直腸肛門角が開大しない困難な排便となる．

ⓑ器質性便秘

1）大腸がんに伴う狭窄型便秘

重症児者は慢性便秘症のため大腸がんによる狭窄型の通過障害に気づかれにくい．肉眼的下血で気づかれることもあるが，いつもより頑固な便秘や細い便などの形状変化に注意が必要である．便潜血も年に 1 回程度，定期的に行う必要がある．

3. 便秘の症状

重症児者の場合，多くが便秘の愁訴は訴えられないため，初期症状は見逃しやすく，腹部膨満や嘔吐などの進行した症状として捉えられる．重度の知的障害者では食欲不振も生じないことがあり，排便が数日なくても食欲が衰えないことがあるので注意を要する．ガスの貯留による鼓腸はそれ自体が腸蠕動を低下させ悪循環となる．排便回数の減少は重要であるが，ブリストルスケール（表 2）の使用等で便の性状や形状を観察することや大腸がんの細い便や腸内停滞時間が長いときの硬便などは便秘の原因を見極めるうえで重要な所見となる．

表 2　ブリストル便性状スケール（Bristol stool form scale）

タイプ	性状	
1		硬くてコロコロの兎糞状の便
2		ソーセージ状であるが硬い便
3		表面にひび割れのあるソーセージ状の便
4		表面が滑らかで軟らかいソーセージ状，あるいはヘビのようなとぐろを巻く便
5		はっきりとしたしわのある軟らかい半分固形の便
6		境界がほぐれて，ふにゃふにゃの不定形の小片便，泥状の便
7		水様で，固形物を含まない液体状の便

4. 治　療

一般的に便秘の治療は排便回数が得られればよいというものではなく，便性も重要である．ブリストルスケールのタイプ 4（平滑で軟らかいソーセージ状の便）が理想的であり，目指す便性といえる．重症児者では，臥床での排便であり便性が泥状便や水様便に傾きやすい．刺激性下剤による下痢が続くと結腸のカリウム喪失を生じて結腸の運動低下から難治な便秘となる下剤性結腸症候群を生じるが，便性に注意し刺激性下剤の連用は避けることで防げる．おもな便秘薬を表 3 にまとめたが，重症児者の便秘は機能性便秘であるため，健常者同様，まず浸透圧性下剤を中心に投与し，不十分であれば新たに加わった便秘薬である上皮機能変容薬への変更や追加を検討する．さらに不十分な場合にのみ，刺激性下剤を間欠的に使用するが連用はしないというのが基本となる．浣腸の連用は，習慣性となるので避けるべきである．どの便秘に対しても，まずはプロバイオティクス（ビフィズス菌・乳酸桿菌など）やプレバイオティクス

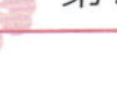

表 3　重症心身障害児者でよく使用される下剤

分類	種類	一般名	販売名（例）	作用機序	注意点
浸透圧性下剤	塩類下剤	酸化マグネシウム	マグミット®	高浸透圧により腸管内に水分を引き込み便を軟化させ，容量を増大させることにより腸管を刺激する．排便回数と硬便をを改善する	腎機能低下や高齢者では，酸化マグネシウムにより血清マグネシウムの上昇や高マグネシウム血症が報告されているので注意が必要．ポリエチレングリコールは小児での投与が認められている
		マクロゴール 4000 配合剤（ポリエチレングリコール 4000）	モビコール®		
	糖類下剤	ラクツロース	モニラック®		
刺激性下剤	アントラキノン系	センノシド	プルセニド®	腸内細菌や消化管内の酵素により活性体となり，大腸の筋層間神経叢に作用して蠕動を引き起こす．また，腸管からの水分吸収を抑制し瀉下作用を生じる	長期連用により耐性が出現し難治性便秘になることがある
		センナ	アローゼン®		
	ジフェニール系	ピサコジル	テレミンソフト®		
		ピコスルファートナトリウム	ラキソベロン®		
上皮機能変容薬	クロライドチャンネルアクチベーター	ルピプロストン	アミティーザ®	小腸のクロライドチャンネルを活性化し腸管内に水分分泌を促進し，便を軟化させ便輸送を改善する	大腸運動機能に影響しない．妊婦に対し禁忌
	グアニール酸シクラーゼ受容体アゴニスト	リナクロチド	リンゼス®	腸粘膜上皮細胞上のグアニール酸シクラーゼ受容体を刺激して腸管上皮細胞内の cGMP をを増加させ水分分泌を増やす．排便回数の増加を認める	便秘型過敏性腸症候群に対する薬であったが，便秘症にも適用が認められた
	胆汁酸トランスポーター阻害薬	エロビキシバット	グーフィス®	回腸末端での胆汁酸の再吸収を抑え大腸内の胆汁酸の濃度を高め，腸管内に水分の分泌を促すとともに大腸の蠕動を促す	1 日 1 回の食前の内服が必要
消化管運動賦活剤	5-HT$_4$受容体刺激薬	モサプリド	ガスモチン®	消化管壁内の Auerbach 神経叢に存在する 5-HT$_4$受容体を選択的に刺激し，排便回数を増加させる	
漢方薬		大黄甘草湯		大腸刺激作用．大黄の主成分はセンノシド	センノシドと同様
		麻子仁丸		麻子仁に含まれる脂肪油・精油によって便軟化作用と大黄による大腸刺激作用による排便促進	コロコロした乾燥便に向く
		大建中湯など		消化管運動の促進と直腸感覚の閾値を下げることで便意を感じやすくする	腹部膨満を伴う便秘によい
外用薬	坐薬	炭酸水素ナトリウム坐薬	新レシカルボン®	炭酸ガスを発生し直腸壁を刺激し直腸内に貯留している便の排出を誘発させる	
		ビサコジル坐薬	テレミンソフト® 坐薬	刺激性の緩下作用を示す．結腸・直腸粘膜の副交感神経末端に作用し蠕動亢進．腸粘膜に直接作用し排便反射を刺激する	直腸挿入後，15～60 分以内に作用出現
	浣腸	グリセリン浣腸		直腸で浸透圧による水分吸収により便の軟化と腸壁を刺激し排便させる	一般的に定期的な使用はするべきではない
		微温湯浣腸など		大量に注入することにより結腸の蠕動運動を亢進	

（オリゴ糖：ガラクトオリゴ糖，大豆オリゴ糖，ラクチュロースなど，食物繊維：ポリデキストロース，イヌリンなど）の摂取より便秘になりにくい腸内環境をつくることが重要である．最近の経管栄養剤は，プレバイオティクスである難消化性水溶性繊維を十分含んでいるものが多い．また，胃瘻からのミキサー食注入で便性が改善したとの報告もある[5)]．

文　献

1）勝　健一．理解しよう！下痢と便秘．Medicina 2006；43：1982-1983

2）平塚秀雄．便秘—そのメカニズム・診断・治療．ライフサイエンス選書．2000；11-14

3）眞部紀明，他．便秘症の病態．Medicina 2020；57：1435

4）味村俊樹，他．便秘の病型分類・外来での鑑別法と重症度評価．Medicina 2020；57：1439

5）高見澤　滋，他．ミキサー食を用いた半固形食短時間摂取法を行った胃瘻患者66例の検討．静脈経腸栄養 2015；30：1158-1163

［冨永恵子］

看護・ケアのポイント　日常生活支援からアプローチする排便コントロール

（1）排泄介助時の大切なこと

①本人または家族との信頼関係の確立が重要になる．安心してケアを受けられるように，しぐさ・目の動き・指先の動きなどのサインを逃さず把握し，コンタクトが取れるようにしておくこと．

②重症児者の場合は長期間にわたりケアが必要となるため，長く続けられるケア方法や体制を整える．

③生活背景や日常の健康状態を把握し，本人の生活を尊重するケアの提供を行う．

④重症児者看護における専門的な知識と技術を，安全に提供する．

> ①本人または家族との信頼関係の確立
> （濃厚なコミュニケーション手段の確立）
> ②長期間のケア提供ができる体制が必要
> ③個人の人権を尊重する
> ④安全・安楽の提供

（2）便秘時の看護

【排便コントロールの重要性】

便秘の管理が不十分であると，以下のような症状や合併症につながる．

①イレウスを起こしやすい．

②食欲不振・嘔吐につながる．

③不機嫌・けいれんの誘発となる．

④活動時間が制限される．

【看護の実際】

排便コントロールのなかでも，浣腸処置は重要なケアである．また浣腸で排便がない，便があり浣腸ができないなどの場合，摘便を行う．通常，意識的に骨盤底筋群と外括約筋をゆるめることで排便行為が行われるわけであるが，重症児者は自力で行うことが困難なため，このメカニズムを手技によって行い，排便を促すことになる．

【看護のポイント】

①規則正しい生活（水分補給，入浴，十分な睡眠）

②排便の習慣をつける（可能な時間に便器に座る）．

③抗重力姿勢を取り入れる．また，腹部のマッサージ，末梢を温め血行を促す．

＊効果的な腹部マッサージのポイント

重症児者は，変形や拘縮・筋の緊張・皮膚の脆弱があるため圧のかけ方や姿勢を個別にアセスメントする．また腸の走行や位置を確認し丁寧に実施する．

④日中活動の充実，ストレスをためない（戸外への散歩，リラクセーション）．

⑤よりよいコミュニケーションの充実．

以上の5点を中心に原因のアセスメントを行う．

［工藤靖子］

B　消化器障害の治療・看護

4　下　痢

POINT

- 重症児者の下痢は，二次的に新たな病態をまねくことがあり治療に難渋することがある
- 慢性下痢の病態の基本は腸管粘膜の浮腫または萎縮と腸内菌叢の変動であり，これらに対する治療が機能性食品の選択により可能である
- 便性を改善することは，栄養や免疫状態の改善につながる

1. はじめに

下痢は主観的に定義されるものだが，通常は，頻回の排便（1日に3回以上）または不定形あるいは液体状の便が下痢と定義されている．下痢の病態はおもに分泌性，浸透圧性，炎症性および腸管蠕動異常に分類され，病因により様々な病態が混在する[1]．

栄養不良や寝たきりなど生活様式と腸管蠕動運動制御不良など中枢神経障害により，重症児者は一般に排便困難で，泥状便から軟便を時に緩下剤を使用して排出する．また，経腸栄養や抗菌薬など便性に影響する治療を必要とする場合が多い．さらに食物アレルギーや炎症性腸疾患を発症することもまれではなく，重症児者にとって下痢は日常的に起こりうる症状であると考えられる．

2. 下痢の病態

重症児者に下痢を引き起こす一連の病態とその関連を図1に示す．様々な要因が腸管粘膜の浮腫または萎縮と腸内菌叢の変動を引き起こし，それらが次の病態の原因となりうるため，治療が有効に行われなければ病態は慢性に進行し，全身状態の悪化につながる．

3. 下痢の治療

急性期にはまず診断と原因に対する治療を行う．感染性胃腸炎で脱水を合併している場合，経腸での補水が可能であれば，水分，糖および電解質を注入する．ストレスにより消化管運動が亢進し過敏性胃腸炎を発症している場合や炎症性腸疾患を合併している場合もまれにありうるため，便秘と下痢を繰り返していないか，血便や発熱の有無，血液検査や必要であれば大腸内視鏡所見などを下痢症状にあわせて確認する．

下痢が慢性的に持続する場合，腸管粘膜の萎縮または浮腫が生じ，吸収能は低下している．この場合はまず300 mOsm/Lまでの栄養剤の希釈と注入速度の緩和で対応する．二次的に食物アレルギーが発症する可能性があるため，症状が長引く場合はより発症の危険性の低い消化態栄養剤を選択する．消化態栄養剤は高浸透圧であるということが浸透圧性下痢を引き起こすという点で問題であったが，近年は比較的低浸透圧の食品消化態栄養剤（ネクサスST，ハイネイーゲル®，ペプタメン® AF/スタンダード，プレビオ）を選択することが可能であり治療の幅が拡がっている．さらに，栄養素の吸収不良が生じ，症状を増悪させている可能性を考え，脂肪非含有消化態栄養剤ペプチーノ®，無乳糖ミルク（ラクトレス®）や加水分解乳（MA-1）を試してみる．

抗菌薬の使用などによる腸内細菌叢の変動も下痢の大きな病因である．これは，プレバイオティクスとプロバイオティクスの観点から，有用菌優勢有害菌劣勢のバランスを形成維持することは重要であり，生菌添加物，食

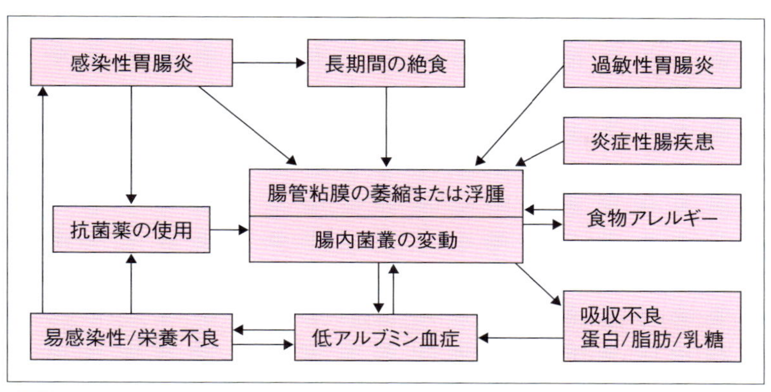

図1 下痢を引き起こす病因とその関連

表1 プレ・プロバイオティクスの代表的な薬剤および機能性食品

	名称	特徴
乳酸菌製剤	ミヤBM®	酪酸菌含有．胃液に対する安定性を有する
	ビオラクチス®散	カゼイ菌含有．胃酸・胆汁酸等に対する高い消化液耐性を有する
	ビオスリー®配合散	ラクトミン，酪酸菌および糖化菌含有．病原性細菌に対する拮抗作用は，各菌単独培養時より顕著に認められる
機能性食品	Gfine	ヒト由来ビフィズス菌50億個，グアガム（水溶性食物繊維）分解物5gを含有
	ビフィズス菌末BB536	ヒト由来ビフィズス菌500億個を含有
	キャロラクト	ニンジンに含まれる食物繊維（水溶性/不溶性）と乳酸菌を含有
	GFO®	グルタミン，食物繊維およびオリゴ糖含有．絶食中の腸管機能維持に有効である
	ミルクオリゴ糖ラクチュロースシロップ	ビフィズス菌増殖因子である難消化性オリゴ糖を含有
	サンファイバー®	グアガム（水溶性食物繊維）の加水分解物

物繊維，難消化性デキストリンやオリゴ糖の下痢への有効性は多く報告されている[2]．食物繊維の有する胃排泄時間や小腸通過時間の延長作用による吸収効率の改善，食物繊維の保水力に加えて大腸粘膜を健全な状態に保つことが便性の改善につながる[3]．最近は半固形栄養やミキサー食の注入が導入され便性が改善したという報告も多いが，同様の機序や腸蠕動運動の改善効果と考えられる．プレ・プロバイオティクスの代表的な薬剤および機能性食品を表1に示したので，絶食期間が長期にわたる場合は特にこれらを使用し，大腸粘膜の状態を健全化する必要がある．

文献

1）工藤孝広，他．下痢の原因と発症メカニズム．小児内科 2009；41：1676-1681
2）光岡知足．プレバイオティクスと腸内フローラ．腸内細菌誌 2002；16：1-10
3）長谷川史郎．食物繊維．児玉浩子，他（編），小児臨床栄養学．診断と治療社，2011；57-59

［永江彰子］

B 消化器障害の治療・看護

5 膵　炎

POINT

- 重症児者の腹部症状の原因の1つとして急性膵炎がある．重症化すると死亡率も高くなるため，早期発見による治療が必要である
- 嘔吐，頻脈，腹部膨満といった症状を認める場合は，血中アミラーゼ，p型アミラーゼ，リパーゼを積極的に検査する
- 適切な栄養管理を行うことで膵炎の発症を予防できる可能性がある

1. 膵炎の原因と発症機序

急性膵炎の原因として，ウイルス感染症，薬剤，外傷，先天性の膵胆管異常，胆石，高脂血症，低栄養，低体温などがあげられる[1,2]．500を超える薬剤で急性膵炎を発症する危険性があると報告されているが，すべての薬剤で因果関係が証明されているわけではない．薬剤投与から急性膵炎発症までの期間は，単回投与（アセトアミノフェン），投与後1か月内（アザチオプリンなど），投与後数週から数か月（バルプロ酸など）と様々である．

膵酵素は蛋白質を分解する強力な力をもっているが，膵臓の外に出て初めてその能力が発揮される．しかし何らかの理由でこの仕組みが壊れると，膵臓の中で膵酵素による蛋白質の分解が起こり，膵臓そのものが壊れてしまい膵炎が起こる（図1）．

2. 症　状

重症児者では，発熱，頻脈，嘔吐，腹部膨満といった症状が出現する．胃食道逆流症や

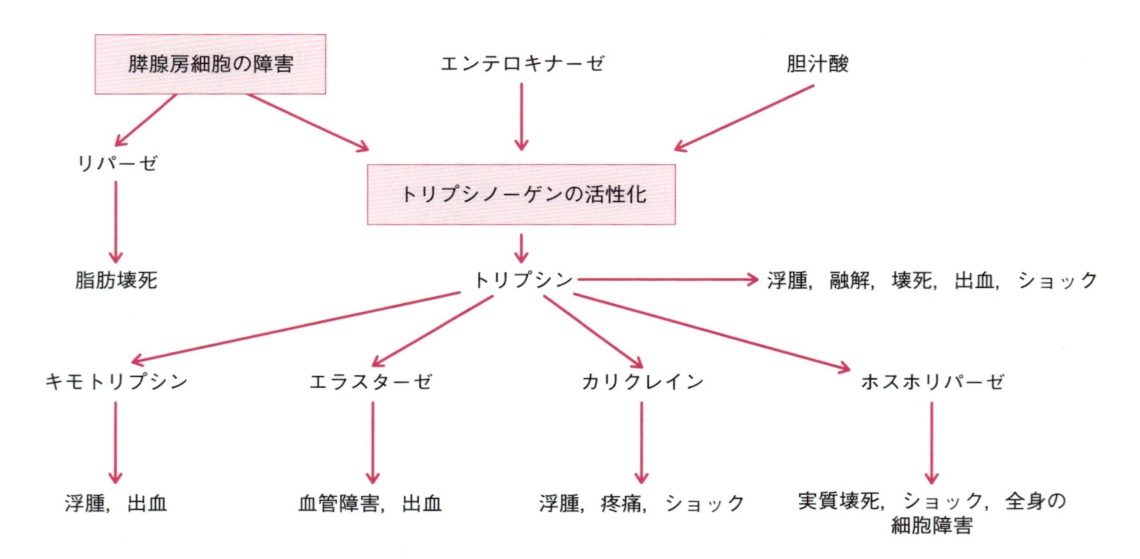

図1 急性膵炎の発症機序

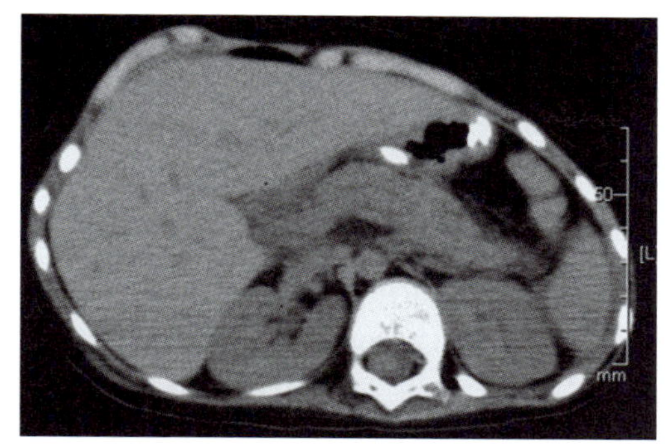

図2 腹部CT検査
膵臓のびまん性腫大と周囲の液体貯留を認める.

空気嚥下症など，普段から嘔吐を認める事例では急性膵炎の発見が遅れる場合があるため注意が必要である．血性嘔吐，胆汁性嘔吐と症状が悪化する場合もあるので継時的な観察も重要である．症状が進行すると呼吸障害，腎障害など多臓器不全となる.

3. 検　査

急性期は血中アミラーゼ，p型アミラーゼ，リパーゼを測定する．血中アミラーゼは，唾液腺疾患，婦人科疾患，消化管穿孔など膵臓疾患以外でも高値を示すため，疾患特異度が低い.

腹部造影CTで膵臓の腫大，膵周囲～後腹膜腔・結腸間膜や小腸間膜の脂肪濃度上昇，液体貯留，膵実質の不均一化，膵の造影不良を認める（図2）.

MRIは胆道結石や出血を伴う膵壊死の診断に有用であるが，重症児者の場合，全身状態の程度により急性期に実施するべきか検討を行う．MR胆管膵管画像（magnetic resonance cholangio pancreatography：MRCP）は，乳頭部の操作を必要とせず，また造影剤を用いることなく胆管膵管像を撮影することができる．CTで胆道結石が明らかでない場合は有用である．また，MRCPは胆道結石のみでなく，膵管胆道合流異常，膵管癒合不全などの急性膵炎の原因精査にも有用である.

4. 治　療

急性膵炎は全身状態が急変する場合があるため，循環，呼吸モニタリングを常に行う．急性膵炎の初期治療は，絶食による膵臓の安静と十分な輸液，適切な疼痛管理である.

急性膵炎の初期は血管透過性亢進によりサードスペースへの血漿漏出が起こり，高度の血管内脱水を呈する．急性期の循環障害による臓器不全を予防するために輸液を行うが，過剰輸液に注意する．特に重症児者では，普段の水分摂取量が少ないことがあり，過剰輸液による肺水腫，心不全などを起こす場合がある.

急性膵炎による疼痛のため筋緊張が強くなることで，呼吸障害をきたす場合もある．中等度以上の急性膵炎では，ブプレノルフィン，ペンタゾシンによる疼痛管理を行う.

栄養管理も重要である．重症膵炎の急性期ではエネルギー必要量が増大しているため，中心静脈栄養を用いた高カロリー輸液が必要となる．ただし，完全静脈栄養では有害事象が多いことが知られているため，消化管合併症がない場合は可能な限り早期に経腸栄養を併用する.

そのほかに抗菌薬，蛋白分解酵素阻害薬（ガベキサートメシル酸塩），ヒスタミンH_2受容体拮抗薬，プロトンポンプインヒビターなどを投与するが，詳細は成書を参考にされたい.

5. 予　防

低栄養，低蛋白血症による膵臓の腺房細胞の萎縮，破壊，膵管の嚢胞状変化，血中トリプシノーゲンの増加が膵炎の原因とされている[3]．重症児者においても，摂取エネルギー量が少ないこと，感染症の反復などにより低栄養，低蛋白血症となっている事例がある．自験例であるが，低蛋白血症，低アルブミン血症を認め，急性膵炎を反復していた症例で，栄養状態が改善したのち急性膵炎を発症しなくなった例がある（図3）．適切に栄養管理を行い，低栄養や低蛋白血症をきたさないようにすることで急性膵炎が予防できる可能性がある[4].

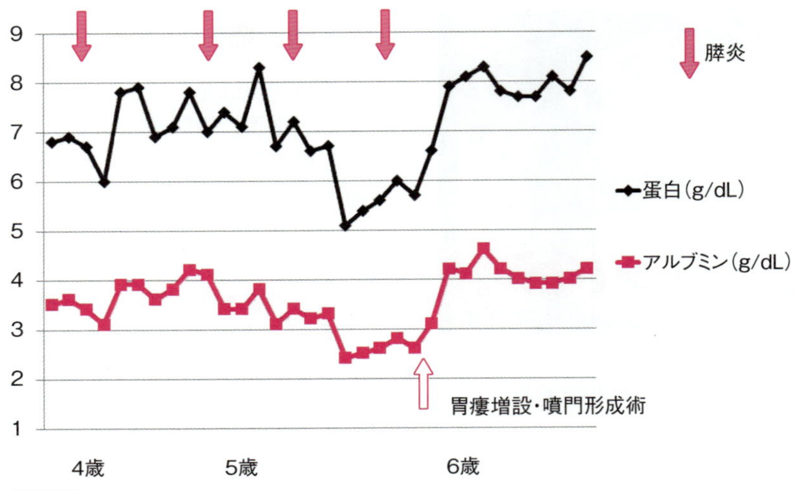

図3　自験例における経過

胃瘻造設・噴門形成術後は誤嚥性肺炎を起こさなくなり，十分な栄養がとれるようになったため，蛋白，アルブミン値も上昇した．急性膵炎も発症しなくなった．

文　献

1）Nydegger A, et al. Childhood pancreatitis. J Gastroenterol Hepatol 2006；21：499-509
2）Hauer JM. Central hypothermia as a cause of acute pancreatitis in children with neurodevelopmental impairment. Dev Med Child Neurol 2008；50：68-70
3）Morris LG, st al. Reccurent acute pancreatitis in anorexia and bulimia. JOP 2004；5：231-234
4）Tamasaki A, et al. Risk factors for acute pancreatitis in patients with severe motor and intellectual disabilities. Pediatr Int 2014；56：240-243

［玉崎章子］

コラム　非閉塞性腸管虚血（NOMI）

非閉塞性腸管虚血（non-occlusive mesenteric ischemia：NOMI）は，腸管膜血管主幹部に器質的な閉塞を伴わないにもかかわらず，分節状，非連続性に腸管血流障害をきたす病態とされており，その病態生理はいまだ解明されていないが，心不全や循環血液量減少，腹部コンパートメント症候群などの状況で惹起される腸管膜血管の攣縮が原因と考えられている．

発症早期には特異的な臨床徴候がないことが特徴で，20～30%の症例では腹痛もない．経時的変化により虚血の進展を示唆する腹痛，下血，腹部膨満などが生じ，さらに不可逆的な虚血状態に移行すると腹膜刺激症状が出現する．血液検査で特徴的な所見はない．診断が困難なため致死率は50～80%と高く予後不良である．

NOMIは全身状態不良な患者の早期経腸栄養における重篤な合併症として認識されてきており，腸管における酸素需要の増大，腸管内圧の上昇，腸内細菌の異常増殖が，経腸栄養剤の投与によりNOMIが生じる要因と報告されている．また，高浸透圧であること，投与速度が速いことや短期間での増量，空腸栄養などが腸管虚血と関連する経腸栄養剤の特徴である．

重症児者では，基礎疾患や内服薬の影響，便秘症や呑気症の存在などの様々な原因により腸管蠕動運動が低下しており，腸管内圧の上昇をきたしやすい状態にあるが，腸管内圧の上昇はNOMIのリスク因子となる．経管栄養を行う場合，蠕動運動が低下している腸管への栄養剤の貯留により，さらに腸管内圧の上昇が起こりやすい．また，長期経管栄養を行っている重症児者では，食物繊維摂取量不足等により腸内細菌叢の異常や腸内細菌の異常増殖をきたしやすい．重症児者の病態そのものがNOMIのリスク因子となりうるため，重症児者では全身状態悪化時など循環動態が変化する場合にNOMIを発症する危険性があることを念頭において診療にあたる必要がある．また全身状態悪化時には，経腸栄養剤の浸透圧や投与速度，増量のスピード等にも注意することが必要である．

［山下久美子］

C 嚥下障害，経管栄養，栄養水分管理

1 重症児者の嚥下障害・誤嚥の特徴

POINT

- 重症児者の嚥下障害は，疾患別に考えると理解しやすい
- むせを伴わない誤嚥が多く肺炎が重度化しやすい．検査で誤嚥を認めてもそれだけで判断するのではなく，総合判断により方針を決定すべきである
- 重症児者には嚥下障害に大きな影響を及ぼす合併症が多く，その対応も必要
- 早期老化現象があり，障害が重度であるほど嚥下障害もより早期に出現する

1．重症児者の疾患別嚥下障害の特徴

重症児者の疾患は脳性麻痺と染色体異常・先天異常が多く，これらについて述べる．

ⓐ脳性麻痺の筋緊張，姿勢，運動の特徴と嚥下障害

脳性麻痺は，①痙直型，②アテトーゼ型，③低緊張型の３つに大別できる．重度の脳性麻痺ではこれらのタイプの混合型（特に痙直とアテトーゼの混合型）もしばしば認める．

①痙直型（図1）

嚥下障害が重度となりやすい痙直型四肢麻痺について述べる[1]．

【姿勢】過緊張で筋緊張の変動は少なく，上下肢体幹は屈曲優位の姿勢で屈曲拘縮となっている場合もある[2]．

【運動】分離運動困難（各関節を独立に動かすことができない），そのため複雑な運動ができない．動きも少ない[2]．

【嚥下障害の特徴】顔面，口腔周囲の筋が硬くなってしまい，食物の取り込み，咀嚼などが困難．これらの筋を用手的にストレッチするなどの対応が有効である．さらに，分離運動が困難なため，舌，下顎を独立して複雑に動かすことができず，咀嚼が困難．これに対し下顎介助が有効．さらに機能に見合った食形態検討など様々な対応が必要となる．

②アテトーゼ型（図2）

重度アテトーゼ型の典型例について述べる．

【姿勢】低緊張と過緊張が変動し，適度な筋緊張を維持するのが困難である．過緊張になると，左右非対称的な姿勢をとることが多く捻れながらの過伸展をとりがちである[2]．

【運動】スムーズな開始ができず，特に精神的緊張で突然過緊張となる．ゆっくりとくねるような動きの不随意運動も認める．さらに，このような動きよりも速い舞踏様運動（不規則で目的なく，振幅の大きな手足の運動）を伴うこともある．

【嚥下障害の特徴】摂食時突然の過緊張により呼吸と嚥下運動のパターンが乱れ，窒息が起きる場合もある．頸部聴診を行うと，食物の取り込みから嚥下するまで呼吸を止めているのが確認できることも多い．一度過緊張となったら，落ち着くまで待つ必要があるので，突然の過緊張が起きないよう事前に抑制する配慮をいかに行うかがポイントとなる．

③低緊張型（図3）

【姿勢】上下肢，頸部，体幹が常に低緊張なため，良好姿勢の保持が困難である[2]．

【運動】抗重力運動困難となる．小脳障害を伴えば，振戦，測定障害を伴う．

【嚥下障害の特徴】低緊張のため食物の取り込み困難，送り込み困難，口腔内保持困難となり，口からこぼれ落ちるか，咀嚼不十分で丸のみしてしまいがちになる．安定した姿勢保持，口からこぼれるのを防ぐため下顎介助，口唇閉鎖介助などの対応が有効である．

ⓑ染色体異常，先天異常の嚥下障害

疾患により特徴は異なるが，何らかの摂食嚥下障害を伴うことが多く，以下のような特

図1　痙直型四肢麻痺に特有の姿勢

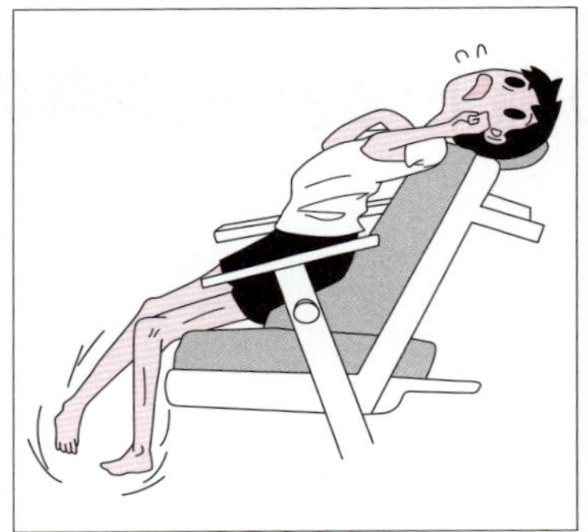

図2　アテトーゼ型脳性麻痺に特有の姿勢

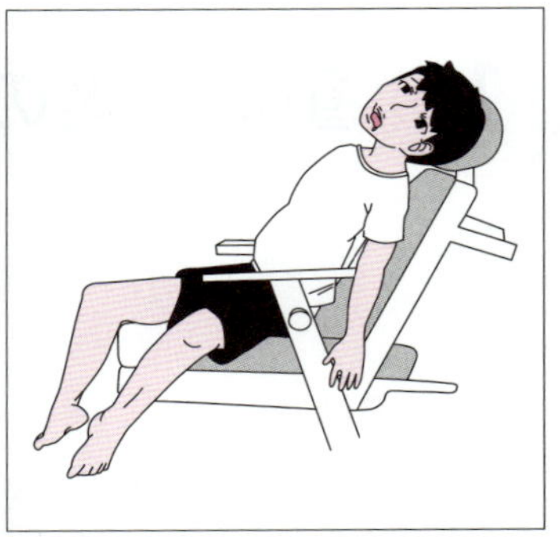

図3　低緊張型脳性麻痺に特有な姿勢

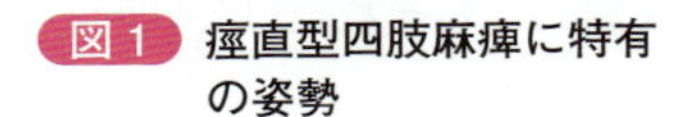

徴をもつケースが比較的多いと考えられる．①摂食嚥下機能障害の問題：丸のみ，早食い，②消化管機能異常の問題：胃食道逆流，反芻，腸回転異常など，③自閉傾向の問題：こだわり，気分変調，環境に左右されやすく，拒食，心理的嘔吐を認める．

2. 誤嚥とその対応

ⓐ むせのない誤嚥

脳性麻痺を主とする重症児者の 2/3 がむせのない誤嚥を認めるともいわれている．

誤嚥したものが気道の奥まで達してからむせる遅延性むせの例もあり，むせを認めてもハイリスクである[1]．むせて異物を排出するという防御機構が働かないため，誤嚥により肺炎をきたしやすく，肺膿瘍など重篤な状態も発症しやすい．

ⓑ 誤嚥の対応

1）姿　勢

頸部の角度が体幹に対して後屈位になる角度は誤嚥しやすい．水平面からの体幹の角度は，より起こした場合，気管に入りやすい角度になる．そのため障害がより重度の場合，誤嚥しやすくなる（図4，5）．坐位保持装置のティルトの角度にも注意する必要がある．さらに，背部，腰部が支持面に対して隙間がある場合も嚥下困難，誤嚥につながる．体の変形に合わせた良肢位をとる必要がある．

体幹の角度は一般的にリクライニング位がよいが，アテトーゼ型の場合，仰臥位のまま体幹を倒すと伸展パターンが誘発され，かえって誤嚥を起こしやすくなることがある．一方，老化により低緊張が目立つようになったアテトーゼ型は，リクライニング位でないと安定しないこともある．個々様々であり，姿勢についての単純な一般化は危険であることも留意する．

2）食形態

べたつきがあり，まとまりがなく，硬く，味が好みでないものは誤嚥しやすい．さらさらの水分は咽頭通過が早く，嚥下障害が重度であれば注意が必要である．

ⓒ 誤嚥の許容範囲

重症児者で誤嚥を多少認めても，咳などで排出することができれば経口摂取を続けることは可能である．また，食形態や姿勢の工夫で誤嚥が改善することも多い．誤嚥の許容範囲を超えてしまう[3]（誤嚥性肺炎，食後の喘息様呼吸悪化を繰り返す．胸部 CT で慢性肺病変を認める．VF〈嚥下造影検査〉で少量でも誤嚥，中等量の誤嚥でもむせがない．食形態，姿勢などの工夫を行っても改善が得られない）ときは，栄養摂取方法を経管栄養に変更する必要がある．また，これらを検討したうえでさらに誤嚥が防止できず，呼吸機能が悪化するようであれば，誤嚥防止手術を行うことが必要になる．障害や合併症がより重度の場合は，誤嚥の許容範囲にかかわらず誤嚥への早期対応が必要となることがあり注意が必要である．誤嚥防止術のなかで喉頭気管分離術は多く行われている方法である．術後嚥下圧低下や空気嚥下が著明となり，思ったより経口摂取が進まないことも多く，あくまで重症肺炎を防ぐための手術であり経口摂取可能となるのを目的としたものではないことを

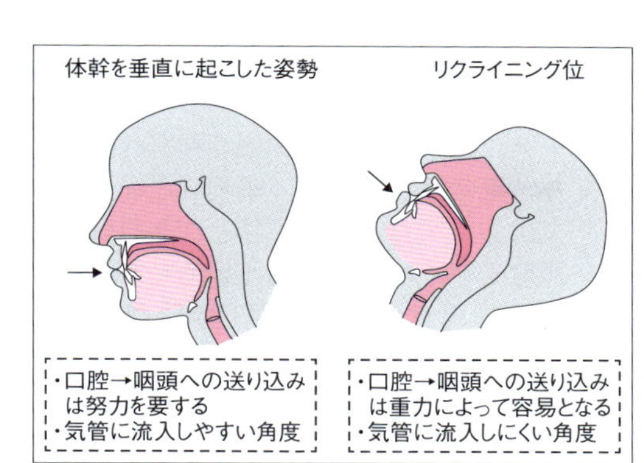

図4 体幹の角度と誤嚥

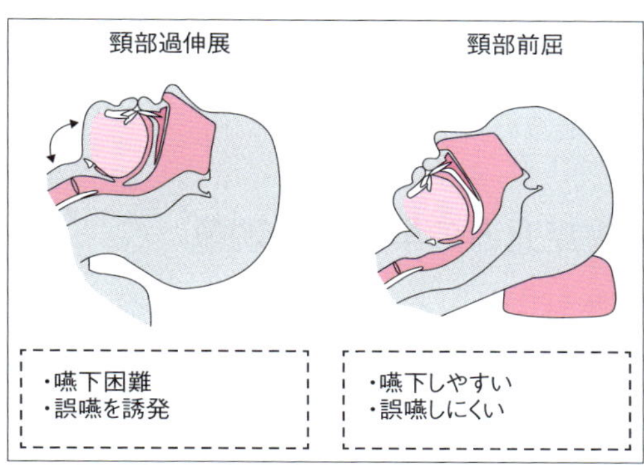

図5 頸部の角度と誤嚥

確認する必要がある[4]．一方，単純気管切開は誤嚥防止にはならないが，自発呼吸が安定していればスピーチバルブを装着することにより嚥下が改善するという報告もある[5]．

3. 嚥下機能に影響を及ぼす合併症

重症児者の摂食嚥下障害の問題を解決するためには，嚥下機能に影響を及ぼす様々な合併症の対応を検討することが重要である．

①関節拘縮や側彎・頸部の変形
②てんかん，睡眠障害
③筋緊張異常
④呼吸障害
⑤歯や口腔の形態に関する諸問題（顎，歯列，咬合の異常，高口蓋，う歯，歯ぎしりなど）
⑥視覚障害
⑦心理的な諸問題，意思疎通不全によるストレス，自閉傾向（こだわり，気分変調など）
⑧原始反射残存（乳児が乳汁を吸うのに好都合な反射が，乳児期を過ぎても残存していること．口唇反射，吸啜反射などがある）：原因は脳の障害によることが多い．これらは取り込みや咀嚼の障害をきたし，誤嚥にもつながる．対応は過敏の除去，バンゲード法，食形態が適当であるかの検討，積極的な取り込み，送り込みを援助する摂食機能療法などである．
⑨消化管機能の諸問題

・胃食道逆流症（GERD）：原因は筋緊張亢進，呼吸障害，各種薬物による副作用，体幹の変形，胃チューブ留置など．逆流した胃液は誤嚥しやすく，少量の誤嚥でも重症肺炎となる．筋緊張亢進，各種薬物による副作用，体幹の変形により増悪する．食形態や食後の姿勢を工夫すること，内服薬によるコントロールなどが必要である．

・反芻（いったん嚥下したものを意図的に口腔内に戻す行為）：原因は不明だが，誘因は心理的ストレスなどによるといわれている．胃食道逆流症とは異なり，加齢とともに反芻による誤嚥の頻度は増加する．胃酸により歯や食道，喉頭の障害を認めてくる場合もある．対応は心理的アプローチや飲食物にとろみ剤を使用した半固形化である．反芻と思われていたケースが，胃食道逆流を併発していたという報告もある[6]．この場合，胃食道逆流の対応も必要である．

・腸回転異常症など：原因は先天異常が多い．繰り返す便秘により腸管の異常をきたすこともある．イレウスを誘発し，腹部膨満，悪心，嘔吐をきたし嚥下困難となる．対応は便秘予防，体重を増加させ腹部内脂肪を保つなどである．消化管の問題は，より重度であるほど対応は困難で胃食道逆流に対し噴門形成術，イレウスを解除するための開腹手術が必要になることもある．

⑩内服薬の副作用：抗てんかん薬，筋緊張改善薬，向精神薬などにより，筋緊張低下，意識低下，味覚障害，気道分泌物増加，胃食道逆流，イレウスを生じ呼吸障害，嚥下障害を悪化させていることがある．薬剤の減量，他剤に変更などの検討が必要な場合もある．しかし，これらは重症児者の症状に対し必要不可欠な薬剤でもあり，変更が困難なときには，副作用を認めながら嚥下障害に対応せざるを得ないこともある．

上記の①～⑩の合併症は相互に関係しあっている場合が多く，１つを解決すると，他の症状も軽減していくことがある[1]．

4. 重症児者の早期老化現象

ⓐ脳性麻痺

1）重度障害・寝たきりの症例群

重度障害の場合，機能低下は思春期頃から起きる．理由として，もともと呼吸機能に障害があり，痰喀出力が弱いこと，咽頭部の変化（成長とともに咽頭部の縦方向への増大を認め，相対的に喉頭部が下降し誤嚥しやすい形状となる），身体の変形の増悪，筋緊張亢進の増悪，胃食道逆流の悪化，さらにこれらに伴う呼吸症状の増悪などが考えられる．その後 30～40 歳代までにはほとんどが嚥下機能低下をきたし，経口摂取が困難になる[1,7]．

対応が遅れれば生命の危機に陥ることもあるので，経口中止などの早期対応が大切である．経口摂取が苦しみを与えているだけのことも多く，中止により QOL が改善する．

2）軽度～中等度障害・自力坐位可能な症例群

中等度障害の場合，思春期には機能低下はほとんど認めず，40～50 歳代頃より機能低下をきたす．30 歳代までは呼吸機能や痰喀出力は維持されている場合が多く，思春期に身体の変化を認めてもその影響は軽度なため，思春期の機能低下は免れる場合が多い．しかし中年期になると，早期老化を認め，嚥下機能障害の重度化をきたすようになる[7]．

進行が緩徐のため，本人や家族がリスクに対して認識不足であることも多い．小児期から専門家が評価し，成人期になっても継続し，将来早期に嚥下障害をきたすことを見据えながら摂食指導を進めていくべきである．

ⓑ染色体異常，先天異常

運動障害や身体の変形が重度～中等度であれば，加齢による嚥下障害の影響は，脳性麻痺と同様な経過をたどることが多い．

運動障害が軽度で体の変形もほとんどない場合には，丸のみ，切迫摂食（早食い，詰め込み），反芻，自閉傾向による拒食などを認めても，若年期には嚥下障害をほとんど認めないことが多い．しかし，その後加齢による運動機能障害をきたす場合があり，それに伴い，嚥下障害も認めてくるようになる．

一方，加齢による運動機能障害を認めなくても，若年期からむせ，喘鳴などを認めながら丸のみ，早食い，反芻などがあれば，早期に重度の嚥下障害を認める場合もある．

染色体異常，先天異常で麻痺が軽度の場合，嚥下障害を認めるようになっても，一見すると飲み込みは問題ないようにみえることがある．また，嚥下障害に関して医療機関で診断等を受けている場合が少なく，嚥下障害に精通した専門家の関与が少ないこと，家族が口から食べさせたいという強い思いを抱いていることが多いなどから，誤嚥を見過ごしていることもある．そのため，誤嚥に気づいた頃にはかなり進行していて，急速に重度化していく場合もあるので注意が必要である．小児期から，丸のみ，早食いにならないよう，指導していくべきであると思われる．

Down 症に関しては，環軸椎（頸髄 C1，C2）亜脱臼による麻痺，知的退行，うつ，白内障，肥満，糖尿病などが加齢とともに発症すれば，重度の嚥下障害につながる．

文　献

1）北住映二．小児疾患，脳性麻痺．藤島一郎（監），疾患別に診る嚥下障害．医歯薬出版，2012；102-109

2）椎名英貴．摂食指導店訓練の基本，脳性麻痺児への神経学的アプローチの立場から．北住映二，他（編），子どもの摂食・嚥下障害．永井書店，2007；130-150

3）尾本和彦（編）．障害児者の摂食・嚥下・呼吸リハビリテーション．医歯薬出版，2007

4）水口浩一，他．誤嚥防止手術後の重症心身障害児者における長期臨床像について．日重症心身障害会誌 2017；42：333-339

5）久松千恵子，他．気管切開孔を有する喉頭気管食道裂術後の嚥下障害に対してスピーチバルブ装着が有効であった 1 例．第 31 回日本小児呼吸器外科研究会，2021；S1-3

6）水野勇司，他．反芻と考えられていた動く重症心身障害者に対する上部消化管検査による検討．日重症心身障害会誌 2014；39：119-123

7）渥美　聡：メディカルスタッフのための疾患講座，脳性麻痺の概念と特徴．嚥下医学 2014；3：5-13

［渥美　聡］

C 嚥下障害，経管栄養，栄養水分管理

2 重症児者への摂食介助のポイント

POINT

- 本人が安楽と感じられ，嚥下器官が動かしやすい姿勢調整を行うこと
- 適切な食形態を提供すること，障害ごとの特徴に応じた食具・食器を使用すること
- 本人が食べることを楽しく安全と考えられるように配慮すること

1. 姿勢調整

ⓐ安定した支持面で広く身体を支える

障害の重症度によって，坐位からリクライニング位，側臥位などが選択される．過度に緊張していないか，反り返ったりバランスが崩れたりしていないか，呼吸が安定しているか，表情が落ち着いているか，などを指標とする．

痙直型のように筋緊張が高い症例は胸郭の動きも小さく，呼吸が浅く不規則になる，体重を支える支持面が小さいとバランスを崩しやすい，などの特徴がある（図1，2）．また，アテトーゼ型（図3）も，筋緊張が高まったときや上下肢に不随意運動が起きたときにバランスを崩しやすいなどの特徴がある．これらが重度の場合には基本的には骨盤帯に加えて背部でも身体を支えられるようにリクライニング位（角度は個々の症例ごとに異なるので，実際に試してみて最適と思われる角度を車椅子などに印しておくとよい）とし，身体と車椅子の間に隙間ができず，本人が身体を安定して預けられているかを確認する．弛緩型も重度の場合，坐位では体幹が支えられず崩れてしまうので，リクライニング位（ベッドのように広い面がよい場合もある．リクライニングは床面から15°程度起こした角度がよい場合が多い）にして体幹の側面を幅広いクッションなどで支えるとよい．片麻痺があれば，健側を下にした側臥位にすると食塊が送り込みやすくなる（図4〜6）．

ⓑ頭頸部の保持と顎引き位確保

頭頸部が安定し，誤嚥しにくい，顎が軽く引かれた姿勢で，さらに食物を認識しやすいポジションを探す．クッションや頭頸部の反り返りを防止する枕・頭頸部補助装置などの工夫が必要である場合が多い．特にアテトーゼ型の症例では上肢の不随意運動とともに体幹および頭頸部が捻れて反り返る症例が多く，一般的な枕では頸部前屈位に収まらないことがある．このような症例には肩甲帯から後頸部，頭部を広く支える特別な枕・頭部保持装置のようなものを作成する必要がある．不随意運動や極端な首振り，過開口などがある場合にはそれらを抑制する工夫をしてから食事を開始する．

2. 食形態

常食，軟固形食，半固形食，軟半固形食，ピューレ状食，ゆるいピューレ状食，ゼリー状食などから本人の嚥下機能に適するものを選択する．食物の均質さ，凝集性，付着性，固さ，まとまりやすさなどの視点が選択のポイントとなる．捕食時の口の開閉，舌と口蓋による押し潰しの有無と十分さ，咀嚼の有無と十分さ，食塊形成の能力，口腔内処理中の口唇閉鎖が可能かどうか，口腔から咽頭への送り込みの能力，嚥下運動の確実さ，などを指標とする．

水分については，軽度の障害でも摂取が困難となるので，とろみ剤などで半固形化する必要があるが，濃くしすぎると口腔粘膜に貼

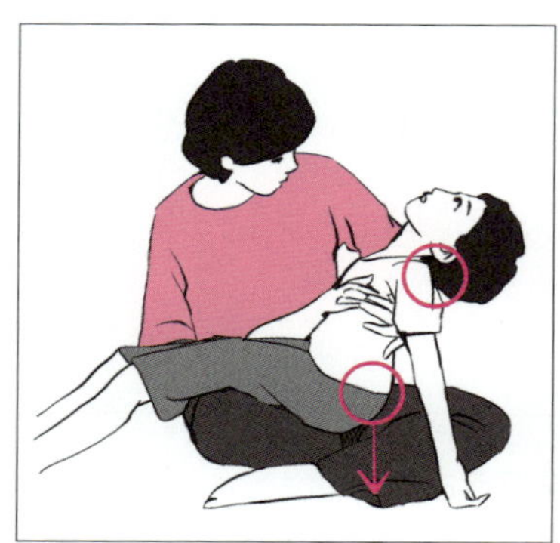

図１　バランスの崩れた姿勢

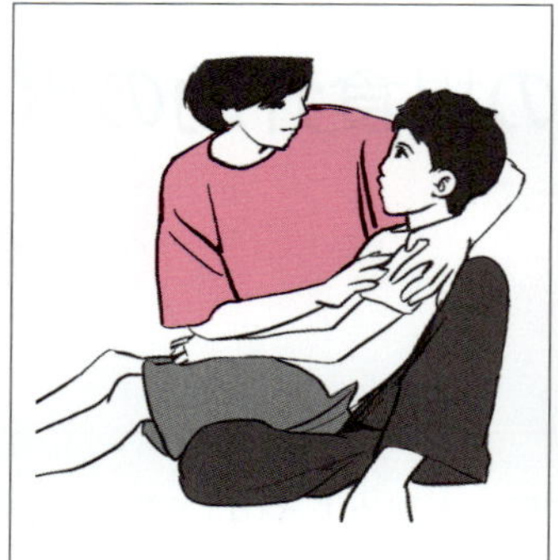

図２　体幹および頭頸部をサポートした良好姿勢

図３　アテトーゼ型に起きやすい姿勢の崩れ

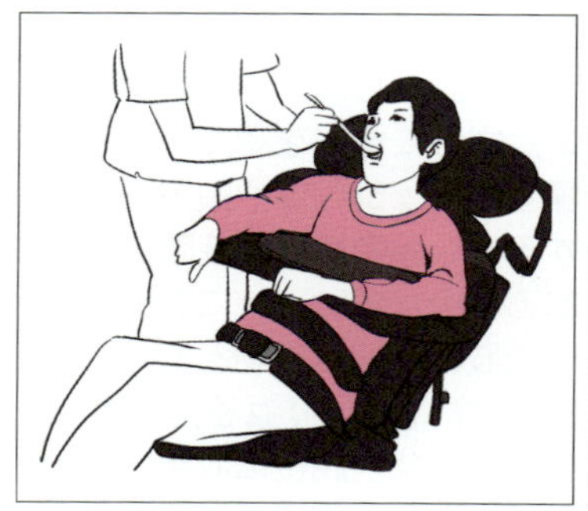

図４　ティルト角度調整，肘置き補助具使用で安定した姿勢

図５　低緊張で体幹が支えられていない状態

図６　リクライニング位にし，頭頸部，体幹，骨盤をサポートし，安定した姿勢

り付き，咽頭への送り込みが困難になるので注意が必要である．食形態ととろみについては，「日本摂食嚥下リハビリテーション学会嚥下調整食分類 2013」の学会分類 2013（食事）早見表および，学会分類 2013（とろみ）早見表を参照されたい[1]．また，水分摂取が通常のコップで困難なら，スプーン（過敏のある症例には金属でなく，ソフトプラスチックなどの材質のものがよい．カレースプーンなどの大きいものは一口量が多くなりすぎるのでリスクが高い），ストロー（小児にはストローピペット法が適応となることがある），開口が困難な症例にはカテーテルチップ，その他の水分摂取補助具が必要になる．これらの工夫をしても必要水分量を摂ることが困難であれば，水分摂取を管による注入で行うことが検討される．

3. 介助の実際

ⓐ介助の注意点

個々の症例ごとに適切な大きさと素材のスプーンと一口量を決め，誰が介助しても同様に行えるよう，介助法を見やすい場所に表示しておくとよい．食事を介助するときには食物が本人に見えるように下の位置からスプーンを出し，食物の香りを嗅がせてから声かけして介助すると開口がよくなりやすい．

ⓑ異常動作への対応

1）舌突出（図７）

伸展パターンとともに出現することが多いので，姿勢を整えることが第一選択となる．筋緊張をコントロールしたうえで，スプーンをそっと下口唇にのせ，本人の舌運動に合わせて軽く圧刺激を加えながら，食物が口中に入るように介助すると，口唇と顎の閉鎖を引

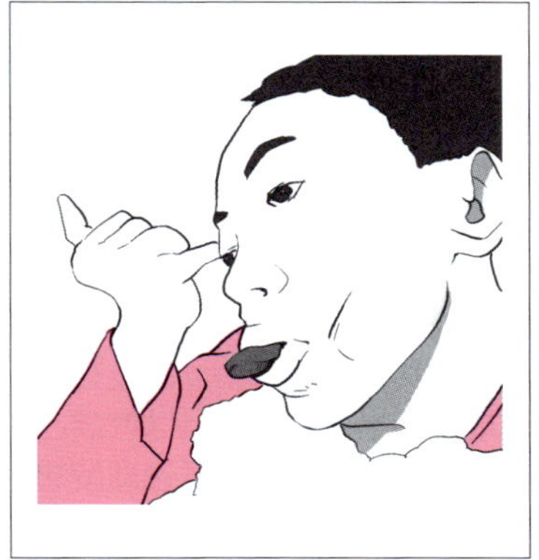

図7 舌突出

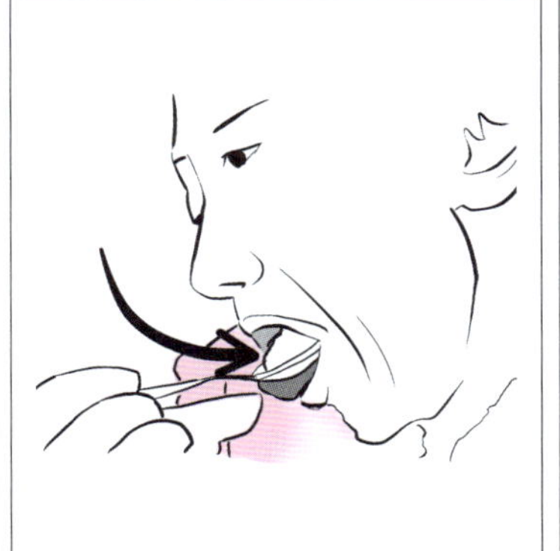

図8 突出した舌を軽く口中に押し入れながら行う介助

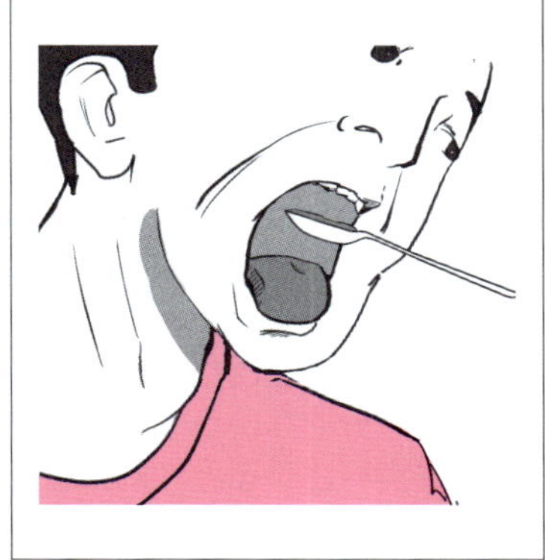

図9 頭頸部安定不良，過開口

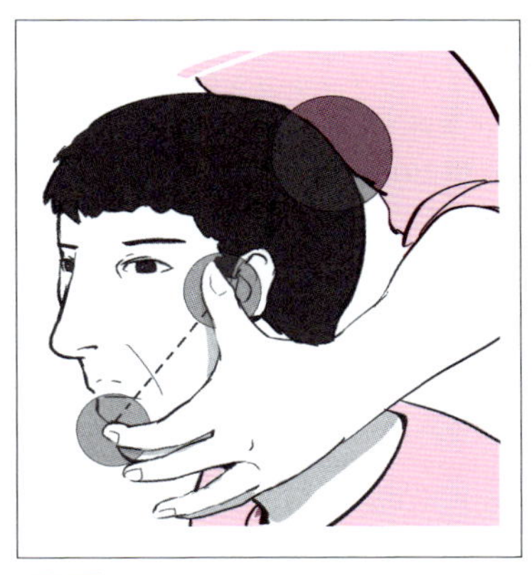

図10 頭部・顎関節・下顎のサポートの一例

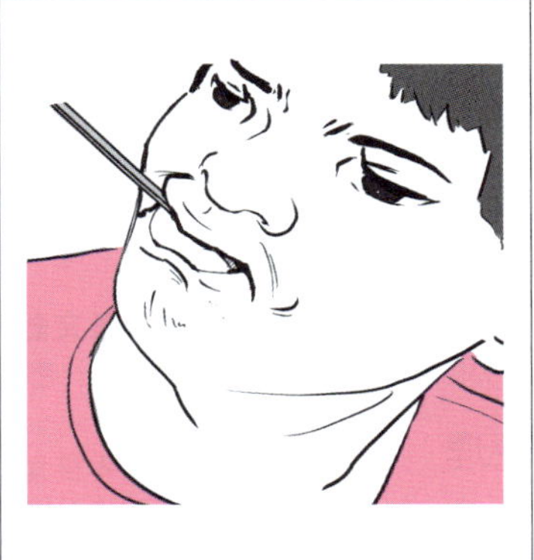

図11 緊張性咬反射での強い咬みこみ

図12 咬反射への対応：スプーンを横向きにし，歯に触れないように下口唇にそっと置く

き出しやすく，舌突出は抑制しやすい（図8）．これらの工夫でも不十分で強い舌突出がある場合には，下顎の前方介助（手を本人の顎におき，顎の上下動に合わせて動かしながら，顎開閉を補助する）や，口唇・下顎閉鎖介助を行う必要がある．

2）過開口

食物取り込みに際して口が過剰に大きく開いてしまう症状で，反り返りと同時に起こりやすい．頭頸部を介助者の腕，手指を使ってコントロールして過度の緊張を減じさせ，下口唇に横向きにスプーンを置いて顎と口唇の閉鎖（口輪筋の収縮）が起きるのを待つことが必要である（図9，10）．

3）緊張性咬反射（図11，12）

新生児にある咬反射と違い，スプーンなどを強く噛みこんでしまう症状．スプーンを咬んだら力が弛むまでそのままにして待ち，力が抜けたらスプーンを引き抜くことが重要である．スプーンは金属など固い物だと緊張を誘発しやすいので，ソフトプラスチックなどの素材の物を使用するのが望ましい．また，歯にスプーンが当たらないようにスプーンを下口唇に置き，取り込みを促すことも有効である．

4）過　敏

口唇周囲を中心とする顔面や手掌に強く現れる場合が多く，スプーンなどが少しでも口唇や顔面に触れただけで強い緊張が起きる状態のときは，声かけしながらゆっくり，体幹→肩周囲→頭頸部→頬→口唇周囲の順に，手掌で広くやや強い圧迫刺激を加え，緊張が緩

和（過敏の除去）されたのを確認してから食事を開始するとよい．

5）早食い・詰め込み・丸のみ

知的障害の症例に多くみられる．一度にたくさん口に入れると窒息の危険があるので，自食の場合には患者の前に小皿に少し取り分けた食物を置き，少しずつしか口に入らないように見守ることが必要である．咀嚼の機能発達が十分でないうちに咀嚼を要する固形の食物を食べさせると，丸のみが助長されてしまうので，機能に見合った食形態を提供することが重要である．

6）拒否，こだわりなど

環境の変化に敏感であったり，気分のムラが大きい症例においては摂食量も安定しない場合が多い．静かで落ち着いた食事環境を作ること，食べることを無理強いせず，家族が楽しそうに食べる様子をさりげなく見せることなどで気長に待つことが必要になる．拒食が続き，低栄養になるおそれがある場合にはとりあえず経管栄養で栄養状態を良好に保つことが第一選択となる．

4. 食の楽しみ確保と危機管理

重症児者は早期機能低下で摂食嚥下が急激に困難になる場合が多いが，できる限り長く，口から食べる楽しみを続けられるように定期的な機能評価を行い，姿勢・食形態が適正に保たれているか，チェックすることが必要である．重症児者の家族は，本人の食べる楽しみを守りたいという強い気持ちをもっている場合が多い．その気持ちを受け止め，できる限り家族の希望にそって経口摂取を行うという姿勢は大事だが，患者自身が食べることに非常に多くの体力と精神力を使い，むせに苦しむ頻度が高まってきた場合には，必要栄養量と水分量を確保するために代償的な方法（補助栄養を導入する，経管栄養と併用とするなど）を，タイミングを逃さずに行わなければならない．経口摂取の困難さを軽減させることは，患者自身から苦しみを遠ざけることとQOL改善につながるということを家族に理解していただくために，職員は家族と十分な話し合いの機会をもって，共通理解を得ることが必要である．食後に喘鳴や痰の増加が頻回にみられるようになったら，適時吸引が行えるように準備をしておくことも肝要である．

文　献

1）日本摂食嚥下リハビリテーション学会医療検討委員会．日本摂食嚥下リハビリテーション学会嚥下調整食分類2013．日摂食嚥下リハ会誌 2013；17：255–267

参考文献

・田角　勝，他（編著）．小児の摂食・嚥下リハビリテーション．医歯薬出版，2006
・日本摂食嚥下リハビリテーション学会医療検討委員会．訓練法のまとめ（2014版）．日摂食嚥下リハ会誌 2014；18：55–89
・山本弘子，他．摂食・嚥下障害の評価とリハビリテーション 2013．NPO法人ゆずりはコミュニケーションズ，2013
・日本摂食嚥下リハビリテーション学会検討委員会．発達期摂食嚥下障害児（者）のための嚥下調整食分類2018．日摂食嚥下リハ会誌 2018；22：59–73

［山本弘子］

嚥下障害，経管栄養，栄養水分管理

3 重症児者への適切な食形態

POINT

- 食形態を適切にステップアップすることで口腔機能発達を促すことができる
- 食形態を工夫することで不足する食塊形成能や送り込み力などを補助することができる
- 発達期摂食嚥下障害児（者）に対してはかたさ以外にもまとまり，変形しやすさ，適度な付着性などの食事の性質に配慮する必要がある

1. 食形態の重要性

発達期には「食事の美味しさや楽しさ」といった好ましい刺激で意欲を引き出すことや，発育に必要な栄養を効率よく摂取できることが望まれる．

また生来備わっている哺乳反射によって乳を飲むのとは異なり，食べる機能を獲得していくためには新しく経験する食事の性質（かたさ，大きさ，粘度，粒度感等）を感じとり，その性質に応じた舌や顎の動かし方を自ら学んでいく必要がある[1]．そのためには，より成熟した運動を引き出す可能性の高い食事をそのつど提供していくことが重要となる．

一方で麻痺や筋力低下，口腔咽喉頭構造のある発達期摂食嚥下障害児（者）の場合は，不足する舌の押しつぶし力，食塊形成能，送り込み力，嚥下力を補助できるよう，食物の性質に配慮する必要がある[2]．

さらに増齢期では，口腔器官や咽頭喉頭構造が長く広く変化し，咽頭に到達するまでの距離が延長するなどの理由でさらに口腔嚥下機能低下を生じる可能性があり，機能を代償する食事を提供することで，安全性を担保することができる[3]．

また食事における不快な刺激や嘔気や窒息などの経験は，防御的な摂食嚥下パターンを引き起こし，摂食行動に負の影響を及ぼす．このため，提供する食事の食べやすさと美味しさを両立することはとても重要である．

このように発達期には美味しさ，栄養学的充足，機能獲得，不十分な機能補完，低下した機能代償，という包括的な観点で食事提供が行なわれることが望ましい．

これらの点を重視して策定された日本摂食嚥下リハビリテーション学会「発達期障害児者のための嚥下調整食分類 2018（以下，発達期嚥下調整食 2018）」[4]について，本項で解説する．

2. 対　象

発達期嚥下調整食分類 2018 の対象となる発達期摂食嚥下障害児（者）とは，十分な摂食嚥下機能を獲得していない小児から成人までの広い範囲を含み，機能獲得期から，機能維持期，増齢による機能低下期までが想定されている．

3. 離乳食分類との関連

離乳食では口腔機能の発達を促すために「なめらかにすりつぶした状態」「舌でつぶせるかたさ」「歯ぐきでつぶせるかたさ」「歯ぐきで噛めるかたさ」と順次提供する食事のかたさを変化させていくことを推奨している[5]．

上記の離乳食における「適度なかたさ」という考え方に加え，発達期嚥下調整食 2018 ではまとまり，変形しやすさ，適度な付着性などの食事の性質に配慮されている．これは口腔・咽頭構造や筋，神経系に障害がある場合，粘膜付着性が強すぎる形態，粒が分離し

表１ 発達期嚥下調整食主食分類表

分類名	ペースト粥	ゼリー粥	つぶし全粥	つぶし軟飯
状態写真（静止図）				
状態写真（すくったとき）				
状態写真（押したとき）				
状態説明	〈飯粒がなく均質なペースト状〉すくうと盛り上がっている　傾けるとゆっくりスプーンから落ちる　スプーンで軽く引くとしばらく跡が残る	〈飯粒がなく均質なゼリー状〉すくうとそのままの形を保っている　傾けると比較的容易にスプーンから落ちる　スプーンで押すと小片に崩れる	〈離水していない粥をつぶした状態〉スプーンで押しても飯粒同士が容易に分離しない	〈やわらかく炊いたご飯をつぶした状態〉スプーンで押しても飯粒同士が容易に分離しない
作り方例	粥をミキサー等で均質に攪拌する　粘性を抑えたい場合は，食品酵素製剤と粘性を調整する食品等を加える	粥にゲル化剤（酵素入り等）を加えて，ミキサー等で均質になるまで攪拌しゼリー状に固める	鍋，炊飯器等で炊いた全粥を温かいうちに器具でつぶす	鍋，炊飯器等で炊いた軟飯を温かいうちに器具でつぶす
炊飯時の米：水重量比	1：3〜5	1：2〜5	1：4〜5	1：2〜3
口腔機能との関係	若干の送り込み力があり舌の押しつぶしを促す場合	若干の食塊保持力があり舌の押しつぶしを促す場合	ある程度の送り込み力があり食塊形成や複雑な舌の動きを促す場合	ある程度の押しつぶし力や送り込み力があり歯・歯ぐきでのすりつぶしを促す場合

（日本摂食嚥下リハビリテーション学会．https://www.jsdr.or.jp/wp-content/uploads/file/doc/formuladiet_immaturestage 2018.pdf）

てしまうような形態，流動性が高すぎる形態等は，口腔咽頭内に残留したり，誤嚥してしまう場合が多いためであり，安全性を担保するためには，口腔運動や唾液でばらけないまとまり感と適度な付着性（ツルツルしすぎず，へばりつかない）が必要である．

このように発達期嚥下調整食分類 2018 は年齢と発達段階，構造と機能のアンバランスさがあり，離乳食ではうまく対応できない障害児者に配慮された分類である．

4. 分類の概要

発達期嚥下調整食分類 2018 は本文（Ⅰ概説，Ⅱ食事　Ⅲ液状食品　Ⅳ Q & A）および別紙（分類表主食/副食，離乳食区分と発達期嚥下調整食の関連図，展開図）からなる[4]．

本文では発達期の特徴，および食事が障害児者の摂食機能発達に果たす意義について詳しく解説されており，ぜひこの機会にすべてを参照いただきたい．

分類は主食，副食別に分類されている（表

表2 発達期嚥下調整食副食分類表

分類名	まとまりペースト	ムース	まとまりマッシュ	軟菜
状態写真（静止図）				
状態写真（すくったとき）				
状態写真（つぶしたとき）				
状態説明	〈粒がなく均質な状態〉すくって傾けても容易に落ちない スプーンで押した形に変形し混ぜるとなめらかなペーストになる	〈粒がなく均質な状態〉すくって傾けるとゆっくり落ちる スプーンで切り分けることができ切断面は角ができる	〈粒がある不均質な状態〉すくって傾けても容易に落ちない スプーンで押すと粒同士が分離せずまとまっている	〈食材の形を保った状態〉食材をそのままスプーンで容易に切れる程度までやわらかくした状態
作り方例	食材に粘性を付加する食品や固形化する食品等を加え，ミキサーで均質になるまで撹拌したのち，成型する	食材に固形化する食品等を加え，ミキサー等で均質になるまで撹拌したのち，成型する	食材をフードプロセッサー等で刻み，粘性を付加する食品や固形化する食品等を加え撹拌したのち，成型する	圧力鍋，真空調理器具を使用するか，鍋で長時間煮るなどして軟らかくする
食品：水重量比	1：0.5～1.2（肉魚） 1：0～0.5（野菜）	1：0.7～1.5（肉魚） 1：0～0.5（野菜）	1：0.3～0.7（肉魚） 1：0～0.5（野菜）	—
口腔機能との関係	若干の送り込み力があり舌の押しつぶしを促す場合	若干の食塊保持力があり舌の押しつぶしを促す場合	ある程度の食塊形成力と送り込みがあり複雑な舌の動きを促す場合	ある程度の押しつぶし力があり歯/歯ぐきでのすりつぶしを促す場合

（日本摂食嚥下リハビリテーション学会. https://www.jsdr.or.jp/wp-content/uploads/file/doc/formuladiet_immaturestage 2018.pdf）

1，2）[4]．主食と副食に分けて各4分類ずつ設定されている理由としては，主食，副食を別々に選択できることで，どの発達段階にも対応しやすく，かつ主食と副食の交互嚥下や手元で混ぜることにより，味や形態の微調整がしやすいからである．

主食はペースト粥，ゼリー粥，つぶし全粥，つぶし軟飯，副食はまとまりペースト，ムース，まとまりマッシュ，軟菜と4種類ずつの分類があり，それぞれは均質/不均質，かたさ，付着性（咽頭への移動速度）等に違いがあり，唾液量，口腔咽頭構造，舌咽頭筋群の筋力，口腔運動パターン，嗜好性の違いで選択することができる．

発達期嚥下調整食2018では食事の性状を調整する食品を具体的にあげ，まとまりや付着性を適度に調整するための食品（自然食材，とろみ調整食品，ゲル化剤や酵素剤）を紹介している．

別紙表では各分類の状態写真（静止図，潰したとき，すくったとき）が写真と文で説明されているため，イメージしやすい．作り方

一例，食品と添加する水分の比率目安が掲載されており，実際に調理する際に参考になる．

口腔機能との関係および離乳食区分との関連図も示されているため，提供する食形態の目安をつけることができる．ただし最終的には本人の受け入れが重要であり，あくまでも目安に過ぎないことに留意してほしい．

水分の項では従来のとろみをつける方法のほか，新たに水分をゼリー化する方法も提案し，「水分を食べる」方法もあることを紹介している．

5. 分類の詳細と適応例

ⓐ主　食

均質な形態として「ペースト粥」「ゼリー粥」，粒のある不均質な形態として「つぶし全粥」「つぶし軟飯」がある．各分類の状態，口腔機能との関係，作り方は表1[4)]の通りである．

・送り込み力や嚥下力が弱い場合は，付着性が軽減された「ゼリー粥」を適用すると，送り込みや嚥下が容易になる．唾液量が多く，口腔内保持力が弱い場合は，ペースト粥を適用するとよい場合がある．

・粒やかたさへの対応を獲得していく段階では，「つぶし全粥」「軟飯」を適用するとよい．つぶすことを推奨するのは飯粒が分離しにくくなり，口腔咽頭内での残留を軽減する目的である．つぶしすぎや，時間が経過すると糊状に変化することもあるため，注意する．全粥，軟飯で対応できる場合は，そのままでもよい．

ⓑ副　食

均質な形態として「まとまりペースト」「ムース」，不均質な形態として「まとまりマッシュ」「軟菜」がある．

各分類の状態，口腔機能との関係，作り方は表2[4)]の通りである．

・送り込み力や押しつぶし力が弱い場合は，「ムース」や「まとまりペースト食」を適用するとよい．

・送り込み力，押しつぶし力，嚥下力が比較的保たれ，複雑な舌の動きを促す場合，刻んだものをさらにまとめてばらけないようにした「まとまりマッシュ」を適用するとよい．刻んだものをばらけないようにするには，葛粉やゲル化剤で固めてまとまらせたり，粘りのある食材（ご飯や芋類）に混ぜて器具でつぶしたりすると，まとまりのある状態になり，送り込みや嚥下がしやすくなる．

・押しつぶしやすりつぶし力，嚥下力がある程度保たれ，歯や歯ぐきでのすりつぶしを促す場合，軟菜を適用する．食塊形成能が不十分な場合は，軟菜を押しつぶして，手元でご飯と軽く混ぜるだけでも，ばらけなくてすみ，食べやすくなる場合がある．

・同じ食材でも調理方法を変える（挽肉をそぼろでなくハンバーグにする），組み合わせる食材や調味料を工夫する（粘りのある芋類に油やマヨネーズを混ぜる）ことによっても食べやすく調整することができる．

文　献

1）向井美惠．摂食に関わる機能発達の研究とそのあゆみ．Dental MedicineResearch 2013；33：23-34.

2）浅野一恵．発達期嚥下調整食の実際の活用法―自験例を通じて感じた導入効果．臨床栄養 2018；133：40-48

3）浅野一恵，他．嚥下障害を有する重症心身障害児者に対する新しいペースト食の開発．日摂食嚥下リハ会誌 2012；16：182-191

4）日本摂食嚥下リハビリテーション学会医療検討委員会．発達期摂食障害児（者）のための嚥下調整食分類 2018．日摂食嚥下リハ会誌 2018；22：59-73（https://www.jsdr.or.jp/wp-content/uploads/file/doc/formuladiet_immaturestage2018.pdf）

5）厚生労働省．授乳・離乳の支援ガイド，2019

［浅野一恵］

嚥下障害，経管栄養，栄養水分管理

4 経管栄養・胃瘻 ①経鼻経管栄養チューブの挿入，管理の注意点

POINT

- 鼻から挿入した経管栄養チューブが誤って気管内に進入してしまうことがまれでなく，またむせこみを認めないこともあり，注意が必要
- 姿勢や緊張，嚥下機能の問題によって経鼻チューブの挿入に難渋することがあり，挿入時の工夫が必要
- 通常の空気注入音の聴診による経鼻胃チューブ先端位置の確認がむずかしいことがあり，個々のケースに合わせた確認方法が必要

1. はじめに

摂食障害のある重症児者に対する経管栄養法には様々な種類があるが，導入の初期段階では経鼻胃管栄養が最も汎用されている．一方，長期にわたって経管栄養を必要とする場合や，胃食道逆流症が認められるケースでは，胃瘻栄養や経空腸チューブ栄養の適応が検討される．

2. 経鼻経管栄養チューブの挿入

潤滑剤をチューブの先端 2～5 cm に塗布して挿入を行う．潤滑剤はゼリー状の物が一般的に使用されるが，チューブを水に浸して滑らかにすることでの代用も可能である．挿入長は，鼻孔から耳介までの長さと，耳介から剣状突起までの長さとの合計がおよその目安となる．

ただし，重症児者では側彎や頸部の変形により，想定した長さと異なる挿入長が必要なことがあり，個々のケースに応じた挿入長の検討が必要である．また，成長によって必要な挿入長が変化することにも注意する．

ⓐ 挿入時のリスク

1）鼻出血

鼻腔を通過するときに鼻粘膜からの出血を伴うことがある．

2）悪心・嘔吐

咽頭後壁への刺激や，喉頭蓋谷・梨状窩でのチューブのつかえにより，悪心・嘔吐が誘発されることがある．さらにチューブのつかえによって先端がコイルアップしてトグロを巻いてしまう可能性がある．

3）チューブの気管内進入

重症児者で多い頸部後屈姿勢では，チューブが喉頭に進入しやすくなり，気管内への進入も起こりやすい（図1）[1]．また，チューブが喉頭から気管に入ってもむせない，咳き込まないケースも多く，気管内注入といった重大事故につながる可能性がある．

ⓑ 挿入における工夫

1）姿勢の工夫

頸が後ろに反り返った姿勢では，チューブの気管内進入がしばしば認められるため，挿入時には頸部を中間～前屈位とする．抱っこや坐位姿勢で行うことによって緊張が和らぎ，頸部の反りを抑制できることも多く，ケースに応じて仰臥位以外の姿勢での挿入を試みる．顔を真っすぐ前に向かせた状態での挿入が困難な場合には，挿入する鼻孔と反対側に頸を回旋させてチューブ挿入を行う頸部回旋法が有効なケースが多い[2]．ただし，左右差を伴う変形の強いケースでは頸部回旋法が当てはまらないこともあるので機械的に適用することは避ける．

2）ガイドワイヤーの利用

咽頭におけるチューブのコイルアップによって口腔内でトグロを巻きやすいケースや，右凸の側彎によって His 角が強い鋭角と

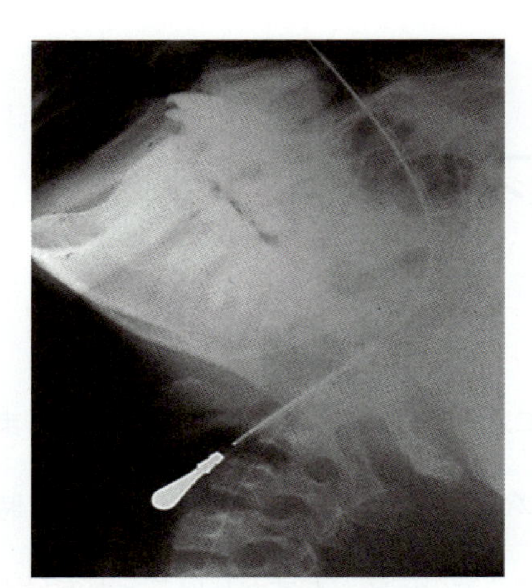

図１　**経鼻チューブの気管内進入**
（日本小児神経学会社会活動委員会，他（編）．新版医療的ケア研修テキスト．クリエイツかもがわ，2012；147-155 より一部改変）

なり挿入困難となるケースでは，血管造影用ガイドワイヤーを用いて，チューブの弾力性を高めることで挿入が容易となり，有用である．このとき，必ずガイドワイヤーの軟らかいほうを先端として，ガイドワイヤーによる上気道・消化管の損傷に注意しなければならない．また，2 倍以上の長さのガイドワイヤーを用いて，留置したガイドワイヤーの先端位置が動かないように注意しながら古いチューブを抜き，新しいチューブをガイドワイヤーに被せて進入させる方法も挿入困難な例で用いられる．

3. 経鼻胃チューブ先端位置の確認

ⓐ空気注入音の聴診による確認

聴診器を心窩部に当て，3～5 mL の空気をシリンジで勢いよく押し込み，気泡音の確認を行う．食道内留置や気管内進入との鑑別のために，上胸部での聴診も同時に行い，通常は心窩部での気泡音のほうが大きいことを確認し，先端位置が胃内にあると判断する．ただし，変形の強い重症児者では胃が上方に偏位していることがあり，心窩部よりも左下胸部で気泡音がよく聞こえる場合がある．あらかじめ個々のケースで，胃内への空気注入音が最も聞こえやすい部位を把握しておき対応する．気泡音が明瞭に聞こえない場合には複数の人での確認を行う．

ⓑ胃内容液の吸引による確認

チューブから胃内容液が吸引されれば，通常は先端位置が胃内にあると判断してよい．ただし，胃食道逆流症がある場合には，先端位置が食道内でも胃内容液が吸引されることがあり，確実な確認法とはならない．同様に，吸引された内容液の pH 試験紙による確認法で，通常は pH4 以下であれば胃内留置と判断されるが，胃食道逆流症を認める場合には食道内留置でも pH4 以下となる可能性があり，確実な方法とはいえない．また，チューブが胃内に留置されていても内容液が全く吸引されないことも多く，胃内容液の吸引による確認法には限界がある．

ⓒその他の確認法，注意するポイント

上記の確認法で先端位置に自信が持てない場合は，X 線検査が考慮される．そのため，経鼻チューブには X 線非透過性のチューブが勧められる．また，いずれの方法でも先端位置に確証が得られないケースでは，最初に少量の白湯をチューブから投与して，むせこみが出現しないこと，呼吸状態の悪化がみられないことを確認し，その後に注入を開始する方法もある．いずれにしても，はっきりと自信がもてない場合には，複数の確認法をあわせて評価することが大切である．

文　献

1）日本小児神経学会社会活動委員会，他（編）．新版 医療的ケア研修テキスト．クリエイツかもがわ，2012；147-155
2）藤森まり子，他．経鼻経管栄養法における新しい胃チューブ挿入技術としての頸部回旋法．日看技会誌 2005；4：14-21

［田邉　良，石井光子］

C 嚥下障害，経管栄養，栄養水分管理

4 経管栄養・胃瘻
②口腔ネラトン法（間欠的経口胃経管栄養法）

1. 利　点

栄養剤や水分を注入する直前に経管栄養チューブを口から胃まで挿入し，注入が終了したらチューブを抜くという，舟橋によって重症児者へ開始された方法である[1]．

チューブを留置しなくてもすむので，留置に耐えられないケース（留置するとずっと泣いている，緊張が強くなるなど）でも可能である．鼻腔，口腔，咽頭の衛生状態も保てる．鼻から挿入するよりも，口から挿入するほうが，チューブが気管に入るリスクははるかに小さい（東京小児療育病院みどり愛育園と心身障害児総合医療療育センターの，外来と入所でこの方法を用いた17例で，実施継続期間平均15年で，総挿入回数は約40万回と算定されたが，気管内誤挿入はゼロであった）．

2. 適応，有用性

本人が口からの挿入に協力的であるか拒否的でない，嘔吐反射が弱いことが条件となる．ある程度の経口摂取が可能だが注入での補充が必要な例が基本的に対象となる．食事は経口摂取し水分と薬はこの方法で注入する，朝と晩だけこの方法で栄養水分を補充的に注入するなどの仕方がある．体調不良時にこの方法で注入し健康を維持できている例もある．嘔吐反射が強い場合や，食道憩室や食道裂孔ヘルニアなどがありチューブ挿入の反復によりその部分の状態が悪化する可能性がある場合は，適応とならない．

表1　口腔ネラトン法の使用チューブ，挿入方法

使用チューブ—対象児者により挿入しやすい種類
- 嚥下反射が弱い：硬めで太めのもの
- 嚥下反射が明瞭：細めで軟らかく刺激の少ないもの（ネラトンカテーテルなど）

挿入法
- 正中部からゆっくり舌の上を這わせるように咽頭まで進める．咽頭に達したところでいったんチューブを進めるのを止め，ゴクンという嚥下のタイミングに合わせて進入させる．
- 嘔吐反射が過敏な場合は，口角から側壁を滑らせるように進める．

3. 使用チューブ，方法，注意点

ポイントを表1に示す．通常の栄養チューブでよい場合が多いが，軟らかいネラトンカテーテルがよい例や，逆に硬め，太めのチューブ（たとえばファイコンサクションカテーテル）が挿入しやすい場合がある．チューブ先端部が真っ直ぐでないと食道入口部に進入しにくくなるので，チューブ保管時に先端部が曲がらないようにしておくことも重要である．坐位または抱っこの姿勢で，頸部が軽く前屈しチューブが嚥下しやすい姿勢で挿入する．

注入中にチューブを噛んでしまいチューブに穴が開くと危険である．歯の隙間がある場所を通るようにチューブを固定することで予防できることもあるが，注入の際，図1のようなマウスピースの使用が必要なこともある．

文　献

1）舟橋満寿子．間欠的経管栄養法．北住映二，他（編），子どもの摂食・嚥下障害．永井書店，2007；185-188

［北住映二］

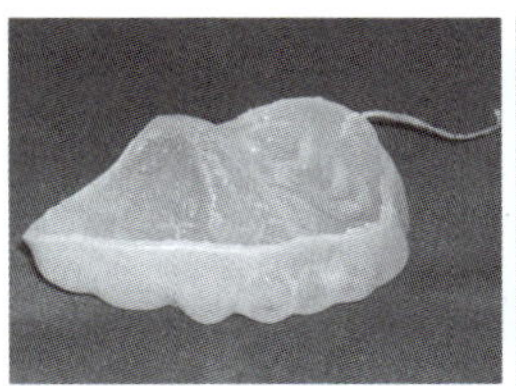
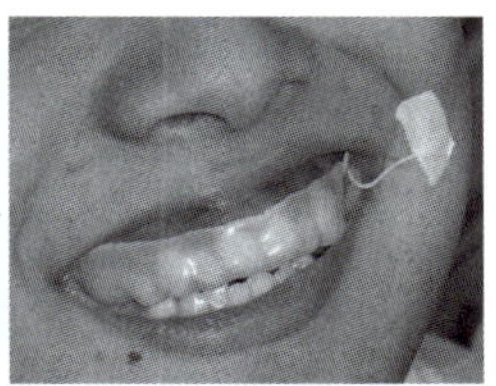

図1　チューブを噛むことの防止のためのマウスピース

C 嚥下障害，経管栄養，栄養水分管理

4 経管栄養・胃瘻
③経鼻空腸カテーテル・経胃瘻空腸カテーテルの挿入・管理法

POINT

- カテーテルの挿入は，X線透視下で血管造影用ガイドワイヤーを用いオリーブ油でガイドワイヤーの滑りをよくし，空気の送り込みと姿勢の変換などにより空腸に進入させる
- 既製の経胃瘻空腸カテーテルセットでは挿入・管理が困難な場合は，胃瘻カテーテルと空腸チューブの手製の組み合わせが有用である

1. 適応となる病態

経鼻空腸カテーテル・経胃瘻空腸カテーテルは，次のような状態で適応となる．

①少量でも胃に栄養剤を注入すると，胃食道逆流などのため嘔吐してしまう場合．噴門形成術が施行されるまでの間の暫定的な栄養法として，または栄養状態や呼吸状態の問題で噴門形成術が施行できない場合．

②咽頭の過敏などにより，唾液や気道分泌物の刺激でむせ込みが強く，胃に注入したものが嘔吐されてしまい，栄養・水分の投与がまかなえない場合．または，それをまかなうための姿勢制限などの生活の制限が大きい場合．

③胃からの栄養剤の排出に遅延が認められる場合．

④十二指腸の通過障害がある場合．

⑤胃が注入で張ってくると胃のすぐ上にある横隔膜の可動性が制限されて換気障害が強まる場合．

噴門形成術と胃瘻造設術が同時に施行された場合でも，③～⑤の理由で経胃瘻空腸カテーテルを行わなければならない場合もあるが，腹臥位などの姿勢の工夫や栄養状態改善によって胃への注入に再変更できる場合もある．

2. 挿入方法と管理

ⓐ経鼻空腸カテーテル

経鼻空腸カテーテルの方法と管理につき表1にまとめた．シリコン製カテーテルは塩化ビニール製より肉厚の傾向があり同じ外径では内径は少し狭くなるが栄養剤の内壁への付着の程度は少ない印象がある．体格により，全長が約120 cmの長さでは鼻から外に出しておく部分の長さの確保のため先端が十二指腸から空腸に入った辺りまでしか挿入できない例ではより長いカテーテルを要する．ほとんどのカテーテルの先端にはおもりが付いており，金属製のものとMRI検査にも対応が可能なように非金属製のものがある．

新生児のEDチューブ法では，錘の付いた先端を少し長めに胃に留置しておくことで，先端が自然に十二指腸に進んでいることもあるが，重症児者では，通常，X線透視下で挿入する．付属のガイドワイヤーよりも，先端から10 cm程度が軟らかくそこから手前が付属のものよりは硬めである血管造影用のガイドワイヤーを使用するほうが，操作しやすい（このガイドワイヤーは必ず軟らかい側が先端にくるように挿入する）．カテーテルの交換前に，入っているカテーテルの十二指腸～空腸の走行とおよその幽門の位置を確認しておく．ただし，腸回転異常症や十二指腸の固定が不良のケースでは，抜去前と挿入時で十二指腸の走行が異なっていることもある．空気の注入は造影の意味があるとともに膨らましによる進入促進に有用である．ガイドワイヤーが手元に出ている部分をカバーするようにカテーテルにエクステンションチューブをつなぎシリンジを付けて空気を注入する．腸管の屈曲が強いときに，挿入後に

表1 経鼻空腸カテーテル挿入・管理方法

1．使用カテーテル例
①ファイコン ED チューブⅡ
先端の錘が小さく，彎曲部を通りやすい．コネクターが着脱できるので，長さが調節できる．詰まりにくい．
②アーガイルニューエンテラルフィーディングチューブ：軟らかく，先端が U ターンしたり胃内でたわんだ部分が食道内に上がったりなど，逆戻りしやすい傾向がある．スタイレットが付いているが，硬いため，十二指腸，空腸への挿入には下記のガイドワイヤーを使用する．
2．挿入方法
・チューブの先端は空腸で，なるべくトライツ部（十二指腸空腸曲）を 10 cm 以上越えた位置に到達するように挿入する．これより浅く十二指腸内でもよいことがあるが，チューブの逆戻りを防ぎ，腸液や栄養剤の逆流を防ぐためには深めに挿入しておくほうがよい．
・チューブ先端が上記位置に到達するまで，X 線透視下で挿入する．照射野は絞り，必要時間以外はシャッターを閉じる．
・胃内は予め空にしておく．胃チューブを入れておきカテーテル挿入時に必要に応じて胃に空気を入れたり抜いたりする．
・カテーテルはガイドワイヤーを入れて挿入する（血管造影用の先端が直線状で柔軟加工を施されたもの）．カテーテル内のガイドワイヤーの滑りをよくするために，オリーブ油を入れてからガイドワイヤーを通す．必ず柔軟加工された側をカテーテルの先端に向けて入れる．先端がカテーテルの外に飛び出さないように注意する．
・幽門や十二指腸のオリエンテーションがつきにくいケースや，幽門部を通りにくいケースでは，交換時に前のカテーテルを留置したままで行うほうがよいこともある．
・カテーテルがうまく進まない場合には，姿勢を変換したり，空気を胃チューブや空腸用カテーテルから入れて，胃や腸の状態を変化させることで進行させる．空気を入れるシリンジをつなぐため，ガイドワイヤーを通したまま，カテーテルの手元側のコネクターに，飛び出しているガイドワイヤーをカバーできる長さのエクステンションチューブを接続して行う．
・幽門部まで進みにくい場合：右側臥位や腹臥位にしたり，胃に空気を入れて胃の形を変えたりして進める．
幽門を通過しにくい場合：胃チューブから空気を多めに入れて蠕動を誘発させ，それに乗せて進めたり，逆に胃から空気を抜き，幽門前庭部を細くすることで，カテーテルを幽門に向けやすくしたりする．
・十二指腸や空腸で進みにくい場合：十二指腸が椎体の前を横切る部分でカテーテルを進めることが困難になる場合は仰臥位で空気を5〜10 mL ほど入れて進ませるがそれでも進まない場合は腹臥位で進ませてみる．十二指腸空腸曲（トライツ部）でも進めるのが困難になりやすいが空気を注入したり，ガイドワイヤーを少しずつ抜きながらカテーテルだけを進めたりする．
3．管　理
（1）注入速度
空腸への注入速度は，成人では 100 mL/時間が上限とされているが，実際にはこれに相当する速度より速くてもよいことが多い．注入速度が速すぎると，栄養剤や腸液の胃への逆流や下痢，およびダンピング症候群をきたす．これらが生じない範囲での注入速度を設定する．確実に一定速度での注入を行うために，注入用ポンプを用いることが望ましい．
（2）胃チューブの併用留置，胃への注入
胃チューブも空腸チューブと一緒に留置する．薬は原則として胃から注入し，胃チューブにより胃内のモニター（出血や胃液の貯留，胃への腸液や栄養剤の逆流など）を行う．胃酸中和のためにも，胃の廃用性萎縮予防のためにも，可能な範囲で胃への注入も行う．
（3）チューブの閉塞
使用する栄養剤や薬剤の注入の有無によっても異なるが，通常1〜3か月は閉塞しない．閉塞は先端ではなく，かなり手前の部分で起こることもあり，後者の場合，毎回注入終了時にガイドワイヤーを通して掃除することで，完全閉塞を遅らせることもできる．
（4）チューブ交換
注入時に抵抗が強くなったら交換する．およそ 2〜3 か月に 1 回で済む．交換のための入院は不要．筋緊張の強いケースでは，前処置として鎮静薬（ブロマゼパム坐薬，等）を投与しておくことで，スムーズに行えることもある．

ガイドワイヤーが引き抜けず無理をして引き抜くとカテーテルの内壁を損傷してしまうおそれがあるため，抵抗なくガイドワイヤーが引き抜ける位置までカテーテルを引き抜いてから再度目的の位置までカテーテルを進める．

ⓑ 経胃瘻空腸カテーテル

胃瘻カテーテルとその中に十二指腸空腸カテーテルを組み込んだダブルルーメンのセットとして，バラード MIC エンテリックチューブ（長，短の 2 種類あり），バードジェジュ

表 2　経胃瘻空腸カテーテル組み合わせ（胃瘻カテーテル＋空腸カテーテル）と挿入方法例

- クリニー胃瘻交換用カテーテル（胃瘻用バルンカテーテル 20 Fr）の手元部分に小さな孔を開け，ファイコン ED チューブⅡを，一度コネクターをはずしてから，オリーブ油を少量入れた胃瘻カテーテルの内腔に逆行性に入れて，開けた孔を通して手元部分を出して，コネクターをまた付ける．これによりダブルルーメンのカテーテルセットができ，外側チューブは胃へのアクセス（前吸引，薬の注入，少量の栄養剤水分の注入）用，内側チューブは空腸へのアクセス（栄養剤水分のおもな投与経路）用となる．内側チューブの長さは自由に調節できる．
- ED チューブ内にオリーブ油を少量入れ，アンギオグラフィー用ガイドワイヤーを先端の軟らかいほうから通しておき，X 線透視しながら胃瘻から空腸に進入させる．
- 進入しにくい場合には，姿勢を変えながら進める（先端の錘と重力の関係で進入しやすくなる），胃，十二指腸，空腸に適宜空気を注入しながら進める（ガイドワイヤーが空気注入の邪魔にならないよう手前にエクステンションチューブを付けて），胃の空気を抜きながら進めるなどにより，進入させる．
- 空腸のちょうどよいところ（トライツ部より 10 cm 以上先）まで入ったところで留置する．胃瘻カテーテルに開けて ED チューブが通っている孔の部分は接着剤で固定密封する．接着剤はセメダインスーパー X ホワイト（同種の「クリアー」は不可）を使用する（固まるまで時間を要するが，後にはがれることなく確実に接着できる）．
- 胃瘻からの挿入では，経鼻空腸カテーテル挿入よりも，カテーテルを幽門を通過させることが困難なことがある．この場合，定期交換では，次のような方法を用いると奏効し，幽門通過に手間取らなくて済む場合もある．入っているセットのうち，胃瘻チューブを先端まで抜き，ED チューブは，空腸まで先端が残っている状態で留置したままとして，幽門前庭から十二指腸への走行のオリエンテーションがつきやすいようにしておく．ガイドワイヤーを入れた新しい ED チューブを，胃瘻の瘻孔へ，留置してある ED チューブの脇を通して挿入し，留置してある ED チューブの走行に添って，進入させる．十二指腸〜空腸まで，新しい ED チューブの先端が達したら，留置していた ED チューブを抜く．

ナルカテーテル，ファイコン GB ジェジュナルボタンなどがあり，業者のホームページで詳細をみることができる．いずれも，必要に応じて造影剤も注入しながら X 線透視下で挿入する．既製のセットで挿入や管理が困難な場合には，表 2，図 1 のような，手製の組み合わせのセットの方法が有用である．

C その他の管理の注意点

経鼻空腸カテーテルの場合は，同時に経鼻胃管が留置されているほうがよい[1]．胃への薬剤注入や胃内の空気を抜くことが可能だけでなく，胃食道逆流による出血の有無や胃液の貯留，胃内への栄養剤や腸液の逆流などを確認することができる．鼻孔から 2 本の管が留置されているため，誤って胃に栄養剤を注入してしまわないように空腸カテーテルがどちらなのかを明示しておく．

空腸への注入では，下痢やダンピング症候群予防などのために適切な注入速度を保つために注入用のポンプを用いる（「在宅小児経管栄養法指導管理料」では「注入ポンプ加算」の保険適用が認められている）．投与する栄養剤は，封を切らずにパックのまま直接投与される場合には問題がないが，調乳してからボトルに入れて注入する場合には，常温で 8 時間以内に（なるべく 6 時間程度で）投与を完了するようにする．

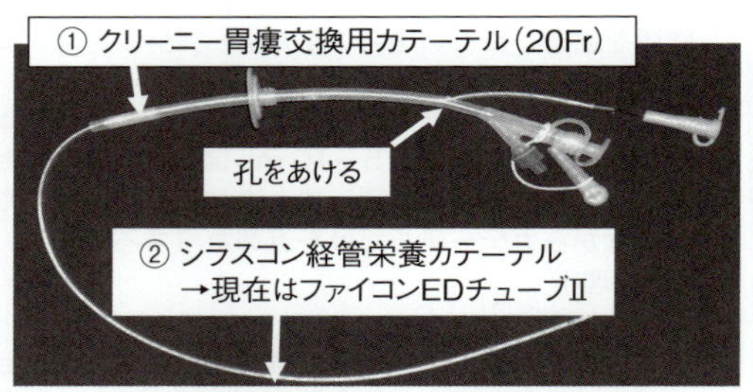

①の手元部分に孔を開けて，②をコネクターをはずし逆向性に通して，組み合わせる

図 1　胃瘻カテーテルと空腸カテーテル組合せ例

カテーテルの閉塞は栄養剤の蛋白成分が酸によってヨーグルトのように凝集することで起こる．酸は腸内細菌がカテーテル内に残った栄養成分を分解することで産生されていると考えられ，殺菌効果を期待して，注入が行われていない時間帯に酢水（食酢を 10 倍に薄めたもの）でカテーテル内を満たすことがよく行われるが，弱いとはいえ，食酢も酸なので酢水を入れる直前には白湯で栄養剤をしっかりと洗い流し，注入を再開する直前にも白湯で酢水をしっかりと洗い流しておく必要がある[2]．栄養剤の注入が 24 時間連続の

場合や酢による蛋白成分の凝集が心配な場合には，1%重曹水で代用することもできる[3]．

文　献

1）中谷勝利，他．重症心身障害児者における空腸栄養（経鼻，経胃瘻または腸瘻による）47 例の検討．日小児会誌 2004；108：191
2）中谷勝利．在宅経管栄養法―経鼻経管栄養―．小児内科 2013；45：1253-1258
3）田淵裕子，他．1%重曹水による経腸栄養チューブ閉塞防止に関する基礎的および臨床的研究．静脈経腸栄養 2011；26：1119-1123

［北住映二，中谷勝利］

コラム　経腸栄養分野での小口径コネクタ製品切替えに関する経過

令和 4（2022）年 5 月 20 日，「経腸栄養分野の小口径コネクタ製品の切替えに係る方針の一部見直しについて」の通知により，2022 年 11 月末までの期間に経腸栄養に関するすべてのデバイスを ISO 80369-3（以下，-3）に移行するという前 2 通知は廃止され，同期間以降も 2000 年より使用している広口タイプの経腸栄養用誤接続防止コネクタ（以下，888）の使用が一定の条件を担保したうえで，可能となった．

わが国では，2000 年の医薬発第 888 号の通知以降，点滴ラインと経腸栄養ラインの誤接続による重大事故は報告されていない．ところが，世界では 2000 年以降も経腸栄養に点滴ライン用のルアーチップが一部使用されており，その誤接続による重大事故が発生していた．そのため，異なる製品分野間のコネクタが接続できないような ISO 80369 シリーズの基本規格（ISO 80369-1）が 2010 年 12 月に制定された．それらには，呼吸器システム及び気体移送（ISO 80369-2），経腸栄養（ISO 80369-3），泌尿器（ISO 80369-4），四肢のカフ拡張（ISO 80369-5），神経麻酔（ISO 80369-6），および，皮下注射及び血管系など（ISO 80639-7）の 6 分野が含まれるが，ISO 80369-4 の制定は見送り，ISO 80369-2 は国際規格の制定時期すら未定の状態である．

わが国では，2019 年 12 月から-3 が導入されたが，日本重症心身障害学会等より，重症心身障害児者の医療的ケアにおいて新規格製品を使用した際に発生する課題が示され，旧規格製品の存続を希望する要望書が同学会等より厚生労働省に提出された．

-3 と 888 との大きな違いは，接続部のオスメスが逆転し最小口径が縮小すること，接続にスクリュー式のロック機構が付くこと，シリンジの先端が短縮し，最小口径の位置が異なること，の 3 点である．もともと ISO 80369 シリーズは liquids and gases が対象であり，わが国で発展しているミキサー食は対象外の物性であるため，注入する際に閉塞したり，圧が高まったりする危険性がある．令和 3 年度の経腸栄養分野の小口径コネクタ製品の切替えに係る課題把握及び対応策立案に向けた厚生労働科学研究にて，経腸栄養にかかわる医療従事者と介護者を対象とした大規模アンケート調査や，筋電図を用いたミキサー食注入時の筋負荷測定等複数の検証を行い，検証に基づく提言書を作成した．この提言書をもとに，上記が通知された．

［永江彰子］

C　嚥下障害，経管栄養，栄養水分管理

4　経管栄養・胃瘻 ④重症児者での胃瘻造設法と胃瘻管理のポイント

POINT

- 経鼻胃管は重症児者にとっても養育者にとっても厄介なものである
- PEG は胃瘻造設の方法であって胃瘻のことではない
- チューブ型で漏れるときはボタン型に変えよう

1. はじめに

重症児者は中枢性障害や誤嚥により，摂食障害が起こり長期の経管栄養が必要になることが多い．経管栄養法では，まず経鼻胃管法が行われる．しかし，経鼻胃管は本人の不快感が強く，管理の面においても有用な胃瘻による経管栄養法に変更することが必要である．

2. 胃瘻造設法

①開腹による胃瘻造設
②経皮内視鏡的胃瘻造設術（percutaneous endoscopic gastrostomy：PEG）
③腹腔鏡下胃瘻造設術

胃瘻は造設に外科的な手技が必要になる．胃瘻の造設には，上記の方法がある．詳しくは「経腸栄養投与ルート：造設方法とその長所・短所」[1)]にて述べているのでそちらを参考にされたい．PEG は胃瘻造設の方法であって，胃瘻のことではないことを理解していてほしいと思う．

ちなみに胃瘻を腹腔内から見ると図1のようになる．胃壁が腹壁に癒着しておりその中心部に胃瘻がある．

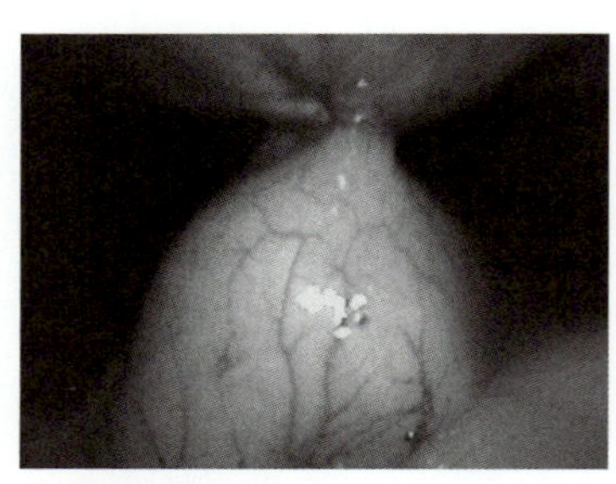

図1　腹腔内からみた胃瘻

3. 重症児者の胃瘻

重症児者の胃瘻を造設するにあたり，大切なことは，体幹の変形があり，胃の位置が一般の患児・患者とは違うことがあるということである．一般の患児・患者の場合は，通常胃は肋骨弓下に出てくる．そのため PEG による胃瘻造設が可能である．

重症児者の場合は，胃はほとんどが肋骨弓内にあり，すべてが PEG で胃瘻を造設することができるわけではなく，むしろ PEG では困難なことが多い．そのため術前の上部消化管透視は必須である（図2）．上部消化管透視には2つのポイントがある，1つは胃の位置を把握することと，胃食道逆流症（gastroesophageal reflux disease：GERD）の有無である．胃の位置が肋骨弓内にある場合は，無理に PEG で胃瘻を作るのではなく，腹腔鏡下胃瘻造設か，開腹による胃瘻造設を選択すべきである．また，GERD がある場合は，胃瘻のみを造設しても，症状の改善はなく QOL を上げることはできない．胃瘻により His 角が伸ばされて，GERD 症状が激しくなることがあり，GERD がないときでも，胃が肋骨弓内にある場合は，胃瘻造設後に GERD が出現することが多い．家族に，胃瘻造設と噴門形成を同時に行うか，胃瘻造設後に GERD が出現したら，噴門形成術が必要

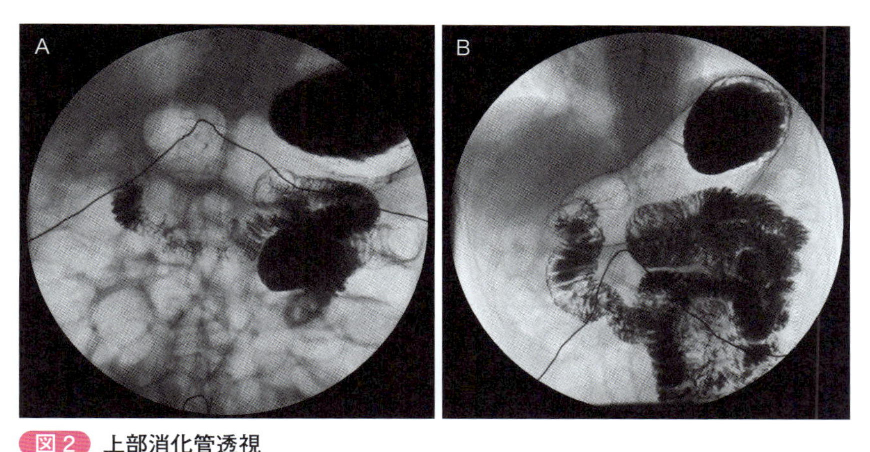

図2 上部消化管透視
A：PEG可能；胃は肋骨弓下に出ている，B：PEG不可；胃は肋骨弓内にあり

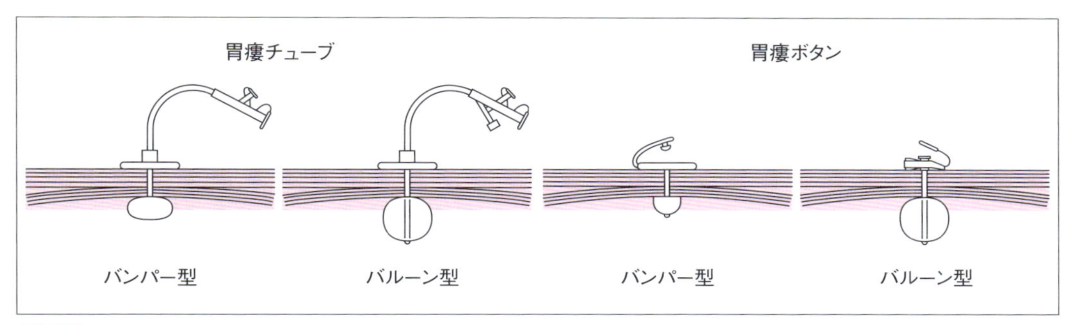

図3 PEGカテーテルの種類

になることを説明しておく必要がある．筆者らの施設では，成人症例で，術前にGERDがなく，胃が肋骨弓下に十分出てくる症例にのみにPEGを行い，重症児者でGERDの合併している場合には，積極的に腹腔鏡下噴門形成術・胃瘻造設術を行っている．

重症児者の胃瘻の場合は，体幹の変形，緊張などのために，早期の自己（事故）抜去では，胃瘻が腹壁から脱落することや，胃瘻チューブやボタンの交換時に胃瘻が腹壁からはずれる可能性を常に考えておく必要がある．筆者らの施設では，腹腔鏡下胃瘻造設では必ず胃壁と腹壁を固定するようにしている．PEGの場合も，船田式固定具などにて，胃壁と腹壁を固定したほうが安全である．

4. 胃瘻の管理

ⓐ 胃瘻カテーテルの種類（図3）

胃瘻チューブと胃瘻ボタンがあり，それぞれにバルーン型とバンパー型がある．

チューブ型は，使用法は簡単だが，常に体外にチューブがあり活動性の高い患児にとっては使い勝手が悪いこともある．ボタン型は体外には小さな部品しかなく，目立たなく動作の邪魔にならない．ボタン型は専属の接続用チューブがなければ栄養の注入はできない．

ⓑ 胃瘻の日常の管理

チューブ型のものは，栄養剤投与後に酢水や酢酸水（濃度に気をつける）を用いてチューブ内を満たしておくと，食物残渣や薬剤のチューブへの付着が防げる．ボタン型はチューブをボタンからはずして洗うことができるので，管理は楽である．はずしたチューブは食器と同じと考え消毒液内に浸けておく必要はない．

チューブ型のチューブが閉塞したときは，白湯などで押すか，専用のクリーニングブラシで掃除するとよい．それでも閉塞が解消しないときはチューブの交換が必要である．胃瘻ボタンは閉塞することはまれで，接続のチューブが閉塞したときは，同じように白湯などで通すとよい．

胃瘻部は消毒する必要はなく常に清潔にしておくようにする．入浴時に胃瘻部もよく洗うように指導することが大切である．ときどき，入浴中に胃瘻からお湯が入らないかとの質問を受けるが，胃の中の圧が高いため入ることはない．栄養を注入するときは，栄養剤を入れた容器を胃瘻部から約１ｍくらいの高さにつるして注入するので，圧をかけないと胃内には何も入らないことがわかると思う．

胃瘻部のガーゼは必須ではなく，胃瘻部が安定すれば，通常は何もいらない．分泌物があるときはティッシュでこよりを作って巻いたり，四角に折り，切れ目を入れてガーゼのように敷きこんでもよい．ティッシュはどこでも手に入りやすく，汚れたらすぐに交換でき，ガーゼより安価である．

ⓒ 胃瘻の交換

バルーン型は，導尿チューブのように，バルーン内の蒸留水を抜き差しすることで，容易に交換できる．バンパー型は交換には専用のオブチューレータが必要で，交換には慣れが必要である．交換時には，確実に胃内にカテーテルが入ったことを確認する必要がある．内視鏡や透視下にての確認が確実であるが，インジゴカルミン溶液を用いるスカイブルー法は，外来やベッドサイドで容易にでき，有用である．

バンパー型は半年に１回程度の交換でよいが，交換時は胃内視鏡を使用することが多く，重症児者には負担が多いと思われる．バルーン型は１〜2か月の交換であるが，透視下やスカイブルー法で行えるため重症児者には有用であると考える．

実際に胃瘻カテーテルを交換するときは，できるだけ緊張がなくリラックスした状態での交換がスムースに行える．チューブの先端付近を把持して，挿入するとシャフトが曲がらずに挿入できる．どうしても挿入が困難なときは，無理に挿入しようとはせずに，１サイズ小さいものや，先端の少し尖ったネラトンカテーテルをまず挿入することも必要である．

ⓓ 胃瘻の合併症

胃瘻の合併症には，胃瘻部肉芽，胃瘻部びらん，胃瘻部よりの漏れ，バルーンの十二指腸内迷入，埋没バンパー症候群，胃瘻チューブ先端潰瘍などがある．重症児者では，胃瘻部肉芽，胃瘻部よりの漏れ，それによる胃瘻部びらんなどがみられ，特に緊張の強い重症児者には比較的よくみられる．

1）胃瘻部肉芽

よく洗って清潔にし，ステロイド軟膏を塗布するとよい．

2）胃瘻周囲のびらん・胃瘻部よりの漏れ

重症児者では栄養が不十分で腹壁が薄かったり，緊張の強い患者もいるので胃瘻からの胃内容物の漏れが起こりやすい．漏れが起こると胃瘻周囲の皮膚が炎症を起こし，びらんとなる．漏れを防止するために胃瘻チューブのストッパーを強く締めたり，またテープやタイガンにてストッパーを固定したり，大きめのチューブに変えたりすることは逆効果で胃瘻が破壊され，さらに漏れがひどくなる．胃瘻の漏れの原因には幽門からの排出が不良になっていることもある．胃瘻からの造影をして，GERD，胃の蠕動，幽門の排出機能，十二指腸以下の通過障害の有無などを調べる必要がある．もし原因があればその治療をすることが必要である．胃の蠕動不良や幽門の排出が不良なときには，六君子湯などの胃の動きをよくする薬の投与や，十二指腸チューブの挿入などを考える．十二指腸チューブより十分栄養を注入し，胃瘻から排液やガス抜きをしていると漏れが少なくなり，びらんも改善する．GERDがあれば栄養が十分吸収できていないことが考えられるため，噴門形成術が必要となる．GERDの術後には術前と同じエネルギーを投与していても急激な体重増加をみることがある．明らかな原因がわからないときは，投与エネルギーを増加し太らせて胃瘻の長さを長くすることも必要である．また，バルーン型胃瘻チューブでは扁平バルーン型を使用すると胃瘻部に面で接するため漏れは少なくなる．それでも効果がないときは，胃瘻チューブを胃瘻ボタンに変更しただけで漏れが軽快することもある．

びらん部に対しては，真菌感染症が合併していることがあり，抗真菌薬とステロイド薬を混合して投与すると改善をみることがある．また，H_2ブロッカーやPPIの投与は，漏れてくる胃液の酸度が下がり皮膚への刺激が少なくなり効果的である．また，ティッシュこよりの使用も，汚れたらすぐに交換できるので，胃液の皮膚への付着時間を短くすることができ，びらんの治療に効果的である．また，おりものシートを吸収面が外側に来るように折り曲げて，Y字にカツを入れて，ガーゼの代わりに使用すると漏れをよく吸収してびらんが軽快することもある．

筆者は，緊張が非常に強く腹壁も薄いため治療が非常に困難であった胃瘻周囲びらん症例に対して，胃瘻閉鎖術と腸瘻造設術を施行した経験がある．難治性の胃瘻周囲びらんに対しては腸瘻に変更することも考慮する必要があると思われる．

3）バルーンの十二指腸内迷入

重症児者の胃瘻は，体幹の変形により胃前庭部に作ることが多く，幽門部に近くなる．胃瘻チューブには目盛りがあるが，皮膚部の目盛りが4 cm以上だと，バルーン型ではバルーンが幽門を塞いだり十二指腸球部内に迷入していることがあり注意が必要である．目盛りには十分注意するべきである．

ⓔ自己（事故）抜去

胃瘻のチューブやボタンを事故抜去したときには慌てる必要はない．抜けたものをそのまま入れられるときは入れ，もし入れるのが困難なときには，腹圧などで胃内容物が漏れるのでタオルなどを当てて，交換をしている病院や施設を受診するとよい．放置していると胃瘻は次第に小さくなり，半日もするとピンホール状となるが，胃瘻孔が小さくてもガイドワイヤーを挿入し拡張することで元のチューブやボタンを挿入することができる．どうしても，すぐに交換してもらえる施設に連れて行けないときは，経鼻胃管を挿入し栄養を注入する．胃瘻孔には，挿入できる細めのチューブ（アトムチューブなど）を挿入して完全に塞がらないようにしておくとよい．

5. まとめ

経鼻胃管は本人にとっては大変不快なものであり，挿入困難や気管内誤挿入などもあり，長期に経管栄養が必要と判断した時点で，速やかに胃瘻に変更すべきである．胃瘻はその管理を理解し，うまくすれば経鼻胃管より管理は楽で，本人も顔に絆創膏とチューブがないため見た目もよく，有用であることがよくわかると思われる．

文　献

1）寺倉宏嗣，他．経腸栄養投与ルート：造設方法とその長所・短所．小児外科 1999；31：707-712

［寺倉宏嗣］

C 嚥下障害，経管栄養，栄養水分管理

4 経管栄養・胃瘻 ⑤重症児者の経管栄養注入の注意点

POINT

- 胃食道逆流を防ぐためには，胃から食道への逆流防止姿勢だけでなく，胃や十二指腸の流れをよくする姿勢配慮が必要である
- 逆流を防ぐ目的で上体を高くするだけでは，かえって筋緊張を高めたり呼吸状態を悪化させたりすることがあるので，呼吸状態に対する配慮も必要である
- 経腸栄養，特に空腸チューブでの栄養注入を行っている場合，栄養剤が急速に小腸に送り込まれると血液循環や血糖値に大きな変動が生じ，低血圧や低血糖症状が現れるので，注入速度や注入方法に配慮が必要である

1. 注入中の姿勢配慮

ⓐ胃食道逆流を防ぐために

1）胃から食道への逆流

三角マットなどで 15〜30°に角度をつけたり，クッションチェアに座ったりして，上体を高くすることで胃から食道への逆流を予防・軽減できる．上体挙上だけでなく，腹臥位も逆流しにくい姿勢であり，逆に仰臥位は食道への逆流が起こりやすい姿勢である．

2）胃から十二指腸への流出

一般的に，右下側臥位は胃の入り口から出口への流れが促進されるが，脊柱の左凸の側彎がある場合には，胃から食道への逆流を悪化させることがある．一方脊柱の右凸の側彎がある場合には，右下側臥位より腹臥位のほうが胃体部の通過がよい．胃軸捻転がある場合は，屈曲の強い坐位姿勢は胃の流れを妨げる．腹部を伸ばし腹臥位か右下側臥位にすると胃体部の流れがよくなる．

3）十二指腸通過障害

十二指腸の水平部が大動脈や脊柱と上腸間膜動脈の間に挟まれて通過障害を起こし，胃拡張や二次性胃食道逆流症を起こすことがある．十二指腸の通過障害があると，胃残が多くなり，黄色や黄緑色の胆汁が前吸引で吸引される．このような場合，左下側臥位や腹臥位にすると十二指腸の通過が改善しやすい．

ⓑ呼吸状態をよくするために

1）唾液の貯留・誤嚥

重度の嚥下障害がある場合，上体を起こすと唾液が気管に誤嚥されやすい．栄養剤の注入によって分泌増加した唾液が，喉頭にたまり気管に誤嚥され，これにより喘鳴や呼吸困難が生じてくることがある．このような場合は，あまり上体を挙上せずに仰臥位にするか，唾液の貯留や誤嚥を防ぐために深い側臥位とするのが望ましい．

2）上気道狭窄による胃食道逆流

注入中に舌根沈下などの上気道狭窄があると，吸気時の食道内陰圧が強くなり，胃食道逆流を引き起こすことがある．上気道狭窄によって喘鳴や陥没呼吸が出現してきたら，下顎を持ち上げて舌根沈下を防いだり，側臥位や腹臥位にして上気道が開きやすい姿勢で注入を行うとよい．

ⓒ注入中に増強する喘鳴の原因と対応

注入中に喘鳴が増強する原因には，「注入の刺激により分泌増加した唾液の咽頭貯留や誤嚥による喘鳴」と「胃食道逆流により胃内容が逆流してくることによる喘鳴」の２つの要因がある．後者の場合，注入中に栄養剤のにおいがすることがあるので，推定できるかもしれない．前者の対応は，上体をあまり挙上せずに仰臥位とするか，唾液の貯留・誤嚥が多い場合には深い側臥位にするとよい．後者の対応は，適切に上体を挙上するか，腹臥位にするとよい．両方の原因が合併して考えられる場合は，深い側臥位での上体挙上がよい．

注入中に喘鳴が増強するほかの原因として，経鼻胃チューブ挿入の際に，食道の狭窄や胃の変形のためにチューブ先端が食道内にあったり，胃の噴門近くにあったりすることが原因のこともある．また経鼻胃チューブが短すぎるという単純な原因によることもある．

2. ダンピング症候群

ⓐ早期ダンピング症候群

栄養剤が急速に小腸に流れ込むと，浸透圧で体の水分が腸の中に集まり，一時的に血管内の循環血液量が減少し，頻脈・めまい・顔面蒼白などの低血圧症状が出現する．頻脈にならない程度に注入速度を遅くすることが望ましい．

ⓑ後期ダンピング症候群

栄養剤が吸収され血糖が急激に上昇すると，その後インスリンが過剰に分泌され，低血糖を引き起こす．注入から 1～2 時間後に発汗・疲労感・顔面蒼白などの症状があれば，低血糖を疑い血糖測定を行うことが望ましい．低血糖症状があれば，臨時に糖水などを注入して血糖を上昇させる．

後期ダンピング症状が認められる場合には，注入速度を遅くしたり，少量頻回注入（1回の注入量を減らし注入回数を増やす）に変更するなど，注入方法を再考する必要がある．

ⓒ半固形栄養剤やミキサー食の注入

胃瘻チューブの場合は，シリンジを使用して半固形化した栄養剤やミキサー食を短時間で注入することができる．栄養剤を半固形化することで，胃食道逆流症を軽減することができ，さらに腸への排出を遅らせることで，ダンピング症候群や下痢を予防できるなどのメリットがある．しかし，半固形栄養剤が適応となるのは，胃の貯留機能（容量）と排出機能（形態・蠕動運動）が正常なケースに限られる．消化管機能障害・食道裂孔ヘルニア・胃の変形（胃軸捻転など）がある重度の重症児者では，半固形栄養剤を注入すると胃からの排出が非常に遅くなり，悪心・嘔吐・腹部膨満を起こしやすくなるので，注意が必要である．

カロリーが同等の「半固形経管栄養剤」と「ミキサー食」を胃瘻から注入した場合，ミキサー食を注入したほうが血糖の変動が少ないという報告がある[1]．消化管機能が正常であれば，食物繊維や微量元素の補充の観点からも，種々の天然食品からなるミキサー食を胃瘻から注入することは望ましい．

文　献

1）渡邉誠司．重症心身障害児のダンピング症候群の実態―持続血糖測定装置と持続サチュレーションモニターを使用して―．日重症心身障害会誌 2011；36：276

参考文献

・日本小児神経学会社会活動委員会，他（編）．新版 医療的ケア研修テキスト．クリエイツかもがわ，2012；157-165

［石井光子，田邉　良］

コラム　重症児者の経管栄養の注意点

1. ミキサー食注入の注意点

乳児期から経管栄養を行いミルクや経管栄養剤を注入していた子どもが，胃瘻造設を機にミキサー食注入を開始することがある．このとき，生まれて初めて注入する食材で，いきなり食物アレルギーを起こすことがまれにある．

念のためにミキサー食注入を開始する前に，血中の抗原特異的 IgE 抗体を検査すると，摂取したこともない食材に陽性反応が出ることがある．しかし，抗原特異的 IgE 抗体陽性の食材であっても必ずしもアレルギー反応が出るとは限らない．逆に抗原特異的 IgE 抗体陰性の食材であってもアレルギー反応が出ることがある．そのため，抗原特異的 IgE 抗体検査を行うことに関しては意見が分かれている．

いずれにせよミキサー食注入を開始する場合には，健常な赤ちゃんが離乳食を進める場合と同様に，限られた食材を少量ずつ摂取して，アレルギー反応の有無に注意しながら，食材の種類や摂取量を徐々に増やしていくことが望ましい．

2. 水分の先行注入

栄養剤やミキサー食の注入を行う場合，白湯などの水分を先に注入することで，胃の蠕動運動を早く活発化させることができる．胃の蠕動運動が活発化したところに栄養剤やミキサー食を注入すると，胃内停滞時間が短くなり胃食道逆流が生じにくくなる．特に水分は胃内停滞時間が短いため，先に水分を注入することで，胃内容の容量負荷を軽減することもできる．

［石井光子］

看護のポイント　注入時の看護

1. 注入物の温度

注入物の温度は，室温～人肌にする．低体温になりやすい方は，ウォーマーなどで温めながら行うとよい．

2. 注入前の観察

チューブ類が正しい位置に挿入され，固定されていることを確認する．

3. 注入前の胃内容の確認（胃内注入の場合）

胃内容物の量と性状を確認し，異常があれば，医師からあらかじめもらっておいた指示に従い，注入内容や量を変更したり，時間を遅らせたりする．

4. 注入中の観察

随時，本人の状態（呼吸，脈拍，顔色，表情，姿勢など）の変化，滴下状況，チューブの接続や位置の確認をする．

5. 注入速度

医師の指示に基づいて，個々に合わせた速度で注入する．速度が速いと，嘔吐，呼吸障害の悪化，ダンピング症状を引き起こす場合もある．持続注入などの緻密な速度管理が必要な場合は，注入ポンプの使用が望ましい．自然滴下の場合でも，速度が安定しないこともあるため，定点での観察は必要である．

6. 注入中のトラブルと対応

a. チューブが抜けてきた

激しい咳込みや喘鳴がみられる場合，注入をいったん中止し，チューブの先端が正しく胃または十二指腸に入っているかを確認する．

b. てんかん発作

注入をいったん中止し，分泌物を誤嚥しないように側臥位にし，落ち着くまで様子をみる．

c. 嘔吐

注入を中止する．誤嚥しないように側臥位にし，必要時吸引する．嘔吐の原因をアセスメントし，本人の様子をみて注入を再開するか中止するかを判断する．

d. 頻脈

注入速度を遅くする，またはいったん中止する．頻脈の原因をアセスメントし，注入再開について判断する．

7. 注入終了後の対応

少なくとも 30 分は激しく身体を動かさない．胃食道逆流症状がある場合は，姿勢を変えるだけでも嘔吐を誘発しやすいため注意する．また，筋緊張が亢進したり腹圧がかかるようなケアは極力行わないようにする．

［柳沼美穂，佐久間真弓］

C 嚥下障害，経管栄養，栄養水分管理

4 経管栄養・胃瘻 ⑥胃瘻のある重症児者の看護ケア

POINT

- 長期にわたり胃瘻管理が必要となることが多いので，胃瘻トラブルによって生活の質を低下させないケアが重要．そのために，適切な胃瘻管理を理解する必要がある
- 咳が多い，痰吸引処置が必要，呼吸数が多い，胃瘻が胸郭に近い場合，腹壁の動きに合わせてカテーテルが上下に動き，皮膚や粘膜に摩擦刺激や圧迫が加わりやすい．これらの刺激は瘻孔の炎症や開大[1]，過剰肉芽形成の原因となるため適切なカテーテル管理が重要
- 重症児者は，「痛い」，「かゆい」などの不快感を他者に伝えることが困難なので，医療者側が重症児者の変化に気づくことが大切

1. カテーテルの管理

ⓐカテーテルの長さ

外部ストッパーの位置は，カテーテルを軽く引き上げた状態で，腹壁との間隔が 1.0～1.5 cm（ボタン型では 0.5 cm）程度あいている状態がよく，スムーズに回転するかを確認する（図1）[1]．過度の締めつけは，粘膜に血流障害が生じ，炎症を起こし，瘻孔の開大を引き起こす（図2）．

ⓑカテーテルを垂直に保つ

カテーテルが倒れた状態が続くと，皮膚表面の潰瘍や胃壁の圧迫壊死につながることがある．また，カテーテルが斜めになることで瘻孔が広がり漏れの原因になることもある（図3）．化粧パフやティッシュこよりなどを使用して，カテーテルの根元を立てて垂直に保つ工夫をする（図4）．

ⓒ姿　勢

腹臥位では胃瘻部の圧迫やカテーテルの事故抜去に注意する．坐位ではカテーテルの重みで下方にカテーテルが倒れやすいので，同一部位の圧迫によるスキントラブルや過剰肉芽の発生に注意する（図5）．

2. 瘻孔と周囲皮膚のケア

ⓐ観　察

毎日観察することで皮膚の変化に気づき，異常を早期に発見できる．異常の原因を早期に取り除くことは，スキントラブルの予防につながる．

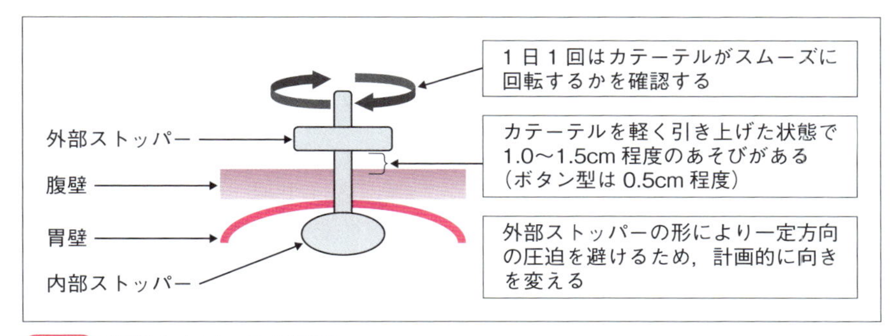

図1 適切なカテーテル管理
（仙石真由美．日常ケア．岡田晋吾（監），病院から在宅まで PEG（胃瘻）ケアの最新技術．照林社，2010；83 より一部改変）

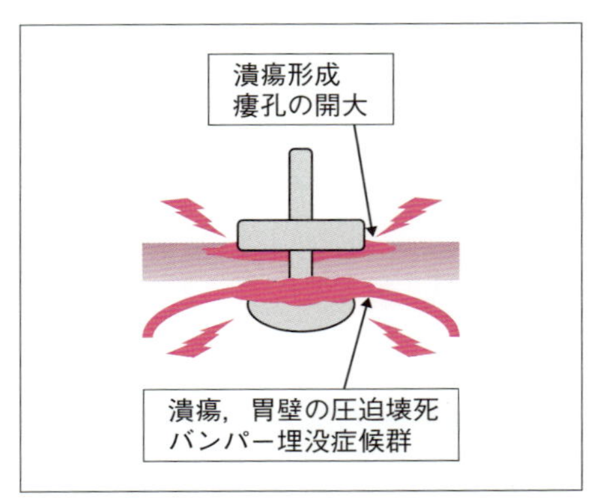

図2　過度の締めつけによるトラブル

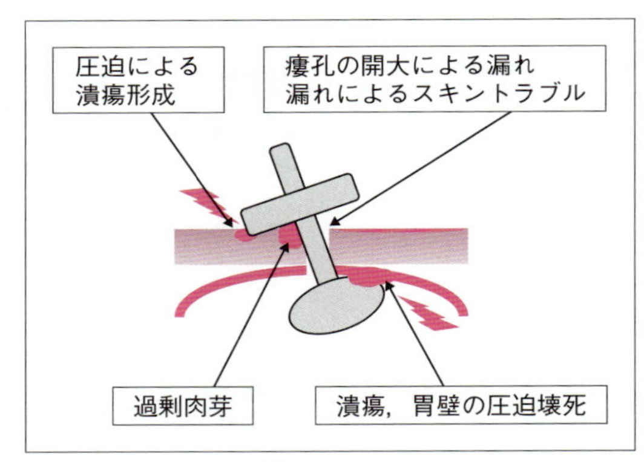

図3　カテーテルの傾きによるトラブル

●化粧パフの使用
ボタン型の場合は薄いものを選び瘻孔への圧迫に注意する

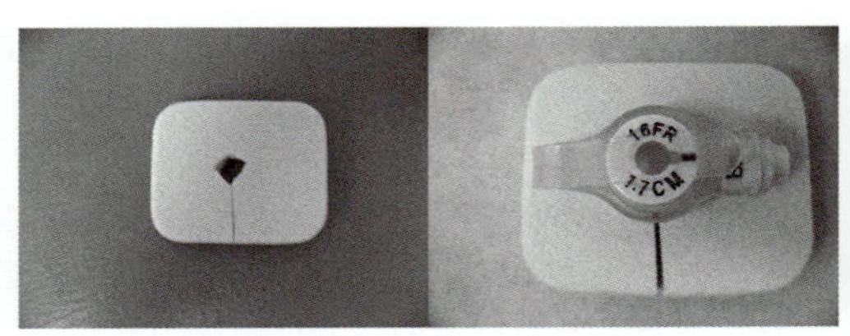

●ティッシュこよりの使用
ティッシュを適当な大きさにさいてふんわりと巻く
きつく巻くと瘻孔を圧迫して，かえって瘻孔の開大をまねいてしまうので注意する

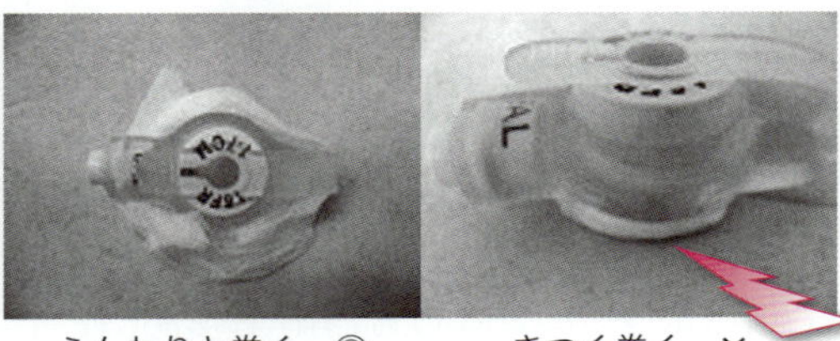

- 1日1回は清潔なものに交換する(汚染時はその都度交換)
- 注入の前後に汚染がないか確認し，適宜交換する
- 胃液，粘液などが付着したものを長時間使用し続けるとスキントラブルの原因になる
- 湿ったときは速やかに交換する

図4　カテーテルを垂直に保つ工夫

ⓑ瘻孔と周囲皮膚を清潔に保つ

瘻孔および周囲皮膚は，胃液や粘液，カテーテルによる摩擦などの刺激に常にさらされている．胃液，粘液などが付着し濡れた状態のガーゼなどは速やかに交換する．

ⓒ洗浄，清拭

1日1回は洗浄剤，微温湯を用いて洗浄する．1日に何回も洗浄剤を使用する必要はない．皮膚のバリア機能が低下し，スキントラブルを生じやすくなるからである．必要時，微温湯で洗い流すか，湿らせたガーゼ，不織布などで優しく押さえ拭きする．

ⓓ過剰肉芽

過剰肉芽は，清潔が保持されないことや，カテーテルの圧迫や上下の動きなどの物理的刺激が原因で形成されやすい．

3. 胃瘻からの液漏れの原因と対処

ⓐ瘻孔の開大

瘻孔の隙間を埋めようとカテーテルを太くすることは，かえって瘻孔を広げてしまい悪循環となることがある．瘻孔とバンパーやバルーンの密着を高めようと引っ張って固定すると，瘻孔周囲皮膚や胃壁の潰瘍や圧迫壊死を引き起こし，瘻孔の開大の原因となる．

ⓑ胃内圧上昇

重症児者では側彎や胃軸捻転などで胃の形や向きが一般と異なる場合がある．この場合，胃内容の通過障害や，変形した胃に空気や食物が貯留しやすくなることで，胃内圧が上昇し漏れの原因となる．噴門形成手術を受けている場合，口から飲み込んだ空気が胃に

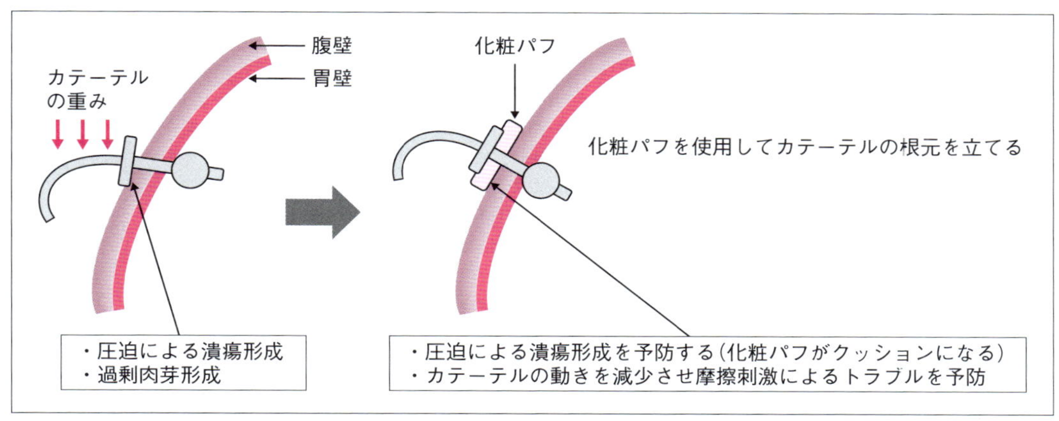

図5 坐位姿勢時のカテーテル

表1 栄養剤の漏れの原因と予防および対処

原因			予防および対処
瘻孔の開大	栄養不良		・栄養状態の改善
	瘻孔部のスキントラブル		・スキンケアで健康な皮膚を保つ ・撥水性のある軟膏やクリームを塗布して皮膚を保護する
	外部ストッパーによる圧迫		・カテーテルを垂直に保つ工夫 ・外部ストッパーに，1.0～1.5 cm くらいのあそびをもたせる
胃内圧上昇	側彎と姿勢		・体位の工夫をして胃が折れ曲がる姿勢をなくす
	多量の空気嚥下		・栄養剤注入前の胃内の減圧（胃内の空気を抜く） ・空気の持続的脱気
	蠕動運動の低下 消化不良		・消化管運動機能改善薬の投与 ・便秘解消 ・1 回の注入量を減らす ・注入速度を遅くする
	腹圧の上昇	咳嗽	・注入前の排痰ケアの実施 ・注入中は深い側臥位をとり，唾液の貯留や誤嚥を防ぐ
		筋緊張	・楽しく食事ができる環境を整える ・声をかけたり，タッチングなどで不安の軽減を図る ・姿勢管理
カテーテル本体からの漏れ	劣化 破損 逆流防止弁の機能不全（ボタン型）		・適切な時期のカテーテル交換 ・ボタン型カテーテルと接続チューブの接続，取りはずしを正しく行う

多量にたまってもゲップとして出すことがむずかしく胃が膨らみ，胃内圧が上昇する．噴門形成手術を受けていない場合でも，空気嚥下が多いと胃に空気がたまり，胃内圧が上昇する．

ⓒ予防と対応

胃瘻からの液漏れの原因と予防および対処を表1に示す．少量の漏れは日常的によくあり，ティッシュこよりをふんわりと巻き，汚染のたびに交換する方法は，簡便であるが，きつく巻かないように注意する．きつく巻くと瘻孔を押し広げてしまい，瘻孔開大の原因となる．

4. 事故（自己）抜去の予防と対応

ⓐ自己抜去

重症児者は知的障害があるため理解と協力が得られにくいことがあり，自分でカテーテルを引っ張って抜去してしまうことがある．

表２　自己抜去予防の工夫

カテーテルが手に触れないようにする	
注入時	・注入ルートが視界に入らないようにする（注入ボトルは背後に） ・車椅子乗車時は，車椅子用のテーブルや大きめのクッションを使用して胃瘻部や注入ルートに手が触れないようにする ・食堂やデイルームなど複数の目が届くところで過ごす ・短時間で注入できる半固形化栄養剤を取り入れる
日常生活	・清潔を保ち，かゆみ，痛みなどの不快症状を予防する ・腹帯，腹巻の使用 ・チューブ型の場合，コンパクトにまとめ腹帯や腹巻におさめる

この場合，瘻孔の損傷や，カテーテルがちぎれるなどして腸管内に脱落してしまうことがあるため自己抜去予防の工夫が必要である（表２）．また，てんかん発作や強い筋緊張が生じたときは，手指が注入ルートや胃瘻カテーテルに引っかかるなどして抜去に至る場合があるため，配慮する必要がある．

ⓑ 胃瘻カテーテルと接続チューブの接続

接続がはずれないように接続部をテープでとめてしまうと，接続チューブが何かに引っかかるなどしたとき，カテーテル本体ごと引っ張られ抜去につながるおそれがある．

ⓒ 事故抜去時の対応

カテーテルが何らかの理由で抜けてしまった場合，抜けたままにしておいて時間がたってしまうと，胃瘻の孔が狭くなり，同じサイズのカテーテルが入らなくなることがある．抜けないように注意するとともに，抜けてしまったときの対応を医師に確認しておく．再挿入後はカテーテルが胃内に挿入されていることを確認し，それまでは注入しない．

5. 胃瘻からの注入の注意点

ⓐ 注入前の胃瘻部とカテーテルの確認

胃瘻部周囲の皮膚の状態，カテーテルが適切な位置にあるかを確認する．

ⓑ 注入前の呼吸状態や腹部の観察

喘鳴が強いままで注入を開始すると，注入の途中で咳き込み，トラブルになるので，姿勢の調節や吸引によって唾液や痰の貯留が改善してから注入を始める．腹部が硬く張っていないかを，手で触れながら観察する[2)]．

ⓒ 注入前の胃内容吸引（前吸引）

胃瘻の場合も，経鼻経管栄養のときと同様に，注入前に，胃瘻カテーテルから胃の内容を吸引し確認する．前吸引は，胃壁を傷付けないよう無理のない力でゆっくり引く．前吸引された液の状態や内容によってどのようにするかは，医師にあらかじめ確認しておく．

ⓓ 姿　勢

個々の状態に応じた適切な姿勢で注入する．胃が折れ曲がる姿勢をなくし，胃内圧の上昇を予防する．適切な姿勢で注入することで，注入中の栄養剤の漏れを予防することにつながる．

文　献

1）仙石真由美．日常ケア．岡田晋吾（監），病院から在宅までPEG（胃瘻）ケアの最新技術．照林社，2010；80-86
2）中谷勝利，他．胃瘻・胃食道逆流症．日本小児神経学会社会活動委員会，他（編），新版　医療的ケア研修テキスト．クリエイツかもがわ，2012；170-185

［山本ひろみ］

C　嚥下障害，経管栄養，栄養水分管理

5　重症児者の栄養水分管理

POINT

- 重症児者は，麻痺のタイプの特性により，栄養摂取量や栄養学的課題が異なることに配慮
- 重症児者には，蛋白や微量元素，電解質の過剰や不足による栄養障害が発生しやすく，栄養障害と関連する症状に注意すること，定期的な栄養評価により栄養障害を予防することが大切
- 食品や既存の栄養剤の栄養特性を知り，それらを重症児者の栄養学的課題が解決されるように，ミキサー食の注入などを活用しうまく組み合わせて使用することが重要

1. 重症心身障害の栄養に関連する特性

重症児者は，呼吸障害や消化管通過障害，筋緊張の変動といった病態を合併することが多く，摂取エネルギーの決定には個別の評価が必要である[1]．また，重症児者は，多くは摂食機能障害を合併し，ペースト食や経管栄養といったように特別な栄養摂取形態が長期に必要となる[2,3]．そのため蛋白や微量元素，電解質の欠乏や過剰が生じる可能性があり，評価と対策が必要である[4,5]．重症児者の栄養に関連する特性を表1に示した．

2. 栄養投与量の決定

重症心身障害の栄養投与量の決定には，表1のような臨床特性から，個別性が高く明確な方法がない．筆者らは以下の方法が現実的であると考えている．表2が基本的な栄養必要量の式であり，基礎代謝量（BMR）には，表3に示すように日本人の食事摂取基準（2020年版）に採用された基礎代謝基準値を使用する[6]．活動係数×侵襲係数 R は，重症心身障害の場合，麻痺のタイプ，運動，身体特性に応じて大きく変わることが特徴的である[5,6]．人工呼吸を装着し，反応の少ない重症児者では，R の値は時に，0.3～0.6が至適となることがある．また，同じ寝たきりの状態でも，痙直型脳性麻痺は0.8～1.2，アテトーゼ型脳性麻痺は1.5～2.0程度と，麻痺の特性により大きく必要エネルギーが異なり，表4を参考に R を決定し，3か月ごとに栄養評価を行い，至適投与量を決定していく．たとえば年齢12歳で体重25 kgの重症児（男）は，表3の基礎代謝基準値を使用すると，標準的な基礎代謝量（BMR）は25×31＝775 kcal，動きの少ない痙直型では表4

表1　重症児者の栄養に関連する特性

1. 脳障害による脳重量の減少や寝たきりによる筋肉成分の減少から，脳や筋肉でのエネルギー消費量は低下していると考えられる
2. 体脂肪率は多い症例（痙直型）と少ない症例（アテトーゼ型）がある
3. エネルギー消費量は，年齢，筋緊張の変動，呼吸の努力の程度，移動能力によって異なる
4. 食事摂取は，他者に依存しているため，自らの欲求で必要な栄養を摂取することができない
5. 必要栄養エネルギーが少なくて体重が維持できる例が多く，体重は維持されるが微量元素や蛋白が欠乏する例が多い

表2　基本的な栄養必要量の式

$E=BMR\times R+\alpha$
（E：エネルギー必要量，BMR：基礎代謝量，R：活動係数×侵襲係数，α：エネルギー蓄積量）

小児の基礎代謝量は，日本人の食事摂取基準（2010年版）に採用された小児の基礎代謝基準値を使用する．エネルギー蓄積量 α とは，小児の，組織増加分に必要なエネルギー量のことである

を参考に，$R=1$ に設定し，栄養投与量は775＋25（エネルギー蓄積量）kcal 程度，筋緊張の変動が激しいタイプは，表2を参考に $R=2$ に設定し，1,500＋25(エネルギー蓄積量) kcal 程度と推定される．栄養評価を繰り返しながら，R の係数をその都度変更していくことが必要である．

3. 目標の体重の設定

重症児者の理想体重は設定がむずかしい．感染などが少ないなど免疫状態がよく，活動性も高く，栄養評価のための検査指標が正常範囲に入っているときが理想体重といえる[5]．

一般には，BMI〔体重 kg÷(身長 m)^2〕の標準値は22といわれているが，重症心身障害の成人の場合，筆者らの施設での大島分類1の症例では，表5に示したように平均で15.8で，動きの少ない痙直型では平均＋SDの18.0前後，筋緊張の激しいアテトーゼ型では，平均－SDの13.6前後と推定することが妥当と考える．また，小児期には，一般的に，目標BMIは6歳の15から18歳の21に向けて，ゆるやかに増加していくこと

表3 年齢別基礎代謝基準値

性 別	男 性			女 性		
年齢(歳)	基礎代謝基準値(kcal/kg 体重/日)	参照体重(kg)	基礎代謝量(kcal/日)	基礎代謝基準値(kcal/kg 体重/日)	参照体重(kg)	基礎代謝量(kcal/日)
1～2	61.0	11.5	700	59.7	11.0	660
3～5	54.8	16.5	900	52.2	16.1	840
6～7	44.3	22.2	980	41.9	21.9	920
8～9	40.8	28.0	1,140	38.3	27.4	1,050
10～11	37.4	35.6	1,330	34.8	36.3	1,260
12～14	31.0	49.0	1,520	29.6	47.5	1,410
15～17	27.0	59.7	1,610	25.3	51.9	1,310
18～29	23.7	64.5	1,530	22.1	50.3	1,110
30～49	22.5	68.1	1,530	21.9	53.0	1,160
50～64	21.8	68.0	1,480	20.7	53.8	1,110
65～74	21.6	65.0	1,400	20.7	52.1	1,080
75以上	21.5	59.6	1,280	20.7	48.8	1,010

(厚生労働省．日本人の食事摂取基準　2020年版．2019（https://www.mhlw.go.jp/content/10904750/000586556.pdf）より一部改変)

表4 栄養所要量と臨床的特徴

(R＝体重あたりの必要栄養摂取量/年齢別体重あたりの標準基礎代謝量)

	A：高エネルギー消費群（$R≧2$）	B：低エネルギー消費群（$R≦1$）	C：中間群（$1<R<2$） 多くがこの範囲に入る
臨床的特徴	・筋緊張の変動が激しい，不随意運動あり ・皮下脂肪が薄く筋肉量が多い ・刺激に対する反応性高い ・アテトーゼ混合型脳性麻痺 ・移動能力がある ・努力性の呼吸，咳き込み多い	・筋緊張の変動がない，動き少ない ・皮下脂肪が厚く，筋肉量が少ない ・痙直型脳性麻痺 ・移動しない ・刺激に対する反応少ない ・気管切開，人工呼吸器の装着 ・呼吸に努力を要しない	（$1<R<1.5$）まで ・経管栄養のケース （経口摂取よりエネルギー効率がよいと考えられる） ・B群の特徴のいくつかをもっている （$1.5<R<2$） ・経口摂取 ・A群の特徴のいくつかをもっている

※侵襲係数が高い特殊な状態を除く

を参考に[7)]，成人期 BMI より，年齢に応じて少なめに設定し，そこから目標体重を設定することが大切である．（身長 m）^{2}×（目標BMI）で目標体重を設定する．またインピーダンス法で除脂肪体重を算出して，そこに適切な体脂肪率を脳性麻痺のタイプにより，10〜30%として，脂肪量を追加して標準体重とする方法もある．

4. 栄養評価

栄養評価については，まず主観的栄養総括評価表を使う．図 1 に示した重症児者の特性をふまえて追加した包括評評価チェックリストと身体計測項目を使用することで，早期に栄養不良を発見できると考えている．除脂肪体重や水分量などの身体構成成分の検出にはインピーダンス法が有効である．さらに詳細な客観的な栄養評価を，表 6 を参考に行う．表 6 に示したすべてを検査することはむずかしいが，特に赤字で示した検査，一般生化学，血算に加えて，アルブミン，RTP（急速半減期蛋白），微量元素（銅，亜鉛），は最低測定しておきたい．表 7 に示した臨床検査の組み合わせで栄養状態を評価する CONUT スコアは，栄養不良のスクリーニングに有効である[8)]．T-cho を Hb に変更する変法もある[8)]．銅の値は，慢性感染症や悪性腫瘍で，病的に上昇することがあることに留意する．アンモニアの測定は，バルプロン酸投与に続発するカルニチン欠乏の検出に，甲状腺機能はヨウ素欠乏の検出に有効である[3〜5)]．

表 5 栄養形態別体格

重症心身障害施設での成人 81 例（大島分類 1）での栄養形態別体格の比較

	全体 (n=81)	経口栄養 (n=45)	経管栄養 (n=36)	p value
M/F	41/40	20/25	21/15	—
年齢	40.0±11.9	43.3±10.3	35.7±12.5	0.003
身長	147.6±10.6	148.8±9.1	146.1±12.2	0.255
体重	34.4±5.7	35.1±5.7	33.6±5.6	0.254
BMI	15.8±2.2	15.8±2.3	15.8±2.2	0.922
体脂肪率（%）	15.7±5.0	16.3±5.5	14.9±4.4	0.219

体格 BMI の平均は，どの栄養形態でも 15.8 となっていた．

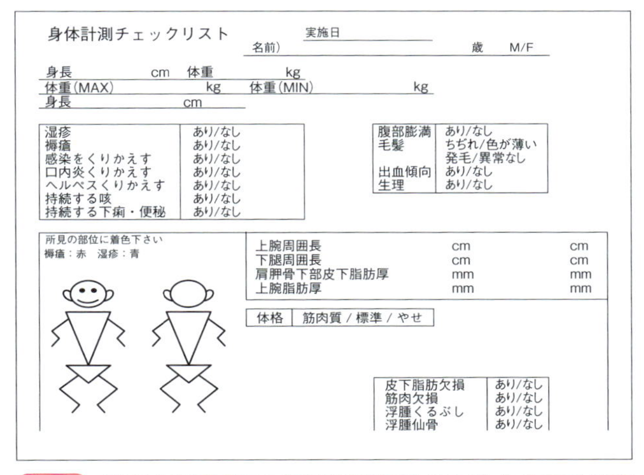
身体計測チェックリスト　実施日
名前）　歳　M/F
身長　cm　体重　kg
体重(MAX)　kg　体重(MIN)　kg
身長　cm

湿疹	あり/なし
褥瘡	あり/なし
感染をくりかえす	あり/なし
口内炎くりかえす	あり/なし
ヘルペスくりかえす	あり/なし
持続する咳	あり/なし
持続する下痢・便秘	あり/なし

腹部膨満	あり/なし
毛髪	ちぢれ/色が薄い 発毛/異常なし
出血傾向	あり/なし
生理	あり/なし

所見の部位に着色下さい
褥瘡：赤　湿疹：青

上腕周囲長	cm	cm
下腿周囲長	cm	cm
肩胛骨下部皮下脂肪厚	mm	mm
上腕脂肪厚	mm	mm

体格	筋肉質 / 標準 / やせ

皮下脂肪欠損	あり/なし
筋肉欠損	あり/なし
浮腫くるぶし	あり/なし
浮腫仙骨	あり/なし

図 1 重症心身障害の主観的栄養評価（SGA）と身体計測表

5. 栄養障害の実際と対応

ⓐ微量金属の欠乏症状

経管栄養の場合には栄養剤の選択により，蛋白，脂質，電解質，ビタミン，食物繊維，微量金属などが不足するおそれがあり，欠乏症状について知っておく必要がある[9～11]．

表８に重症児者で報告されている微量元素などの栄養成分の欠乏，過剰の症状のまとめを記した[4,5,11]．日本では，食品の経管栄養剤の多くが銅や亜鉛の含有量を調整してきたが，医薬品のなかには，まだ不十分な含有量のものが多い．また食品やアレルギー用ミルク，特殊ミルクなどの中に，ヨードやカルニチン，ビオチン，セレンなどの微量元素の欠乏したままで，発売されているものもある（表９）[9,12]．

亜鉛欠乏による皮膚炎，下痢，味覚障害，免疫能低下，銅欠乏による貧血，好中球減少，セレン欠乏による心筋症，爪床部白色変化などが知られている[5,9]．またヨード欠乏による甲状腺機能低下症，カルニチン欠乏による意識障害や，低血糖を伴う全身状態の急激な悪化，ビタミンＫ欠乏による出血傾向や骨の脆弱化にも留意する．また経口摂取の場合は食事の全量が確実に摂取されていない場合があるので注意が必要である．ピボキシル基をもつ抗菌薬の長期投与で，カルニチン欠乏が起こることに留意する．微量元素欠乏時は，テゾン®，亜鉛，セレン補給ができるブイ・クレスシリーズ，銅，亜鉛，セレン，鉄，リンが多く含まれるアルジネード® などで補給する．カルニチン，ビオチン，ビタミンＫ，亜鉛，鉄は医薬品でも補給できる．ヨウ素の補給には粉末だしや昆布茶などが使用できる[5]．また，投与量の目安は，厚生労働省「日本人の年齢別摂取基準」を参考に，体重により増減する[6,10]．このとき，亜鉛と銅の摂取量は 10：1 前後の比が大きく崩れないようにするのが望ましい．亜鉛のみの補給では，銅欠乏のリスクが高まる．銅と亜鉛の吸収は消化管で拮抗し，亜鉛過剰は銅欠乏をきたすからである[10,11]．そのため，両者を含む，ココアなどの食品での補充も有用である．また，多様な栄養成分の補給には，１日１回の

表６　栄養評価項目

栄養アセスメントの意義と分類	
静的栄養アセスメント	動的栄養アセスメント
1．身体計測指標 1）身長・体重 ①体重変化率 ②%平常時体重 ③身長体重比 ④%標準体重 ⑤BMI 2）上腕三頭筋皮下脂肪厚（TSF） 3）上腕筋囲，上腕筋面積 2．血液・生化学的指標 1）血清総蛋白，アルブミン，コレステロール 2）クレアチニン身長係数（尿中クレアチニン） 3）血中：電解質，微量元素，ビタミン 4）末梢血総リンパ球数（ILC） 5）その他：アンモニア，甲状腺機能 3．皮内反応 遅延型皮膚過敏反応	1．血液・生化学的指標 1）RTP ①トランスフェリン ②レチノール結合蛋白 ③TIR（プレアルブミン） ④ヘパプラスチンテスト 2）蛋白代謝状態 ①窒素平衡 ②尿中 3-メチルヒスチジン 3）アミノ酸代謝動態 ①アミノグラム ②フィッシャー比（分枝鎖アミノ酸/芳香族アミノ酸） ③BTR（分枝鎖アミノ酸/チロシン） 2．間接熱量計 1）安静時エネルギー消費量 2）呼吸商 3）糖利用率

表７　CONUT スコア

アルブミン（g/dL） スコア①	≧3.50 0	3.00～3.49 2	2.50～2.99 4	<2.50 6
T-cho（mg/dL） スコア②	≧180 0	140～179 1	100～139 2	<100 3
リンパ球数（/μL） スコア③	≧1,600 0	1,200～1,599 1	800～1,199 2	<800 3
CONUT スコア （①+②+③） 栄養不良レベル	0～1 正常	2～4 軽度	5～8 中等度	>8 高度

ミキサー食を胃瘻から注入することも有用である．栄養成分補給の評価は，投与量変更後3か月ごとに行うことが望ましい．評価に応じて投与量を変更し，至適投与量を決めていく．

ⓑ低アルブミン血症への対応

重症心身障害でみられる低アルブミン血症に関しては，蛋白製剤を投与しても，改善しないことが多い．そのような例に対しては，①反復する感染のコントロール，②BCAA（分枝鎖アミノ酸）豊富な栄養剤の投与，③脂肪の代謝を促し，蛋白合成を促進するカルニチンの投与，④NPC/N 比（非蛋白エネルギー〈kcal〉/窒素〈g〉）を病態や年齢に適合させる，⑤MCT（中鎖脂肪酸）添加の栄養剤あるいはパウダーでの MCT 投与，⑥抗てんかん薬など多剤併用になっているときは，肝代謝型の薬剤を減らす，あるいは腎排泄型の薬剤に変更する，⑦てんかん発作や筋緊張のコントロールで筋肉の崩壊を抑制する，などが臨床経験上有効である[5)]．筆者らは上記の考えに基づき，DRPLA（歯状核赤核淡蒼球ルイ体萎縮症）で難治の低アルブミン血症と浮腫を示す成人重症者に，BCAA とカルニチンの同時投与と抗てんかん薬の調整をしたところ，低アルブミン血症と浮腫が著明に改善した症例を経験している．筋緊張の変動が少

表9　栄養剤に不足する栄養成分

栄養剤に不足する様々な栄養
・カルニチン含有せず ラコール，エレンタール® P，エンシュア®
・ヨード含有せず ラコール，エンシュア®
・セレン含有せず エンシュア®，エレンタール® P

（大森啓充，他．重症心身障害児（者）の栄養―微量元素，特にセレンとカルニチンについて―．日本臨床栄養学会雑誌 2011；33：31-38 より一部改変）

表8　重症児者で認められた，あるいは指摘された微量元素等の栄養成分による問題点

主として欠乏による栄養障害	主として過剰によるもの，あるいは添加，併用による栄養障害
・アルブミン欠乏による易感染性，浮腫 ・亜鉛欠乏による肢端性皮膚炎，脱毛，正球性貧血，味覚障害，創傷治癒の遅延 ・銅欠乏による易感染性，白血球・好中球の減少，貧血，毛髪の縮れ毛，赤色化 ・カルニチン欠乏によるアンモニアの上昇，非ケトン性低血糖，活気の低下，全身状態不良，意識障害，心機能低下，腹部膨満，Fanconi 症候群 ・セレン欠乏による心機能，心不全，爪床部分の白色化（例：アレルギー用ミルク，ケトンフォーミュラの長期投与） ・ビオチン欠乏による湿疹，毛髪の異常，精神障害，神経症状（アレルギー用ミルクの長期使用） ・ヨード欠乏による甲状腺機能低下，甲状腺腫 ・ビタミン B_6欠乏によるけいれん重積 ・食物繊維欠乏による偽膜性腸炎，小腸絨毛の萎縮，腸管機能の低下，下痢，便秘 ・Cl の少ない栄養剤による，低クロル性代謝性アルカローシス ・胃酸の消失によるアルカローシスから低カリウム血症，およびそれに伴う不整脈 ・塩分摂取量不足，あるいは消化液喪失による低ナトリウム血症，低クロル血症 ・ビタミン K 欠乏による出血傾向，消化管出血，骨の脆弱性 ・長鎖不飽和脂肪酸の欠乏による末梢循環障害，アレルギーの増悪，免疫系状態の悪化 ・経管栄養剤長期投与によるケイ素欠乏 ・リン欠乏によるリフィーディング症候群 ・ビタミン D 欠乏，P 欠乏による骨軟化症 ・栄養不良による蛋白異化による BUN，NH_3上昇	・亜鉛の過剰による銅の欠乏，その結果としての好中球減少，貧血，易感染性 例 1：亜鉛製剤プロマック®（ポラプレジンク），ノベルジン® 連続投与中の銅欠乏による白血球減少 例 2：亜鉛栄養剤過剰補給による，銅欠乏 ・銅の補給の過剰による亜鉛欠乏 ・マンガン過剰によるパーキンソニズム（例：中心静脈栄養での微量元素添加による．大脳基底核にマンガンが沈着して出現） ・卵，大豆，牛乳などアレルゲン成分含有の栄養剤によるアレルギーによる下痢，湿疹 ・蛋白過剰による BUN の上昇 ・水過剰による低ナトリウム血症による水中毒 ・カルバマゼピン併用による SIADH のための低ナトリウム血症 ・バルプロ酸ナトリウム投与，あるいはピボキシル基をもつ抗菌薬投与におけるカルニチン欠乏 ・肝代謝型抗てんかん薬の多剤併用による低アルブミン血症 ・バルプロ酸ナトリウム併用による Fanconi 症候群のためのカルニチン，ビタミン D，P の欠乏

（口分田政夫，他．重症心身障害児者に対する経腸栄養剤長期投与の問題点―アンケートによる経腸栄養剤の使用実態（1）．重症心身障害研究会誌 1994；19：53-57，口分田政夫，他．重症心身障害児への栄養管理．静脈経腸栄養 2012；27：1175-1182，口分田政夫．重症心身障害児の栄養管理．児玉浩子，他（編），小児臨床栄養学．診断と治療社，2011；320-330 を参考に作成）

表10　体内水分，細胞内液，細胞外液の比率，不感蒸泄量，必要水分量

	体内水分 %体重あたり	細胞内液 %体重あたり	細胞外液 %体重あたり	不感蒸泄 mL/kg/日	必要水分量 mL/kg/日
新生児	80	35	45	30	60～160
乳児	70	40	30	50	100～150
幼児	65	40	25	40	60～90
学童	60	40	20	30	40～60
成人	60	40	20	20	30～40

（五十嵐　隆．脱水．臨床医薬 2004；20：429-438 より一部改変）

表11　重症児者にみられる水・電解質異常

1. 異常喪失
   水だけでなく電解質も喪失
   多くは低ナトリウム血症を示す
   唾液（流涎），吸引，発汗，胃液（胃からの吸引液の大量破棄），胃拡張・イレウス（消化管内への喪失），下痢，嘔吐
2. 低クロル性代謝性アルカローシス
   Na に比して，Cl の含有量の少ない栄養剤で，出現する
3. 腎尿細管再吸収障害
   低張尿（尿比重低下）
4. 内分泌学的異常，中枢神経異常
   SIADH，尿崩症，中枢性塩消失
5. 水中毒
   水の多量摂取・飲水…低ナトリウム血症（脱力，けいれん）
6. 薬剤の影響
   カルバマゼピン…低ナトリウム血症
   ダイアモックス®，ゾニサミド…腎尿細管アシドーシス

表12　多様な食品の投与例

ミキサー食にして胃瘻から注入するとよい．液体は経管栄養で．

野菜・果汁ジュース，ごぼう（ビタミンC，ケイ素の補給）
豆乳（蛋白），にがり（マグネシウムなどのミネラル，過剰摂取に注意）
お茶（カテキン），ココア（銅，亜鉛），昆布茶，だしの素（ヨード）
シソジュース（αリノレン酸），味噌汁，だし汁，スープ（多様な栄養素，麹菌，ヨウ素）
水炊き，鍋料理をした後の残り汁（多様な栄養素）
昆布，ごま，豆，めかぶ，麩，だしじゃこ（微量元素）
ヨーグルト（乳酸菌）
いわし，かれい，牛乳，麦，玄米，肉などの注入食（セレン）
肉，牛乳（カルニチン）

なく，呼吸も人工呼吸器に依存している超重症児者のなかには，600 kcal 以下の栄養剤投与でも体重の増加を認める事例がある．脂肪の蓄積が多いので，外見上，一見栄養状態はいいように思われるが，既存の標準栄養剤使用では，低アルブミン血症と微量元素欠乏が合併してして免疫力が低下するリスクがある．このとき，NPC/N 比が低くなっても，蛋白質の含有が多い栄養剤，ペプタメンインテンス，メイプロテインなどでの蛋白補給，テゾンなどでの微量元素の補給で，年齢別の所要量に近づけることが重要である．蛋白質と微量元素に配慮した特性のミキサー食の注入も有効である．

c 水分と電解質

重症児者の水分，電解質は，摂取エネルギー，嘔吐や唾液の排出などの消化管液，喪失量，薬剤の影響，腎機能，中枢神経障害による内分泌学的異常状態に大きく影響される．表10に小児の水分動態と必要水分量を示した[13]．標準的な水分必要量を参考に，人工呼吸装着児では，呼気への不感蒸泄がほとんどなく減じることができるが，吸引や消化管への喪失量が多ければその分を加えること，などを考慮して，必要水分量を予測する．表11に水，電解質の異常の病態を示した[10,11]．体液の喪失で，低ナトリウムが出現することも多く，水分だけでなく，電解質を経口補水液 OS-1® やソリタ水（おもにソリタ®-T2 顆粒を使用）を用いて補給する．胃酸の持続吸引でアルカローシスが発生し，続発する低カリウムから房室ブロックが発生，徐脈の要因となった事例もある．持続吸引のときは，電解質のモニタリングが必要である．また，抗利尿ホルモン不適合分泌症候群（syndrome of inappropriate secretion of antidiuretic hormone：SIADH，水制限で

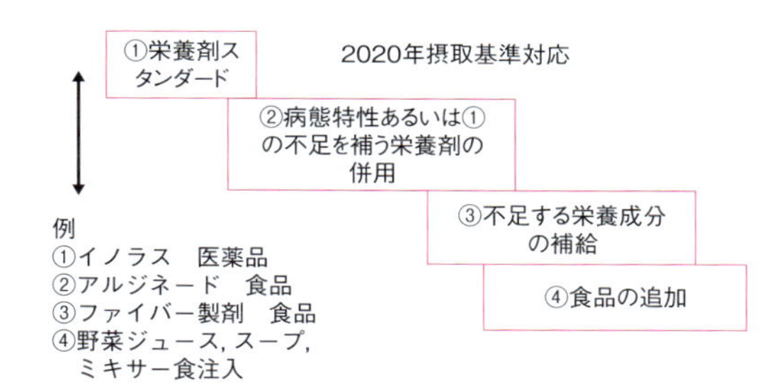

図2　栄養剤の選択

表13　栄養剤選択に留意すべき事項

1. 栄養摂取基準（2020年版）対応か？
2. 1,000 kcal以下で摂取基準を満たすか？
3. 脂質：①*n*-6/*n*-3比が4以下であるか？
   ②EPA＋DHA直接添加されているか？
   ③MCTが脂質の20%以上含有されているか？
4. 微量元素：①セレンは十分含有されているか？　②銅と亜鉛のバランスの配慮はされているか？　③ビオチン，ビタミンK_2は十分配合されているか？　④ヨウ素やカルニチンは添加されているか？
5. 電解質の組成はバランスがとれているか？　特にNaとClのバランスは保たれているか？
6. 食物繊維：水溶性＋非水溶性がバランスよく配合されているか？
7. 免疫力強化への配慮はされているか？（グルタミン，RNA，アルギニン，カテキン，バイオジェニックスなど）
8. 腸内フローラなどの腸内環境への配慮はあるか？（プロバイオティクス，プレバイオティクス，オリゴ糖，グルタミン，グアーガム，イヌリンなどの食物繊維）
9. NPC/N比は，年齢や筋緊張の変動などによる消費エネルギーの変化に応じて適切となっているか？
10. 消化吸収能力にあわせて，成分栄養剤，消化態栄養剤，半消化態栄養剤，濃厚流動食が選択されているか？
11. 良質な蛋白質が含まれているか？　BCAAが十分配合されているか，また，フィッシャー比が十分か？
12. 血糖の変動が，大きくならないような糖質や炭水化物での配慮はされているか？

対応）や中枢性塩類喪失症（ナトリウムと水分の補給）の可能性もあり，病態を鑑別して対応する必要がある．特に抗てんかん薬カルバマゼピンの投与では，SIADHの合併に留意する．脱水傾向の検出には，皮膚や粘膜の性状，分泌物の粘度，尿量や性状，比重，浸透圧などが有用である．血液検査では，浸透

表14　小児栄養剤選択の考え方

1. 0〜2歳　　母乳・ミルクを主体に使用する
   （フォローアップミルクは，銅，亜鉛，セレンが欠乏するリスクがあり，経口で離乳食が半分以上栄養がとれているときのみ補食として投与）
   消化機能が落ちているとき，エレンタール® Pの使用．
2. 2〜4歳　　ミルク＋小児用半消化態栄養剤＋ミキサー食
   アイソカル®ジュニアの使用を推奨．NPC/N比の高い小児用栄養剤の使用が基本であるが，病態により，蛋白補給を優先する事例がある．
3. 4歳以上　　小児栄養剤＋半消化態栄養剤＋ミキサー食
   小児栄養剤を使用する，あるいはMCTオイルを通常の半消化態栄養剤に添加してNPC/Nを上げて使用する．
   基礎代謝が低いケースでは，投与カロリーは押さえながらも，蛋白（分枝鎖アミノ酸），微量元素，は，2020年栄養摂取基準の年齢別摂取量を満たすように栄養成分を追加する，微量元素はテゾンで，蛋白質は，エンジョイプロテイン，メイプロテインなどで補給する．

圧の測定が有用であるが，血中のBUN値が脱水状態に敏感に応答するので，通常より高いBUN値が勘弁な脱水の指標となる．

ⓓ 半固形化栄養剤，あるいはミキサー食の注入

半固形化栄養剤は，①胃食道逆流の頻度を減少させる，②液体の栄養剤注入でしばしば認める，③ダンピング症候群による血糖値の変動を減少させる，④注入時間の短縮で本人や介護者双方のQOLが向上する，などのメリットがある．また，家族や仲間が食べている食事をミキサー食にして注入することで，①人工的な栄養剤では補えない栄養素や食物繊維を補給でき，栄養状態の改善が図れる，②そのことが腸管の免疫力アップや便の性状の改善につながる，③家族や仲間と一緒のものを部分的に摂取することで家族や周囲の絆が深まる，匂いや味を楽しめるなどのメリットがある．最近，腸管にも味覚があることが報告されている．表12に注入する食品と，補給される栄養成分を示した．浅野らはスベラカーゼ粥を用いて，簡便な胃瘻食のレシピを紹介している[15,16]．

ⓔ 栄養剤の選択（図2）

栄養剤の選択は，まず，①1,000 kcal以下で日本人の栄養摂取基準2020年を満た

表15　重症心身障害の病態別栄養

①**遷延・反復化する呼吸器感染**：中心静脈栄養にて，十分なエネルギーを補給すると，重症化する感染や呼吸機能障害などの改善が早いが，腸管免疫誘導するため，短期間にとどめ免疫強化の経管栄養剤を早期に開始する．

②**栄養不良による反復する感染や外科手術後の免疫力の回復，褥瘡など**：アルギニン，RNA，グルタミン，*n*-3系脂肪酸の強化，MCT（中鎖脂肪酸）などを強化して免疫力を高めた栄養剤インパクト®，ホエイペプチド配合のペプタメン® AF・インテンス・プレビオ，MEIN®などの使用．アルギニンや亜鉛を特に強化し，免疫力を高めたアルジネード®，*n*-3系脂肪酸とL-カルニチンの強化をしてあるPRONA®，シールド乳酸菌配合のラクフィア®，フェカーリス菌配合のリカバリーK5の使用．栄養補助食品としてはBCAA，アルギニン，グルタミン添加のペムノン®，HMB（*β*-ヒドロキシン-*β*-メチル酪酸）配合のアバンド™，オルニチン添加のオルニュート®などは褥瘡や創傷治癒に特に有用．また腸管免疫の強化を狙ったものとして，GFO®（グルタミン，オリゴ糖，食物繊維）やアイソカル®ファイブケアなど複数の食物繊維配合の栄養剤などがある．

③**ダンピング症候群，糖代謝異常（糖尿病など）**：2糖類と食物繊維を配合し，炭水化物の配合割合を少くしたグルセルナ®-REXは血糖の変動を抑える．また糖にパラチノースを配合した，インスロー®や，タピオカデキストリンを配合したタピオン®などがある．アルギニン，パラチノース，タピオカデキストリンなどがすべて配合されたアイソカル®グルコパル® TFなども有用．半ペースト食の胃瘻からの注入も有効．水溶性食物繊維グアーガムやイヌリンは，食後血糖の上昇を抑制するといわれている．薬剤ではαグルコシダーゼの注入前投与が有効である．

④**肝機能障害**：分枝鎖アミノ酸を強化しフィッシャー比を高めた栄養剤（分枝鎖アミノ酸と亜鉛を強化してあるヘパスなどを使用〈銅が含有されていないことに留意〉）．あるいは薬剤としての肝不全用成分栄養剤としては，ヘパンED®，アミノレバン®配合散がある．

⑤**腎機能障害**：腎不全の次期により異なるが，蛋白負荷を減少し，BCAAなどを補給する．レナウェル®やリーナレン®シリーズがある．カルニチンの投与も肝臓での蛋白合成に有用である．

⑥**呼吸障害**：脂質エネルギーを主とした栄養剤であるプルモピケア® Ex，グルセルナ® REXが二酸化炭素の発生や貯留を抑制して，人工呼吸器装着時間を短縮させるといわれている．それより重要なのが，蛋白質の欠乏を予防して，呼吸筋の活動を維持すること．

⑦**食物アレルギー**：重症心身障害に原因不明の湿疹，下痢などに食物アレルギーが関与していることがある．ミルクアレルギーの場合には，大豆蛋白使用の栄養剤マーメッド™を使用する．また，アレルギー用ミルクMA-1や大豆ペプチドを配合しているハイネックス®イーゲルLCや成分栄養剤であるエレンタール®やアミノ酸分解ミルクなどが使用できる．大豆アレルギーがある場合は，エネーボ®，イノラス®，エレンタール®などが使用できる．また，アミノ酸分解ミルクなどアレルギー用を使用する場合は，銅や亜鉛，セレンの微量元素の欠乏に留意する．

⑧**難治性の下痢あるいは便秘**：消化態栄養剤である，蛋白ペプチド使用のハイネックス®イーゲル，ペプタメン®プレビオも下痢時の選択枝の1つである．エレンタール®も使用できるが高浸透圧性下痢に留意する．腸内環境やプレバイオティクスに配慮したYHフローレ，ラクフィアなども選択できる．ビフィズス菌を増加させる，ビフィズス菌末BB536，麹菌が配合された味噌汁なども有用である．腸管免疫を高めるグアガム，アカシアガム，フラクトオリゴ糖，イヌリンなどのプレバイオティクス含有栄養剤，アイソカル®グルコパル®TF，アイソカル®ファイブケア，GFO®や乾燥人参末のキャロラクトなども下痢，便秘ともに有効である．難治性下痢には食物アレルギーの可能性も考慮，脂肪を末梢静脈から補給しながら，エレンタール®の投与やアミノ酸分解ミルクの投与も考慮する．このときは微量元素欠乏に留意．

⑨**アンモニアの上昇，低血糖，代謝性アシドーシス**：カルニチン欠乏を疑い，カルニチン配合の栄養剤の投与（アイソカル®ジュニア，PRONA，エネーボ®，イノラス®，ハイネックス®イーゲルLC，アイソカル®グルコパル® TFなど）．

⑩**低蛋白血症**：1）BCAA（分枝鎖アミノ酸）高容量配合栄養剤，ヘパスやグルセルナ®REX，特にロイシンが豊富なメディミル®ロイシンプラスなどの栄養剤の投与，BCAAパウダー製剤の追加，2）カルニチンの投与，3）NPC/N比を本人の年齢や筋緊張の程度に適合させる，4）MCT（中鎖脂肪酸）添加の栄養剤あるいはパウダーでのMCT投与，5）肝臓代謝型薬剤の減量，6）乳清ホエイやホエイペプチドなど良質な蛋白が高容量含有の栄養剤，ペプタメン®インテンス・プレビオ，PRONAの投与，あるいは，メイプロテインやエンジョイプロテインFeZでの補充．

⑪**胃食道逆流**：栄養剤の半固形化，ミキサー食の注入，粘度可変型栄養剤であるハイネックス®イーゲル，マーメッド™の注入，半個形化栄養剤としてのラコール® NF配合経腸用半固形剤，PGソフト™，アイソカル®セミソリッドサポート，リカバリーニュートリート®などの注入．REF-P1（粘度調整食品）の前投与，とろみ栄養剤の（エコフロー，メイフロー）投与など．

⑫**リフィーディング症候群**：栄養不良状態から栄養投与を再開するときは10～20 kcal/kgで開始し，ビタミンB_1の投与，高リン栄養補助食品（アルジネート®など）の投与など．

⑬**微量元素の欠乏**：テゾン®やブイクレス®，アルジネード®，ココア，ミキサー食での補充．

すメインの栄養剤を選択し，全体投与エネルギーの 2/3 程度投与する．メインの栄養剤は本人の病態に最も合致した栄養剤を選択する．②このメインの栄養剤で不足する栄養成分を含む 2 番目の栄養剤を，残りの必要エネルギー量投与する．③次に，この 2 種類の栄養剤でも不足する可能性の栄養剤を栄養補助食品で投与する．④さらに注入できる食品を追加する．このとき，ミキサー食の活用も重要である．

【例】12 歳の男児．バランスのよい医薬品の栄養剤として，①メインにイノラス選択する．②残り 1/3 を，微量元素の含有量の多いしたアルジネードを投与する．③腸管免疫に配慮して，食物繊維サンファイバー® やオリゴ糖，ビフィズス菌を投与する．消化管液の排出が多ければソリタ®-T2 顆粒を追加する．④そしてケイ素の補給や多様な栄養素の補給を考えて，野菜ジュース，スープあるいはミキサー食を注入する．

栄養剤選択に，チェックすべき項目を**表 13** に小児の栄養剤投与の考え方を**表 14** に，病態別栄養剤の選択を**表 15** に示した．これらすべてを満たす栄養剤は存在しないが，上記のように複数の栄養剤を組み合わせて使用すると，かなり栄養学的目的を達成できる．

6. まとめ

重症児者の在宅栄養は，家族，訪問看護師，ヘルパー，主治医が，入院の場合は加えて，病棟スタッフや NST が栄養状態や投与栄養法や内容についての情報を共有しておくことが最も重要である．栄養不良を早期に発見した場合，チームで対応を検討し，早期の対策をたてることが重要である．また，ミキサー食の胃瘻からの注入の重要性についても認識する必要がある．感染症に対して，「最良の抗菌薬は，免疫力を高める栄養である」との認識を共有して，栄養の重要性を共有することが大切である．

文　献

1）倉田清子．高齢期を迎える重症心身障害児の諸問題．脳と発達 2007；39：121-125
2）永江彰子，他．ビデオ嚥下造影検査．小児内科 2008；40：1665-1668
3）藤田泰之．重症心身障害児．小児内科 2009；41：1337-1341
4）口分田政夫，他．重症心身障害児者に対する経腸栄養剤長期投与の問題点―アンケートによる経腸栄養剤の使用実態（1）．重症心身障害研究会誌 1994；19：53-57
5）口分田政夫，他．重症心身障害児への栄養管理．静脈経腸栄養 2012；27：1175-1182
6）厚生労働省．日本人の食事摂取基準　2020 年版．2019（https://www.mhlw.go.jp/content/10904750/000586556.pdf）
7）南里清一郎，他．栄養評価．子どもの食と栄養．診断と治療社，2012；75-81
8）高橋俊介，他．栄養不良入院患者の抽出を目的とする CONUT 変法の検討．日静脈経腸栄会誌 2016；31：827-834
9）児玉浩子．重症心身障害児への経腸栄養剤・治療フォーミュラ使用時の落とし穴．日重症心身障害会誌 2014；39：21-28
10）口分田政夫．障害児の栄養・水分・電解質．北住映二，他（編），子どもの摂食・嚥下障害．永井書店，2007，189-198
11）口分田政夫．重症心身障害児の栄養管理．児玉浩子，他（編），小児臨床栄養学．診断と治療社，2011；320-330
12）大森啓充，他．重症心身障害児（者）の栄養―微量元素，特にセレンとカルニチンについて―．日臨栄会誌 2011；33：31-38
13）五十嵐　隆．脱水．臨床医薬 2004；20：429-438
14）口分田政夫．重症心身障がい児（者）の在宅栄養．小児外科 2013；45：1346-1353
15）浅野一恵，他．山倉慎二（監），胃ろう食レシピ集．JMS，2012
16）小沢　浩，他（編）．医療的ケア児のミキサー食．南山堂，2018

［口分田政夫］

D　てんかん

1　重症児者におけるてんかん発作の把握・観察

POINT

- てんかん発作は，突発的に起こる異常な動き，意識の変容，感覚の異常などであり，全身をがくがくさせる，いわゆるけいれんだけがてんかん発作ではない
- 観察のポイント：①てんかん，発作型の診断には，体の動きの部位，力が入っているか，動作停止や意識の有無，②治療には，発作の起こる時間と状況・誘因，が重要
- 重症児者では運動症状を伴わない発作は検出されにくく，またてんかん発作とまぎらわしい突発的症状が少なくないが，かなり臨床的に鑑別される

1. 重症児者のてんかんの診療に関連する問題と対応（表1）

重症児者のてんかん診療では問題点や不利も多いが，以下に述べるてんかんへの対応方法と，重症児者施設では患者が常に目の前にいて常に多くの観察者がいるという長所を生かせば十分対応できる．

しかし，医師が自分で発作を観察できることはめったにない．診断・治療はもっぱら介護者や病棟スタッフの観察と記録に基づくので，以下の点を十分伝えておく必要がある．

2. てんかん発作の観察のポイント

てんかん発作は突発的に起る異常な動き，意識の変容，感覚の異常などであり，全身をがくがくさせる，いわゆるけいれんだけがてんかん発作ではない．

てんかん発作か否か，発作だとしたらどんな発作かなど，診断するには，体のどの部位が動くか，力が入っているか，動作が停止するか，意識があるか，が重要である．

一方，治療では発作が起こりやすい時間に抗てんかん薬の血中濃度を高くすることと，発作の誘因に対応することが重要であるが，そのためには以下の記録が大切である．

いつ起ったか：起こる時間，覚醒時，睡眠時（入眠時，起床前，うたた寝など），運動時など

起こった状況・誘因：発熱，月経，不眠，興奮，音や光，過呼吸

3. 重症児者でみられるてんかん発作

表2のようなものがある．できれば発作型を記載してもらいたいが，よくわからないときや判断しづらいときは発作症状をそのまま記載してもらうことが重要である．

重症児者は，自分で訴えられず，また反応が乏しいため，強直発作，焦点起始両側強直間代発作（二次性全般化強直間代発作），ミオクロニー発作などの運動症状を伴う発作は観察されるが，欠神発作，軽い強直発作，焦点性意識減損発作（複雑部分発作）などの運動症状を伴わない発作は検出されにくく，感覚発作は検出されない．

また，観察された時点では強直発作であるが一瞬のぴくんとするスパズムが先行している場合や，観察された時点では強直間代発作ではあるが焦点性意識減損発作から始まっている場合がある．強直発作や強直間代発作に適切と思われる薬を十分使用しても発作を抑制できないか減らない場合は，スパズムや焦点性意識減損発作に対する薬を追加する必要がある．

表1 重症児者のてんかんの診療に関連する問題と対応

問題点	対応
West 症候群後てんかん，Lennox-Gastaut 症候群，新生児仮死や急性脳炎・脳症後遺症など，難治てんかんが多い	てんかん症候群に基づく治療は不可，発作型による治療を
強直発作，強直間代発作，ミオクロニー発作，脱力転倒発作など運動症状を伴う発作は気づかれるが，焦点性意識減損発作や欠神発作はわかりにくく，感覚発作，自律神経発作はわからない	運動症状を示す発作がけがや活動制限などの危険や実害をもたらすので，まずねらう．他の発作は危険はない
長期間，薬がほとんど変更されず，発作症状に適切な薬が使われていないことが少なくない	どの発作症状が多いかを調べ，それに有効か否かを検討
複数の発作型をもち難治が多いので抗てんかん薬が多剤併用になることが多い	抗てんかん薬同士の相互作用を検討し削除，変更，あるいは相互作用を利用
合併症，併存症が多いため多数の向精神薬，一般薬を服用していることが多い	向精神薬，一般薬との相互作用を検討，相互作用がない抗てんかん薬に変更
多剤併用により，活動性の低下，見かけの退行，けいれんの悪化，副作用	血中濃度と発作症状から有効薬を検討，薬を整理
副作用があるが有効なので変更困難といわれる	その発作症状に有効な他の薬に変更を試み，多くは可能
家族が発作と長期服薬に慣れていて薬の変更を望まない	変更による利益，不利益を説明して変更に努める
重症児者施設では担当医・看護師等がてんかん診療に慣れているとは限らない →発作症状の観察，記載が不十分，適切な治療が不十分	常に多くの観察者（看護師・保育士・生活支援員・リハスタッフ・教員）がおり，発作症状や状況・頻度などの情報が多い →申し送り，看護記録，聞き取り，動画撮影で情報収集可
看護師や生活支援員の記録は発作とあるのみで症状の記載がないか，不正確なことが多い	他職種から発作症状の確認と発作症状の共有，動画を記録 スタッフに発作症状や発作の動画を講習
重症児者施設では MRI や脳波ビデオ同時記録装置のような検査機器がない場合が多く，他施設に検査に連れて行かないとてんかんの詳しい診療に必要な検査が困難な場合も多い．脳波検査すらできない所もある →原因や病態，正確な発作型に基づく治療が困難	患者が常に目の前にいるという長所を生かす →薬の効果がよくわかり，効かなければ変更できる，副作用にすぐに対応でき，副作用を怖がらずに治療できる

色線の上段は重症児者のてんかん一般，下段は重症児者施設における問題と対応

4. 重症児者のてんかん発作とまぎらわしい突発的症状

重症児者ではてんかん発作とまぎらわしい突発的症状が少なくない（表3）．てんかんか否かの鑑別には脳波検査と，臨床的観察がある．

ⓐ 脳波検査

てんかん性発作波がない場合はてんかん発作ではないとほぼ判断できるが，重症児者では発作波がないことは少ない．重症児者はもともとてんかんの合併が多いが，発作がなくても脳波でてんかん性発作波を示すこともあるので，発作間欠時の脳波だけでは区別できないこともある．

発作間欠時の脳波でてんかん性発作波はあるが，その部位や形でその症状を説明できない場合はてんかん発作ではない可能性が大きい．

可能ならば発作時脳波を記録して確認するのが望ましいが，重症児者医療の現場では発作時脳波を記録することは困難な場合が多いので，次の臨床的観察が重要である．

ⓑ 臨床的観察

てんかん発作は，運動症状を伴う場合は，同じ動きを繰り返し，声かけや触る，何かを見せるなどの刺激をしても動きや意識が変化しない．動きが変化したりそちらを見るならてんかん発作ではない．てんかん発作と思われる運動症状をタブレット，スマートフォ

表2 重症児者で認められるてんかんの発作症状と発作型

発作症状	発作型
体全体・一部を突っ張る，力が入る，強く倒れる，目・顔が強く一方へ向く，引っ張られる	強直発作
体全体や一部をがくがくさせる	強直間代発作
体全体や一部，目や口をぴくぴく，かくかく，顔や目が一方を向く・左右に動くことを反復	間代発作
体全体や一部をぴくっぴくっぴくっ，ビクン，早い瞬目	ミオクロニー発作
一瞬の脱力で，上肢が落ちる，物を落とす，膝がかくんとする	陰性ミオクロニー発作
力が入らず真下に倒れる・崩れ落ちる，頭部をかくんと前屈，上肢が落ちる，ふらっと前後左右に倒れる，頭部前屈	脱力発作
暴れる，走り出す，しがみつく	運動亢進発作
ぴくん，カクンとする，急に前倒，頭部前屈，手や足が一瞬上がる	スパズム
口をぴくぴく，もぐもぐ，流涎，喉ごろごろ，舌ピチャピチャ	弁蓋発作
呼吸を止める	無呼吸発作
悪心，嘔吐	嘔吐発作
声を出して笑う	笑い発作
ぼーっとする，動きが止まる	欠神発作
	焦点性意識減損発作
顔面紅潮，蒼白，頻脈，多呼吸，発汗	自律神経発作

色線の下の欄は重症児者では気がつかれにくい．感覚発作は検出できない．

表3 重症児者のてんかん発作とまぎらわしい突発的症状と鑑別

突発的症状	誤られる発作型	てんかん発作との鑑別点
常同運動（手もみなど），癖	間代発作， 発作後の自動症	意識あり，開眼し，周囲からの刺激（声かけ，触る，見せる）に反応して動きが変化，止む
夜驚，REM 関連行動異常症	運動亢進発作	睡眠中のみ．眠剤などで熟睡すれば起こりにくい．入眠後比較的決まった時間に起こる．脳波の発作波の部位や形から説明できない
動作停止，ぼーっとして反応がない	焦点性意識減損， 非定型欠神	対物瞬目（いきなり目の前に手を突き出すと閉眼）があれば意識はあり，発作ではない．目をつむらなければ欠神発作，焦点性意識減損発作の可能性大
興奮，パニック，過呼吸	強直発作，強直間代発作， 運動亢進発作	覚醒時で，周囲の刺激に反応することが多く，一定の動作ではない
睡眠時ミオクローヌス，睡眠時ぴくつき	ミオクロニー発作， 間代発作	睡眠時ミオクローヌスは数回で長く続かない．反復する場合は判別しにくい．入眠時に多い．脳波の発作波の有無，部位や形から説明できない
失神，起立性調節障害（急に倒れる，顔面蒼白，チアノーゼ）	脱力発作，自律神経発作， （強直発作）	急な起立や体位変換時に起こる（特に頭部の位置の変換）．血圧が低い，心電図異常．失神で脳が低酸素状態となり，強直することもある
不随意運動：ミオクロニー，振戦，ジストニア，チック	ミオクロニー発作， 間代発作，強直発作	意識があり，睡眠時ミオクローヌス以外は覚醒時のみで，眠ると消える．発作波の部位，形から説明できない
反復する頭打ち（叩頭）	強直間代発作，スパズム， 脱力発作	手で押さえて止めたり，ぶつける先を枕など軟らかい物で覆うと止まる
睡眠時無呼吸	強直発作，無呼吸発作	睡眠中のみ．発作波の部位，形から説明できない．他のけいれん発作症状がない
息こらえ	強直発作，焦点性意識減損発作，無呼吸発作	意識があり，外からの刺激により変化．発作波の部位，形から説明できない

ン，デジカメ，ビデオなどで動画を記録してもらうと，てんかん発作とそうでないものの鑑別に大変役に立つ．

運動症状を伴わず，ボーとする場合は，横から目の前に急に手やものを突き出して目を閉じるか（対物瞬目），そちらを見る，頭や体を動かすなら意識はあり，焦点性意識減損発作や欠神発作ではない．

眼球上転して動作が停止し，対物瞬目もない場合，額を指でかるくたたいて瞬目するようであれば，てんかん発作ではない．

その症状に適切と思われる抗てんかん薬（次項D-2 重症児者における抗てんかん薬の選択と使用法，副作用などの注意点 表2～5参照，p.153～156）を十分使用しても反応しない場合もてんかん発作でない可能性が高い．

参考文献

・須貝研司．てんかんの治療―てんかん症候群の診断．佐々木征行，他（編著）．国立精神・神経センター 小児神経科診断・治療マニュアル．改訂第3版．診断と治療社，2015；279-289

・須貝研司．実践小児てんかんの薬物治療．診断と治療社，2020；121-130

［須貝研司］

D てんかん

2 重症児者における抗てんかん薬の選択と使用法，副作用などの注意点

POINT

- てんかんの薬物治療は，その発作に最も適合する薬を，発作が起こりやすい時間に最も高濃度になるように使用することが重要である
- 一般には発作型とてんかん症候群に基づいて薬剤選択するが，重症児者では症候群で薬剤選択できることは少なく，発作症状と全般性起始か焦点性起始かで薬剤選択する
- 投与量，治療域の血中濃度，半減期，ピーク時間，相互作用，年齢による変化などの抗てんかん薬の薬理動態に基づいて，発作の好発時間に薬剤を高濃度にする
- 使用する抗てんかん薬で起こりうる頻度が高いまたは重大な副作用を念頭におき，その抗てんかん薬を追加，増量して今までと異なる不利なことが起こったら，副作用を疑う

1. 重症児者のてんかんへの対応手順

全体の流れは表1のようになる．入所施設用にてんかん治療マニュアルを作成しているが（表2），外来にも適用可能である．

2. てんかんの治療

ⓐてんかんの薬物治療

そのてんかん発作に最も適合する薬を，発作が起こりやすい時間に最も高濃度になるように使用することである．

1）最も適合する薬

発作型とてんかん症候群に基づく薬剤選択であり，発作症状と脳波の発作波の部位・形から発作型とてんかん症候群を診断する．

2）起こりやすい時間に最も高濃度に

抗てんかん薬の臨床薬理動態に基づく薬剤使用で，投与量（開始量，維持量），参照域血中濃度，半減期，ピーク時間，相互作用，作用機序，年齢と薬物動態，副作用を考慮する．

ⓑその他の治療

限局性皮質形成異常などの脳内病変がある

表1　重症児者のてんかんへの対応

1）事前評価
- 発作症状の確認：観察，看護記録，看護師・生活支援員・保育士・学校教員への聞き取り，動画
- 発作の起こる時間と起こった状況，誘因
- 抗てんかん薬の血中濃度
- 脳波検査：てんかん性発作波が全般性か焦点性か（表2）
- 可能ならMRI/CT検査．脳形成異常等の局在病変で極めて難治な場合は手術も考慮

2）発作型で薬剤選択：類似の発作の場合，脳波をもとに全般発作か焦点発作かを鑑別

3）発作とまぎらわしい行動異常，奇妙な癖は脳波との対応を検討（前項D-1 重症児者でのてんかん発作の把握・観察 表3参照，p.150）：発作症状がその脳波異常で（部位や形）で説明できるかを検討し，てんかん発作か否かを判断．難治な場合はこれを再検討

4）発作の好発時間に血中濃度が高くなるように，ピーク時間（T_{max}）と半減期（$T_{1/2}$）を考慮して薬剤選択と投与時間を決定

5）多剤併用時，発作型から不適当と思われる薬剤，血中濃度が著しく低い薬剤は中止

6）相互作用で互いに血中濃度を下げ合う組み合わせの場合，その発作型に効果が少ないと思われる薬剤を中止．相互作用により，追加・増量あるいは中止により元の薬の血中濃度が上がる組み合わせを利用（表7）

7）重症児者にとって不利益がありうる薬剤はなるべく避け，使用時は副作用に注意

表2 重症児者施設におけるてんかん治療マニュアル

Ⅰ．治療前評価（表1）

・発作症状の確認，・発作の起こる時間と起こった状況，誘因，・抗てんかん薬の血中濃度，・脳波検査，・可能ならMRI/CT検査．脳形成異常等の局在病変で極めて難治な場合は手術も考慮．

Ⅱ．発作症状と脳波（一部分から起こるか全般性か）から発作型診断と薬剤選択

1．脳波の発作波

発作波の部位	脳波焦点
一部分か，そこから周辺に広がる，時に全体に広がる	焦点性
離れた場所で2か所以上だが一側性，または両側性だが一側優位で全体に広がらない	
2か所以上で両側に同時に出現し，頻回に全体に広がる	全般性
おもに全体に出て，時に一部分にも出現	

2．発作症状と薬剤選択

発作症状	発作型	薬剤
体全体や一部を突っ張る，力が入る，強く倒れる（前後左右），目や顔が強く一方へ向く，引っ張られる	強直発作	焦点性：ZNS，LTG，PB，KBr，PER 全般性：VPA，PB，ZNS，LTG，KBr，RUF，PER（判断困難なら初めはVPA）
体全体や一部ををがくがくさせる	強直間代発作	焦点性：ZNS，LTG，PB，PER，PHT 全般性：VPA，PB，ZNS，LTG，PER，PHT
体全体や一部，口や目をぴくぴく，一方を向くことや左右に動くことを反復	間代発作	焦点性：CBZ，CLB，TPM，LCM，PHT 全般性：VPA，CLB，TPM
体全体や一部がぴくっぴくっ，びくっ，ビクン，早いまばたき	ミオクロニー発作	焦点性：CLB，CZP，TPM 全般性：VPA，CLB，CZP，LEV
一瞬，上肢，膝がかくんと落ちる，手に持った物を落とす	陰性ミオクロニー発作	焦点性：CLB，CZP，TPM
ぼーっとして動作停止	焦点性意識減損発作	焦点性：CBZ，CLB，LEV，LCM，TPM
	欠神発作	全般性：VPA，ESM，LTG VPA/ESM＋CLB/CZP
力がはいらず真下に倒れる・崩れ落ちる，頭部をかくんと前屈，上肢が落ちる	脱力発作	焦点性：ZNS/LTG/PB/KBr＋CZP/CLB 全般性：CZP，CLB，VPA，RUF
ふらっと前後左右に倒れる，頭部前屈	脱力発作	焦点性：前頭極：CBZ，CLB，TPM，LCM 陰性運動野：ZNS，LTG，KBr，PB
暴れる，走り出す，しがみつく	運動亢進発作	焦点性：PHT，CBZ，LCM，LTG
びくん，カクンとする，急に前倒，頭部前屈，手や足が一瞬上がる	スパズム	焦点性：ZNS/LTG/PB/KBr＋CZP/CLB 全般性：VPA，CZP，PB

Ⅲ．薬剤変更方法

1．病棟では定期処方からはずし，1週間ごとの臨時処方に．
2．最も多いか，生活に支障があるか，止めやすいと思われる発作型を選ぶ．
3．ねらった発作型に対して無効と思われるか量が少ない薬剤は中止，またはその発作型に対して効くと思われる薬に変更か追加．効くと思われるが量が少ない薬は増量．多剤併用の場合は，抗てんかん薬同士の相互作用に注意あるいは利用
4．発作の好発時間，薬のピーク時間と半減期を考慮し，薬の時間，分服方法（分1，分2，分3など）と偏服（朝のみ，夕のみ，朝1・夜2の割合など）のやりかたを決める．均等である必要はない．
5．その薬で発作が最も減少するまで少量，中量，多量，それ以上と3〜4段階で2週間ごとに増量．
6．発作が消失しなければ，血中濃度を測定し，参照域の上限まで増量．副作用がなければ上限を超えて増量してもよい．それでも発作が消失しなければ次の薬剤に置換するか追加．
7．その発作が1か月以上なければ，著効と判断して，次の発作に移る．種々の薬でもその発作が消失しない場合は，その発作が最も少なくなったときの薬と量にもどし，次の発作に移る．
8．それぞれの発作に対する治療を行い，すべての発作が1か月以上ないか，最も少なくなったら定期処方にもどす．
9．副作用が出たら，減量するか他の薬に変更．
10．不適当な薬，副作用の可能性が強い薬を減量・中止．

Ⅳ．抗てんかん薬の整理

1．整理対象薬：その発作症状に対して合っていない薬，投与量が著しく少ない（維持量の半分以下）か血中濃度が著しく低い（参照域下限の半分以下）薬，追加したが効果がなかった薬．
2．減量中止方法：はじめから減量する場合と，発作症状に合う薬を追加して減量中止する場合がある．1〜2週ごとに1/3〜1/4ずつ減量して中止．発作が増える場合は発作症状が合っている他の薬剤に変更．

（須貝研司．実践小児てんかんの薬物治療．診断と治療社，2020より一部改変）

表３　重症児者で用いられるおもな抗てんかん薬の略号と商品名（一般名の五十音順）

一般名（五十音順）	略号	おもな商品名
アセタゾラミド	AZM	ダイアモックス®
エトスクシミド	ESM	エピレオプチマル®，ザロンチン®
カルバマゼピン	CBZ	テグレトール®，カルバマゼピン
クロナゼパム	CZP	リボトリール®，ランドセン®
クロバザム	CLB	マイスタン®
ジアゼパム	DZP	セルシン®，ホリゾン®，ダイアップ®坐薬
臭化カリウム	KBr	臭化カリウム
ゾニサミド	ZNS	エクセグラン®，ゾニサミド
バルプロ酸	VPA	デパケン®，バレリン®，バルプロ酸ナトリウム，デパケン®R，セレニカ®R，バルプロ酸ナトリウム徐放剤
プリミドン	PRM	プリミドン
フェニトイン	PHT	アレビアチン®，ヒダントール®
フェノバルビタール	PB	フェノバール®，ルミナール®，フェノバルビタール，ワコビタール®坐薬，ルピアール®坐薬
ガバペンチン	GBP	ガバペン®
スチリペントール	STP	ディアコミット®
トピラマート	TPM	トピナ®，トピラマート
ペランパネル	PER（未定）	フィコンパ®
ラコサミド	LCM	ビムパット®
ラモトリギン	LTG	ラミクタール®，ラモトリギン
ルフィナミド	RUF（RFN）	イノベロン®
レベチラセタム	LEV	イーケプラ®，レベチラセタム

色線の上段は旧来薬，下段は新規抗てんかん薬
スルチアム（オスポロット®），ニトラゼパム（ベンザリン®，ネルボン®），ビガバトリン（サブリル®）は重症児者で使用することはほぼないので省略

場合は薬物療法で発作を抑制することは期待できない．可能ならCT/MRIで脳内病変の有無をチェックし，脳内病変がある場合は可能なら重症児者でもてんかん手術を検討する．

重症児者では該当しないことが多いが，免疫関連てんかんに対する免疫療法（ステロイドパルス療法，免疫グロブリン点滴など），Glut-1欠損症に対するケトン食療法，遺伝子異常によるてんかんに対するprecision medicine（精密医療）などがある．

3. 重症児者のてんかんで使用する薬

一般名，略号，おもな商品名と（表3），私見が入るがどんな発作に効くか，副作用，注意点を示す（表4）．

4. 発作型およびてんかん症候群による薬剤選択

ⓐてんかん症候群による薬剤選択

重症児者におけるてんかん症候群は，てんかん性脳症およびそれから変容した難治てんかんであり，一部はある程度特異的な薬剤選択があるが，単に症候群だけでは治療できず，発作症状に対する治療となる（表5）．

ⓑ発作型による薬剤選択

まず発作症状を把握して発作型を分類し，次いで脳波で発作波が焦点性か全般性かを判断し（表2），焦点発作か全般発作かを判断する．抗てんかん薬の選択のためには脳波は厳密に判読できなくても，てんかん性発作波が全般性か焦点性かを判断できればよい．

有効な抗てんかん薬は発作症状によって異なるので，単純に焦点発作はカルバマゼピン

表4 抗てんかん薬からみた有効な発作症状・てんかん症候群（私見）と重症児者での副作用，注意点

抗てんかん薬	おもに有効な発作症状（発作型），症候群	重症児者で問題となる副作用	注意すべき点，禁忌
VPA	全般性の強直発作，間代発作，欠神発作，ミオクロニー発作，脱力発作，West 症候群のスパズム	肝機能異常，血小板減少，高アンモニア血症，重症膵炎，Fanconi 症候群，低カルニチン血症	カルニチン低下は経管栄養者で注意． 高アンモニア血症では悪心，傾眠，発作著増
PB	焦点性・全般性の強直発作・強直間代発作．特に乳幼児	高濃度で眠気，多動・興奮（幼児・知的障害で），γ-GTP 上昇	CZP，CLB との併用で筋緊張低下，喉頭に唾液貯留．乳幼児では高濃度でないと効果乏しい
CBZ	焦点性意識減損発作，焦点性の間代発作・強直間代発作，運動亢進発作	めまい，失調，眠気（特に開始，増量時） 甲状腺機能低下，低ナトリウム血症	禁忌：欠神発作，ミオクロニー発作，脱力発作． 初期の急な濃度上昇と自己誘導による緩徐低下． マクロライド系抗菌薬で濃度上昇
PHT	焦点性の強直間代発作・強直発作，運動亢進発作	ふらつき，眼振，多毛，歯肉増殖，小脳萎縮・小脳症状，末梢神経障害，骨粗鬆症，甲状腺機能低下，IgA 低下	禁忌：ミオクロニー発作，欠神発作． 血中濃度は対数カーブで急激に上昇．ほとんどの他の抗てんかん薬の血中濃度を下げる
ZNS	焦点性・全般性の強直発作・強直間代発作，てんかん性スパズム	眠気，食欲低下，発汗障害，尿路結石・尿砂，発汗障害，精神症状（幻覚，妄想，うつ）	尿路結石・尿砂は寝たきりの患者で，発汗障害は幼児期～小学校低学年で体温上昇
CZP	ミオクロニー発作，脱力発作，スパズム	眠気，ふらつき，興奮，易刺激性，気道分泌物増加，筋緊張低下	乳幼児では発作の悪化，興奮が起こることも
CLB	ミオクロニー発作，脱力発作，スパズム，焦点性間代発作，焦点性意識減損発作	眠気，ふらつき，興奮，PB との併用で筋緊張低下	乳幼児では発作の悪化，興奮が起こることも． 代謝産物ジスメチル CLB の濃度が高いと眠気
ESM	欠神発作（VPA より有効）	SLE，蛋白尿，悪心・嘔吐，抗核抗体上昇	味が悪く飲ませにくい．抗核抗体の定期チェックを
AZM	無呼吸発作，全般性の強直発作・強直間代発作	尿路結石・尿砂，代謝性アシドーシス	寝たきりで結石・尿砂に注意．代謝性アシドーシスで手足の感覚異常，力が入りにくい
KBr	焦点性・全般性の強直発作・強直間代発作，遊走性焦点発作を伴う乳児てんかん，Dravet 症候群	臭素疹，ひどいニキビ，量が多いと活気・食欲低下，脱力	漸増．ある量を超えると急に活気・食欲が低下する． 味がよくなく飲ませにくい
GBP	焦点性意識減損発作，焦点性間代発作	眠気，めまい，精神症状（無気力，うつ）	禁忌：欠神発作，ミオクロニー発作，脱力発作． 添付文書通りの増量では眠気
TPM	焦点性の強直間代発作，間代発作，焦点性意識減損発作，ミオクロニー発作	眠気，認知機能障害，発汗障害，精神症状（うつ，不安），尿路結石	少量で開始し緩徐増量すれば眠気は減少
LTG	焦点性および全般性の強直発作・強直間代発作，脱力発作，欠神発作．	急速増量で薬疹（SJS/TEN），知的障害・発達障害で興奮，易刺激性，不眠，Na チャネル阻害薬併用でめまい，ふらつき	禁忌：Dravet 症候群．重症薬疹を防ぐため添付文書通りに増量．効く量に達するまでに時間がかかる．眠気がないので朝に多くでき，日中の発作抑制に適す
LEV	焦点性意識減損発作，全般性ミオクロニー発作，感覚発作	乱暴・攻撃性・興奮．少量時は発作増悪，興奮，多量で眠気	乱暴等は発達障害，特に自閉スペクトラム症で． 少量時に発作増悪時は1週間ごとに早く増量し中程度の量に
PER	焦点性の強直発作・強直間代発作．特に夜間，朝の発作に適する	飲んだあと起きていると眠気，めまい，ふらつき，易刺激性・攻撃性．眠って飲み忘れ	ピーク時間短く，寝る前に服用．CBZ，PHT 併用時は半減期が大幅に短縮．睡眠効率が改善
LCM	焦点性意識減損発作，焦点性の間代発作・強直間代発作，運動亢進発作	めまい，眠気，頭痛	CBZ と異なり他の抗てんかん薬との相互作用が少なく，一般薬との相互作用はない．半減期が比較的短い
RFN (RUF)	Lennox-Gastaut 症候群の強直発作，強直脱力発作．非定型欠神発作にも効果	眠気，食欲低下	Lennox-Gastaut 症候群のみ適応．有効率はそれほど高くない．添付文書通りの増量では眠気
STP	Dravet 症候群における強直間代発作・間代発作	傾眠，食欲低下，ふらつき，AST・γ-GTP 上昇	Dravet 症候群のみに適応．多くの他の抗てんかん薬の血中濃度を上げる．食事中・食直後に投与

SJS：Stevens-Johnson 症候群，TEN：中毒性表皮融解壊死
（須貝研司．実践小児てんかんの薬物治療．診断と治療社，2020，Shorvon S, et al. eds. The Treatment of Epilepsy, 4th ed. Wiley Blackwell, 2015, Wyllie E, et al. eds. Wyllie's Treatment of Epilepsy：Principles and Practice, 7th ed. Wolters Kluwer, 2020 より作成）

表5　重症児者にみられるてんかん性脳症と治療（私見）

てんかん症候群	発作症状		抗てんかん薬	禁忌
West症候群から変容	強直発作		VPA, LTG, ZNS, PER, PB, KBr	
	スパズム	全般起始	VPA	
		焦点起始	LTG/ZNS/PB/PER/KBr＋CLB/CZP	
Lennox-Gastaut症候群	強直発作・強直間代発作		VPA, LTG, KBr, PER, ZNS, PB, RUF	
	非定型欠神発作		VPA, ESM, RUF, (LTG)	CBZ, GBP
	ミオクロニー発作		VPA, CZP, CLB	CBZ, GBP
	脱力発作, 強直脱力発作		CZP, RUF, LTG, ZNS, PER, KBr	
	入眠時の微細強直発作		VPA, PER, 眠剤*1	
大田原症候群から変容	強直発作・強直間代発作		KBr, ＋H-PB*2/LTG/PER/ZNS *KCNQ2*の異常ならCBZ, PHT	
早期ミオクロニー脳症			基礎疾患（代謝異常）の治療, *KCNQ2*の異常ならCBZ	
	強直発作, 強直間代発作		KBr, ＋H-PB/LTG/ZNS/PER	
	ミオクロニー発作		VPA, CZP, CLB, TPM, LEV	CBZ, PHT, GBP
遊走性焦点発作を伴う乳児てんかん	強直間代発作		KBr, ＋H-PB/LTG/ZNS/PER/TPM/PHT	*SCN1A*異常ならCBZ, PHT, GBP
Dravet症候群	強直発作・強直間代発作		KBr＋H-PB, VPA＋CLB＋STP	LTG, *SCN1A*異常ならCBZ, PHT, GBP
	ミオクロニー発作		VPA, CLB, CZP, TPM, LEV	
	非定型欠神発作		ESM, VPA	
	焦点性意識減損発作		CLB, LEV, LCM	

*1 眠剤：ラボナ®, トリクロリール®, 超短時間型睡眠薬など
*2 H-PB：PB高濃度療法

(CBZ), 全般発作はバルプロ酸（VPA）とするのではなく，焦点発作でも全般発作でも発作症状（発作型）により薬剤を選択する（表2）．複数の発作型がある場合は，それぞれの発作型に対する多剤併用療法を行う．なお，重症児者では，感覚発作，自律神経発作は気がつかれないので，その治療は割愛する．

ⓒ 脳波検査ができない場合の対応

意識減損，動作停止する発作は焦点性意識減損発作と欠神発作，体の一部がぴくぴくする発作は間代発作とミオクロニー発作があるが，欠神発作，ミオクロニー発作はCBZ，ガバペンチン（GBP），フェニトイン（PHT）で悪化するので，まず全般発作として治療し，無効なら焦点性発作として治療するか，はじめから焦点性発作として治療する場合は，これら以外の抗てんかん薬を使用する．他の発作型は焦点発作，全般発作のどちらとして始めてもよいが，年長の重症児者では元は全般てんかんでも発作は焦点発作に変容していることが少なくない．

5. 抗てんかん薬の臨床薬理動態に基づいた薬剤使用

ⓐ 臨床薬理動態で重要なパラメーターとその意味（表6）

1）開始量，維持量，増量幅

なるべく副作用が少なく十分な効果を上げるのに重要である．

開始量は通常は維持量の最低量であるが，クロナゼパム（CZP），クロバザム（CLB）など眠気や分泌過多などの副作用が出やすい薬は，その半分で開始するなどの注意が必要である（表6）．

量が多い場合や増量幅が大きい場合に起こる不都合な現象（眠気など）は副作用の可能性が高く，調節する．副作用がみられなければ維持量の上限を超えて増量してもよい．

2）参照域の血中濃度（いわゆる有効血中濃度）

抗てんかん薬が多くの患者で有効で，副作用が少ない濃度範囲を示したものであるが，統計的なものであり，これより低くても有効

表 6　おもな抗てんかん薬の参照域血中濃度と薬物動態

一般名（略号）	維持量[a]		増量幅[a]		参照域の血中濃度[b]（μg/mL）	$T_{1/2}$：半減期[a,c]（時）			T_{max}：ピーク時間[a,c]（時）	
	成人 mg	小児（mg/kg）（1 日量*2）	成人 mg	小児（mg/kg）（1 日量*2）		成人		小児	成人	小児
						単剤	酵素誘導薬剤[d]併用			
フェノバルビタール PB	30～200	2～10	30	1～2	15～40	70～140	50～160	30～75	0.5～4	0.5～2
プリミドン PRM	750～2,000	10～25	250	3～5	5～12	10～15	3～10	4.5～11	2～4	4～6
カルバマゼピン CBZ	400～1,200	5～25	100～200	3～5	4～12	10～26[e]	5～12	8～20	4～8	3～6
フェニトイン[f] PHT	200～300	3～12	25～50	1～3	7～20	L：7～42	不変	L：2～16	4～8	2～6
						H：20～70	不変	H：8～30		
ゾニサミド ZNS	200～600	4～12	100	1～3	10～40	50～70	25～35	16～36	2～5	1～3
バルプロ酸 VPA	400～1,200	15～50	100～200	5～10	50～100	11～20	6～12	6～15	2～4	1～3
徐放剤 VPA-R	400～1,200	15～40				12～26		6～12	5～16[g]	
エトスクシミド ESM	450～1,000	15～40	150～200	5～7	40～100	40～60	20～40	30～40	1～7	1～4
クロナゼパム CZP	2～6	0.025～0.2	0.5～1	0.015～0.03	0.02～（0.07）	17～56	12～46	22～33	1～4	1～3
クロバザム[h] CLB	10～40	0.2～1.0	5～10	0.1～0.2	0.03～0.3	17～49		～16	0.5～2	
デスメチル CLB						36～46		15		
アセタゾラミド AZM	250～750	10～20	125～250	3～5	10～14	10～15			2～4	
臭化カリウム KBr	1,500～3,000	30～70	200～400	5～10	750～1,250	10～13 日		5～8 日	2	
ガバペンチン GBP	1,200～2,400	5～50	200～400	5～10	2～20	5～9	不変		2～3	1～3
トピラマート TPM	200～600	4～10	25～50	1～2.5	5～20	20～30[g]	10～15	13～20	1～4	1～3
ラモトリギン[i] LTG	100～400	1～3	50～100	≦0.3	2.5～15	15～35		13～27	1.7（0.5～4）	3.9（3～6）
①VPA 併用時	100～200	1～3	25～50	≦0.3		30～89		45～66	4.8（2～8）	4.5（3～6）
②酵素誘導薬剤[d]併用時	200～400	5～15	50～100	≦1.2		8～23	8～20	4～11	2.0（1～6）	1.6（1～3）
①，②併用時	150～400	1～5	25～50	≦0.3		11～50	15～35	7～31	3.8（1～10）	3.3（1～6）
レベチラセタム[j] LEV	1,000～3,000	20～60	250～500	5～10	12～46	6～8	5～8	5～6	0.5～2	1.1～3.5
ルフィナミド[k] RUF	体重別	体重別	200～400	100～400	30～40	8～12	4～7	4～7	4～6	3～5.5
スチリペントール STP	1,000～2,500	20～50	500	10	4～22	4.5～13	4～6		1～2	0.5～2
ペランパネル[l] PER	4～8（～12）*1	4～12*2	2	1～2*2	0.05～0.4	53～136	25		0.25～2	
ラコサミド[m] LCM	100～400	4～12*3	≦100	≦2*3	10～20	12～16	9～13		0.5～4	

a：小児では年齢が若いほどある血中濃度を得るのに要する体重 1 kg あたりの投与量は多く，維持量と増量幅は大きく，半減期とピーク時間は短くなる．思春期以降はほぼ成人と同様．維持量，増量幅の値の右は乳幼児，左は小学校高学年，半減期，ピーク時間はその逆．
b：有効なら血中濃度は低くてもよく，副作用がなければ参照域を超えて高くしてもよい．
c：濃度がピークから半分に減る時間（消失半減期）であり，投与後血中濃度が半減するまでの時間は，ピーク時間＋半減期．
半減期，ピーク時間は原則として単剤で，食後に服用時のもの．
半減期は，多剤併用時は，相互作用で血中濃度が低下する組合せでは短縮，血中濃度が上昇する組合せでは延長．
ピーク時間は空腹時の服用では大幅に短縮するが，VPA 徐放剤のみ約 1.1～1.3 倍遅くなる．
d：酵素誘導薬剤：PB，PRM，CBZ，PHT．肝における薬物代謝を促進し，併用薬の半減期が短縮．
e：CBZ の自己誘導が完了した時点（開始後 3～4 週間後）でのもの．
f：PHT は血中濃度が高いほど半減期が延びる．L：少量（血中濃度 5 μg/mL 前後），H：多量（血中濃度 10 μg/mL 以上）．
g：VPA 徐放剤のピーク時間は剤型で異なり，セレニカ R® 細粒 5～10 時間，デパケン R® 錠 7.5～10 時間，セレニカ R® 錠 13～16 時間．
h：単剤使用未承認．デスメチル CLB（DMCLB）は CLB の代謝物．CLB：DMCLB 濃度比は約 1：2～3（被験者の 1 割），1：10 前後（8 割），1：50～100 前後（1 割）の 3 群に分かれ，経験的には DMCLB≧5,000 ng/mL では眠気が出やすい．
i：わが国では単剤使用は 16 歳以上の部分発作（二次性全般化発作を含む）および強直間代発作，15 歳未満の定型欠神発作に対してのみ承認．危険な薬疹（特に Stevens-Johnson 症候群）を防ぐため，LTG の初期量，増量幅，最大量は添付文書の指示に従う．
j：単剤使用は 4 歳以上の部分発作のみ．
k：4 歳以上保険承認．開始量－最大量は体重 15～<30 kg：200～1,000 mg，30～<50 kg：400～1,800 mg，50～<70 kg：400～2,400，≧70 kg：400～3,200 mg．増量幅は体重 15～<30 kg：≦200 m，≧30 kg：≦400 mg．略号は RFN も使われる．
l：4 歳以上保険承認．略号は正式には未決定．*1：単剤療法，CBZ，PHT 以外との併用時 4～8 mg，CBZ，PHT との併用時 8～12 mg．*2：これのみ mg/kg ではなく 1 日量．
m：4 歳以上保険承認．小児は 2 mg/kg で開始．*3：維持量は体重<30 kg は 6～12 mg/kg，30～<50 kg は 4～8 mg/kg，≧50 kg は維持量，増量幅は成人と同じ（1 日量）．
（須貝研司．実践小児てんかんの薬物治療．診断と治療社，2020 より一部改変）

な場合や高くないと有効でない場合もあり，低くても有効であれば薬を増量する必要はなく，高くても効果がなければ副作用が出ない範囲で上限を超えて増量しても構わない．

なお，参照域の血中濃度は底値（trough level：最も低くなる朝の薬の前）で作成されている．そのため，朝の薬を飲んだ後の日中であればどの時間に測定してもこれよりは高くなるので，治療域の血中濃度の上限を超えても恐れなくてよい．ただし，夜 1 回服薬の場合は，最も低くなるのは夜の薬の前であり，朝が最も低いわけではない．

3）半減期（$T_{1/2}$）

ピーク濃度からの消失半減期で，薬がどのくらい長く効くかの目安であり，何回の分服にするかを決める基礎となる．また，薬を開始あるいは増量した場合，半減期の約 5 倍で血中濃度は定常状態になり，薬を減量あるいは中止した場合は，その変化分は半減期の約 5 倍でほぼ消失するので，開始・増量の効果，減量・中止の影響がいつ出てくるかの目安をつけるのに重要である．

表7 抗てんかん薬同士の相互作用

追加薬	元の抗てんかん薬の血中濃度																
	VPA	PB	CBZ	PHT	ZNS	CZP	CLB	ESM	AZM	GBP	TPM	LTG	LEV	RUF	STP	PER	LCM
VPA		↑↑	↓	↓	↓		↓	↑		→	↓	↑↑	→	↑↑			→
PB	↓		↓	→↓	↓	↓	↓	↓		→	↓↓	↓↓	↓	↓↓	↓↓		↓
CBZ	↓↓	↑↓→		↑	↓	↓	↓	↓↓	↑	→	↓↓	↓↓	↓	↓	↓↓	↓↓	↓
PHT	↓↓	↑↓	↓↓		↓↓	↓	↓	↓↓		→	↓↓	↓↓	↓	↓↓	↓↓	↓↓	↓
ZNS		→	→	→						→		↑					
CZP	↑	→	↓	→						→		→					
CLB	↑↑	↑	↑	↑↑						→		→			↑		
ESM	↓	→	→	↑						→		→					
AZM			↑	↑													
GBP	→	→	→	→	→	→	→	→			→	→	→				
TPM	↓	→	→	↑						→		→		→			
LTG	↓→	→	→	→	→	↓	→			→	→		→	→			
LEV	→	→	→	→		→	→			→		→					
RUF	→	↑	↓	↑							→	↓					
STP	↑	↑	↑↑	↑↑			↑↑										
PER	→	↓→	→	→	→	→	→				→	→	→				
LCM	→		→	→	→					→	→	→	→				

血中濃度：↑上昇，↑↑著増，↓減少，↓↓著減，→不変．　著増，著減の場合は元の抗てんかん薬の減量，増量を考慮すべき．

PRMは代謝されてPBとなるので，PBと同様であり省略．KBrは相互作用はないとされているので省略．

旧来薬同士は相互作用が多い．の新規抗てんかん薬は，旧来薬（VPA，PB，CBZ，PHT）の影響を大きく受けるが，STP，RFN以外は他剤にほとんど影響を与えない．

（須貝研司．実践小児てんかんの薬物治療．診断と治療社，2020より一部改変）

4）ピーク時間（T_{max}）

飲んでからどのくらい早く効くかの目安である．服用してから血中濃度が半減する時間はピーク時間＋半減期であるので，発作型やてんかん症候群による薬剤選択を行ったうえで，発作が起こりやすい時間に血中濃度を高くするために，ピーク時間あるいはピーク時間＋半減期を考慮して薬剤を選択し，または飲む時間を調節する．

VPAのピーク時間は剤型と商品で異なり，成人では非徐放剤は1～4時間，徐放剤ではセレニカ® R細粒5～10時間，デパケン® R錠7.5～10時間，セレニカ® R錠13～16時間であることに注意する．

ⓑ抗てんかん薬の相互作用

1）抗てんかん薬同士の相互作用

重症児者のてんかんは難治で，多剤併用になっていることが多いが，抗てんかん薬を追加・変更したときには，他の抗てんかん薬の血中濃度上昇による効果の増強や副作用，あるいは血中濃度低下による発作の増加が起こりうる．著増，著減の場合は元の抗てんかん薬の減量，増量を考慮する（表7）．

ただし，相互作用は不利なことばかりではなく，VPA追加でラモトリギン（LTG），フェノバルビタール（PB），ルフィナミド（RUF）の，CLB追加でVPAの血中濃度を上げることができ，血中濃度を下げる相互作用を示すPB，CBZ，PHTを中止してVPA，LTG，ペランパネル（PER），トピラマート（TPM），RUF，スチリペントール（STP）の血中濃度が上がることを利用して，効果を高めることもできる．

2）抗てんかん薬と重症児者でよく用いられる向精神薬/一般薬との相互作用

重症児者は，てんかんだけでなく，興奮・衝動性や胃食道逆流，感染症など種々の併存症を示すことが多いが，抗てんかん薬は向精神薬/一般薬との相互作用も示す（表8）．カルバペネム系抗菌薬はVPAの血中濃度を著しく下げて発作が悪化するので禁忌であり，クラリスロマイシンはCBZの血中濃度を上げて副作用を生じる．他の薬はそこまで明確ではないが，併用時に注意する．

ⓒ実施上の注意

1）抗てんかん薬の代謝は年齢により変化

薬の代謝は乳幼児期には最も速く，新生児期を除くと年齢が若いほどある血中濃度を得るのに必要な体重1 kgあたりの投与量は多く，半減期とピーク時間は短くなる．思春期以降は成人とほぼ同様になる．このため，年齢が若いほど定常状態に至る時間が短く，減量・中止時に除去される時間も短くなる．高齢者では薬物代謝が低下し，半減期は長くなるので，通常量では血中濃度が上がりすぎ，低容量にする必要がある．またピーク時間も遅くなるので用量や飲む時間を考慮する．

2）発作の好発時間に血中濃度が高くなるように，ピーク時間と半減期を考慮した薬剤選択と投与時間

血中濃度測定では服用時間と検査時間を明記し，半減期とピーク時間を考慮して（表6），その血中濃度が日内変動の高い時点か低い時点かを判断する．肝での酵素誘導薬剤（PB，プリミドン〈PRM〉，CBZ，PHT）併用時は半減期は短くなり，血中濃度も低下する．

3）中止時，開始時に注意すべき薬剤（表9）

副作用や発作の悪化が起こらないように注意を要する．

4）多剤併用時は薬剤整理を（表2）

難治なため多剤併用となりやすいが，多剤併用は，重症児者の場合は，しばしばけいれんの増加，ADLの低下，精神運動退行などの機能低下をもたらすので，薬剤少数化を図る．その場合，発作型から不適当と思われる薬剤，血中濃度が著しく低い薬剤は中止し，同じ作用機序の薬の併用を避ける．相互作用で互いに血中濃度を下げ合う組み合わせの場合は（表7），その発作型に効果が少ないと思われる薬剤を中止する．

重症児者にとって不利益がありうる薬剤はなるべく避け，使用時は副作用に注意する（表4）．自分で訴えることができないので発見が遅れ，重篤になるおそれがある．副作用の内容，頻度，程度を念頭において薬剤選択を行い，服用中の抗てんかん薬で起こりうる副作用を念頭におき，早期発見に努める．

6. 副作用（表4）

ⓐ副作用の種類と対応

1）用量依存性で多くなれば起こるのもの（眠気やふらつきなど）

減らすか中止すればよい．LTGの薬疹や

表8　重症児者でよく用いられる抗てんかん薬と向精神薬/一般薬との相互作用（五十音順）

AED	抗てんかん薬の血中濃度を上げる向精神薬/一般薬	抗てんかん薬の血中濃度を下げる向精神薬/一般薬
PRM	クロルプロマジン，レボメプロマジン	
CBZ	クエチアピン，クロルプロマジン，ハロペリドール，リスペリドン/*エメプラゾール，エリスロマイシン，オメプラゾール，クラリスロマイシン，シメチジン，スルファメトキサゾール・トリメトプリム，デキストロメトロルファン	
PHT	リスペリドン/エメプラゾール，オメプラゾール，シメチジン，スルファメトキサゾール・トリメトプリム	
VPA	クロルプロマジン/エリスロマイシン，シメチジン	/カルバペネム系抗菌薬は禁忌
CLB	クロルプロマジン，レボメプロマジン/エメプラゾール，オメプラゾール，クラリスロマイシン，シメチジン，デキストロメトロルファン	
ZNS		リスペリドン/
KBr	クロルプロマジン，レボメプロマジン/	
GBP	シメチジン/	
LTG	セルトラリン/	オランザピン，リスペリドン/アセトアミノフェン
AED	抗てんかん薬が向精神薬/一般薬の効果を増強	抗てんかん薬が向精神薬/一般薬の効果を減弱
PB	クロルプロマジン，レボメプロマジン/	オランザピン，クロルプロマジン，ハロペリドール，リスペリドン/モンテルカスト
PRM	クロルプロマジン，レボメプロマジン/	
CBZ		アリピプラゾール，クロルプロマジン，ハロペリドール，リスペリドン，レボメプロマジン/アセトアミノフェン
PHT		クエチアピン，リスペリドン/
VPA	アリピプラゾール，クロルプロマジン/	
CZP	クロルプロマジン，レボメプロマジン/	
CLB	クロルプロマジン，レボメプロマジン/オメプラゾール，デキストロメトロルファン	
KBr	クロルプロマジン，レボメプロマジン/	
TPM	ハロペリドール/	リスペリドン/

AED：抗てんかん薬
カルバペネム系抗菌薬：パニペネム・ベタミプロン，メロペネム，イミペネム・シラスタチン，ドリペネム，ビアペネム，テビペネム，ファロペネムでVPAの血中濃度が大幅に低下.
＊ /の前は向精神薬，後は一般薬
（須貝研司．実践小児てんかんの薬物治療．診断と治療社，2020より作成）

PERの興奮，乱暴，TPMの眠気など緩徐に増量すれば防げる場合もある.

2）長期服用で起こるもの（PHTによる小脳萎縮や骨粗鬆症など）

定期的にCT/MRIや血液検査（AlP，P，Ca）でチェックし，その発作に適合する他剤に変更する．酵素誘導薬剤（PHT，PB，PRM，CBZ）で骨軟化症を示す血液生化学異常（AlP高値，P低値）を示すが，他の抗てんかん薬に変更するとこれらの異常は改善する.

3）特異体質によるもの（薬疹や白血球減少など）

中止し，薬剤誘発性リンパ球刺激試験（drug-induced lymphocyte stimulation test：DLST）．陰性でも否定できない.

ⓑ 副作用の早期発見

使用する抗てんかん薬で起こりうる頻度の

表 9 開始，中止時に注意すべき薬剤と対応

注意事項	抗てんかん薬	対　応
始めから維持量を使うと眠気・ふらつきなどの副作用が起こりやすい	CBZ，CZP，CLB，PRM，GBP，TPM	維持量の 1/2 前後で開始，漸増．PRM，GBP，TPM 以外は 1 週間程度で軽減
添付文書通りの増量では眠気	GBP，RUF	増量間隔を 1〜2 週か増量幅を 1/2 に
発作が増加，興奮することがある	CZP＊1，CLB＊1，DZP 静注・坐薬＊1，MDL 静注＊1，LEV＊2	LEV は少量で発作が増加，増量で有効になることもあるので増量．他は中止か他剤に変更
急に中止，速すぎる減量速度でけいれん増加，重積が起こることがある（離脱発作）	CZP，CLB，AZM	1〜2 週ごとに 1/3〜1/4 ずつ漸減中止．CZP は小児では 0.04 mg/kg/週で漸減，0.04 mg/kg 以下で中止[1]，思春期以降はその半量で漸減中止
耐性を生じやすい	CLB，CZP，AZM	増量．無効なら減量・中止，他剤に変更．数か月あけて再度使用すると有効
血中濃度の初期上昇で副作用，自己誘導で効果が薄れる	CBZ	少なめに開始，増量．効果が薄れれば増量

MDL：ミダゾラム

＊1 特に乳幼児．GABA による抑制機能が未発達で，かえって興奮作用を示すため．4〜5 歳以降で起こらなくなることが多い．

＊2 少量では抑制系への伝達物質放出が先に阻害され，多くなると興奮系への伝達物質放出が阻害されるため[2]．

1）Sugai K. Seizures with clonazepam：discontinuation and suggestions for safe discontinuation rates in children. Epilepsia 1993；34：1089-1097

2）Meehan AL, et al. Levetiracetam has an activity-dependent effect on inhibitory transmission. Epilepsia 2012；53：469-476

（須貝研司．実践小児てんかんの薬物治療．診断と治療社，2020 より一部改変）

表 10 抗てんかん薬の副作用早期発見のための検査

抗てんかん薬	検査
共通	血算：白血球，血小板 生化学：AST，ALT，γ-GTP，AlP，UA，BUN，Creat，Na，K，Cl，Ca，P 尿検査：比重，pH，糖，蛋白，潜血
薬疹	DLST
VPA	NH_3，アミラーゼ，尿検査（糖），カルニチン分画
CBZ	Na，ANA，尿検査（蛋白）
ESM	ANA，尿検査（蛋白）
PHT	IgA，頭部 CT/MRI（小脳萎縮），骨密度
ZNS，TPM，AZM	尿検査（潜血，赤血球），血液ガス，腹部超音波検査（尿路結石）
PHT，PB，PRM，CBZ	AlP，P，Ca（骨軟化症）

γ-GTP 上昇だけでは肝機能異常ではない．肝臓のミクロソーム分画で代謝される薬剤（PB，PRM，CBZ，PHT，LTG）では上昇

高いもの，重大なものを念頭におき（表 4），その抗てんかん薬を追加，増量して今までと異なる不利なことが起こったら，副作用を疑って検査する．

重症児者では自分で訴えられないので，長期服用によるものは，早期発見のためにその抗てんかん薬で起こりうる副作用の手がかりとなる項目を定期的に検査する（表 10）．

参考文献

・須貝研司．実践小児てんかんの薬物治療．診断と治療社，2020

・Shorvon S, et al. eds. The Treatment of Epilepsy, 4th ed. Wiley Blackwell, 2015

・Wyllie E, et al. eds. Wyllie's Treatment of Epilepsy：Principles and Practice, 7th ed. Wolters Kluwer, 2020

・Patsalos PN, et al. The Epilepsy Prescriber's Guide to Antiepileptic Drugs. Cambridge University Press, 2010

・日本医薬品集フォーラム（監）．日本医薬品集　医療薬 2019 年版．じほう，2018

［須貝研司］

D てんかん

3 重症児者のけいれん重積症の治療

POINT

- けいれん重積時の対応（使用薬，量，順番）は該当者ごとに作成しておく．あらかじめ薬の使用基準，看護師の対応内容と基準，医師を呼ぶ基準と対応を決めておき，その施設でできる範囲と専門施設に移送する基準を決めておく
- 看護師段階でできる初期治療薬のジアゼパム坐薬，抱水クロラール坐薬，ミダゾラム口腔用液（18歳未満）の効果発現時間，持続時間，副作用を理解しておく
- 静注段階では，速効性があるジアゼパム，ミダゾラム，ロラゼパムまたはミダゾラム筋注を行い，止まらないか再発するか，発作抑制を維持するためは効果発現に時間がかかるが効果持続が長いホスフェニトイン，フェノバルビタール，あるいはミダゾラム持続静注を行う
- 脳障害の防止のため，施設で可能な全身管理を行う

1. 重症児者のけいれん重積への対応の特徴

けいれん重積の治療は，けいれんを止めるだけでなく，原因の検索と治療，全身管理と脳保護であるが，重症児者のけいれん重積はほとんどてんかん重積なので，原因の検索とその治療は省くが，感染がけいれん重積の原因になることがあるので，感染のチェックと治療は必要である．

重症児者の多くはてんかんを合併していて，複数の抗てんかん薬を服用していることが多い．そのため，静注薬でけいれんを止めるとともに，服用中の抗てんかん薬は継続する．

もともと呼吸障害があり，分泌物が多く，ゼロゼロしていることが少なくないので，酸素投与は早めに行い，頻回の吸引も必要であり，また可能なら血液ガスでPCO_2をチェックする．

病棟で看護師，介護職員が発見し，医師に連絡することが多いが，夜間・休日は施設外の医師が当直していることが多いので，けいれん重積時の対応（使用薬，量，順番）は該当者ごとに作成しておく．あらかじめ薬の使用基準を決めておいて看護師が対応し，どうなったら医師を呼ぶかを決めておく．

重症児者施設では重症けいれん重積に対応する薬剤や器機がないことが多いので，その施設でできる範囲と専門施設に移送する基準を決めておく．

2. けいれん重積時の観察とモニター

けいれん発作の頻度，発作症状の内容と持続時間，チアノーゼの有無を観察する．モニターを装着して血圧，呼吸・心電図，SpO_2は連続モニターし，必要に応じて酸素投与する．点滴時は尿量と点滴などの水分摂取量との水分出納が必須である．

3. けいれん重積の治療をいつ開始するか

国際抗てんかん連盟（ILAE）では，強直発作・強直間代発作が5分以上，焦点性意識減損発作が10分以上，欠神発作が15分以上続けば発作は自然には止まりにくくなり，強直発作・強直間代発作では30分以上，焦点性意識減損発作では60分以上続けがば脳障害を起こすおそれがあるとされている．

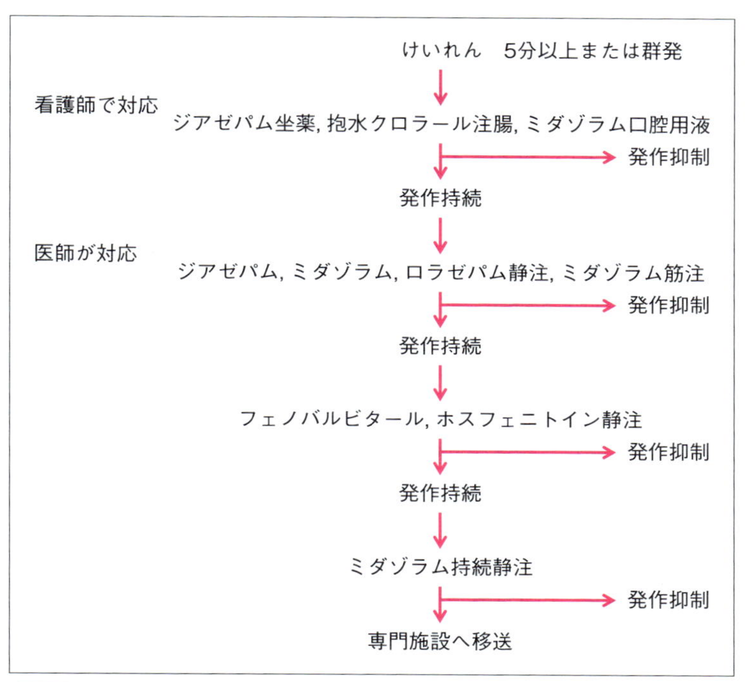

図 1　重症児者病棟におけるけいれん重積の治療手順

重症児者病棟で起こるけいれん重積はおもに強直発作・強直間代発作重積なので，原則として 5 分以上続けば非静注薬を投与，止まらないなら 30 分以内に静注抗けいれん薬を開始する．短いが群発する場合は，個々の例で何回起こったら開始するか決めておく．

重症児者病棟における治療手順は図 1 のようにしている．

4. 初期治療：非静注薬の選択と注意

外来であれば救急受診以前に，病棟であれば医師を呼ぶ前に坐薬等を使用することが多いが，坐薬や注腸液の種類によって投与量，効果発現に要する時間，ピーク時間，効果の持続時間は異なる（表 1）．

ⓐ 効果発現

ミダゾラム口腔用液が最も早く，次いで抱水クロラール注腸キット，次いでジアゼパム坐薬であり，抱水クロラール坐薬は遅く，フェノバルビタール坐薬は最も遅い．ピーク時間が短いほど効果発現は早いが，ピーク時間は効果が最も強まるが急性の副作用が最も起こりやすい時間でもあり，この時間に副作用に注意する．半減期が長いほど効果の持続時間は長くなる．

ⓑ ミダゾラム口腔用液

効果発現時間と有効率からみて最も望ましいが，18 歳未満のみ保険承認であり，原則として 18 歳以上には使えないことと，発作中にこぼさないように，飲み込まないように頬粘膜の間に入れることが困難な点が問題である．注腸液や坐薬であれば，発作中でも 2 人の職員がいれば入れられることが多いが，本剤では困難であり，一時的に発作が止まったときに投与することになる．

18 歳以上の患者に対する国内治験が行われていないので有効性および安全性は確立していないため，原則として 18 歳以上には使えない．

ⓒ 抱水クロラール注腸キット

抱水クロラールのピーク時間は早いが，抗けいれん作用の主体はその代謝産物トリクロロエタノールでそのピーク時間はそれより遅いので，効果発現はやや遅れる．

ⓓ ジアゼパム坐薬

効果発現時間からみて，起こっている発作

表1　けいれんに対する非注射薬

一般名	商品名	剤形 mg	使用量 mg/kg	効果発現/ピーク時間	消失半減期	てんかんに対する効果	おもな副作用
ジアゼパム(DZP)	ダイアップ®坐薬	4，6，10	0.4〜0.5[a]	15〜30分/小児90分 成人70分	小児4〜6時間 代謝産物[b] 小児33時間 成人35時間	71%	眠気，ふらつき，呼吸抑制．PBとの併用時に筋緊張低下，呼吸抑制．反復投与で蓄積に注意[b]
抱水クロラール	エスクレ®坐剤	250，500	30〜50[c]	11〜30分[d]/22〜43分	代謝産物[d] 10〜13時間 そのピーク時間 坐剤37〜75分 注腸25〜53分	不明．効果発現の本体はトリクロロエタノール．ジアゼパム無効に有効な場合も	大量では呼吸抑制．体内でトリクロホスナトリウムと同じになるので，それを経口使用時は過量に注意
	注腸キット	500	30〜50[c]	10分前後[d]/9〜12分			
フェノバルビタール（PB）	ワコビタール®坐薬	15，30，50，100	4〜7（〜10）[e]	30〜60分/小児1.5時間 成人1〜3時間	8〜20歳 71時間	73%	眠気．大量時，DZPとの併用時に筋緊張低下，呼吸抑制
	ルピアール®坐薬	25，50，100					
ミダゾラム口腔用液[f]	ブコラム®口腔用液	2.5(0.5 mL)，5(1 mL)，7.5(1.5 mL)，10(2 mL)	年齢別（表）	5〜10分/15〜20	1.6〜3.7時間	80%	呼吸抑制（5%以内），眠気，悪心・嘔吐，下痢

a：てんかんは熱性けいれんではないので，熱性けいれんのとき（0.3〜0.5 mg/kg）よりは多く必要とするが最大1 mg/kg以内，b：代謝産物ジスメチルジアゼパムは半減期が長いので反復投与で蓄積され，副作用が生じるか強まる．c：最大1,500 mg以内，d：抱水クロラールは効き始めるが抗けいれん効果発現の本体は代謝産物トリクロロエタノールなので，そのピーク時間からみて抗けいれん効果発現はもっと遅い，e：けいれん重積時にはより多く必要，f：18歳未満のみ保険承認．18歳以上の患者に対する国内治験が行われていないので有効性および安全性は確立していないので，原則として使用できない．
（各製品の添付文書，インタビューフォームより作成）

ブコラム®口腔用液の投与量

年齢	投与量 mg
3〜6か月以内（医師の元でのみ）	2.5
6か月以降〜1歳未満	2.5
1歳〜5歳未満	5
5歳〜10歳未満	7.5
10歳〜18歳未満	10

を早く止めることは期待できず，再発予防が主体である．熱性けいれんの再発予防の使用法がてんかんのけいれん重積にも行われることがよくあるが，誤用であり，てんかんのけいれん重積に対する治療はより多くの投与量を必要とし，またけいれん重積治療薬静注が困難な状況では，投与間隔は熱性けいれんのように8時間後ではなく1〜2時間でも再投与を要する．ジアゼパムの半減期は短いが，代謝産物ジスメチルジアゼパムの半減期が長いため反復投与では蓄積されて副作用が出てくる．

ⓔ抱水クロラール坐薬，フェノバルビタール坐薬

起こっている発作を止めることは期待できず，発作抑制の維持や再発防止が目的となる．

ⓕ併用注意

ジアゼパムとフェノバルビタールが併用されると筋緊張低下が起こり，胸郭の動きや唾液の嚥下が低下して呼吸状態が悪化することがあるので，ジアゼパム，フェノバルビタール静注時はその前にどんな坐薬等を用いていたかを確認する．

5. 静注けいれん重積治療の実際と注意

ⓐ静注けいれん重積治療薬の選択

静注速度，効果発現時間，効果の持続時間は薬により異なる（表 2）．まずけいれんを止めるには効果の持続は短いが効果発現が早いジアゼパム，ミダゾラム，ロラゼパムであり，それが無効の場合や再発，効果を維持する場合には，効果発現は遅いが効果が持続するフェノバルビタール，ホスフェニトインが適切である．ロラゼパムは効果発現，効果持続ともにその中間に位置する．

ジアゼパム，ミダゾラム，ロラゼパムはいずれもベンゾジアゼピン系薬剤で作用機序が同じなので，どれかの静注で止まらないか再発した場合は他の 2 つのいずれかの静注，筋注で止まる可能性は少ない．その場合は作用機序が異なるホスフェニトインかフェノバルビタールの静注，あるいはミダゾラム持続静注を行う．

ここでもピーク時間は，効果が強まる時間であるとともに，呼吸抑制などの急性の副作用が最も強まる時間でもあり，それを過ぎれば急性の副作用は軽減する．

ⓑミダゾラム筋注，持続静注

ミダゾラムは静注以外に，筋注，持続静注が可能である．

1）筋　注

投与方法が適応外使用になるが，2 mL＝10 mg 製剤を用い，0.3〜0.5 mg/kg（最大 10 mg）を，1 mL 以上となる場合は痛みを減らすため 2 か所に分けて筋注する．5 分前後で効果が出る．重症児者は血管確保が困難な例もあり，それに時間を費やしてけいれん重積の頓挫が遅くなると思われた場合に有用である．

2）持続静注

0.15〜0.3 mg 静注後，0.1 mg/kg/時で開始，けいれんが止まるまで 15 分おきに 0.1 mg/kg/時ずつ 0.4 mg/kg/時まで増量する．10 mL＝10 mg 製剤はそのまま，2 mL＝10 mg 製剤は生理食塩水 8 mL で希釈して 1 mL＝1 mg となるようにして使用（希釈倍率は適宜）．One shot 静注では無効でも，持続静注で有効なことが少なくない．

ⓒけいれん重積治療薬の使用時の実際と注意

手順は図 1 のようにするが，増減の方法，長所，注意を確認して行う（表 2，3）．

1）ジアゼパム坐薬，ミダゾラム口腔粘膜投与，抱水クロラール坐薬のいずれか

1 つの薬で発作が止まらない場合，他の 2 つのいずれかにするよりは 2)に進む．

2）ジアゼパム，ミダゾラム，ロラゼパムのいずれかを静注またはミダゾラム筋注

・けいれんが止まればそのまま観察．
・けいれんが止まったが 30 分以内に再発→ホスフェニトイン，フェノバルビタール静注
・止まらなければホスフェニトインまたはフェノバルビタール静注

3）それでも止まらないか再発するなら，ミダゾラム持続静注

多くの重症児者施設ではここまでは可能

4）3）でも止まらない場合

それでも止まらなければ，人工呼吸器装着，昇圧薬使用下にミダゾラム大量（用量適応外使用），チオペンタール，チアミラール持続静注による昏睡療法となるが，重症児者施設では困難であり，専門施設に移送する．

ⓓ静注時の注意

1）フェニトイン，フェノバルビタールを服用している場合

ホスフェニトイン，フェノバルビタールを表 2 の量で静注すると多くなりすぎ，副作用が起る可能性が大きい．ホスフェニトインは体に入ってフェニトインに変換されるが，ホスフェニトイン 1.5 mg＝フェニトイン 1 mg なので，以下のように調節する．

ホスフェニトイン静注量　22.5（〜外国では 30）×体重－フェニトイン経口量×1.5（mg）

フェノバルビタール静注量　15〜20×体重－フェノバルビタール経口量（mg）

2）ミダゾラムは持続静注

脳炎・脳症の場合は脳波をモニターしないで持続静注して次項の非けいれん性てんかん重積（nonconvulsive status epilepticus：NCSE）となり，脳波で発作波が持続していることに気づかないでいると重大な脳障害をきたすおそれがあるが，重症児者では

表２　静注けいれん治療薬の投与方法，薬理動態と投与時の注意

一般名	ジアゼパム	ミダゾラム		ロラゼパム	ホスフェニトイン	フェノバルビタール
商品名	ホリゾン® セルシン®	ドルミカム® ミダゾラム	ミダフレッサ®	ロラピタ®	ホストイン®	ノーベルバール®
規格	１A 2 mL ＝10 mg 1 mL ＝5 mg	１A 2 mL ＝10 mg 1 mL ＝5 mg	１V 10 mL ＝10 mg 1 mL ＝1 mg	１V 1 mL ＝2 mg 1 mL ＝2 mg	１V 10 mL ＝750 mg 1 mL ＝75 mg	溶解　１V 5 mL ＝250 mg 1 mL ＝50 mg
初回静注量（mg/kg） １回最大量（mg）	0.3〜0.5 10	0.1〜0.3 10	0.15 10	0.05 4	22.5 （海外 30） 22.5×体重	（10[a]〜） 15〜20 20×体重
初回＋無効時追加の最大総量			0.6 mg/kg	小児 0.1 mg/kg 成人 8 mg	追加なし	追加なし
静注速度（mg/kg/分） （　）は最大速度	0.1〜0.2	0.1〜0.3	1 mg/分	2 mg/分	≦3 （≦150 mg/分）	1〜2 （≦100 mg/分）
静注時間（分）	2〜3	1〜5		1	≧7	10〜20
効果発現（分）	1〜2	2〜3		3〜10	10〜30[b]	5〜30
効果ピーク時間（分）	3	5		30	18〜20[d]	>60
効果の持続（時間）	<1[c]	0.5〜1.3（平均<1）		小児 2〜6 成人 12〜24	12〜24[e]	48〜72[e]
消失半減期（時間）	14〜20	0.8〜2.4	1.8〜2.7	12〜15	15〜18[d]	120〜150[f]
安全性	急速静注で呼吸抑制	通常は呼吸抑制・血圧低下なし． 持続静注可能．2 mL＝10 mg 製剤は筋注も可能（投与法は適応外使用）		呼吸抑制はジアゼパムより軽い	急速静注で不整脈・血圧低下，薬疹[g]	連日静注で濃度上昇し過鎮静・呼吸抑制，薬疹[g]
禁止・注意	急速静注禁 反復投与で蓄積	急速静注禁	急速静注禁	急速静注禁	急速静注禁 反復投与で蓄積	急速静注禁 反復投与で蓄積

a：15〜20 mg/kg では深く眠ってしまい，１日以上経口摂取ができなくなることがあるので，外来の場合は少なめにする，b：成人．ホスフェイトインはフェニトインより３倍速く静注できるが，フェニトインに変化する時間が必要なので効果発現までの時間はフェニトインとあまり違わない，c：ジアゼパムの消失半減期は長いが，分布半減期は 20〜60 分で短いので，効果の持続は短い，d：小児の報告はなく，成人の 750 mg 静注後の総フェニトインの半減期，e：小児の報告はなく成人，f：小児の報告はなく，成人の 20 mg/kg 静注時，g：フェニトイン，フェノバルビタール経口薬で薬疹の既往がある場合は注意

（各製品のインタビューフォームと Drislane FW ed. Status Epileptucus：A clinical Perspective. Humana Press, 2005；265-288, 313-338 より作成した文献 1）より一部改変）

ほかに以下の静注薬があるが，重症児者施設で使用することはほぼないので省略．リドカイン：良性乳児けいれん，軽症胃腸炎関連けいれんで使用するが重症児者にはいない．チオペンタール，チアミラール：人工呼吸器使用下昏睡療法で使用するが重症児者施設では困難．レベチラセタム，ラコサミド：一時的に経口投与ができない患者におけるその経口製剤の代替療法という制限がある．

施設内で急性脳炎・脳症に罹患することはほぼなく，てんかん重積なので必ずしも脳波の連続モニターはなくても持続静注は行いうる．しかし，可能ならば短くてよいので，日に１回は脳波で確認するのが望ましい．

e 非けいれん性てんかん重積（NCSE）に注意

けいれん重積の治療では，見た目の運動症状は止まったが，脳波でてんかん性発作波が連続または極めて頻繁に残っている状態（脳波上のけいれん重積）がしばしばある．可能

表3 静注用けいれん重積治療薬の静注の実際と注意

1．ジアゼパム（DZP）
長所：速効性．けいれんを直ちに止めたいときに有用
静脈ルート確保が困難なら注腸可能（適応外使用）．原液または生理食塩水 5 mL で希釈して 0.3～0.5 mg/kg（最大 10 mg）．注腸の効果発現は 10 分前後でジアゼパム坐薬より早い
注意：先行して PB 坐薬投与時は DZP 静注により筋緊張低下が起こりうるので，呼吸抑制，排痰困難に注意
代謝産物ジスメチルジアゼパムの消失半減期は長いので（14～20 時間）反復投与すると蓄積し，遅れて分泌物増加，筋緊張低下，呼吸抑制，過鎮静

2．ミダゾラム（MDL）
長所：速効性．けいれんを直ちに止めたいときに有用．呼吸抑制，血圧低下は通常はまれ．反復投与，持続静注でも腸管麻痺が起こらず，経口抗てんかん薬を投与可能
筋注可能（投与法適応外使用）：静脈ルート確保が困難なら，2 mL＝10 mg 製剤を 0.3～0.5 mg/kg（最大 10 mg）．1 mL 以上の場合は 2 か所に分けて筋注．
筋注でも 5 分前後で効果発現
持続静注可能：0.15～0.3 mg/kg 静注後，0.1 mg/kg/時で開始，けいれんが止まるまで 15 分おきに 0.1 mg/kg/時ずつ 0.4 mg/kg/時まで増量
10 mL＝10 mg 製剤ならそのまま，2 mL＝10 mg 製剤なら 1 アンプル 2 mL を生理食塩水 8 mL で希釈して
中止方法：24 時間以上けいれんがなければ 2～3 時間ごとに 0.05～0.1 mg/kg/時ずつ減量．長期投与時は減量速度を 2 倍に遅らせ，1～2 日かけて漸減中止
注意：多い量で持続静注が長引けば呼吸抑制，血圧低下，過鎮静，血栓性静脈炎，耐性がありうる

3．ロラゼパム（LZP）
長所：DZP，MDL より効果の持続が長い（4 倍以上）．通常，呼吸抑制はまれ．
注意：同量の注射用水，生理食塩水または 5％ブドウ糖注射液で希釈してから投与．
DZP，MDL ほどの速効性はない

4．ホスフェニトイン（fPHT）
長所：効果が長い，水溶性で筋注可能
意識レベル低下が少ない，呼吸抑制，組織壊死・purple glove 症候群，血管痛なし，他の溶液と混ぜても結晶化せず静注ラインが閉塞しない
注意：呼吸・心電図モニター装着し静注．血圧測定（静注前，10 分後，20 分後，30 分後）
翌日以降の維持投与は 5～7.5 mg/kg/日．投与速度は 1 mg/kg/分または 75 mg/分のいずれか低いほうを超えない
速効性はないので，けいれんを直ちに止めたいときには不適当．DZP，MDL でけいれんを止めた場合の維持またはこれらが無効の場合に有用
血圧低下（多くは 10 mmHg 前後），薬疹，過量でふらつき・悪心・嘔吐に注意
効果と持続がいまひとつ（日本では投与量が 22.5 mg/kg も一因．外国では 30 mg/kg まで）

5．フェノバルビタール（PB）
長所：効果が長時間持続，上記の薬で無効なテオフィリン使用時のけいれん重積，けいれん重積型急性脳症にも有効．本表の静注薬のなかで最も強力
注意：速効性はないので，けいれんを直ちに止めたいときには不適当．DZP，MDL でけいれんを止めた場合の維持またはそれらが無効の場合に有用
半減期が長いので，反復投与で濃度が徐々に上昇し，遅れて呼吸抑制，過鎮静，血圧低下のおそれ，中止後の効果や副作用消失に時間がかかる
長時間深く眠り，意識レベルの評価ができないので脳炎・脳症では不適当，しばしば経口摂取不可に
DZP 先行反復使用後（坐薬，静注ともに）に併用する場合は筋緊張低下，呼吸低下，排痰困難に注意

DZP，MDL，LZP は GABA 受容体の機能賦活が作用機序であるため，GABA 機能が抑制系に完全にスイッチしていない乳幼児では，けいれんが止まらないか，かえって増悪したり，興奮することがある．

なら発作が止まった後，夜間なら翌朝に脳波検査を行い，NCSE であればミダゾラム持続静注を行い 0.5 mg/kg/時間まで増量するか，専門施設に移送する．

脳波が検査できない場合で，意識が戻らず，反応が悪ければ専門施設に移送する．

6．全身管理

けいれん重積では時間とともに脳や全身の障害が起こってくる．けいれんを止めることだけでなく，これらに対応し，脳および全身の障害の防止のための全身管理が不可欠である．脳圧亢進の防止，血圧の維持，低酸素血

表4　重症児者施設でできる全身管理，脳障害の防止

けいれん重積がなかなか抑制されず長引いた場合は，以下を行うか専門施設に移送する

1. 脳圧亢進の防止
   - 姿勢：頭部30°挙上
   - 脳圧降下剤：縮瞳が起こっていたら下記．可能ならCT/MRIで脳内出血がないことを確認して使用
     20%マンニットール：2.5～5 mL/kgを1時間で点滴静注，1日2～4回．反跳現象あり，中止時に脳浮腫が悪化するおそれ
     10%グリセオール®：5～10 mL/kg 1～2時間で点滴静注，1日2～4回．反跳現象少ない．NaClが多いので，長期連用時，高ナトリウム血症，高クロール血症に注意．Reye症候群，肝機能不全，重篤な代謝性アシドーシスでは禁．
   - 輸液：通常の維持量の約70%．低ナトリウム血症による脳浮腫防止のため，初期はソリタ® T1，生理食塩水で．ソリタ® T3は不可
   - 体温調節：クーリング，解熱薬
2. 低酸素血症の防止
   酸素投与．SpO_2を正常より高めに維持
3. 代謝性アシドーシスの補正
   メイロン®（−BE×体重×1/3×1/2）mL静注＋（−BE×体重×1/3×1/2）mL点滴静注
   血液ガスの測定ができなければメイロン®静注　体重20 kg：メイロン® 20 mL，30 kg：30 mL，40 kg以上：40 mL
   アシドーシスを補正するとフェノバルビタール（PB）の血中濃度が下がるので，PB静注療法や大量療法中は発作増加に注意
4. PCO_2の貯留への対応
   血液ガス検査が可能でPCO_2高値なら，咽喉呼吸器使用中なら呼吸回数を増やす．呼吸器を使用していなければ自己膨張式バッグで過換気に
5. 点滴内容の注意
   Na，Ca，糖の異常高値，低値，高アンモニア血症を補正
   点滴が1週間以上に長期化した場合：ビタミン剤（ビタミンB_1欠乏によるWernicke脳症に注意），K，P，Mg補正

症の防止，代謝性アシドーシスの防止，点滴内容の注意が重要であるが，重症児者施設で可能な対応を行う（表4）．

参考文献

・須貝研司．実践小児てんかんの薬物治療．診断と治療社，2020
・須貝研司．けいれん重積の治療．佐々木征行，他（編），国立精神・神経センター小児神経科診断・治療マニュアル．改訂第3版，診断と治療社，2015；309-321
・日本小児神経学会(監)，小児けいれん重積治療ガイドライン策定ワーキンググループ（編）．小児けいれん重積ガイドライン2017．診断と治療社，2017

［須貝研司］

E　筋緊張亢進

1　筋緊張亢進の原因と薬物治療（内服薬・坐薬による治療）

POINT

- 原因・要因は何か？　まず考え，探ろう
- 相対しかかわる，姿勢を整えリラクセーションを図る，環境調整する，などの基本的かかわりが第一である
- 薬物治療は頓用・定期使用の使い分け，生活リズム作り，筋緊張亢進タイプ（変動・持続，アテトーゼ）などを念頭に行う

1. 筋緊張亢進

いわゆる筋緊張亢進は，重症児者の病態を考えるうえで重要な症状の1つである．重症心身障害の原因となった中枢神経病変の症状であると同時に，呼吸障害や胃食道逆流症，睡眠障害，脱臼・拘縮変形などの随伴症状であったり，要因となることもある．そのため，筋緊張亢進を伴うと病状が進む悪循環を呈していく．このような悪循環がある場合，日中活動や機能訓練に臨むため，調整が必要な場合は日常生活上の対応に加えて薬物などの治療的対応が必要となる．

ⓐ筋緊張

筋緊張（muscle tone）とは，伸張に対する筋の抵抗であり，触れる・筋を伸展させる運動を行うことで緊張の程度と状態を判断する．低下，正常，亢進状態に分けられるが，変動する場合もある．

ⓑ筋緊張亢進

診察上，筋緊張亢進は受動的運動に対する所見により，錐体路障害（上位運動ニューロンの障害）による痙縮（spasticity），錐体外路障害による固縮（rigidity）に整理される．痙縮は速度依存性に筋伸張反射が亢進するため，急に関節を屈曲・伸展させるときに抵抗を感じ，その後減弱する．深部腱反射亢進やクローヌスを伴う．固縮は受動的運動時の抵抗が鉛管様に持続的にみられ，速度による変化はない．しかし，重症児者の中枢神経病変は様々で，生活の中で実感される「つっぱり」，「緊張が強い」状態には，痙縮，固縮にとどまらず，筋緊張が変動するアテトーゼ，ジストニアなどの不随意運動，異常姿勢も含まれる．この項では筋緊張亢進をこのような過緊張状態に対して用いることとする．

ⓒ筋緊張亢進の要因

筋緊張亢進の要因として，病状変化に伴うものとともに，心理的要因，環境要因についても検討が必要である．具体的には不安，不機嫌，興奮，ストレスなどの情動変化，暑い，不快，空腹・口渇，疲労，痛み（骨折，歯痛，咽頭痛，中耳炎，腹痛，尿路結石等々）などの要求・行動表現，体調不良，睡眠不足・日内リズム不整などがあげられる．また呼吸が苦しい，胃食道逆流による胸焼けなども筋緊張亢進につながる．思春期には興奮や筋緊張亢進状態が続くことをよく経験する．新たな環境への適応過程であることも多く，励まし見守る姿勢が大切である．このような要因1つ1つについて検討したうえで，解決策を考えていくことが基本となる．

2. 筋緊張亢進の治療

基本的対応，薬物治療，神経ブロック，外科的治療などがあげられる．近年はボツリヌス毒素治療や選択的脊髄後根切断術，バクロフェン髄注治療（intrathecal baclofen therapy：ITB），深部脳刺激療法（deep

表1　筋緊張コントロールに使用する薬物

	一般名	商品名	用量*	用法	作用機序	副作用
ベンゾジアゼピン系	ジアゼパム	セルシン® ホリゾン® ダイアップ®（坐薬）	0.1～0.5（1） 坐薬 0.1～0.5/回	分2～3	$GABA_A$作動薬，抗不安，鎮静催眠作用，筋弛緩作用，抗けいれん作用	眠気，呼吸抑制，分泌物増加
	エチゾラム	デパス®	0.01～0.05（1回）	分1	抗不安，鎮静催眠，筋弛緩作用	呼吸抑制，横紋筋融解症，乳汁分泌
	ブロマゼパム	セニラン®（坐薬） レキソタン®	0.1～0.7	分1	（頓用で坐薬，睡眠導入）	
	オキサゾラム	セレナール®	0.3～1.0	分2～3	（鎮静作用よい）	
	クロルジアゼポキシド	コントール®	0.5～1.0 （成人 20～60 mg）	分2～3	（鎮静作用よい）	
	ニトラゼパム	ネルボン® ベンザリン®	0.5～5 mg/回	分1	（睡眠導入として）	
	ブロチゾラム	レンドルミン®	成人 0.25 mg/日	分1	（睡眠導入として）	
筋弛緩薬	バクロフェン	ギャバロン® リオレサール®	0.1～1.0	分2～3	$GABA_B$作動薬（脊髄レベル）	脱力，消化器障害
	塩酸チザニジン	テルネリン®	0.05～0.5	分3～4	中枢・脊髄性アドレナリンα_2作動薬，固縮解除作用・脊髄反射抑制	眠気，口渇，徐脈 CYP1A2 阻害薬（SSRI，シプロキサン®）併用禁
	塩酸エペリゾン	ミオナール®	2.0～5.0	分2～3	脊髄反射抑制，Ia 線維抑制（γ系抑制）	消化器症状，しゃっくり
	ダントロレンナトリウム	ダントリウム®	0.5～2.0	分1～3	筋肉で Ca イオン遊離抑制	脱力，倦怠，眠気，消化器症状
睡眠導入薬	トリクロホスナトリウム	トリクロリール®	0.2～0.8 mL/kg	分1	鎮静催眠作用	過眠，呼吸抑制，興奮
	抱水クロラール	エスクレ®（坐薬，注腸）	30～50		トリクロロエタノールとなり，同上作用	過眠，呼吸抑制，下痢
	ラメルテオン	ロゼレム®	成人 8 mg/日	分1	メラトニン受容体アゴニスト	プロラクチン上昇，CYP1A2 阻害薬（SSRI，シプロキサン®）併用禁
	エスタゾラム	ユーロジン®	成人 1～4 mg/日	分1	鎮静催眠作用，筋弛緩作用，抗けいれん作用	呼吸抑制，ダントリウム®併用で筋弛緩増強
抗てんかん薬	フェノバルビタール	フェノバール® ワコビタール®（坐薬）	3.0～5.0	分1～2	$GABA_A$作動薬	眠気，興奮
	ガバペンチン	ガバペン®	5～50	分3	GABA 賦活，$\alpha_2\delta$ リガンド鎮痛作用，抗不安作用	眠気，めまい
抗ヒスタミン薬	塩酸ヒドロキシジン	アタラックス®P		分1～3	抗ヒスタミン作用，中枢抑制	眠気，けいれん閾値低下
	塩酸シプロヘプタジン	ペリアクチン®		分1～3	抗ヒスタミン，抗セロトニン作用	眠気，口渇，食欲増進
	塩酸プロメタジン	ヒベルナ® ピレチア®		分1～3	抗ヒスタミン，抗コリン作用	眠気，SIDS
その他	レボメプロマジン	ヒルナミン® レボトミン®	3～20 mg/回	分1，頓用	抗ドパミン，抗セロトニン，抗アドレナリン作用	錐体外路症状，呼吸抑制
	リスペリドン	リスパダール®	0.3～2 mg/日	分1～3	抗ドパミン，抗セロトニン作用	眠気，錐体外路症状
	アリピプラゾール	エビリファイ®	1～9 mg	分1～2	抗ドパミン，抗セロトニン作用（部分作動薬）	錐体外路症状
	塩酸トリヘキシフェニジル	アーテン®	0.03～0.2	分2～3	抗コリン作用	口渇，腸管麻痺，尿閉
	レボドパ	ドパストン®他	0.5～10	分1～3	抗パーキンソン薬	錯乱，消化器症状
	クロニジン	カタプレス®	成人 0.075～0.15 mg	分1～3	中枢アドレナリンα_2作動薬（降圧薬）	眠気，血圧低下

*：用量は欄に単位の記載がない場合，mg/kg/日

brain stimulation：DBS）など，治療選択肢が増えている．

ⓐ筋緊張亢進への基本的対応

痛みや病状，その他の原因・要因が明らかな場合は，まずその解決が優先される．身体面への対応としては，リラックスできる姿勢，安定した呼吸ができる姿勢を整える．精神面への対応としては，安心できる環境を作る，触れて話しかける，気持ちを推し量るなどが基本となり，どのような場合にも有効であることが多い．

ⓑ薬物治療（表1）

基本的対応では症状改善がむずかしく，筋緊張亢進による二次障害が生じる場合は薬物治療を考慮する．頓用治療で有効性や投薬時間を見極めながら，定期使用の必要性を検討していく．状況によっては初めから定期使用を要することもある．症状緩和後に減量中止を試みて無用な長期投与をさける．治療薬を選択するうえで考慮する視点について，以下に整理する．

1）生活リズムを整える

夜間は睡眠がとれ，日中は覚醒し活動ができる生活をめざす．このことは介護者のQOLにも影響し，大切な視点である．頓用薬としてはトリクロホスナトリウム（トリクロリール®），抱水クロラール（エスクレ®坐薬），ジアゼパム（セルシン®，内服薬・坐薬），ブロマゼパム（セニラン®坐薬）などが眠前に使用される．定期使用では，上記以外にニトラゼパム（ベンザリン®），エスタゾラム（ユーロジン®）などが使用される．ラメルテオン（ロゼレム®）はメラトニン受容体アゴニストで睡眠リズム形成に使用しやすく，特に視覚障害や行動異常を伴う場合は勧められる．また，塩酸ヒドロキシジン（アタラックス® P），塩酸シプロヘプタジン（ペリアクチン®）などの抗ヒスタミン作用薬が有効な場合もあるが，けいれん発作のある場合は注意を要する．抗てんかん薬のフェノバルビタール（フェノバール®），ベンゾジアゼピン系で筋弛緩作用の強いエチゾラム（デパス®）を用いることもある．

2）筋緊張亢進の薬物治療

脳性麻痺の痙縮管理で有効性が示されているのは，ジアゼパムが筆頭で，塩酸チザニジン（テルネリン®），バクロフェン（ギャバロン®），ダントロレンナトリウム（ダントリウム®）があげられる[1]．どのような筋緊張亢進であっても，ジアゼパムを使用することは勧められる．シロップ（散剤より効果が速く出現）や散剤，坐剤と剤型選択や投与量調整もしやすいが，嚥下障害や分泌物の多い呼吸障害においては注意を要する．筋緊張亢進が呼吸障害の要因となっている場合はジアゼパム投与で呼吸状態が改善することも経験される．塩酸チザニジン，バクロフェンは中枢性作用（おもに脊髄），ダントロレンナトリウムは末梢性作用（筋）による筋弛緩薬である．塩酸チザニジンは疼痛軽減，鎮静作用もあり，有効例を経験するが半減期が短く，投与回数・時間を調整する．

筋緊張が変動するタイプでは，筋弛緩薬のみでは十分な効果を得られないことが多く，抗不安，鎮静催眠作用をもつ薬剤との併用を考慮する．フェノバルビタールは抗けいれん作用もかねて，まずは使用することが多い．ジアゼパム以外のベンゾジアゼピン系薬剤も使用しやすく，前述した睡眠導入を目的として用いる以外にも，オキサゾラムやクロルジアゼポキシドは不安不穏状態による筋緊張変動例に有効である．また，抗ヒスタミン薬も副作用を増強させることなく追加できる．興奮が強い筋緊張亢進にはレボメプロマジンやリスペリドン（いずれも呼吸抑制の副作用がない）もまれに使用され，緊張亢進による睡眠障害へも著効するケースがある．芍薬甘草湯も緊張亢進を緩和させ，特に緊張亢進による尿閉に有効なことが多い．ただし，甘草の含有量が多いので連用は避けるか，連用の場合には少量とする．抑肝散は，セロトニンの合成促進あるいは遊離促進作用を有し，不安，癇癪，不眠への使用が検討される．

アテトーゼやジストニアでは塩酸トリヘキシフェニジル（抗コリン薬）やレボドパ使用も考慮される．このタイプでは過緊張状態がとても強く持続し，発汗，発熱を伴い，横紋筋融解症や呼吸障害，血圧変動など危機的状態に急速に進展することがある．緊急的に筋緊張亢進状態を解除するため，ペンタゾシン，塩酸ヒドロキシジン注射や鎮痛解熱薬が有効とされる．

3）その他の治療

ボツリヌス毒素治療は局所的治療に適応（次項E-2 ボツリヌス毒素治療，バクロフェン髄注療法（ITB）参照，p.172）され，四肢体幹を含む筋緊張亢進に対してはITBが勧められる．また，薬物コントロールのむずかしいジストニアにはDBSも考慮される．

文　献

1）Novak I, et al. A systematic review of interventions for children with cerebral palsy：state of the evidence. Dev Med Child Neurol 2013；355：885-910

［井合瑞江］

E　筋緊張亢進

2　ボツリヌス毒素治療，バクロフェン髄注療法（ITB）

POINT

- 両治療とも痙縮に対する一連の治療アプローチの1つとして位置づけられ，チーム医療が必要である
- ボツリヌス毒素治療は上肢・下肢など局所的痙縮に，バクロフェン髄注療法（intrathecal baclofen therapy：ITB）はより広範な全身性緊張亢進に適用される
- ボツリヌス毒素治療は治療目標を設定し，有効性を判断しながら継続治療を検討する
- ITBは治療中，薬液管理や緊急時対応ができる体制が必要である

1. ボツリヌス毒素治療

ボツリヌス毒素は筋肉への施注により，アセチルコリン作動性運動神経終末に取り込まれ，SNAP-25というアセチルコリン放出にかかわる蛋白をターゲットとして神経筋伝達を遮断する．一時的な脱神経状態により，局所的筋弛緩が得られ，痙縮，ジストニア症状の軽減が期待される治療である．

脳性麻痺の痙縮治療として確立されている[1)]が，治療対象の症状，運動機能レベル，知的レベルにより，治療目標が異なってくる．重症児者の治療では，運動機能獲得はむずかしく，適応に沿って個々に治療目標設定を行うことが大切となる[2)]．

インコボツリヌストキシンA製剤も上肢痙縮・下肢痙縮に使用可能となり，安全で有効な治療の拡がりが期待されている．

ⓐ適　応

1）姿勢や運動機能の改善・維持

下肢はさみ足，上肢屈曲，肩伸展・屈曲，頭部後屈・回旋，側彎などは局所的治療の適応である．全身性の筋緊張亢進への治療はITBが考慮される．しかし，局所的治療が有効な場合もあり，試みられる．安全性に配慮し傍脊柱筋と肩・頸部，または下肢と組み合わせて多層性治療も行われる．

2）生活面・介護面の改善

筋緊張亢進による呼吸障害や睡眠障害，胃食道逆流症（gastroesophageal reflux disease：GERD）などの改善など身体的苦痛改善，坐位保持時間確保など生活面の改善，着脱・移動・排泄保清など介護面での改善が適応となる．介護者も含めたQOL改善につながる．

3）疼痛軽減

有痛性筋痙縮，股関節脱臼，頸椎症などに対し，補助的治療の適応がある．

ⓑ施注の実際（表1）

基準として，希釈濃度50単位/mL，針27 G（～23 G），触診または超音波，筋電図ガイドが勧められる．施注時鎮静が必要となる場合もある．施注筋の大きさに応じて希釈をかえて浸潤範囲を調整する．注意点として，嚥下障害のある対象では後頸部へのアプローチは少量として一側のみ，または左右差のある施注や胸鎖乳突筋を避けること，小児では初回は少量投与とし，過量投与を避ける配慮が必要である．効果持続は2～4か月であるが，抗毒素抗体の誘導防止のため3か月は間隔をあける．副作用は2週間以内に出現するが一時的である．有効性を判断しながら継続治療を検討する．

ⓒ有効性

重症児者では，目標達成の観点からCanadian Occupational Performance Measure（COPM）やgoal attainment scale（GAS）による評価が行われる．施注筋の弛

表1 ボトックス® 使用量（脳性麻痺）

部位	初回	上限	
上肢	2	8〜10	400 単位
下肢	4	12〜15	300 単位
頸部	1〜2	6	100〜200 単位
総量	6	15	400 単位

単位のない記載は単位/kg で小児の場合，上限はどちらか小さい量を基本とする．

緩は確実に得られるため，目標に応じた最適部位の検討と正確な施注が有効性を左右する．

ⓓ副作用，注意点

局所疼痛，脱力のほか，特に頸部筋施注時は嚥下や呼吸（誤嚥・分泌物増多，肺炎等）に注意が必要である．消化管運動低下，悪心，遠隔筋への効果など全身への波及もまれにみられる．

2. ITB[3)]

ITB は粗大運動能力分類システム（gross motor function classification system：GMFCS）（Ⅲ）Ⅳ，Ⅴレベルが対象となり，上下肢の痙縮減弱および機能改善が期待できる．ジストニアへの効果は一定していないが，全身過緊張や後弓反張にも適応がある．

ⓐ作用機序

GABAB 作動薬であるバクロフェンを髄腔内まで挿入・留置したカテーテルから，ポンプで 24 時間持続的に注入する治療法である．脊髄の単シナプス反射，多シナプス反射ともに抑制され，γ-運動ニューロンの活性を低下させる．直接，脊髄に投与できるため，ごく少量で広範囲に筋弛緩作用が期待できる．

ⓑ治療の実際

1）スクリーニングテスト

バクロフェンを髄腔内投与し，効果を確認する．投与量は 50 μg（小児 25 μg），無効の場合は 25 μg ずつ増量（最大 100 μg）する．効果を実体験することで，本人ご家族が治療を決断されることも多い．

2）手術と管理

全身麻酔下で背中から髄腔内にカテーテルを入れ，症状に応じた留置レベル（上肢 C5-Th2，下肢 Th10-12）を決定し，薬液を満たしたポンプと接続する．ポンプは腹部の皮下または皮下脂肪の少ない小児などは腹筋筋膜下に埋め込む．

体外式プログラマ（N-vision®）を用いて投与量・投与パターンを設定する．持続的に一定量を流す・時間による投与量変更・ボーラス投与など，本人の症状変化に応じた微調整が可能となる．薬剤は 3 か月ごとに外来で補充し，ポンプ内電池交換のためポンプ入替（7 年ごと）や成長に伴うカテ先変化に対して手術が必要となる．

ⓒ合併症，注意点

感染，髄液漏れ，デバイス問題（カテーテル，ポンプ）が報告されているが，治療への満足度は高い[4)]．離脱症候群は急激な痙縮の増強，横紋筋融解症，高カリウム血症，さらに最悪の経過をとる場合もあり，常に念頭におき，早急な対応が必要である．

文 献

1）Delgado MR, et al. Practice parameter：Pharmacologic treatment of spasticity in children and adolescents with cerebral palsy（an evidence-based review）：Report of the Quality Standards Subcommittee of the American Academy of Neurology and the Practice Committee of the Child Neurology Society. Neurolgy 2010；74：336-343

2）Mesterman R, et al. Botulinum toxin type A in children and adolescents with severe cerebral palsy：A retrospective chart review. J Child Neurol 2014；29：210-213

3）第一三共：痙縮情報ポータル（ITB 療法ウェブサイト）（http://www.itb-dsc.info/index.html）

4）Motta F, et al. Analysis of complications in 430 consecutive pediatric patients treated with intrathecal baclofen therapy：14-year experience. J Neurosurg Pediatr 2014；13：301-306

［井合瑞江］

E　筋緊張亢進

3　筋緊張亢進への姿勢管理における対応

POINT

- 筋緊張の亢進は中枢神経系の障害に加え，人を含む環境との適応障害であることを支援者は常に意識する
- 身体を支える部分は骨格であり，筋肉・軟部組織は支えにならない．頭部・四肢・体幹がどのように置かれているのかを俯瞰的に観察する
- 姿勢管理に正解はなく，どんなによい姿勢であっても同一姿勢での不動は変形拘縮を引き起こす

1. はじめに

医療関係者の多くは，主体対客体の関係，つまり，対象者を物事（病気や障害）との関係として理解するというトレーニングを受けてきた．

しかし，人間関係は，主体対主体であり，人は物事と違って，理解する対象ではない．人には感情があり，意思があり，反応の仕方がある．したがって，人との関係はお互いの反応を共有する．もしくは，お互いの反応の協働（コラボレーション）であるため，人を理解することは困難である．このことは，重症児者も同じである．当事者の筋緊張亢進を本人固有の反応ではなく，脳性麻痺のステレオタイプの反射のごとく扱ってしまい，いつ，どこで，何に対して筋緊張が亢進するかにはその子の内的状態や置かれている環境によって異なるにもかかわらず，それを個人の反応として捉えない，捉えることができないと，病的という物事のように扱ってしまう．

いいかえると，「今，彼があなたに抱っこされて，反り返っているのは，あなたの抱き方が彼には合わない」と考えるより，「脳性麻痺による異常姿勢反射の影響」という理由を優先に考えてしまうトレーニングをされてきたということだ．

目の前の現象を深く考えることなく（自分がそれに違和感や驚きをもっていることを受けとめず），すぐに理解したというように，自分に都合のよい説明や答えを用意して，自分で納得してしまっていることはないだろうか．支援はリズム，スピード，タイミングが重要である．そのためリアルタイムに感じて，反応できるトレーニングが必要である．ここでは，筋緊張亢進への支援方法のヒントとなる事柄の一部を説明する．

重症児者では，発達の不均衡や脊柱・胸郭の変形の程度は，個人によって異なる．そのため，筋緊張が亢進した場合の身体的様相も個人によって異なるため，身体症状の共通的特徴を明らかにすることは困難である．

ではどのように考えればよいのだろうか．

2. 要因からの分析―原因・要因・現象―

筋緊張が亢進している，反り返っている場面をみたとき，反り返っているという現象だけに目を奪われ，その対応だけに終始していないだろうか．筋緊張亢進という現象を引き起こす要因を身体面・感情面・環境要因（ヒト・モノ）に分けて考えてみる必要がある．

- 身体面：痛み・ストレス・姿勢の崩れ（骨格が不安定）・呼吸機能の問題・胃食道逆流（GER）・生活リズムの不調・不眠・体温調節・暑さ・発汗・生理など
- 感情面：寂しさ・退屈・不安・苦痛・欲求など
- 環境因子（ヒト）：かかわり方（時間・タイ

ミング)・介助方法(時間・タイミング)

● 環境要因(モノ):坐位保持装置・ポジショナー・寝具・室内の配置・日課・余暇活動など

重症児者も主体であるため，このような要因が複雑に絡み合いながら筋緊張亢進が出現する．

そのなかでも身体面で起こる「痛みとストレス」は，生命維持の次に優先して対応する必要がある．日常の場面でも，筋緊張亢進が「痛みとストレス」からの「最大限回避，防御」の結果であることに気づかされる．これら「負の現象」は，姿勢の「崩れ」や，引き込み・こわばりなどの「過緊張」，それに伴う「痛み」のことである．たとえば，身体が崩れる，お尻がずれる，あごが出る，身体がつぶれる，頭が倒れる，首をすくめる，腕を引き込む，足が交差する，過剰に力が入るといった「負の現象」が継続的に起こることによって，目的とする活動ができなくなり，筋の短縮や関節の拘縮，後彎や側彎といった骨格の変形，傷や褥瘡，それらに伴う「痛み」や「精神的ストレス」などを背負い込むことになる．

このことをまとめると，①根本的な原因→②身体が思うようにコントロールできない→③不安定になる骨格を安定させることができない→④様々な「負の現象」が起こるということになる．①と②に関しては姿勢保持具などの道具では直接アプローチすることはできないが，③不安定になる骨格を安定させることができないに対しては，様々な道具を用いてアプローチすることは可能である．それによって④様々な「負の現象」が起こることから発生するリスクを軽減することはできる．

では具体的にどのように対応すればよいのだろうか．

3. 骨格の安定と6つの不安定

身体を物理的に安定させるには「骨格を安定させる」ことが必要になる．いいかえると，重力の影響で不安定になっている骨格を安定させるからこそ，骨格を安定させようと過剰に緊張していた筋群がその役目から解放され，リラックスが得られる．

骨格が安定する状態とは何か．そのためには，骨格が不安定な状態を定義する必要がある．骨格が不安定な状態がなくなれば骨格が安定したことになる．

その不安定な状態とは，引き伸ばされる，転がる，滑り出す，倒れる，つぶれる，ねじれる，の6つの状態である．

ⓐ引き伸ばされる

固有にもっている骨格の形状が，重力によって「引き伸ばされる」現象で，「苦しい」，「不快」，「辛い」，「痛い」というイメージのほうが合っているが，これも不安定という表現に含める．たとえば，本人のもっている固有のプロポーションの形状が丸いにもかかわらず，平面的な床で上を向いて寝ると，図1に示すように本来の胸郭部の丸い形状が重力によって引き伸ばされてしまう．そのため，なんとか胸郭が引き伸ばされないように，頭から起き上がったり，横を向いたりして，全体的に屈曲方向へ力が入ってしまう．私たちの身体でイメージするには図2のような場面設定を行うことで，理解につながると思う．では，「安定」させるためにはどのようにすればよいのだろうか．「引き伸ばされる」というイメージは，固有のプロポーションが重力によって無理矢理変形させられるということであるから，その人が有しているプロポーションに戻すことが安定につながる．具体的には，引き伸ばされないで寝ることのできる形状環境(図3)を作り出せば，安定する．そのためには，身体をできるだけまっすぐにすることが「よい姿勢」だというイメージや，「こんな姿勢になればいいのに」という概念を捨て去り，目の前の全体的な骨格形状をありのままに把握するように心がける必要がある．

ⓑ転がる

力が抜けた丸い頭部は平面に置かれると，どちらかに転がろうとする．それは臥位でも坐位でも起こる現象である．「転がる」という現象(図4)は，軸中心の動きである「回旋する」とは異なる．転がるに対しては凹型のような形状で置くことが大切である．

ⓒ滑り出す

座っていてお尻が前に「滑り出す」というイメージがこの現象を理解することに適していると思う．滑り台(図5)のような形状や背もたれに背中を押しつければ押しつけるほ

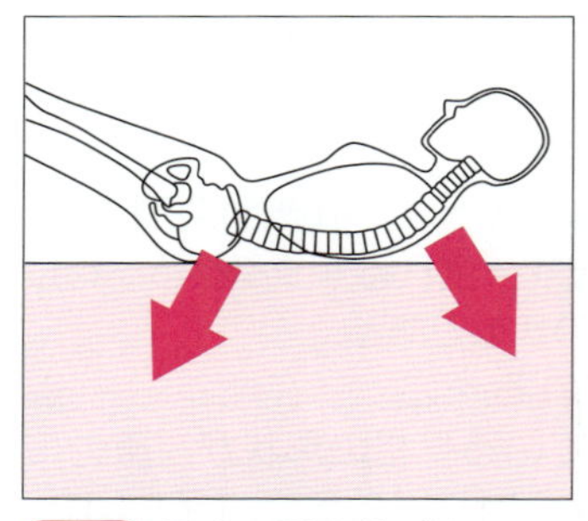

図１ 重力で引き伸ばされる

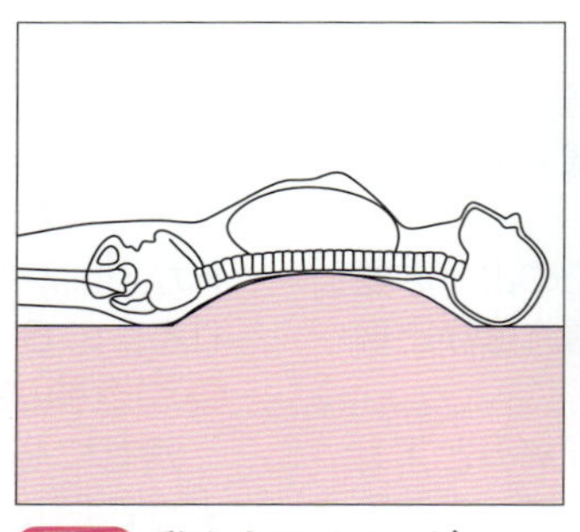

図２ 私たちのイメージ

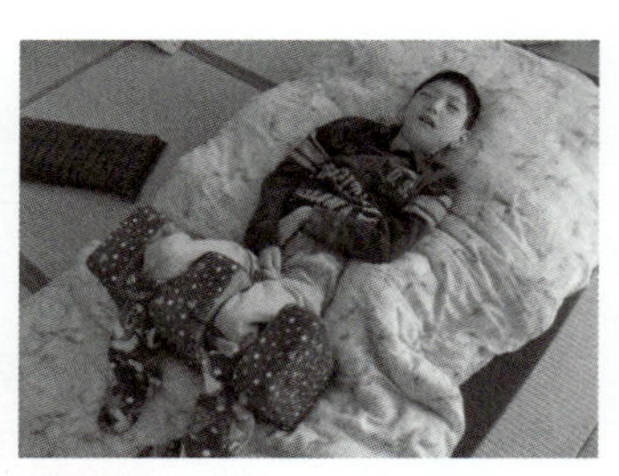

図３ 布団の下からクッションで縁取る

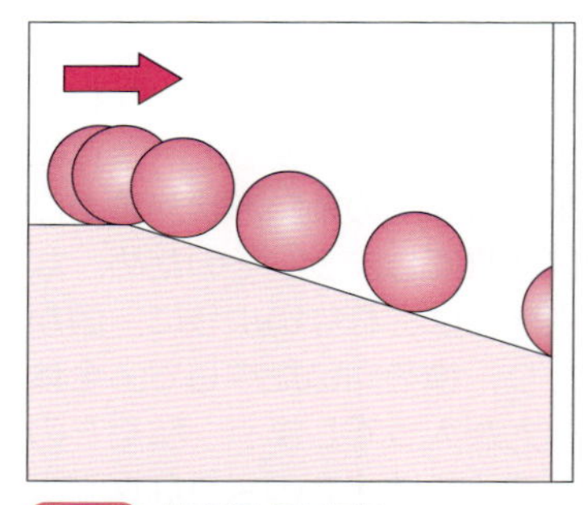

図４ 転がる不安定

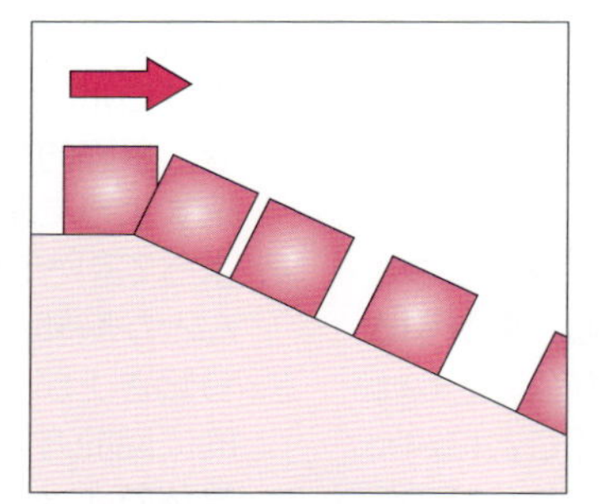

図５ 滑り出す不安定

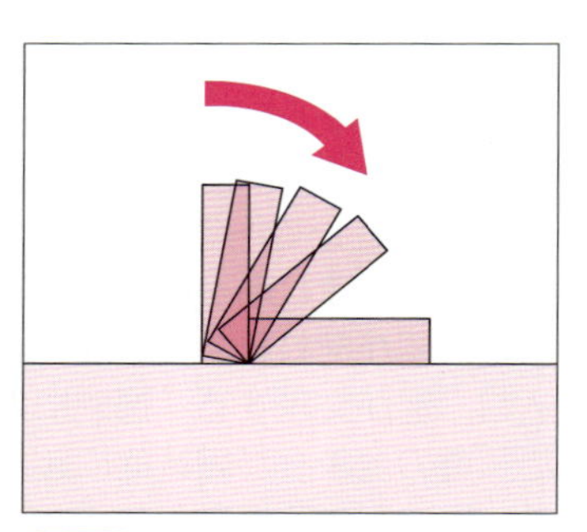

図６ 倒れる不安定

どこの現象は起こる．滑り出す要因を探し出しアプローチすることが大切である．

ⓓ倒れる

円運動による動きで，どこかの軸を中心にして，単純に棒が倒れる（図６）イメージである．たとえば背臥位で膝を立てた状態で股関節を軸に下肢が倒れることである．倒れることに対しては，何かに寄りかからせることで安定する．

ⓔつぶれる

下に沈み込むように「つぶれる」（図７）という現象を指す．頸椎部や腰椎部など可動性の大きい部分でこの現象が起きる．つぶれるに対しては何かに乗せる（置く）ことで安定する．たとえば，凸の下部を支えるのではなく乗せる（置く）というイメージである．支えるには，つぶれる現象を元に戻そうとするイメージを含んでおり，強制してしまう場合がある．

ⓕねじれる

転がる，倒れることによりおもに骨盤帯と胸郭の間で起こる現象．側彎にはねじれが伴う．

以上の不安定要因を取り除くよう環境支援することで安定した姿勢を作ることが可能になりうる．

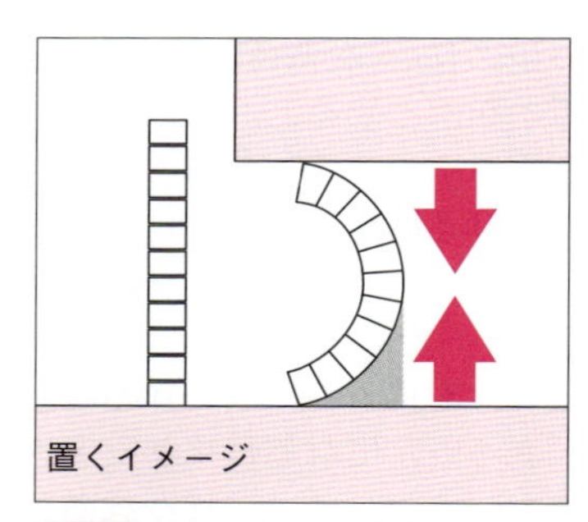

図７ つぶれる不安定

4. 具体的支援方法

日常生活で多用している臥位姿勢について述べる．

ⓐ背臥位姿勢

背臥位は安定している．しかし，安全・安楽・安心だろうか？　背臥位は多くの重症児者が日常的にとっている姿勢であり，最も安定した姿勢といってよい．しかし，重症児者はこの姿勢をとり続けることにより，以下の

図8 雪の天使

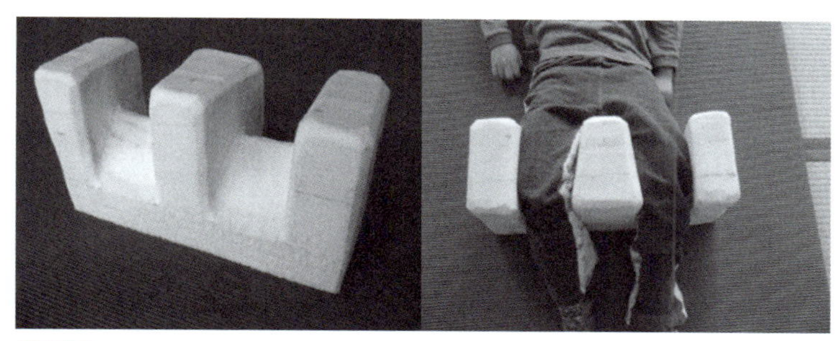

図9 山型クッション

ような弊害をもたらす．姿勢変換できないまま，背臥位で過ごし，頭部の一側への固定的な回旋や下肢の姿勢筋緊張の非対称がみられると，必ず脊柱側彎を進行させてしまう．また，呼吸機能においても，下顎の後退や舌根沈下による換気不均衡といった問題を引き起こしやすい．したがって，背臥位で過ごす場合は，これらの弊害を最小限にする配慮が必要である．何より重症児者においては唯一の安定姿勢にならないケアが大切である．しかし，現実的にはどうしても多くなってしまう姿勢であり，少しでも安全，安心，安楽な背臥位を考える必要がある．

【考えるヒント】

Packaging 布団の下からクッションで縁取り（図3）をする．これは，下から子どもをみて支えることで，雪の天使 Angel in the Snow（図8）をイメージするとよい．

また下肢の倒れに対しては山型クッション（図9）で膝を包み込むと安定する．

ⓑ腹臥位姿勢

呼吸障害に対する腹臥位の効果としては，換気能力が高くなる舌根沈下の予防リラクセーションが得られ，胸郭横隔膜運動が改善する．

また，重症児者には咳き込まないで誤嚥することがあり，誤嚥性肺炎を頻発するケースがある．このような，介助者が気づかないうちに分泌物が気道に流入し続けるケースでは体幹後傾姿勢は禁忌であり，高位に頭部を保持させる腹臥位，または四つ這い保持で換気は改善し，分泌物は口から流出し，異常呼吸運動が軽減する．そして，幼小児期，特に気管切開以前より腹臥位姿勢に慣れさせておき，健康維持および不調のときには積極的に活用することが重要である．腹臥位姿勢は命を守る姿勢であるといっても過言ではない．

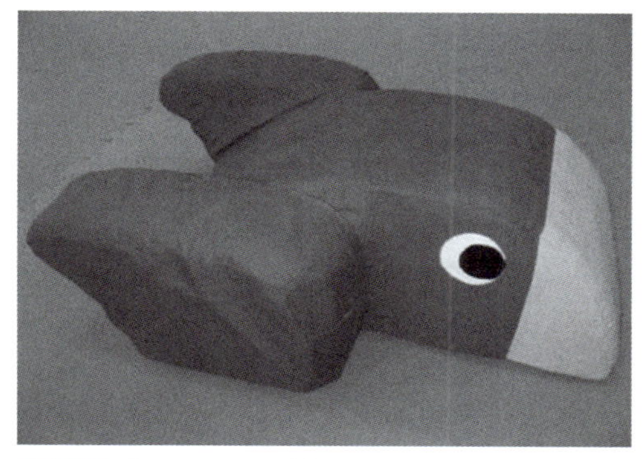

図10 とりちゃん（腹臥位保持具）

【考えるヒント】

篠原は，機能性とデザイン性にすぐれた優しく易しい（容易）ものづくり，姿勢保持具を「生活用具」という視点で製作し，楽に生活するために「物の力」を借りること，「生活を豊かにする道具たち」の重要性を述べている[1]．そのためにはネーミングも重要であり，たとえば「腹臥位保持具とって」というよりも，「とりちゃん（図10）とって」のほうが，子どもへの印象や周囲の大人たちのとらえ方も変化すると述べていた．

また強度の側彎，肋骨隆起がある場合は，側彎を矯正する（引き伸ばす）のではなく体幹が面として安定でき呼吸が楽にできるように腹臥位保持具（図11）を工夫している．

また，胃瘻，気管切開・暑さ対策への対応

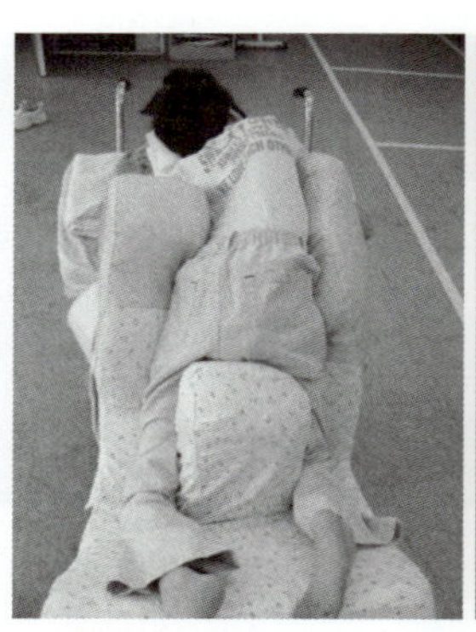
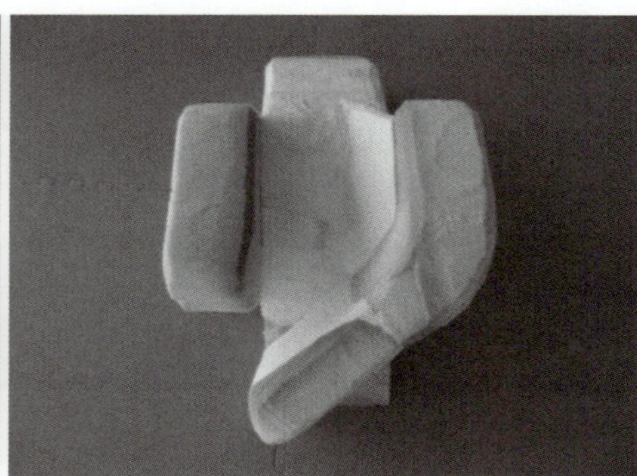
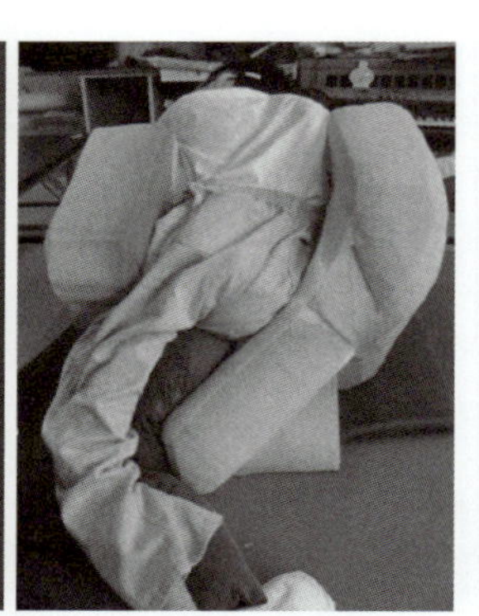

図 11　新世代とりちゃん

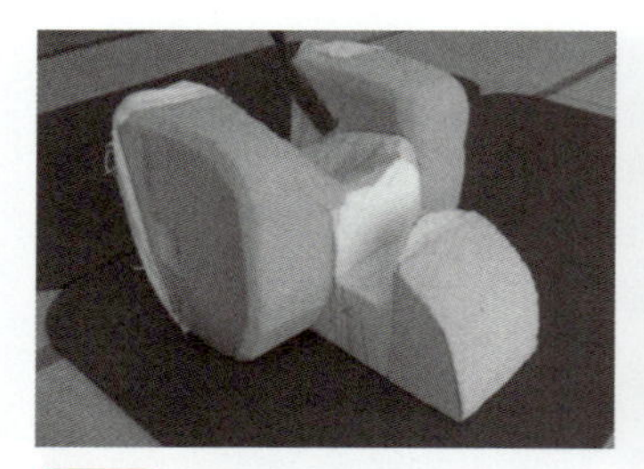

図 12　気管切開への対応

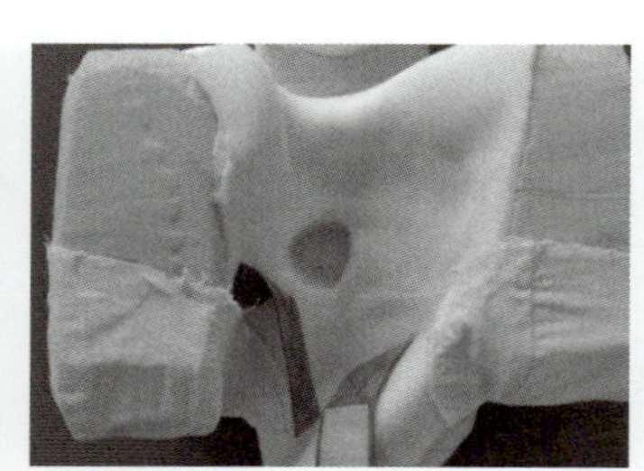

図 13　胃瘻への対応

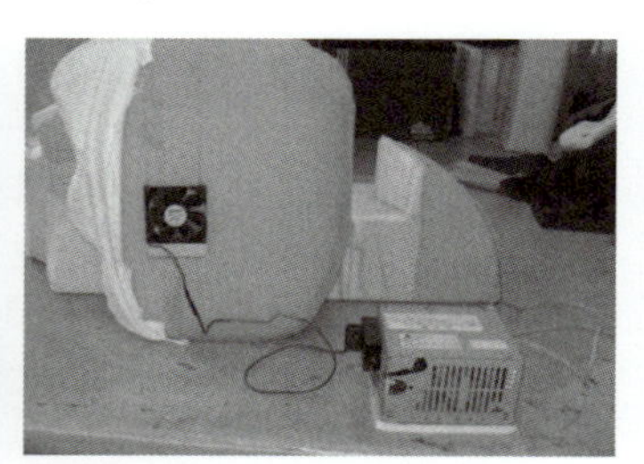

図 14　暑さへの対応

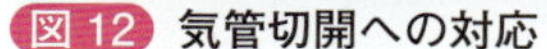

（図 12〜14）も行っている．

5. まとめ

筋緊張亢進のある重症児者の支援を客体的（物事）に捉えるのではなく，主体者である人たちとして捉え，その人たちの個性に興味関心をもちながら，お互いの反応の協働として支援の再考のヒントになることを期待する．

文　献

1）篠原　勇．教育現場での姿勢保持の取り組み．まいづる姿勢の学習会実践レポート，2012

参考文献

・ 高塩純一．身体障害のある子どもたちにとっての車いす・姿勢保持装置と ICF．Rehabil Engineering 2012；28：22-25
・ 日本コーチ連盟認定コーチ養成プログラム．2014
・ 村上　潤．生活を豊かにするための姿勢づくり—障がいの重い人たちへのキャスパー・アプローチによる挑戦．ジアース教育新社，2011；102-111
・ 染谷淳司．ポスチュアリングと姿勢環境支援．実践に基づく重症心身障害児者の理学療法ハンドブック．ともあ，2021；86-125

［高塩純一］

F　生活リズム・行動の障害

1　重症児者の睡眠障害の原因と対策・薬物治療

POINT

- 重症児者では睡眠障害の合併が高頻度で，障害重症度や障害種と密接に関連する
- 睡眠障害の程度・種類によって適切な対応策を講ずることが肝要で，安易に薬物療法に頼ることは避けるべきである

1. はじめに

睡眠覚醒リズム（睡眠中枢）は胎児期から乳幼児期の短期間で急速に変化発達する．①胎児期：妊娠中～後期に睡眠と覚醒の区別が出現（睡眠中枢が活動），②新生児期：視覚刺激・外界刺激に曝されることで，睡眠覚醒リズムが次第に24時間周期に近づく，③乳幼児期：3歳頃までにほぼ成人パターンになる，とされている．重症児者の脳障害のほとんどはこの睡眠中枢の発達する時期に一致して生じる．それ故，脳障害が睡眠中枢の発達に影響を及ぼす可能性がある．つまり，重症児者では精神運動障害などに加えて睡眠障害（sleep disorders：SD）を合併しても不自然でない．さらに，重症児者では表1に示すような各種障害を合併するが，それらもSDを直接的または間接的に惹起する原因となる．

2. 睡眠障害の診断・評価

SDは多種多様で，診断基準として睡眠障害国際分類がある．この分類は臨床症状と病態生理の両面を考慮したものであるが，膨大な疾患群を含み，かつ終夜睡眠ポリグラフィ（polysomnography：PSG）所見に重点がおかれているなど，一般臨床で使用するにはやや難がある．診断手順としては，①睡眠衛生や生活習慣の問診，②睡眠にかかわる調査票（ピッツバーグ睡眠質問票など），③睡眠日誌の記載（day by day プロット法），④PSG法，の順に進める[1]．しかし，重症児者では自己表現が不能で，かつPSGで睡眠深度判定がむずかしいなど，臨床症状/臨床観察を重視した診断とならざるを得ない．SDの程度や種類の診断については，筆者らが提唱した評価法が簡便で有用である[2,3]．つまり，生活リズムに直結した5指標（①睡眠覚醒リズムの安定性，②日中の午睡の程度，③入眠時間の規則性〈夜〉，④起床時間の規則性〈朝〉，⑤夜間の中途覚醒の程度）を睡眠日誌から読み取り，各指標をスコア化（重度3点，中等度2点，軽度1点）して半定量的に評価する（図1）．

3. 睡眠障害の頻度・特徴

上記評価法を用いた重症児者のSDは，軽度35.7%，中等度38.6%，重度20.0%で中等度以上を明らかなSDとしても58.5%と高頻度であった．指標別にみると，重症児者のSDは③>④>①で入眠や起床時間の不規則性が特徴であると思われた．背景因子との関係では障害程度が重いほどSDの合併頻度は高く，かつ重度SDが多かった．そして，大島分類1と2以上では明らかにSD頻度が異なることから，運動レベル（坐位獲得の有無）がSDの合併に関与することが示唆された．障害種・障害時期別にみると，出生前障害ではSDの頻度が高く，かつすべての指標に及んでいた．これに対して周産期障害や出生後障害では③が主体であった．さらに，出生後障害では睡眠リズムが完成する3歳以降の発症例ではSDの合併が明らかに少な

表 1　睡眠障害の原因となる重症児者特有の合併障害

①運動障害：姿勢異常，筋緊張亢進，変形・拘縮（痛み刺激），活動の制限，など
②知的・コミュニケーション障害：心理的ストレス，興奮，など
③呼吸器障害：胸郭運動障害，喘鳴（気道狭窄・閉塞），など
④摂食・消化管障害：食事水分摂取障害，胃食道逆流，便秘，など
⑤血液循環・体温調節障害：循環不全・低体温，など
⑥内分泌異常：甲状腺機能低下，性ホルモン異常，月経関連症候群，など
⑦てんかん：てんかん発作，抗てんかん薬内服，など
⑧その他：各種薬剤内服，夜間ケア，など

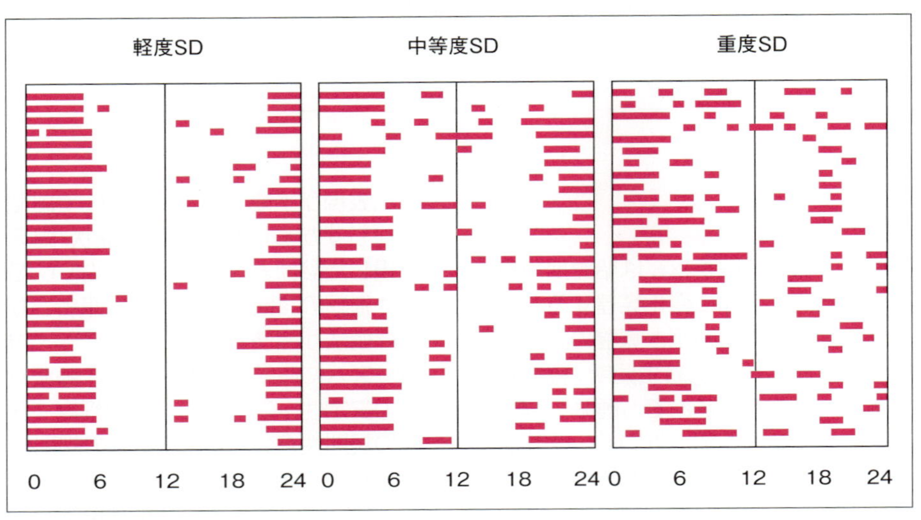

図 1　睡眠障害の程度
day by day プロット法

かった．このように SD の合併は障害重症度や障害種（時期）によって異なっており，そのことを理解して対応策を検討する必要がある．なお，約 30%は周期性 SD を示した（周期は 2 週〜1 か月，数名は free run pattern）．これらは出生前障害や視覚障害を有するケースに多く，睡眠中枢の発達早期における障害と考えると興味深い所見である．

4. 睡眠障害の対応・治療

SD＝薬物療法と考えがちであるが，SD の種類や背景因子を考慮することなく睡眠薬を投与することは慎むべきである．近年，薬物療法乱用の反省から，①原因となる因子・病態への対応，②行動療法と心理療法（刺激抑制療法，睡眠制限療法など），③生理学的治療（上気道閉塞の抑制，高照度光療法，時間療法など）等の重要性が強調されている[1]．

重症児者 SD に対する治療法の一部を以下に記す[2,3]．

ⓐ 高照度光療法

毎朝早朝に 1 時間程度高照度環境に置く．入眠時間＞起床時間の不規則性の是正に有効，総睡眠時間の適正化も得られる．

ⓑ 運動療法

毎日夕方に一定時間の運動を実施する（介助歩行など）．睡眠導入がスムーズになり中途覚醒減少につながる．背面開放坐位も同様の機序で効果が得られる．

ⓒ CPAP 療法

睡眠時無呼吸症候群に対しては体位変換（側臥位），ネックカラー（顎の保持），エアウェイなどが行われるが，重症例（低呼吸無呼吸指数＞40）では CPAP が適応となり，午睡の軽減がみられ，日中の活動性向上につながる．

表2 睡眠障害治療薬

	ベンゾジアゼピン系睡眠薬	非ベンゾジアゼピン系睡眠薬	メラトニン受容体作動薬	オレキシン受容体拮抗薬	抗ヒスタミン薬
おもな薬品名	ハルシオン® レンドルミン® ユーロジン® サイレース®	マイスリー® アモバン® ルネスタ®	ロゼレム®	ベルソムラ®	アタラックス® P ペリアクチン® レスタミン® コーワ
作用機序	BAGA 増強 抑制系の増強	BAGA 増強 抑制系の増強 α_1選択性	メラトニン受容体 体内リズムの調整	オレキシン受容体遮断 覚醒系の遮断	ヒスタミン受容体遮断
副作用	持ち越し，健忘，せん妄，依存	同左	少ない	(少ない)	持ち越し，体重増加，その他
依存性	あり	あり	ない	(ない)	なし
コメント	使用頻度多い	第1選択	睡眠リズム調整	覚醒系を抑制	早期に耐性

ⓓ 薬物療法（表2）

(非)ベンゾジアゼピン系薬剤が多く用いられる．SDの特徴（入眠期障害，中途覚醒など）に従い作用時間を考慮して薬剤選択を行う．翌日への作用持ち越しや蓄積作用に留意する必要がある．メラトニン製剤（ロゼレム®）は概日リズム睡眠障害に有効性が期待される．しかし，重症児者ではもともとメラトニン分泌が多いとする報告もあり，配慮する必要がある．近年市販されたオレキシン受容体拮抗薬は覚醒系を抑制する効果があり副作用も少ないとされているが，重症児者ではもともと覚醒障害があるケースもあり注意が必要である．また，抗ヒスタミン薬も使用されることがあるが効果は部分的であり，早期に耐性が出現するなどの難点もある．小児ではトリクロリール®やエスクレ®坐薬も有効であるが長期の連用には適さない．いずれの薬剤においても漫然とした投与は避け，定期的に効果判定・副作用チェックを行い投薬継続・変更等を判断することが重要である．

5. まとめ

睡眠覚醒リズムは日常生活リズムの基盤となるものであり，重症児者QOLに直接的に関連する．さらに，その障害は各種の合併症を惹起する原因にもなりうる．今後，SDに関してさらなる検討を加え，よりよい医療・療育につなげることが重要である．

文 献

1）井上雄一．睡眠障害診断の手順．睡眠障害治療の手引き．久保木富房，井上雄一（監），睡眠障害診療マニュアル．ライフ・サイエンス，2003；2-25
2）小西 徹．重症心身障害における睡眠に関る諸問題について．日重症心身障害会誌 2010；35：3-9
3）小西 徹．重症心身障害と睡眠障害．重症心身障害療育 2010；5：1-8

［小西 徹］

F 生活リズム・行動の障害

2 興奮・自傷行動

POINT

- 興奮や自傷の出現は，不安・緊張などが大きな誘因となる
- 睡眠など生活リズムを安定させ，本人にわかりやすく，安心できる環境を配慮することが大切．薬物を用いる場合は標的症状を明確にし，少量から投与
- 自傷は反復するうちに自動化，重度化し，重篤な身体合併症を引き起こすことがある．自傷の程度が強く身体損傷のおそれがある場合，肘伸展装具の利用がしばしば有用

1. 重症児者における興奮・自傷の原因

ⓐ出現状況

重症児者において，興奮は，しばしば強い不安の表現であると指摘されている．ここから固執・儀式的行動，常同行動の増加や，自傷に至ることがある[1]．自傷行動は具体的には，手や腕に噛み付く，頭を床や壁にぶつける，頭・顔・耳などを叩く，目に指を突っ込むなど，様々な形態がある．頭部，額，眼窩部を叩く行動が持続し，白内障や網膜剝離などの重篤な合併症を引き起こす例もあり，適切な対応手段を講じる必要がある．

ⓑ発達・身体要因

知的身体的制約のため，①状況の理解ができにくい，②予測ができず見通しが立てにくい，③自分の意思や気分を言語的に表現することが非常に困難である．また運動機能の制限により，④攻撃性の対象が自身に限定されやすい．さらに，⑤てんかんほか脳器質疾患の合併や脳の中枢の機能障害のため睡眠リズムが整いにくい，などの要因がある．

ⓒ生物学的機序

自傷の発生機序には，生物学的にはドパミン系の過感受性，セロトニン系の機能異常，グルタミン酸伝達系とドパミン系の相互作用の異常，などが想定されている．自傷の反復・重症化の機序には，「持続的な痛覚刺激(慢性的なストレス)による内因性オピオイド系*の過剰賦活があり，自傷の中断で内因性オピオイド賦活が中断されると麻薬の禁断症状類似状態となり，自傷を再開せざるをえなくなる」という仮説があげられている．すなわち，重症児者における自傷はしばしば慢性的な身体の不快や激しい不安などへの自己対処行動として惹起され，自傷を反復することで，その感覚刺激自体が無意識下に自傷の強化因子となる可能性も指摘されている．

*疼痛刺激などのストレス時に，視床下部の指令により下垂体からACTH（副腎皮質刺激ホルモン）とβエンドルフィン（内因性オピオイド〈麻薬様物質〉）が放出される．βエンドルフィンはドパミンの遊離を促進し，多幸感をもたらす．

2. 興奮・自傷行動への対処

ⓐ対処の要点

1）身体的条件を可能な限り改善させるように，医療的介入を行う（睡眠リズム，発作コントロール，排便管理など）．重症児者においては胃食道逆流症も頻度の高い身体合併症で，様々な不快の原因となりうるため，必ず念頭におき必要な治療対応を行う．

2）本人に状況の予測や理解がしやすいよう，安定した生活パターン形成を図る．

3）日々のかかわりでは，①本人が不安に感じる状況を予測し，回避・軽減が可能なものは事前に除く，②本人が不安に感じ

表1 重度心身障害児者における興奮・自傷行動に対して使用を考慮される薬物のおもな例

		薬名（一般名）	薬名（商品名）	興奮・自傷への薬物療法時の臨床投与量の目安[*1,*2]	備考・薬剤特徴，留意事項（受容体名は略称表示[*3]）
定型抗精神病薬	フェノチアジン系	レボメプロマジン	ヒルナミン®，レボトミン®	2.5〜20 mg/日　分1〜4（おおむね10 mg/日以内で有効．2.5 mg/回頓用も可）	D_2，α_1，M_1，H_1，5-HT_{2A}受容体拮抗．鎮静催眠作用・情動安定作用が強い．
		プロペリシアジン	ニューレプチル®	5〜10 mg/日　分1〜3	D_2，α_1，5-HT_{2A}受容体拮抗．特にノルアドレナリン遮断が強力．興奮・攻撃性の強い例に適するが，起立性低血圧反射性頻脈，過鎮静，錐体外路症状などに注意要．
非定型抗精神病薬	SDA（セロトニン・ドパミン拮抗薬）	リスペリドン	リスパダール®	小児　0.5〜1 mg/日　分1〜2，成人　0.5〜2 mg/日（自傷に対してはこれ以上の増量による効果は乏しい）	体重15〜20 kg未満小児の開始量は0.25 mg/日．自傷に対する本薬剤の効能はおもに情動面の改善を経由するものであり，鎮静強化を要する場合は他剤を考慮．
	DSS（ドパミン部分アゴニスト）	アリピプラゾール	エビリファイ®	開始量は事例に応じ設定（0.75 mg未満の極少量投与時は5-HT_{1A}賦活作用が目立ちやすいことも留意する）　維持量6〜9 mg/日　分1〜分服適宜（自傷に対してはこれ以上の増量による効果は乏しい）	D_2・D_3部分作動＋5-HT_{2A}拮抗＋5-HT_{1A}部分作動薬 →抗不安・抗うつ作用有（リスペリドンに準じる理由により鎮静を要する場合は他剤を考慮）．
	MARTA（多元受容体標的化抗精神病薬）	クエチアピン	セロクエル®	25〜600 mg/日　分2〜3（25mg1日1回夕食後または就寝前より開始）	D_2・5-HT_{2A}・H_1・α_1拮抗．糖尿病および既往者への投与禁．錐体外路系・月経不順の副作用は比較的少ない．
		オランザピン	ジプレキサ®	2.5〜10 mg/日　分1就寝前	D_2・5-HT_{2A}・H_1・α_1・M_1拮抗．糖尿病および既往者への投与禁．アカシジア以外の錐体外路系・月経不順の副作用は比較的少ない．
うつ・不安障害・強迫性障害治療薬	SSRI（選択的セロトニン再取り込み阻害薬[*4]）	フルボキサミン	デプロメール®，ルボックス®	12.5〜50 mg/日　分1〜2	抗コリン副作用は少ないが相互作用が多い点に注意．併用禁忌：ピモジド（抗精神病薬），MAO阻害薬，チザニジン，ラメルテオン，メラトニン
		エスシタロプラム	レクサプロ®	5〜10 mg/日　分1夕食後（有効例はほぼ5 mgで効果あり．CYP2C19代謝活性低下者は上限10 mg/日であることにも留意）	5-HT選択性が高く他の神経伝達系への影響少．投与禁忌：先天性QT延長症候群．併用禁忌：ピモジド（抗精神病薬），MAO阻害薬
気分安定薬	抗てんかん薬・双極性障害治療薬	カルバマゼピン	テグレトール®他	100〜600 mg/日	第2章D-2 重症児者における抗てんかん薬の選択と使用法，副作用などの注意点参照，p.152
		バルプロ酸ナトリウム	デパケン®，セレニカ®，バレリン®他	100 mg/日〜，血中濃度70 μg/mL台まで目途に必要応じ増量し効果判定（さらに増量の情緒面効果は乏しい）	
	躁病・双極性障害の躁状態治療薬	炭酸リチウム	リーマス®，リチオマール®他	200〜600 mg/日　分1〜3（維持療法量100〜200 mg/日）	治療域と中毒域が近く血中濃度測定必須 長期投与時の腎機能・甲状腺機能低下にも要注意
その他，気分安定作用のある抗てんかん薬		トピラマート	トピナ®	150〜200 mg/日　分2（25 mg/日分1〜2より開始）	第2章D-2 重症児者における抗てんかん薬の選択と使用法，副作用などの注意点参照，p.152
		クロナゼパム	ランドセン®，リボトリール®	成人　0.5〜0.6 mg/日　分1〜2	
抗不安薬	ベンゾジアゼピン系	ブロマゼパム	セニラン®，レキソタン®	0.5〜8 mg/日　分1〜3分服適宜（剤型多種，坐薬もあり使いやすい）	静穏・抗不安作用が強力，催眠・筋弛緩作用ともにジアゼパムより強い．投与禁忌：重症筋無力症，急性狭隅角緑内障
漢方薬		抑肝散	（製造会社名＋一般名）	1日1包2.5 gから（ツムラ製剤の例）	甘草含有量1.5 g/ツムラ3包/日
		甘麦大棗湯	（同上）	1日1包2.5 gから（ツムラ製剤の例）	甘草量5 g/ツムラ3包．小麦アレルギー確認要
		その他（証に応じ選択）		甘草1日投与量上限7.5 gに留意し，複数製剤併用時は適宜減量	

[*1]エビデンスの実証されたものではなく参考値であるが，筆者の施設での使用経験に基づいた有効投与量・維持量の目安を示す．

[*2]小児と特記欄以外は成人量である．

[*3]α_1＝アドレナリン受容体α_1，D_2/D_3＝ドパミン受容体D_2/D_3，M_1＝ムスカリン性アセチルコリン受容体M_1，H_1＝ヒスタミン受容体H_1，5-$HT_{1A}/_{2A}$＝セロトニン受容体$_{1A}/_{2A}$

[*4]SSRIは自傷に対し有効例もあるが，SNRI，NaSSAなど，ノルアドレナリン賦活作用を伴う抗うつ薬は交感神経刺激による副作用ならびに攻撃性・焦燥出現のリスクが高く，重度心身障害児者には使用を推奨しがたい．

短めの肘伸展装具

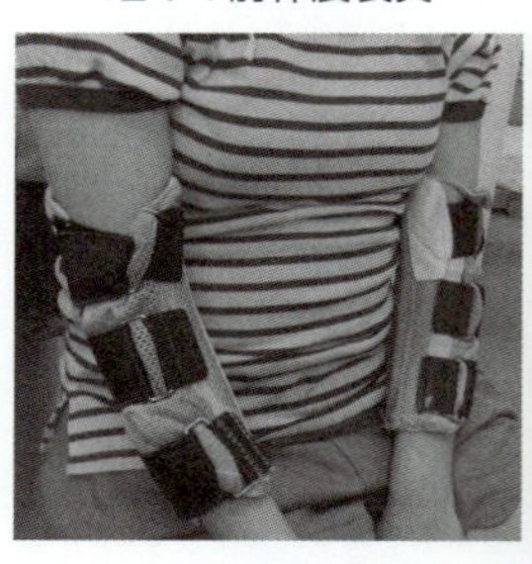

長めの肘伸展装具

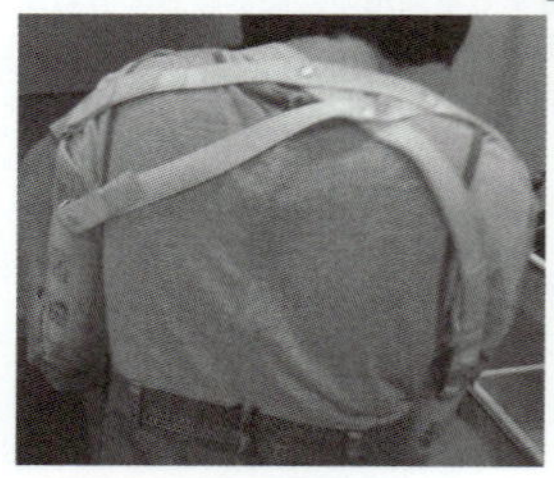
本人が取りはずしてしまわないように，左右をベルトでつないである

図１　肘伸展装具

はじめた様子があれば，本人にとって安心できる人がかかわる/早めに肘伸展装具（後述）の装着などによって自傷行動を回避できるように援助する，③本人にとって落ち着ける場所に移動する，などの対処を行う．

4）適切な表出手段を増やす療育的援助・かかわりを継続する（表情や小さな身体の動きなど限られたサインを見逃さず，やりとり手段として促進していくことが望ましい）．

ⓑ薬物療法

対応や環境の調整のみで改善が困難な場合，薬物療法が適応となる．使用される代表的な薬物の例を，表１にあげる．重度知的障害のある児者で著しい興奮と自傷が定型抗精神病薬により軽快する例，明らかな誘因や興奮を認めず生じる自傷が選択的セロトニン再取り込み阻害薬（SSRI）により消失した例など，薬が有効な例もあるが，薬物により逆に興奮や自傷の増悪をきたすこともある．興奮や自傷の生じる背景要因を判断し，薬の効果を期待する標的症状を定めたうえで，副作用を考慮し少量から処方していく必要がある．

ⓒ装　具

“肘伸展装具”とは，図１のように，両肘に付ける形式の装具で，肘を伸ばした状態に保ち，腕を動かすことはできるが肘を曲げられないようにすることにより，頭・顔・耳などをたたく・引っ掻くなどの自傷行動の出現を抑制するものである．不安で自傷行動の出現が予測されるような状況では，肘装具を事前ないし早々に装着すれば，自傷行動が強く出ないですむ．多くの場合，自傷は本人自身にも意図的に制御できないものであるため，本人も肘装具を早く付けたほうが安心し，比較的スムーズに受け入れられる事例が多い．

文　献

1）吉岡伸一．行動の問題と薬物療法．大野耕作，他（編）．知的障害者の健康管理マニュアル．診断と治療社，2007：176-181

参考文献

・有賀道生．知的障害者の自傷行為について．そだちの科学 2014：22：44-48
・笹野京子．重症心身障害児の医療的対応-i）精神心理的異常．江草安彦（監），重症心身障害療育マニュアル．第２版，医歯薬出版，2005：272-276

［木村育美］

F 生活リズム・行動の障害

3 異食（異物誤飲）

1.「異食」とその結果

精神医学的には，非栄養物質を 1 か月以上にわたり繰り返して食べる行動があり，これが発達レベルからみて不適切であり社会文化的にも容認されないものが，異食症 pica と定義される．重症児者では，この定義には合致しないが，自分で動けたり口に自分で物を入れることの可能な場合に，食物でない物を口に入れてしまう広義の意味での異食の行動が生じることがかなりあり，下記の問題が生じ，重大な結果となることもある．

- 異物が気道に詰まっての呼吸の障害
- 消化管の損傷や閉塞—手術を要する腸閉塞に至る場合もある（図 1）
- 中毒や感染

これらは，1 回の異食でも生じるが，抜毛症（毛を抜いて口に入れる）のように，繰り返し口に入れたものが胃内に固まって問題を生じることもある．

2. 異食の予防

玩具，小さな人形，ボタン，小さなタオル，薬包，食事札，糞便，砂など，口に入れられる物のすべてが異食の対象となり得る．これらの物を管理し，生活環境から取り除く，定期的に確認撤去し放置しないようにする．外出時などは支援者が見守り異食を制止する．

このような対応は，常に監視下に置き，生活空間や物的刺激を制限するという不自由さを強いることにもなり得る．たとえば，口に入れても飲み込めないように玩具を強い紐で固定物につないでおくなど，不自由さを最小限にする工夫が必要である．

精神的に安定し充足感を感じることのできる状況で，異食の行動が軽減する場合もある．

発達的アプローチとして，認知能力に合わせた発達支援生活支援から，好ましい行動を獲得・学習させ異食行動を減弱させる．先行刺激を分析し，異食を持続させている背景を把握する．最近では，応用行動分析を行い適切な食物を摂取することを強化したり，異食の要求を別の行動で置き換えたりする等の行動療法の効果が報告されている．

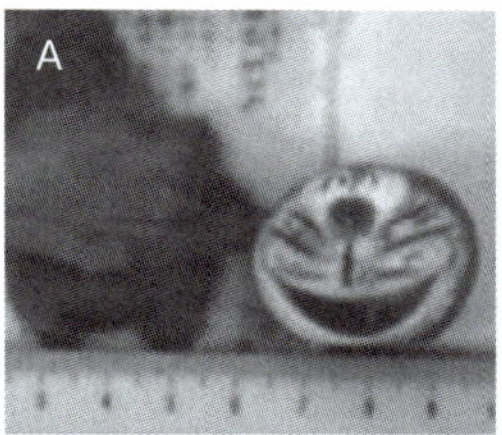

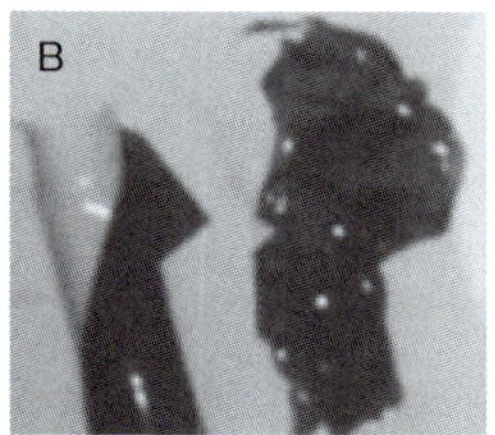

図 1　異食による腸閉塞の例，食道損傷の例
A：アニメキャラクター人形の異食→腸閉塞となり手術
B：クリスマスの飾り付けセロファンを異食→血液（胃酸と反応して褐色液）を嘔吐

3. 異食のときの対応

異食した可能性があるときには注意深い状態観察を行い必要に応じて検査を行う．異食の行動がある児者で，腹部症状（嘔吐・腹痛・腹部膨満など）や急な呼吸困難があるときには，異食による可能性を疑い，X 線検査などの検査を行う．化学物質を異食した場合には，「日本中毒情報センター http://www.j-poison-ic.or.jp/」のホームページから情報を取得し対応する．

参考文献

- McAdam DB, et al. Behavioral interventions to reduce the pica of persons with developmental disabilities. Behav Modif 2004；28：45-72
- Matson JL, et al. Pica in person with developmental disabilities：approach to treatment. Res Dev Disabil 2013；34：2564-2571

［松塚敦子，北住映二］

G　内分泌・代謝・循環器系の障害

1　代謝系の障害—Fanconi症候群，カルニチン代謝

POINT

- Fanconi症候群は，近位尿細管での再吸収障害により腎性糖尿，リン酸尿，汎アミノ酸尿を引き起こす疾患で，小児では多尿による脱水（乳幼児），発育不全，成長障害，低リン酸性くる病を，成人では骨軟化症と筋力低下を起こす．他疾患の合併症で発症したり，抗てんかん薬などの薬剤で出現することもあり注意が必要である．
- カルニチンはビタミン関連物質で脂肪酸の代謝に必要である．抗てんかん薬などの薬剤や経腸栄養剤の使用，透析患者，神経筋疾患や重症児者では低遊離カルニチン血症に注意が必要である．低ケトン性低血糖，代謝性アシドーシス，高アンモニア血症，肝機能障害などの検査異常があればカルニチン欠乏症を疑い，血中カルニチンを測定する．遊離カルニチンが＜36 μmoL/L未満やアシルカルニチン/遊離カルニチンが＞0.4であればカルニチン製剤（エルカルチン®，レボカルニチン塩化物錠，エルカルチン® FF内用液®，エルカルチン® FF静注）を投与する．

1. Fanconi症候群

ⓐ病　因

遺伝性，後天性，外因性に分類され[1]，遺伝性Fanconi症候群では，通常シスチン症などの遺伝性疾患を伴うが，Wilson病，ガラクトース血症，Lowe症候群，チロシン血症に合併することもある．後天性は，ネフローゼ症候群，多発性骨髄腫，神経性食思不振症（低栄養状態），Sjögren症候群など疾患に併存するものや，重金属やその他の化学物質，癌化学療法薬（カドミウム，水銀，鉛）や抗菌薬（アミノグリコシド，期限切れのテトラサイクリン），特に重症児者で使用される抗てんかん薬（バルプロ酸〈デパケン®〉，カルバマゼピン〈テグレトール®〉，フェニトイン〈アレビアチン®〉，ジアゼパム〈セルシン®〉，フェノバールビタール〈フェノバール®〉）で起こることも多い[2)3)]．

ⓑ病態生理

本症はブドウ糖，リン酸塩，アミノ酸，HCO_3，尿酸，水，K，Naの近位尿細管の再吸収障害によって生じる．薬剤性では尿細管のミトコンドリアのβ酸化異常や間質性腎炎の関与が想定されている[4)]．低カルニチン血症が原因となることも想定されるが，カルニチン投与例でも認められているため[5)]，症例，基礎疾患や薬剤により機序は相違すると考えられる．

ⓒ症状や検査所見

乳幼児では水分喪失による多飲・多尿・脱水がみられるが，重症児者では症状を訴えることが困難であり，発見が遅れることも多い．体調不良時に，血清K値の低値，高Cl性代謝性アシドーシスや多呼吸で気づくこともあるが，定期血液検査で発見されることも多い[5)]．血清P値の低下により幼少時ではくる病を，成人期では骨軟化症をきたし，骨折で気がつかれることも多い．さらに，近位尿細管におけるビタミンDの活性型の変換低下が悪化因子となる．その他，血清尿酸の低下やALPの増加，尿中β_2やα_1ミクログロブリンの上昇，Pの再吸収率の低値，希釈尿を認める．カルニチンの尿細管での再吸収障害から血清カルニチンが低下し，脂肪酸酸化障害によるインスリン抵抗性糖尿病も報告されている[6)]．

ⓓ診　断

診断は，尿糖（血糖正常），リン酸尿およびアミノ酸尿を証明することで診断される．血

清のP，Caや尿酸値の変動に注意し，低下があれば本症候群を考慮し，尿検査を行う．

ⓔ治　療

原因となっている薬物の除去以外に特異的な治療法はない．アシドーシスは，炭酸水素ナトリウム（重曹：重炭酸イオンとして1日2〜10 mEq/kgを投与），クエン酸Naまたはクエン酸K（合剤はウラリット®錠もしくはウラリット® U散では成人で1日3〜6 g）を血液ガス分析結果を参考にしながら1日3〜4回で投与する．Kが枯渇する場合は，K製剤（スローK®：Kとして1日2〜3 mEq/kgを投与）による補充療法が必要となる．低リン酸血症性くる病には，小児期では活性型ビタミンDを0.05〜0.2 μg/kgで1日1回投与し，さらにリン酸二水素ナトリウム（ホスリボン®）を1日20〜40 mg/kgを数回に分けて投与する．ただし，活性型ビタミンDで高カルシウム血症や高カルシウム尿症がみられ腎機能低下や尿路結石がみられることがあり，尿中Ca/Crを0.3以下にする必要がある．低カルニチン血症を認めた場合，カルニチン製剤を30〜120 mg/kgを分3で投与する[7]．

2. カルニチン代謝

ⓐ病　因

当初，頻度は多くないがメチルマロン酸血症やプロピオン酸血症などの有機酸代謝異常に対してカルニチンが使用されていた．一方，2012年4月に乳幼児期にピボキシル基抗菌薬（メイアクト®など）を使用することでカルニチン欠乏症が生じ，低血糖，けいれんや脳症を呈することが医薬品医療機器総合機構から報告され，注意喚起がなされた．また，重症児者では筋肉量が少なく，バルプロ酸などの抗てんかん薬（場合によりFanconi症候群の発症）の服用，感染症罹患で抗菌薬の服用が比較的多いことや経管栄養による栄養管理が多いため，カルニチン不足になることも多く，特に注意が必要である．

ⓑ病態生理

カルニチンは，長鎖脂肪酸のミトコンドリアへの輸送に必須であり，ミトコンドリア内でのCoA/アシルCoAの比率を調整し，細胞毒であるアシル化合物をカルニチンエステルとして細胞内より除去し，尿中へ排泄する役割を有する[8]．乳児のカルニチン合成能は成人の1/5程度であり，脂肪利用率も高いため，カルニチンは重要となる．また筋肉に貯蔵されているため，筋疾患，痩せている（筋萎縮）場合や体格がよくても筋肉量が少ない場合は貯蔵量が少ない．さらに特殊ミルクや医薬用経腸栄養剤の一部にはカルニチンが含有されていない[9]ため，カルニチン欠乏症に注意が必要である．

ⓒ症状や検査所見

低ケトン性低血糖，筋緊張低下や筋肉痛，心肥大，肝腫大，臓器の脂肪変性などがみられ，横紋筋融解症，心筋症，急性脳症やReye様症候群，乳幼児突然死症候群の様相を呈する．検査では，血中遊離カルニチン低下（<36 μmol/L），アシルカルニチン/遊離カルニチン>0.4であれば可能性がある．以前，カルニチン測定は保険未収載のため，高アンモニア血症，代謝性アシドーシス，CK，ASTやALTの高値などの検査結果や症状からカルニチン欠乏症を疑い治療することも認められていた．

ⓓ診　断（図1）

2018年に「カルニチン欠乏症の診断・治療指針2018　要旨」[10]が上市され診断や治療がわかりやすくなった．カルニチン欠乏症が疑われれば血中カルニチン（血中カルニチン2分画検査：総カルニチンと遊離カルニチンを測定しその差からアシルカルニチン）を測定する．2018年2月から保険収載されたが，先天代謝異常症の診断補助・経過観察では月1回を限度，重症児者や透析患者などその他の場合は6か月に1回を限度とされている．遊離カルニチン<20 μmol/L未満の場合はカルニチン欠乏症発症もしくはいつ発症してもおかしくない状態，20≦遊離カルニチン<36 μmol/Lでは境界域の状態，アシルカルニチン/遊離カルニチン>0.4ではカルニチン欠乏症発症の可能性の高い状態と考えて治療する．また遊離カルニチン>74 μmol/Lでも代謝異常の可能性がある．また，アシルカルニチン≧20 μmol/Lも異常で，特にアシルカルニチン/遊離カルニチン>0.4（正常は≦0.25）は異常である．なお

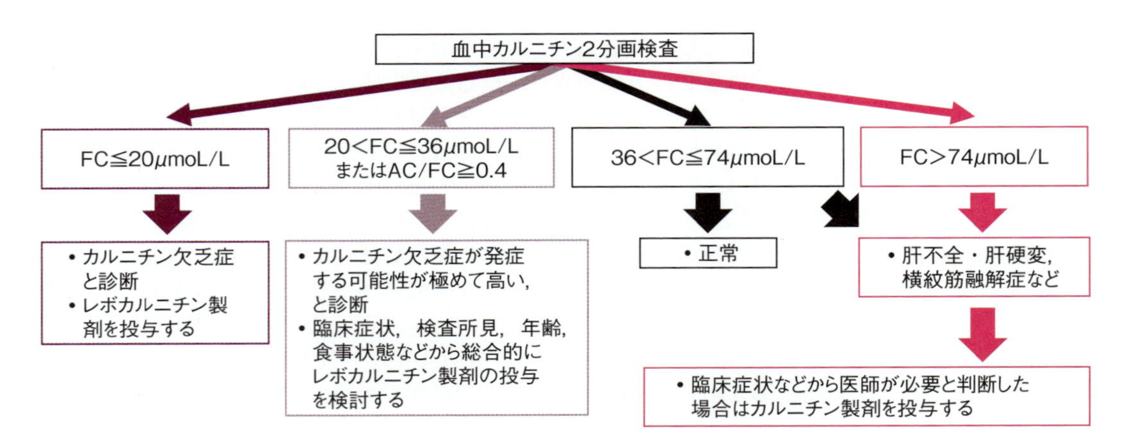

FC：遊離カルニチン，AC：アシルカルニチン

図1　血中カルニチン2分画検査からみたカルニチン欠乏症の診断と治療
（位田　忍，他．カルニチン欠乏症の診断・治療指針 2018　要旨．日小児会誌 2019；123：1-6 より改変）

先天代謝異常症の診断・治療には，タンデムマスによるカルニチンプロフィール分析が必要である．

e 治　療（表1）

添付文書においては，成人にはレボカルニチンとして1日1.5〜3 g（15〜30 mL）を，小児には25〜100 mg（0.25〜1 mL）/kg/日を1日3回に分割投与すると記載されている．一方，「カルニチン欠乏症の診断・治療指針　2018」では，重症児者に栄養剤として補充に用いる場合は2〜10 mg/kg/日，カルニチン製剤で治療に用いる場合は20〜50 mg/kg/日（FF内用液では0.25〜1 mL），成人で1日1.8〜3.6 g（15〜30 mL）を1日3回で分割経口投与する．ただし，重症児者の栄養状態やカルニチン欠乏状態，抗てんかん薬や抗菌薬の使用状況で総合的に判断することが必要である．カルニチンを含まない中心静脈栄養（TPN）や経腸栄養剤での補充では，TPN（新生児や術後の栄養管理など）時は静注薬を2〜5 mg/kg/日で，経腸栄養剤では5 mg/kg/日で投与する．神経筋疾患および精神疾患では，投薬として3〜10 mg/kg/日，食事摂取として1〜4 mg/kg/日が目安となる．急性脳症などミトコンドリア機能障害が強い場合には30〜100 mg/kg/日（最大4 g）が必要である．バルプロ酸の副作用の予防では，10〜20 mg/kg/日あるいは100〜300 mg/日，成人では250〜750 mg/日が投与され，バルプロ酸の肝毒性や高アンモニア血症では50〜100 mg/kg/日（6時間ごと，最大1日3 gまでの経口）を投与する．有機酸代謝異常症では，体重1 kgあたり50〜100（200）mg（0.4〜0.8（1.7）mL）が必要で，さらにカルニチントランスポーター欠損症では体重1 kgあたり100〜200 mg（15〜30 mL）以上が必要である[8)]．

f 他の栄養素の欠乏

カルニチン欠乏症を起こす病態には，カルニチンだけでなく，セレン，亜鉛，ヨウ素，鉄，ビタミンD，ビオチンなども欠乏することがあり，注意して診断・治療する必要がある．

文　献

1）Igarashi T. Fanconi syndrome. Avner E, et al eds, Pediatric Nephrology, 6th ed. Springer, 2009；1039-1067
2）吉川秀人．バルプロ酸の副作用とその対策．小児科 2005；46：1614-1620
3）小児慢性特定疾病情報：ファンコーニ（Fanconi）症候群概要．（https://www.shouman.jp/disease/details/02_19_047/）
4）Watanabe T, et al. Secondary renal Fanconi syndrome caused by valproate therapy. Pediatr Nephrol 2005；20：814-817
5）星野英紀，他．バルプロ酸による Fanconi 症候群．小児科 2009；50：1575-1580

表1 標準的なカルニチン補充療法の用法・用量

バルプロ酸Naによる薬剤性欠乏症	予防的投与	10～20 mg/kg/日もしくは100～300 mg/日，成人では250～750 mg/日
	高アンモニア血症・肝毒性	50～100 mg/kg/日（6時間ごと，最大1日3gまで）
	意識障害	初期投与として100 mg/kgを静脈投与（最大6g），その後4～6時間ごとに15 mg/kgを追加し，アンモニア値の低下で経口に変更
重症児者	栄養剤として補充	2～10 mg/kg日，
	カルニチン製剤で治療	20～50 mg/kg/日（FF内容液では0.25～1 mL）を，成人で1日1.8～3.6g（15～30 mL）を1日3回で分割経口投与する．
神経筋疾患および精神疾患		投薬では3～10 mg/kg/日，食事での摂取では1～4 mg/kg/日，1日2～3回に分け，最大2gを超えない
	急性脳症	代謝疾患と同等の30～100 mg/kg/日が必要となる
カルニチンを含まないTPN，経腸栄養剤	TPN（新生児，術後栄養管理）	2～5 mg/kg/日（必ず静注剤を使用）
	経腸栄養剤の補充	5 mg/kg/日（基本的にを内服薬）
透析による欠乏症	血液透析	10～20 mg/kg/回を透析終了後に静注
	腹膜透析	10～20 mg/kg/日から経口投与を開始しデータをみながら調節する
	Fanconi症候群	30～120 mg/kg/日から経口投与
ピボキシル基含有抗菌薬投与による低血糖発作	経口投与可能	カルニチン製剤の40～60 mg/kg/日を投与（少なくとも臨床症状や血清遊離カルチニン値が正常になるまで投与必要）
	意識障害で緊急対処	初期投与として100 mg/kgを静脈投与（最大6g），その後4時間ごとに15 mg/kgを追加投与する．経口可能で症状安定すれば経口に変更

（位田　忍，他．カルニチン欠乏症の診断・治療指針2018　要旨．日小児会誌2019；123：1-6より改変）

6）野原　栄，他．低カルニチン血症と糖尿病を合併したFanconi症候群の1例．糖尿病2004；47：767-772
7）渡辺　徹．Fanconi症候群．小児内科2013；45：1682-1685
8）高柳正樹．カルニチンの臨床．生物試料分析2012；35：281-292
9）児玉浩子，他．特殊ミルク，経腸栄養剤使用時のピットフォール．日小児会誌2012；116：637-654
10）位田　忍，他．カルニチン欠乏症の診断・治療指針2018　要旨．日小児会誌2019；123：1-6

［伊藤昌弘］

内分泌・代謝・循環器系の障害

2 重症児者の内分泌機能障害

POINT

- 重症児者の内分泌機能はやや低下しており，健常児者と比べて個人差が大きい
- 重症児者の内分泌機能は障害の原因となった脳の器質的な病変の影響だけでなく，栄養障害や抗けいれん薬などの薬剤の影響も大きい
- 軽微な内分泌異常は特異的な症状に乏しいので検査が必須であるが，検査を繰り返して診断し，治療についても慎重に行うことが肝要である

1. はじめに

重症児者は重度の中枢神経系の障害をもち，内分泌機能障害の合併が多い．脳障害の重症度と内分泌機能の異常はある程度相関し，頭部CT検査やMRI検査などで視床下部・下垂体に異常が認められる場合には，重度の内分泌機能障害を合併すると考えられる．

重症児者の身体発育は一般に成長曲線から逸脱することが多く，二次性徴などの性発育や骨成熟は遅延し，成人では閉経や老化が早い．この病態は内分泌機能の全般的な低下によると考えられ，多くは脳障害そのものが原因であるが，てんかん発作の異常な電気活動が脳の視床下部・下垂体ホルモン分泌機能に影響を及ぼす可能性も考えられる．また，低栄養や抗けいれん薬などの薬物の副作用が原因と考えられる内分泌機能異常も認められる．特に，低栄養は蛋白の供給不足により直接軟骨細胞の分化増殖に影響し，成長ホルモン・インスリン様成長因子Ⅰ（insulin-like growth factor Ⅰ：IGF-Ⅰ）やインスリン，甲状腺ホルモン，性ホルモンなどの分泌低下や反応性の異常（ホルモン抵抗性など）も引き起こす．重症児者の内分泌機能は一般に低下することが多く，健常児者と比べて個人差が大きいことが特徴である．

2. 重症児者の内分泌機能の特徴

ⓐ成長ホルモンとIGF-Ⅰ

成長ホルモンは軟骨細胞の増殖，成熟による身長増加だけでなく，筋肉量増加や脂肪分解，糖新生促進などの代謝調節作用がある．成長ホルモンの直接作用と成長ホルモン依存性成長因子であるIGF-Ⅰを介する作用があり，代謝調節作用の一部では両者が相反する機序がみられる．さらに，成長ホルモンとIGF-Ⅰは血液脳関門を通過し，中枢神経系にも作用する．海馬を含む複数の部位にこれらのレセプターが発現しており，脳の可塑性に影響する．

重症児者では成長ホルモンの分泌はやや低下しており，IGF-Ⅰやその結合蛋白であるIGF binding protein-3も低下する．IGF-Ⅰの低下は重症児者の低栄養状態を反映するが，健常児者と同じく身長や体重，体表面積とよく相関し，思春期でピークに達する．

脳性麻痺児に成長ホルモンを投与した報告では，身長，体重の増加とともに血中IGF-Ⅰの上昇と窒素バランスの改善，筋肉の増加や皮下脂肪の減少を認めている．成長ホルモン完全欠損症では低血糖症が長期にわたる場合には肝障害（非アルコール性脂肪肝疾患）を起こすことがあるので，成長障害がみられなくても成人成長ホルモン分泌不全症と同じく，少量の成長ホルモン補充療法が必要である．

ⓑ甲状腺ホルモン

甲状腺ホルモンは，脳のグリア細胞に取り込まれて脳の発達や機能を維持し，軟骨細胞の骨化を促進して身長を増加させる．酸素消費を増加させてエネルギー代謝を亢進させ（熱産生作用），蛋白や糖，脂質代謝を調節し，ヒト心房性ナトリウム利尿ペプチド分泌を促進して尿中のNa^+やK^+排泄を促す．

重症児者の甲状腺機能はやや低下することが多い．これは，抗けいれん薬の投与によりT_4の異化が早くなり，甲状腺ホルモンの代謝が亢進して血中のT_4が低下するためである．最近では，重症児者の経腸栄養剤などの長期使用で起こるヨウ素欠乏やセレン欠乏による甲状腺機能低下や，カテーテルなどの消毒に使用されるポビドンヨードで起こるヨウ素過剰による甲状腺機能低下の報告もあるので，注意が必要である．また，甲状腺機能低下症では低ナトリウム血症を起こすことがあり，その場合は甲状腺ホルモン剤の補充療法が必要であるが，治療はごく少量から開始して徐々に増量する．

急性発熱性疾患などの消耗性疾患や肝障害，栄養不良のときには5'-脱ヨード酵素の機能が低下してrT_3が産生され，血中T_3が低く，T_4が正常あるいは低下するeuthyroid sick症候群/low T_3症候群がみられることがある．この場合には，原疾患の治療だけでなく，低栄養状態，特にエネルギーと蛋白の摂取不足に注意が必要である．

ⓒ副腎ホルモン

副腎ホルモンはグルココルチコイド，ミネラルコルチコイド，アンドロゲンからなり，グルココルチコイドは糖質，蛋白，脂質の代謝や水・電解質代謝，血圧調節，免疫機能などに作用し，生命維持に必要なホルモンである．ミネラルコルチコイドは腎遠位尿細管に作用して電解質を調整し，副腎アンドロゲンは弱い男性ホルモン作用をもつ．

重症児者の副腎機能は正常よりやや低下しており，抗けいれん薬の投与でさらに低下する．脳性麻痺成人男性の検討でも副腎機能は正常よりやや低下しており，長期にわたる下垂体からの副腎皮質刺激ホルモン（ACTH）の分泌低下のために副腎の感受性が低下したと考えられている．重症児者において，長い経過中に徐々に副腎機能低下症が進行し骨折等を契機に副腎クリーゼを発症する症例，中枢性甲状腺機能低下症に対して加療中に副腎機能低下症が顕在化する症例などを経験した．

ⓓ性腺ホルモン

男性では精巣からテストステロンが分泌され，思春期の生殖器の発達を促進させる．テストステロンは蛋白同化作用，精子形成作用，骨格筋の発育や成長促進作用がある．女性では卵巣からエストロゲン，プロゲステロンが分泌され，生殖器の発達を促進させる．エストロゲンは卵胞や子宮の発育を促進し，皮下脂肪を蓄積させ，骨成熟を促進して骨端軟骨を閉鎖させる．性ホルモン分泌低下の場合は，性成熟の欠如だけでなく，筋力の低下，脂肪の増加，骨塩量の低下を起こす．

重症児者の思春期発来は遅く，性腺機能はやや低下しており，血中ゴナドトロピンや性ホルモンもやや低下している．脳性麻痺男性の思春期の発来は15歳頃と健常者の12歳と比較して遅く，特にアテトーゼ型ではさらに遅れて20歳ごろから男性ホルモンが増加する．重症児者女性の初経は14.9±1.3歳と健常者女性の12.5±1.1歳より遅く，子宮も小さい．月経異常も多く，約半数は続発性無月経である．重症児者では血中ゴナドトロピンの低下とプロラクチン高値が認められるので，無月経の原因は視床下部や下垂体などの中枢性の障害と考えられるが，抗けいれん薬の影響も否定できない．性腺機能が低下し性ホルモン分泌が著しく低下する場合は骨成熟が完成せず，20歳を超えても身長が徐々に伸びることがある．このようなときには，骨端軟骨の閉鎖を促進するために性ホルモン補充療法などの治療を考慮する必要がある．また，月経に伴って腹痛や嘔吐，食思不振，不眠，興奮，過緊張やけいれん発作増加などの随伴症状を起こすことがあるが，低用量や超低用量のエストロゲン/プロゲスチン配合薬がQOLの改善に有効とする報告がある．

一方，まれではあるが，中枢神経系の障害のために思春期早発症を起こすことがある．男子では9歳未満で精巣，陰茎，陰嚢の明らかな発育が，女子では7歳6か月未満で乳房発育が出現し，下垂体性ゴナドトロピン分泌亢進と性ステロイドホルモン分泌亢進が認め

られたときに診断する．思春期早発症では，骨年齢が促進して骨端軟骨の閉鎖が早くなるので身長はあまり伸びないことが多い．治療としては，LH-RHアナログ（リュープリン®）を用いて血中ゴナドトロピン分泌と性ホルモンを抑制し，骨端軟骨の閉鎖を遅らせて身長を伸ばす．しかし，LH-RHアナログ治療中は骨塩量の増加は少なく，特に重症児者では治療終了後の性腺機能の回復についての検討も少ないので，治療開始にあたってはその適応を慎重に見極めることが肝要である．また，甲状腺機能低下症では思春期早発症を起こすことがあるので，甲状腺機能検査も必要である．

e 抗けいれん薬の内分泌機能への影響

重症児者は難治性てんかんを合併することが多く，乳幼児期早期から多くの抗けいれん薬を長期にわたり大量に服用していることが少なくない．抗けいれん薬は様々な作用をもち，内分泌機能にも影響を与える．てんかん発作時に成長ホルモンは変動しないが，血中プロラクチンは上昇することがあり，クロナゼパムやビタミンB_6の大量投与で上昇が抑制される．これは，脳内のドパミンやγ-アミノ酪酸などのプロラクチン放出抑制因子活性が増加したためと考えられている．

甲状腺機能については，フェニトインとカルバマゼピンは甲状腺ホルモンとサイロキシン結合蛋白との結合を低下させ，TSH分泌を抑制する．バルプロ酸は重度の甲状腺機能低下症を起こす．抗けいれん薬は視床下部や下垂体の機能も抑制するので，多剤併用例や投与期間が長いほど甲状腺機能は低下する．甲状腺ホルモン薬の投与は，明らかな機能低下症を除いて効果が少ないとされている．

副腎機能への影響はACTH療法を除いて少ないが，てんかん発作時には血中コルチゾールは上昇する．ACTH療法では，投与直後に血中コルチゾールが上昇し，その後は一過性ではあるが下垂体前葉ホルモンが低下する．また，フェニトインやカルバマゼピンは副腎性男性ホルモンの低下を起こすといわれている．

性腺機能については，抗けいれん薬を長期に服用しているてんかん患者男性の思春期年齢の血中男性ホルモンは健常者より高いが，生物活性の高い遊離型男性ホルモンが低いので性腺機能は低下している．この傾向は多剤併用例ほど顕著であるが，抗けいれん薬の治療期間や効果とは無関係である．女性では，バルプロ酸の副作用として血中男性ホルモンの増加と月経異常や肥満，多囊胞性卵巣などが報告されている．多囊胞性卵巣は症候群としてインスリン抵抗性や肥満，糖尿病のハイリスクとなり，20歳前でのバルプロ酸投与開始やカルバマゼピンとの併用では発症率が非常に高くなるので注意が必要である．カルバマゼピンは性ホルモン結合蛋白を増加させ，女性ホルモンの生物活性を下げる作用がある．また，抗精神病薬であるハロペリドールはプロラクチン分泌を促進し，無月経の原因となることがある．

水・電解質への影響は，カルバマゼピンが抗利尿ホルモン不適合分泌症候群（syndrome of inappropriate antidiuretic hormone secretion）を起こすことが知られているが，抗利尿ホルモン高値を伴わない症例が多いので注意が必要である．一方，フェニトインは，内因性の抗利尿ホルモン分泌抑制薬として使用されることがある．まれではあるが，バルプロ酸は近位尿細管を障害してFanconi症候群や，くる病を起こす．

f 治療について

内服している薬剤の影響や栄養状態の評価と併せて，内分泌異常の併発がないかを疑うことが，治療の観点では重要である．確定的な結果が得られなくても治療への反応性をみるということも，個人差の大きい重症児者にとっては必要である．

参考文献

- 荒木久美子．内分泌代謝の異常．江草安彦（監），重症心身障害療育マニュアル．第2版，医歯薬出版，2005；233-236
- 荒木久美子．ホルモン・代謝障害．浅倉次男（監），重症心身障害児のトータルケア．へるす出版，2006；103-108
- 日本小児内分泌学会（編）．小児内分泌学．改訂第3版．診断と治療社，2022

［永江彰子，荒木久美子］

G 内分泌・代謝・循環器系の障害

3 下肢深部静脈血栓症

POINT

- 肺血栓塞栓症（PTE）と深部静脈血栓症（DVT）は，一連の病態であることから，静脈血栓塞栓症（VTE）と総称される．PTEの塞栓源の約90%は，下肢あるいは骨盤内の静脈で形成された血栓である．DVTの発症にかかわる持続性の危険因子には，長期の臥床，下肢麻痺，脊椎損傷，凝固系亢進などがある．一方，重症児者の多くは，脳性麻痺，発達運動障害などにより筋緊張異常などから四肢の麻痺をきたし，移動能力が著しく制限され，下腿の筋内静脈は，一般成人と比し発達状態が悪く，DVTのリスクはさらに高くなる
- 現行のVTEガイドラインは，歩行獲得後の成人が対象であり，幼少期から脳性麻痺などで移動能力が悪い重症児者には対応しておらず，重症児者の病態に即した新たなDVTガイドラインの作成が必要であり，また，DVTの診断と評価には，下肢静脈超音波検査とともに，D-ダイマーの経時的変化が有用であると考えられる

1. はじめに

重症児者では，脳性麻痺などによる筋緊張異常などから四肢の麻痺をきたし，移動能力が制限されることにより，長期臥床を余儀なくされ，循環器系，特に深部静脈血栓症（deep vein thrombosis：DVT）のリスクが高くなるともいわれている[1〜4]．DVTは，無症候性に経過し，肺血栓塞栓症（pulmonary thromboembolism：PTE）などによって発見されることも多く，突然死の原因ともなりうる．また，PTEとDVTは一連の病態であることから，静脈血栓塞栓症（venous thromboembolism：VTE）と総称される[5]．肺動脈が血栓塞栓子により閉塞する疾患がPTEであり，その塞栓源の約90%は，下肢あるいは骨盤内の静脈で形成された血栓である．塞栓子により肺が壊死に陥ると肺梗塞とよばれるが，下肢の深部静脈で大きな血栓が形成され，遊離して塞栓化した場合，肺血管床の閉塞具合によりショック状態や突然死に至る場合があるが，小さな血栓塞栓子の場合には，症状が乏しいこともあり，診療では注意が必要である[5]．骨盤・下肢静脈のDVTでは，病型は膝窩静脈から中枢側の中枢型（腸骨型，大腿型）と，末梢側の末梢型（下腿型）に区別されるが，下腿部が大部分を占め，下腿部での初発部位は，多くがヒラメ筋静脈といわれている[6]．「肺血栓塞栓症および深部静脈血栓症の診断，治療，予防に関するガイドライン（2017年改訂版）」によると[5]，VTEのおもな危険因子としては，具体的には，アンチトロンビン欠乏症，プロテインC欠乏症，プロテインS欠乏症，プラスミノーゲン異常症などの先天性危険因子のほかに，後天性危険因子としては，長期臥床，肥満，下肢麻痺，脊椎損傷，心肺疾患（うっ血性心不全，慢性肺性心など）長時間坐位（旅行，災害時），各種手術，外傷，骨折，中心静脈カテーテル留置，ネフローゼ症候群，抗リン脂質抗体症候群などがあげられる．DVTの発症にかかわる危険因子のなかで，持続性のものとしては，長期の臥床，下肢麻痺，高齢，脊椎損傷，悪性疾患，肥満，凝固系亢進などがあげられる（**表1**）[5]．

2. 重症児者におけるDVT

重症児者への医療的ケアを円滑に行うためには，障害児医療に携わるものにとって，呼吸器系合併症への対応に加えて，循環器系・血管系合併症への対応は，非常に重要な課題

表1　VTEのおもな危険因子

	後天性因子	先天性因子
血流停滞	長期臥床，肥満，妊娠 心肺疾患（うっ血性心不全，慢性肺性心など） 全身麻酔，下肢麻痺，脊椎損傷 下肢ギプス包帯固定，加齢，下肢静脈瘤 長時間坐位（旅行，災害時） 先天性 iliac band，web，腸骨動脈による iliac compression	
血管内皮障害	各種手術，外傷，骨折 中心静脈カテーテル留置 カテーテル検査，治療 血管炎，抗リン脂質抗体症候群，膠原病 喫煙，高ホモシステイン血症，VTEの既往	高ホモシステイン血症
血液凝固能亢進	悪性腫瘍，妊娠・産後 各種手術，外傷，骨折，熱傷 薬物（経口避妊薬，エストロゲン製剤など） 感染症 ネフローゼ症候群 炎症性腸疾患 骨髄増殖性疾患，多血症 発作性夜間血色素尿症 抗リン脂質抗体症候群 脱水	アンチトロンビン欠乏症 PC欠乏症 PS欠乏症 プラスミノーゲン異常症 異常フィブリノーゲン血症 組織プラスミノーゲン活性化因子インヒビター増加 トロンボモジュリン異常 活性化PC抵抗性（第V因子 Leiden*） プロトロンビン遺伝子変異（G20210A*）

*日本人には認められていない
（日本循環器学会．肺血栓塞栓症および深部静脈血栓症の診断，治療，予防に関するガイドライン（2017年改訂版）より作成）

である．また，近年，周産期・新生児未熟児医療のめざましい進歩により，超低出生体重児の生存率が著しく向上してきたが，その一方でNICU長期入院患者が増加し，気管切開，人工呼吸管理など濃厚な医療を必要とする重症児・医療的ケア児の在宅医療ケアが問題となってきている．その多くは，脳性麻痺，発達運動障害などにより筋緊張異常などから四肢の麻痺をきたし，移動能力が著しく制限され，特に寝たきりで下肢の可動性が非常に悪い重症児では，長期臥床を余儀なくされ，循環器系，特にDVTのリスクはさらに高くなると考えられる[1〜4]．重症児者の死亡原因で最も多いのは，肺炎などの呼吸器感染症であるが，突然死が4.2%もあるとも報告されており[7]，また，重症児者における突然死例の臨床的検討では，剖検7例中5例に右心室の拡大を認めたのみであったと報告されているが[8]，肺動脈病変などについて詳細な検討はされていないため，DVTによるPTEが含まれていた可能性は否定できない．

筆者らの検討では[1]，寝たきりで，しかも下肢の運動能力が特に乏しく，また経管栄養施行中や気管切開などの呼吸管理を必要とする重症児者で，42.9%（28例中12例）と高率に下肢のDVTを認めた．しかしながら，下肢の深部静脈（図1）[6,9,10]の血栓形成部位は，下肢のDVT発生の初発部位とされるヒラメ筋静脈には血栓が検出されず，膝窩静脈から中枢側の左総大腿静脈から大腿静脈，右総大腿静脈，右大腿静脈，両側後脛骨静脈交通枝などであった[1]（図2）．血液凝固系検査では，静脈血栓症に有用とされるD-ダイマーは，基準値の1.0 μg/mLを超えたものが28例中5例，再発の指標とされる0.5 μg/mLを超えたものが28例中17例あったが，5 μg/mL以上の顕著な高値を示したものはなかった[1]．また，寝たきり重症児ではDVT検出率が高いが，その発生部位は，一般的に長期臥床においてDVTの初発部位となりやすいヒラメ筋静脈[6]でなく，膝窩静脈より中枢側の静脈であることがわかってきた[1〜3]．文献値では，歩行獲得後の成人のヒラメ筋静脈径平均値は6.7±1.8 mmであ

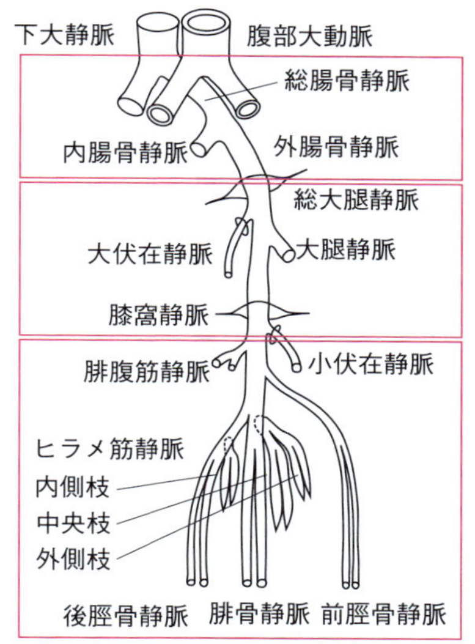

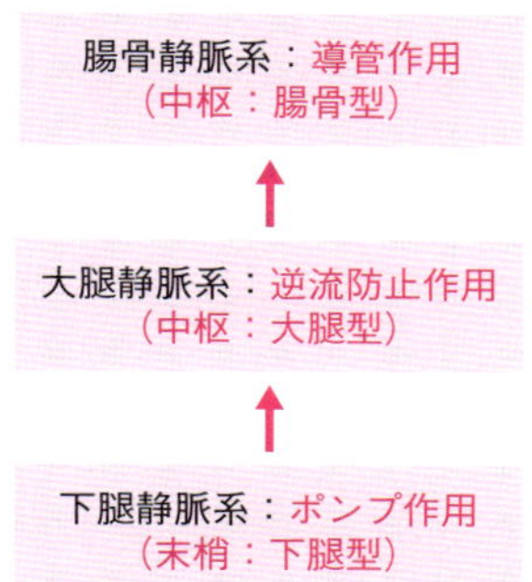

図1 骨盤・下肢静脈系の生理と DVT 好発部位

深部静脈の生理機能および DVT の好発部位を示す．骨盤・下肢静脈系は，ポンプ作用の下腿静脈系，逆流防止作用の大腿静脈系，導管作用の腸骨静脈系に区別される．下腿静脈系では，静脈筋ポンプの中心はヒラメ筋静脈であり，通常，ヒラメ筋内に内側，中央，外側の 3 分枝を確認できる

（金岡　保，他．Ⅲ　各論/末梢静脈　深部．松尾　汎（編），すべてわかる！血管エコー ABC．メジカルビュー社，2006；201-206 より一部改変）

り，重症児者ではより小さく，ヒラメ筋静脈の最大径は平均 1.6 mm±0.5 mm であった（図 3）[3]．ヒラメ筋の発達は，歩行を可能にするための要素であるとともに[11]，筋ポンプ機能により立位時の静脈灌流を可能にするための要素でもある[12〜15]．

重症児者では，幼小児期から脳性麻痺などの肢体不自由で長期の臥床による運動障害と下肢の麻痺などから，下肢に変形拘縮をきたし，併行して血管系の発達不全・未熟性が相まって血管の狭小化をきたした特殊な病態にあると考えられる[1〜3]．かかる病態下の静脈灌流に起因して，導管である静脈に血栓が形成されたのではないかと考えられる．主として総大腿静脈や大腿静脈に血栓が検出された症例においても，血管系の発達不全・未熟性のために静脈容積が小さいことに関連して，D-ダイマーが顕著には上昇しないものと考えられる．重症児者においては，下肢静脈の血管径が全般的に細い印象があり，その要因の 1 つとして，かかる静脈の未熟性または発達遅延の可能性があげられる[3]．重症児者の DVT が中枢側の大腿静脈に多く，また，おむつ着用，清拭の多寡，体位等のいずれかが関与することで鼠径部近傍に血栓性静脈炎を生じ，DVT へ進展していく機序等の可能性も示唆される[3]．

3. DVT の診断と治療

DVT，特に末梢型では臨床症状としてはおもに疼痛であるが，無症状のことも多く，それに加えて，重症児者の場合，そのほとんどがコミュニケーションを取ることが非常に困難な症例であるため，DVT の発症を正確に把握することは容易ではない．一方，DVT は，早期に診断を行い治療介入すると，病態と予後の改善が見込めるため，速やかに診断する必要がある．症状や臨床所見のみから DVT を診断することは困難であり，出血リスクを伴う抗凝固療法の使用を決めるには，下肢超音波検査や造影 CT 検査，MR 静脈造影（MRV），下肢静脈造影などの画像による確定診断が必要となる[5]．下肢静脈造影は，最も診断精度の高い検査であるが，侵襲が高いことから，他の画像検査で確定診断ができない場合に有用である．一方，下肢静脈超音波検査は[1〜3,6,13]，一般的に圧迫超音波法が行われるが，検査自体は非侵襲的であり，かつポータブルの超音波検査機器を使用することによってベッドサイドでも容易に精度が高い画像が得られ，移動能力に制限がある重症

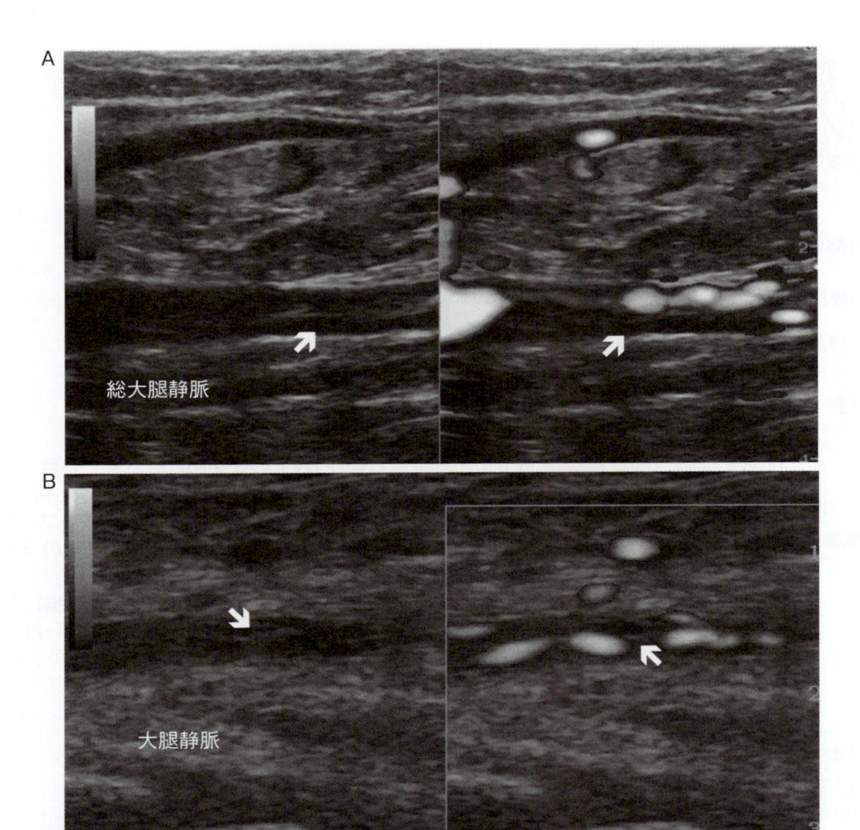

図2　総大腿静脈（A），大腿静脈（B）にみられた深部静脈血栓
血管も狭小化している

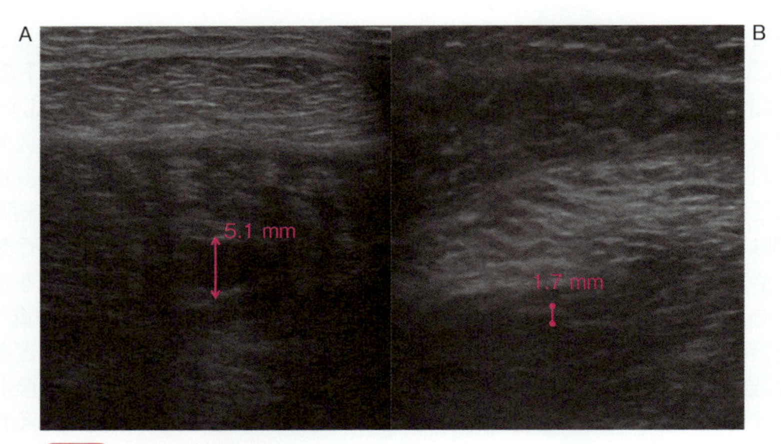

図3　ヒラメ筋静脈径
A：健常成人，B：DVT 症例
重症児者の DVT 症例では，成人のヒラメ筋静脈径と比較し，より小さい

児者では，DVT を評価していくうえで，非常に有用な診断手段であると考えられる．また，DVT や PTE の早期診断のために特異度がわりあい高いとされている D-ダイマーの測定が広く普及し，スクリーニングとして有用であるといわれている[2,3,5)]．D-ダイマー

の正常化は抗凝固療法の継続期間や終了時期の判断に参考となるとされている．

DVTの治療では，血栓が末梢型か，大腿・腸骨静脈まで及ぶ中枢型か，治療内容，治療開始時期などにより大きく異なる[5]．一般に，下腿から腸骨静脈へと血栓が中枢伸展するにつれ重大な合併症をきたす．治療目標は，①血栓伸展・再発の予防，②PTEの予防，③早期・晩期後遺症の軽減である．末梢型DVTに対する抗凝固療法は適応も含めてエビデンスが十分でなく，下肢超音波検査で中枢伸展の経過観察を行いながら，高リスク症例には，リスク・ベネフィットを考慮のうえ，抗凝固療法を行ってもよいと思われる[5]．DVTの抗凝固療法として，前述のガイドライン[5]では，ヘパリン，ワルファリンが使用されるが，治療開始時にはワルファリン単独治療は再発率が高いので，両者の組合せが必須とされている．ワルファリンの投与量は一般的にプロトロンビン時間（PT）を指標とし，ヒト脳トロンボプラスチンによる国際標準比（international normalized ratio：INR）を基準に調節し，その後，定期的にモニターしながら経過観察するとされている．

しかしながら，重症児者では，筋緊張異常などから採血検査もむずかしく，また，PT-INRを目標範囲内にコントロールすることは必ずしも容易ではなく，ワルファリンによるVTEの治療管理に難渋しているのが現状である[2,3]．そのため，重症児者の特性に応じたVTEの治療方針を確立することが非常に重要となっている．現行のガイドラインでは[5]，フォンダパリヌクスナトリウムと直接作用型経口抗凝固薬（DOAC）の登場により，DVTの治療戦略も大きく変化してきた．フォンダパリヌクスは，1日1回の皮下注射によって初期治療が可能であり，DOACは，エドキサバントシル酸塩水和物において体重，腎機能，併用薬などによる減量基準があるが，ワルファリンと異なり，一定量の内服で抗凝固効果が期待でき，出血性合併症のリスクも少ない[5]．Xa阻害薬のアピキサバンとリバーロキサバンは単剤抗凝固療法も可能である．これらの新しい抗凝固薬は，用量調節もワルファリンに比較し容易であり，VTE治療における有効性および安全性についても報告されており，重症児のVTE管理に適した薬剤となる可能性があり[4,16]，今後さらに検討していく必要がある．

重症児者におけるDVTの多くが慢性期血栓であり，下肢の機能障害等のリスクファクターを考慮して，DVTの抗凝固療法については，出血リスク，併存疾患，使いやすさ，担当医の経験などをふまえ，そのリスクとベネフィットを十分勘案しながら薬剤を選択し，また，非侵襲的な下肢静脈超音波検査とD-ダイマー値の測定を経時的に行い，注意深く経過観察していくのがよいと考えられる．

また，重症児者では，下腿筋，特にヒラメ筋の発達が十分でないため，弾性ストッキングの着用が有効かどうか根拠に乏しい点があるが，弾性ストッキングによる圧迫療法は，特に慢性期の治療として，下腿の筋の圧迫により微小循環領域において毛細血管の還流を改善し，下肢挙上などの運動理学療法と組み合わせることでより効果的であり[3,5]，長期に使用しやすい．下腿静脈の発達の悪い重症児者でも，大腿部に浮腫がなければハイソックスタイプの弾性ストッキングの重症児者への使用を検討していく必要があると考えている[3,5]．

4. おわりに

重症児者の下腿筋内静脈は一般成人と比し発達状態が悪く，DVTの発現様式の違いに関連している可能性がある．現在確立されたVTEガイドライン[5]は，歩行獲得後の成人が対象であり，幼少期からの脳性麻痺などで移動能力が悪い寝たきり重症児者には対応しておらず，今回の結果をふまえ，重症児者特有の病態に即した新たな重症児者対象のDVTの予防ガイドラインの作成が必要と考えられる．また，重症児者のDVTの診断と評価においては，非侵襲的な下肢静脈超音波検査およびD-ダイマーの経時的変化が有用であると考えられる．

文　献

1）Ohmori H, et al. Deep Vein Thrombosis in Patients with Severe Motor and Intellectual Disabilities. Ann Vasc Dis 2013；6：694-701

2）Ohmori H, et al. Deep Vein Thrombosis in Patients with Severe Motor and Intellectual Disabilities, especially Diagnosis and Prevention of Recurrence for Chronic Thrombosis–serial changes of sonography and D–dimer–. Ann Vasc Dis 2015；8：290–296
3）Ohmori H, et al. Prevalence and Characteristic Features of Deep Venous Thrombosis in Patients with Severe Motor and Intellectual Disabilities. Ann Vasc Dis 2018；11：281–285
4）越野恵理，他．広範囲にわたる深部静脈血栓症を呈した血栓性素因のない重症心身障害者．日重症心身障害会誌 2018；43：501–506
5）日本循環器学会．肺血栓塞栓症および深部静脈血栓症の診断，治療，予防に関するガイドライン（2017年改訂版）．（https://js-phlebology.jp/wp/wp-content/uploads/2019/03/JCS2017_ito_h.pdf）
6）應儀成二．下肢深部静脈血栓症の診断と治療．静脈学 1998；9：263–270
7）平元　東．重症心身障害児の診断と評価．江草安彦（監），重症心身障害療育マニュアル．第2版，医歯薬出版，2005；18–27
8）吉田玲子，他．重症心身障害児（者）における突然死例の臨床的検討．脳と発達 1995；27：466–472
9）日本静脈学会用語検討委員会（編）．静脈学用語集．第2版，2016
10）金岡　保，他．Ⅲ　各論/末梢静脈　深部．松尾汎（編），すべてわかる！血管エコー ABC．メジカルビュー社，2006；201–206
11）伊藤純治．ヒト下肢筋構成の特徴．昭和医会誌 2012；72：165–169
12）應儀成二，他．ひらめ筋内静脈群の頻度と正常径．静脈学 2011；22：263–269
13）應儀成二，他：肺塞栓と深部静脈血栓症の超音波診断．J Med Ultrasonics 2004；31：J337–J346
14）Browse NL, et al. Diseases of the veins. 2nd ed., Arnold, 1999；55
15）Cronenwett JL, et al. Rutherford's Vascular Surgery. 8th ed. Elsevier Saunders, 2014；155–157
16）Ohmori H, et al. Deep Vein Thrombosis in Severe Motor and Intellectual Disabilities Patients and Its Treatment by Anticoagulants of Warfarin Versus Edoxaban. Ann Vasc Dis 2019；12：372–378

［大森啓充，住元　了］

コラム

重症児者での下肢静脈超音波検査で特に注意することは？

検査体位について，腸骨・大腿領域では，標準的に仰臥位で行う．膝窩・下腿領域では，特に筋内静脈において，静脈内に血流が十分充満した状態で検査するのが必要条件である．したがって，坐位で行うのが標準的ではあるが，対象とした重症児者では，坐位の保持が困難な症例も少なくないため，その場合は，ベッド上で仰臥位のまま下腿のみベッドサイドに下垂位として行う．可能な限り，下腿の筋内静脈が拡張した状態を得たうえで検査するように努める．超音波検査上，DVT の診断は，B モード断層法の横断像で血管を描出し，プローブによる圧迫法を用いて行う．血栓エコー像の存在と，静脈が圧迫によっても完全には虚脱しない所見を直接的根拠として診断する．なお，適宜カラードプラー法を追加して血流の遮断や部分欠損の存在を確認し，パルスドプラー法により呼吸性変動の消失を確認することで間接的根拠とする．

［大森啓充，住元　了］

H 婦人科系の障害

1 月経など女性ホルモン周期に関連した問題

POINT

重症児者においても
- 思春期や月経に関する問題認識と適切な評価・介入が必要である
- 15歳で初経がない場合には精査・介入が推奨される
- 月経管理によりQOLは向上する

1. はじめに

重症児者では中枢神経系障害，抗けいれん薬などの薬物投与や栄養状態により思春期発来や月経に異常を認める．ここでは重症児者でよく遭遇するが軽視されやすい，月経異常と月経随伴症状を中心に述べる．

2. 思春期発来異常

思春期とは二次性徴出現，女性では乳房発育に始まり，陰毛発育，身長増加，初経を経て月経周期がほぼ順調になるまでの期間をいう．

直近の報告では日本人女性では乳房腫大が平均9.7±1.0歳，陰毛発生が平均11.5±1.1歳，初経が平均12.3±1.1歳とされている[1]．二次性徴が標準的な発来時期の−2 SDより早い場合は思春期早発症，+2 SDより遅い場合は遅発症を疑う．

重症児者において，谷らは思春期発来が遅れると述べている[2]．Worley Gらは，思春期開始は早いが初経は遅れるとし，Bruzzi Pらは思春期早発リスクが一般集団に比し20倍高いと述べている[3)4)]．

思春期早発症の診断には，「中枢性思春期早発症の診断の手引き（平成15年度）」が用いられる．思春期早発症は，骨端閉鎖の早発化により結果的に最終身長が低くなる．

一方，女児13歳でも二次性徴がない場合，あるいは発来した二次性徴が進行しない場合に思春期遅発とされる．思春期遅発治療の主たる目的はエストロゲン欠乏による骨塩量低下や骨折増加と脂質代謝障害による心血管系異常の予防である．

3. 月経の異常

月経は周期的なホルモン変動により子宮内膜に起こる女性特有の現象で，心身に影響を及ぼす．正常月経の月経周期日数は25〜38日で変動範囲は6日以内，出血持続日数3〜7日（平均4.6日），経血量20〜140 mLと定義されているが，個人差が大きい．また周期的・規則的な排卵性月経の獲得には約7年の歳月を要する．

月経異常には，①無月経（原発性・続発性），②初経発来の異常，③月経不順（周期・持続日数・経血量の異常），④機能性子宮出血，⑤機能性月経困難症があり，本項ではおもに無月経について述べる．

日本産科婦人科学会は，「満18歳を迎えても初経の起こらないもの」を原発性無月経，「満15歳以上 満18歳未満で初経の発来していないもの」を初経遅延と定義している．原発性無月経の原因としては染色体異常を含む卵巣機能不全が約40%，次いで性器発育不全が続く．初経遅延の診療では身体所見，二次性徴の有無や内外性器形態の確認および内分泌学的検査（ヒト絨毛性ゴナドトロピン：hCG，卵胞刺激ホルモン：FSH，黄体形成ホルモン：LH，エストラジオール：E_2，

表 1　原発性無月経と続発性無月経の違い

原発性無月経	続発性無月経	検査所見
Kallmann 症候群 AD* Laurence-Moon-Biedle 症候群 Prader-Villi 症候群 Fröhlich 症候群 視床下部腫瘍（頭蓋咽頭腫）	神経性食思不振症 体重減少性無月経 心因性 高プロラクチン血症（Chiari-Frommel 症候群，Argonz-del Castillo 症候群，薬剤性） 視床下部腫瘍（頭蓋咽頭腫） 頭部外傷	LH，FSH：正常～低値 E_2：低値 GnRH 負荷：反応不良
ゴナドトロピン欠損症 下垂体腺腫（高プロラクチン血症あるいは腫瘍の圧排による下垂体機能低下）	Sheehan 症候群 Simmonds 病 下垂体腫瘍 プロラクチン産生腫瘍 下垂体腫瘍術後	LH，FSH：低値 E_2：低値 GnRH 負荷：反応良好
Turner 症候群 卵巣形成異常 精巣女性化症候群（アンドロゲン不応症）X 連鎖* Leydig 細胞欠損症（LH 受容体欠損症）AR* 半陰陽 副腎性器症候群（副腎由来性ステロイド過剰分泌と卵巣機能低下）AR*	早発卵巣不全 手術，放射線，化学療法後 染色体異常	LH，FSH：高値 E_2：低値
処女膜閉鎖，腟中隔，頸管閉鎖 Rokitansky-Küster-Hauser 症候群 子宮欠損	子宮内膜炎 Asherman 症候群	LH，FSH：正常 E_2：正常

*遺伝形式を示した（AD：常染色体顕性遺伝，X 連鎖：X 染色体連鎖遺伝，AR：常染色体潜性遺伝）
（上條慎太郎，他．日本医事新報 2019；4970：44-45 より一部改変）

プロゲステロン，プロラクチン：PRL，テストステロン，デヒドロエピアンドロステロンサルフェート：DHEAS，甲状腺ホルモン）を行い，必要に応じ MRI 検査や染色体検査を行う．これらの検査で異常を認めない場合，体質的な遅れや低栄養などを疑う．

続発性無月経とは，発来していた月経が 3 か月以上停止している状態をいう．原発性同様に内分泌学的検査等により鑑別を進める（表 1）．

重症児者の月経異常の報告は少なく，初経は平均 15 歳と遅く月経異常が多いという報告から初経年齢はおおむね正常という報告まである．しかし後者の報告では月経周期のばらつきが大きく，視床下部障害性を疑う無月経が約 20%に認められた．また南波らは重症児者 28 例中 18 例（85.7%）に不整周期月経を認め，7 例に無月経を認め，原因として下垂体機能不全，卵巣発育障害および薬物をあげている[5]．てんかんとバルプロ酸はともに月経異常のリスク因子である．

月経は体脂肪と関係しており，月経発来には体脂肪率 17%以上が必要で，正常月経周期確立には 22%以上が必要とされている．重症児者では呼吸障害，消化管通過障害，筋緊張，けいれん，体躯変形などの合併により低栄養に陥りやすい．一般に BMI（body mass index：体格指数）の標準値は 22 だが，重症児者は平均 15.8，筋緊張の変動が大きいアテトーゼ型は 14，筋緊張の変動が小さい痙直型は 18 とされている．重症児者では BMI が低く，月経異常が予想される．

4. 月経随伴症状

月経周期に随伴する身体症状や精神症状を月経随伴症状という．健常日本人女性の有病率は 74～95%，その症状は多彩で数百以上に及ぶとされる．大多数の有経女性が 1 つ以上の症状を有すると考えられる．

月経前3〜10日に起こり月経発来とともに減退消失する月経前症候群（premenstrual syndrome：PMS），PMSのうち精神症状が主となる月経前不快気分障害（premenstrual dysphoric disorder：PMDD），月経期間中に起こる器質性・機能性月経困難症がある．PMSとPMDDを区別せずにpremenstrual disorder（PMD）とする専門家もいる．

うつ病，パニック障害などの精神疾患やアレルギー性疾患，てんかんなどの身体的疾患症状が月経前に悪化することは，しばしば観察される．月経後に症状が消失せず卵胞期にも持続している場合は，基礎疾患の月経前増悪（premenstrual exacerbation of another disorder：PME）とよばれ，基礎疾患治療を優先する．

機能性月経困難症，PMSおよびPMDDの治療として低用量エストロゲン・プロゲスチン配合薬（oral contraceptive low dose estrogen progestin：OC・LEP）がある．ただし，わが国では厳密にはPMSとPMDDには保険適用がなく，月経困難症と記載する必要がある．OC・LEPの主たる効用は，①月経困難症の症状軽減，②月経量の減量と貧血の予防，③子宮内膜症の予防と治療，④月経前症状の緩和，⑤月経周期の正常化，⑥避妊（性感染症予防効果はない）である．周期投与と連続投与に同等の安全性が確認され2017年にはわが国にも連続投与製剤が導入された．このことにより休薬期間に生じる症状の軽減が可能となった．

OC・LEPの重要な有害事象には，まれだが乳がんや静脈血栓塞栓症がある．血栓症は凝固線溶系検査では予測できないため胸痛，腹痛，頭痛，視覚症状，下肢痛などの臨床症状には注意が必要である．

木村らは，重症児者23名中17名に月経周期関連行動を認め，うち12名に治療を要した[6]．筆者らも月経随伴症状として筋緊張亢進，悪心嘔吐，顔面紅潮，発熱，頻脈などを認め，OC・LEPにより症状とQOLが改善した複数の重症児者を報告した．

月経随伴症状は，重症児者では基礎疾患や併存症により感染症やてんかんなどと間違われ見逃されやすい．生命危機に直結するものではないが著しくQOLを低下させるため，適切な診断治療が望まれる．

文　献

1）大山健司．第5章　思春期発来異常をきたす疾患．日本内分泌学会（編），小児内分泌学．診断と治療社，2009；268-275

2）谷　淳吉，他．重度重複障害者の病態生理学的研究；とくに内分泌学的検討，性腺機能について．厚生省精神・神経疾患研究委託費「重度重複障害児の疫学及び長期予後に関する研究」，平成2年度研究報告書．1991；99-103

3）Worley G, et al. Secondary sexual characteristics in children with cerebral palsy and moderate to severe motor impairment：a cross sectional survey. Pediatrics 2002；110：897-902

4）Bruzzi P, et al. Central Precocious Puberty and Response to GnRHa Therapy in Children with Cerebral Palsy and Moderate to Severe Motor Impairment：Data from a Longitudinal, Case-Control, Multicentre, Italian Study. Int J Endocrinol 2017；2017：4807163

5）南波春樹，他．重症心身障害児施設女性入所者28例における月経の現況．日重症心身障害会誌 1998；23：11-15

6）木村和代，他．重症心身障害女性患者の婦人科領域に関する諸問題の考察．総合ケア 2000；10：66-68

［山本晃子］

H 婦人科系の障害

2 その他の婦人科疾患

- 女性の下腹部痛や腫瘤をみたら子宮や卵巣の腫瘍を鑑別する必要がある
- 女性の激しい腹痛では子宮や卵巣腫瘍の茎捻転も鑑別する必要がある
- 子宮体癌は帯下，腹痛といった症状で発見されることが多いが，子宮頸癌は無症状なので検診が重要

1. はじめに

ここでは，出産や性行為に関連する疾患を省略し，女性重症児者で比較的よく遭遇する疾患について概説する.

2. 外陰・腟・泌尿器の疾患

ⓐ 形態異常

外陰の形態異常は出生時に発見される．重症児者の病因の30%以上が出生前である[1)]ため，外尿道口の位置異常は健常者に比べて多いと考えられる．通常の位置に外尿道口がみられない場合は陰核から腟までを隈なく探す必要がある.

ⓑ 炎　症

細菌や真菌による外陰炎は局部の不衛生や長期の抗菌薬使用などが誘因となって起こるが，ウイルス感染はおもに性行為によるので女性重症児者が罹患するのは前者である．局所の発赤，瘙痒感または灼熱感で始まり，帯下の増加，発疹などが続く．帯下の培養で診断され，適切な抗菌薬の外用や腟錠で治療される．局部の清潔では，症状の極期には石鹸の使用を避ける.

腟炎は卵巣機能の低下，出血の持続，腟内異物や免疫力低下が誘因となって起こる．女性重症児者の腟炎における原因は外陰炎と同じく細菌や真菌であることが多い．症状は帯下の増加で，治療は適切な抗菌薬腟錠の挿入である.

ⓒ 腫　瘤

外陰部の腫瘤は，多くの場合悪性または良性腫瘍であるが，腟の入り口の丸い腫瘤はBartholin腺炎という腟の炎症や血腫の場合がある．外見で判断できないので，できるだけ早い産婦人科受診が重要である.

ⓓ 損傷と瘻

女性重症児者はおむつをすることが多く，陰部の打撲や性交渉もまれであるため，性器の損傷は非常にまれである．瘻は，解剖学的に腟が尿道・直腸と隣接するため発生しやすい．尿瘻は女性重症児者で気づかれることはむずかしい．糞瘻は直腸または小腸と性器官との間の瘻管であるが，多くは直腸腟瘻である．婦人科手術後，子宮癌・腟癌・直腸癌によって起こり，下痢便時の腟からの便失禁で気づかれる．このため外陰部は不潔となり，腟炎や外陰炎を併発する．診断には瘻孔の確認が必須で，治療は瘻孔閉鎖術である.

3. 子宮の疾患

子宮の形態異常や位置異常は，女性重症児者では月経困難症の原因とならなければ治療の必要はない.

ⓐ 子宮内膜症

子宮内膜症は，本来子宮内腔にしか存在しないはずの子宮内膜や子宮内膜様の組織が子宮以外の場所に増殖する疾患で，原因は不明である．子宮以外の場所にできた子宮内膜にも周期的変化が起こるため，月経期に剝離・出血した血液や内膜が体内に貯留し，腹痛の原因となる．卵巣に子宮内膜症が起こると，貯留した血液や内膜がチョコレート囊胞を形成して増大し周囲の諸臓器と癒着する．問診，婦人科的診察，超音波検査，MRI などで疑われるが，診断には開腹または腹腔鏡で直視することが必須である．治療としては，疼痛に対する対症療法，ホルモン療法，手術療法があるが，内膜症の部位や症状の程度によって異なる．

ⓑ子宮筋腫

子宮筋腫は子宮平滑筋より発生する良性腫瘍で，多発する場合も多い．子宮内膜症との合併も多い．症状は月経異常，貧血が一般的であるが，大きなものでは圧迫症状や疼痛がみられる．診断は婦人科診察に加えて超音波検査，MRI 検査や CT によるが，子宮癌の合併例もあるので子宮頸部や内膜の細胞診は重要である．本症はエストロゲン依存性であるため閉経後は縮小傾向を示すことが多い．したがって症状のないものは無治療で経過観察される．症状があっても重症児者では薬物療法が第一選択となることが多い．臍の上まで及ぶ大きな腫瘍や症状が激しい場合は手術療法となる．

なお，漿膜下有茎筋腫（子宮の外側に茎をもった形でできている筋腫）は茎捻転を起こし，急性腹症をきたす場合がある．

ⓒ子宮癌

子宮癌には子宮頸癌と子宮体癌がある．子宮頸癌は子宮の入り口にできる癌で，子宮癌検診により早期発見が可能である．早期の症状は少量の血液の混じった帯下であるが無症状のことも多く，症状が出る前に発見することが重要である．治療は病期に応じて手術療法，同時化学放射線療法，全身化学療法・分子標的治療薬併用療法から選択される．予想される効果と合併症を考慮し，本人の QOL をよくする治療法を選択することが望ましい．

子宮体癌は子宮の中にできる癌である．症状は，月経以外の時期の出血が最も多く，ほかに帯下異常，腹痛もある．このような症状があったときには子宮の中の細胞診（一般の癌検診とは異なる）や組織診を実施して診断される．腫瘍マーカーの CA125 は治療効果判定や再発発見に有効である．治療法には，手術療法，化学療法，放射線療法，ホルモン療法などがあり，子宮体がん治療ガイドラインに沿って選択される．

4．卵巣の疾患

ⓐ卵巣腫瘍

卵巣には極めて多種類の腫瘍が発生し，発生する組織により 7 つに分類され，さらに良性腫瘍，境界悪性/低悪性/悪性度不明の腫瘍，悪性腫瘍の 3 つに分類される[1)]．

小さいうちは無症状であることが多く，大きくなると健常者では頻尿，下腹部痛などが現れる．重症児者では症状から発見することは困難なので，腫瘍マーカー（表 1）や超音波検査を定期的に実施して早期発見することが重要である．

1）卵巣癌

卵巣癌の発生率は年々増加しており，その原因は生活習慣の変化であるといわれている．卵巣癌の好発年齢は 60～70 歳台だが，胚細胞腫瘍だけに限定すると 10～20 歳台に多い．遺伝性卵巣癌や，特徴的な遺伝子変異をもつ卵巣癌もある．症状としては，急激な腹囲の増加，腹部腫瘤，腹痛などがあげられるが，初期は無症状である．婦人科診察，超音波検査や MRI 等の画像検査や腹腔鏡検査/細胞診，腫瘍マーカー（表 1）などの所見から，暫定的な臨床診断が決定され，それに基づいて治療されるが，進行癌の生存率は不良である．

2）その他のおもな卵巣腫瘍

性索間質型腫瘍は性ホルモン分泌機能をもつものが多い．胚細胞性腫瘍の 1 つである成熟囊胞性奇形腫は，良性胚細胞性腫瘍で最も多い．大きくなければ無症状のことが多いが，茎捻転（卵巣の外側に茎をもって発生した囊胞がねじれる）（図 1）[2)]は急性腹症を引き起こすので，女性の急性腹症をみた場合に念頭におかなければならない疾患である．また，摘出せずに放置した場合約 1%が悪性化するので，発見されたら摘出術を受けるほうがよい．

ⓑ多囊胞性卵巣症候群

多囊胞性卵巣症候群は両側卵巣が多囊胞化・腫大して正常の 2～3 倍となり，排卵機能が衰える疾患で，無月経の一因となる．

表 1　卵巣腫瘍で診断・経過観察に用いられる腫瘍マーカー・ホルモン検査

腫瘍マーカー	良性腫瘍	境界悪性/低悪性度/悪性度不明の腫瘍	悪性腫瘍
LD			未分化胚細胞腫
CEA			Krukenberg 腫瘍
CA19-9，CEA			粘液性癌
CA125			漿液性癌
SCC			奇形腫の悪性転化
AFP			卵黄嚢腫瘍
hCG			絨毛癌
ホルモン	**良性腫瘍**	**境界悪性/低悪性度/悪性度不明の腫瘍**	**悪性腫瘍**
エストロゲン	莢膜細胞腫	顆粒膜細胞腫	
アンドロゲン	Sertoli-Leydig 細胞腫		
17KS	ステロイド細胞腫瘍		
サイロキシン	卵巣甲状腺腫		

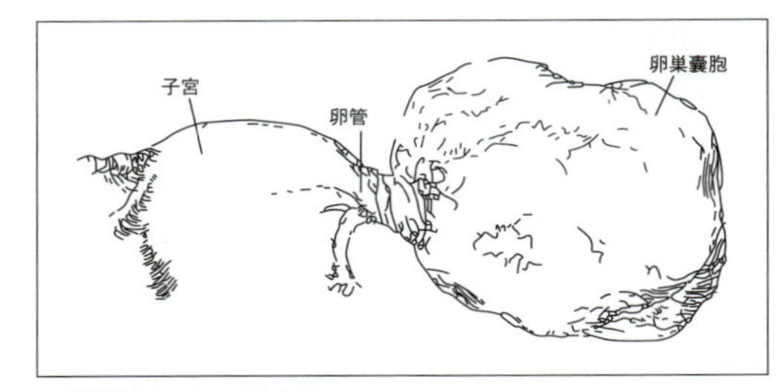

図 1　卵巣嚢胞茎捻転
（杉山陽一．Minor Textbook 婦人科学．第 10 版，金芳堂，2000；284 を参考に作成）

2007 年に日本産婦人科学会より診断基準が提示された[3]．てんかん患者では，バルプロ酸ナトリウム服用中に多嚢胞性卵巣症候群を発症した症例が報告されている．この薬剤を服用している患者では早期発見のための定期検査が重要である[4]．

5. 加齢と婦人科疾患

ⓐ 閉経と更年期

健常者では 40 歳代後半から卵胞期の短縮または延長，黄体機能不全をきたし，閉経に至る．閉経すると，卵巣，子宮，腟，外陰が萎縮し，腟の自浄作用は低下する．閉経前後 5 年をあわせた 10 年を更年期と定義されているが，女性重症児者の更年期障害についての報告はない．

ⓑ 脂質異常症

閉経後の女性は脂質の値が高くなりやすい．治療は生活習慣の改善が第一であるが，重症児者の場合は食事療法や運動療法にも限界があるので，症例に応じて薬物療法も考慮されなければならない．

ⓒ 骨粗鬆症

閉経後の女性の骨密度が低下することは周知のことであるが，女性重症児者でも同様のことが起こる可能性がある．治療は，エストロゲン製剤，ビスホスホネート製剤，選択的エストロゲン受容体モジュレータ，抗 RANKLE 抗体薬，副甲状腺ホルモン，カルシトニン，ビタミン D，ビタミン K_2，カルシウムなどの投与が行われる．

文　献

1）日本産科婦人科学会，日本病理学会（編）．卵巣腫瘍・卵管癌・腹膜癌取扱い規約　病理編．金原出版，2016；20-21
2）杉山洋一．Minor Textbook 婦人科学．第 10 版，金芳堂，2000；284
3）苛原　稔．PCOS の新しい診断基準．日産婦会誌 2008；60：N185-N190
4）皆川公夫，他．Valproate Sodium 投与中に発症した多嚢胞性卵巣症候群 20 例の特徴に関する検討．脳と発達 2013；45：304-308

参考文献

・綾部琢也，他．標準産科婦人科学．第 5 版，医学書院，2021

［曽根　翠］

Ⅰ 排尿障害・腎尿路疾患

1 尿閉・乏尿の原因と対処

POINT

- 排尿機序には大脳，脳幹，脊髄による排尿コントロールが重要であり，このコントロールがうまく働かない場合を神経因性膀胱とよぶ．これには尿を排出できない「尿閉タイプ」と尿をためることができない「過緊張性タイプ」との２つのタイプがある
- 重症児者では，前者の尿閉タイプが多く認められ，貯留した尿が排出されないためにその内圧によって膀胱が弛緩していることが多い（弛緩性膀胱）
- 排尿障害によって膀胱内圧が上昇すると，膀胱尿管逆流をきたして，膀胱炎から腎盂腎炎などの尿路感染症を合併しやすい
- 重症児者では，心的ストレスに伴う筋緊張亢進（排尿筋のアンバランス），加齢などに伴う膀胱自体の機能的な変化（排尿筋の収縮力低下）も尿閉の原因となる．また，経口摂取障害による水分不足や過剰な発汗などの水分喪失によって，尿の生成不足から乏尿となりうる

1. はじめに

尿閉・乏尿はともに排尿障害を示すものであるが，尿閉は膀胱内にたまった尿を出すことができない状態をいい，排尿路が閉塞された場合にみられる．乏尿は定義的には１日排尿量が 400 mL 以下と少ない状態を示すものであり，この場合には，尿の生成機能の障害もありうる．重症児者で原因として考えられる病態は，別項に記載されている腎・尿路疾患を除くと，心的ストレスなどによる筋緊張亢進神経因性膀胱や膀胱自体の機能的変化，水分バランス不良などが重要である．

2. 排尿機能の発達

新生児期の膀胱容量は 30〜60 mL で，12 歳まで 30 mL/年ずつ増加する．１〜2 歳で膀胱充満感を知覚するようになり，３歳で排尿の自覚が完成する．４歳になって成人型の排尿機能が形成される．

3. 排尿の生理[1]

年齢や体格により個人差はあるが，一般に 150 mL の貯留で尿意を感じる．そして，400〜500 mL で限界となり，利尿筋の収縮反射によって排尿に至る．また，残尿が 100 mL を常に超えると腎機能にも危険が及ぶ（生理的残尿は 15 mL 以下）．

4. 排尿・尿貯留の神経機序[2]（図 1）

ⓐ 排尿機序

膀胱容量が増加すると，膀胱平滑筋が伸展され，その刺激が骨盤神経の知覚路を介して，さらに腰仙髄排尿中枢，橋排尿中枢と大脳皮質へと伝わる．大脳で排尿意志が生じると，仙髄排尿中枢に伝えられた後，骨盤神経（副交感神経）に至り，膀胱の収縮と外尿道括約筋の弛緩を起こして排尿となる．

ⓑ 尿貯留機序

膀胱容量が増加して膀胱平滑筋が伸展されると知覚路を経由後，腰仙髄排尿中枢を介して下腹神経（交感神経）に至り膀胱を弛緩させる．同時に内尿道括約筋を収縮させる．そして，陰部神経（体性神経）を介して外尿道括約筋を収縮させる．これによって膀胱に尿が貯留される．

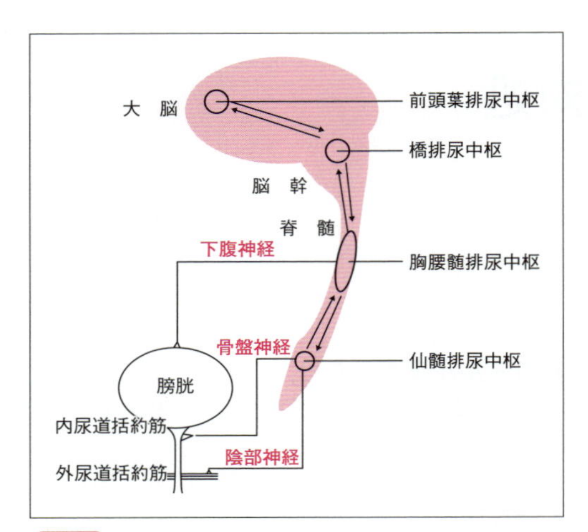

図 1　排尿に関係する神経

骨盤神経：（副交感神経）排尿筋の収縮と内尿道括約筋の弛緩に関与
（知覚線維）尿貯留による膀胱壁の感覚を伝える
下腹神経：（交感神経）排尿筋の弛緩と内尿道括約筋の収縮に関与
陰部神経：（体性神経）外尿道括約筋の緊張に関与

5. 尿閉・乏尿の原因

重症児者では，腎・尿路疾患以外に排尿中枢や自律神経の障害のため，排尿コントロールが困難（神経因性膀胱）となりやすい．そのうち，尿閉タイプ（弛緩性膀胱）において，尿閉・乏尿が多く認められる．また，寝たきり姿勢が多いことから，膀胱の機能的変化も生じやすい．筋緊張亢進状態では排尿時に使われる腹筋などの筋緊張のアンバランスがさらに加わり，排尿筋の活動不全状態となって排尿障害を生じる．

また，上記のほかに水分摂取不良や過剰な発汗から脱水となって乏尿状態になりうる．

6. 尿閉・乏尿の合併症

腎実質で生成された尿が腎盂から尿管を経て膀胱内に貯留されるが，膀胱自体の収縮力低下によって，膀胱内から尿道を通って排泄されにくくなり，かつ膀胱の出口を閉める筋肉がうまく開かない状態となって，膀胱自体は膨張するが，ある容量を超えると膀胱内圧の上昇により上行性に逆流（膀胱尿管逆流）を起こして上行感染を生じる．その結果，腎に対するダメージが発生する．つまり，尿閉や残尿による尿停滞の結果，膀胱炎，尿路結石，腎盂炎，腎不全などが引き起こされることになる．

7. 尿閉・乏尿への対処

ⓐ 水分出納の把握

普段から 1 日あたりの摂取水分，尿量を確認しておくことが大切である．年齢や体重などによる個人差はあるが，1 日の水分摂取量や尿の量・性状などの把握が大切であり，それらのデータおよび臨床所見を基準にして，脱水による乏尿が疑われたときは水分摂取や輸液を考慮する．

ⓑ 緊張緩和

声かけや環境を整えることによる心理的リラックスや，入浴も有効なことがある．

ⓒ 導　尿

水分の摂取不足がなく，排尿間隔が長いときには，導尿を考慮する．ただし，排尿の確認が記録上不明のときは，腹部膨満があるか，もしくは膀胱内の尿量を測定する器具を利用して導尿を決定する．測定機器としては，「Bladder Scan® BVI 3000」または「BVI 6100」が有用である[3]．導尿の基準としては，400～500 mL を目安とする．排尿間隔（尿間）では 12 時間を越えたり，下腹部の膨満がみられることも導尿の判断材料となる．また，導尿を行う前に，坐薬や浣腸による誘発のほか，下腹部を軽く圧迫したり叩いたりして，膀胱を刺激する排尿訓練（Crede 法）を試してみることも可能である．

導尿法には，間欠的導尿法（カテーテルで 1 日数回排尿）と持続的導尿法（カテーテル留置もしくは膀胱瘻造設）があるが，短期入所利用者や在宅者では手技の手間やリスクの問題から家族との相談が必要となる．

ⓓ 薬物療法[4]

緊張緩和目的で，漢方薬の芍薬甘草湯が頓用で使われることがある．神経因性膀胱で弛緩性膀胱の尿閉タイプでは，膀胱収縮を促進し，排出を促す組合せを選択する（表 1）．

文　献

1）加藤陽一郎，他．尿閉，無尿．臨泌 2013；67：

表1 弛緩性膀胱（尿閉）の薬物療法

作用	分類	一般名	商品名
膀胱収縮を強める	コリン作動薬	臭化ジスチグミン	ウブレチド®
膀胱括約筋を弱める	α-遮断薬	ウラジピル	エブランチル®

745-751
2）鈴木九里．排尿障害の背景．江草安彦（監修），重症心身障害療育マニュアル．第2版，医歯薬出版，2005；129-133
3）浜口　弘，他．重症心身障害児（者）の神経因性膀胱に対する膀胱スキャンの試み．日重症心身障害会誌 2005；30：237
4）榊原隆次，他．神経内科と膀胱—排尿の神経機序と排尿障害の見方・扱い方—．臨神経 2013；53：181-190

［濱口　弘］

I 排尿障害・腎尿路疾患

2 尿路結石

POINT

- 重症児者は尿路結石の発症頻度が高い．尿路結石は進行すると腎機能低下をきたすため，その管理は重要である
- 定期的な尿検査や，適切な水分・栄養管理，リハビリテーションなどが重症児者の尿路結石の予防には重要である

1. はじめに

重症児者は尿路結石の危険因子（**表1**）の多くを満たしており，尿路結石の有病率は約1～28%と，健常者よりも高率であるとされる[1]．尿路結石は進行すると尿路閉塞や繰り返す腎盂腎炎を経て腎機能低下をきたし，生命予後を悪化させるため，その管理は重要である．本項執筆時点で重症児者における尿路結石の診療ガイドラインはないため，管理については現状では成人のガイドライン[2]を参照せざるを得ない．しかし，重症児者には尿管径が細いことや体格，骨格の変形，安静確保の問題などがあるため，推奨される治療が効果的に行えない可能性がある．個々の患児の状態に応じ，適した治療法を選択する必要がある．

2. 症状における注意点

尿路結石の主訴は健常者においては約50%が疼痛であるが，重症児者においては疼痛をうまく表現できない可能性があるため，症状がなくとも3～6か月ごとに定期的な尿検査を行い，尿路結石に伴う血尿，尿路感染症などのスクリーニングを行うことが望ましい．非糸球体性血尿は，小児尿路結石症の約90%に認められるとされ[3]診断に有用だが，尿路閉塞例では血尿が消失することもあるため，下記超音波検査も併用することで診断率が上昇する．

表1　尿路結石の誘因

1．尿流停滞
　1）体動の制限に伴う尿流停滞＊1
　2）神経因性膀胱などの残尿による尿の停滞＊1
　3）水分摂取量の不足による尿の濃縮＊1
2．長期臥床：長期臥床による骨脱灰＊1
3．尿路感染＊1
4．内分泌・代謝異常
5．食事：動物性蛋白，脂質，乳製品
6．薬剤性＊2
　1）抗てんかん薬（ゾニサミド，トピラマートなど）
　2）活性型ビタミンD製剤，ステロイドなど

＊1：寝たきり状態が誘因となる
＊2：重症児者が服用していることが多い
（白川悦久．重症心身障害児（者）病棟における尿路結石の検討．IRYO 2012；66：192-196より一部改変）

3. 画像診断

腹部超音波検査は侵襲が少なく，腎，上部尿管，膀胱近傍の結石を識別することが可能だが，尿路狭窄・閉塞による水腎症がなければ尿管結石は同定できないことが多い[2]．また，重症児者は側彎が強く，肋骨・脊椎の変形も強い傾向があるため，検査に有効な体位が保持できないことも多い．

尿路結石の確定診断では，単純CTがすぐれている．尿酸結石，キサンチン結石，シスチン結石などX線陰性結石も同定可能であり，治療方針の決定にも有用である[2]．しかし，放射線被曝量が多いため，スクリーニングや経過観察には超音波検査がより適してい

表 2　再発予防の指針

1）適切なリハビリ（不動性の骨萎縮を予防する）
2）飲水量の増量（成人で 2,250〜3,000 mL/日以上の水分摂取）
3）適切な栄養管理
　シュウ酸摂取制限（野菜は茹でる，脂肪成分の多量摂取を避けるなど）
　プリン体摂取制限（成人で 400 mg 以下/日）
　塩分制限
　適量のカルシウム摂取（成人で 600〜800 mg/日）
4）尿路感染症の管理（膀胱機能の定期的な評価，清潔管理）
5）特定の抗てんかん薬の中止・減量

（白川悦久．重症心身障害児（者）病棟における尿路結石の検討．IRYO 2012；66：192-196；日本泌尿器学会，他（編）．尿路結石症診療ガイドライン．第 2 版，金原出版を参考に著者作成）

ると思われる．

4. 治療・予防

小児尿路結石における，サイズによる自然排泄では，結石サイズが長径<4 mm ではほとんどで自然排石が期待できるが，長径>5 mm では半数以上で外科的治療を検討する必要があるとの報告がある[3]ため，長径>5 mm の症例では管理指針について泌尿器科医との連携が望ましいと思われる．自然排石を促進する薬剤としては α_1 遮断薬であるタムスロシン（ハルナール®）：0.4 mg/日が有効とする報告があるが[4]，わが国では尿路結石症に対して保険収載されていない．比較的非侵襲的な排石促進方法として，70〜100 mL/kg/日の水分補給が有効とされているが[4]，重症児者では飲水指導が事実上困難なことが多く，輸液療法の有効性が検討されている[1]．

自然排石が見込めないとされる長径>10 mm の尿路結石，それ以下のサイズであっても尿管内にあり排石されない場合，尿路感染症や疼痛などの症状がある場合，尿路通過障害を認める場合では，結石に対し体外衝撃波結石破砕術あるいは外科的摘出術など積極的な治療を行う．特に片腎症例では，尿路通過障害に伴う腎機能低下を早期にきたすため，注意を要する．

排石後は結石分析を行い，再発予防策を検討する．再発予防の指針を表 2 に示す．尿酸結石・シスチン結石においては，クエン酸製剤の投与で尿 pH を 6.0〜7.0 に保つことで，再発の予防効果があるとされる[2]．

文　献

1）白川悦久．重症心身障害児（者）病棟における尿路結石の検討．IRYO 2012；66：192-196
2）日本泌尿器学会，他（編）．尿路結石症診療ガイドライン．第 2 版，金原出版，2013
3）Fallahzadeh MA, et al. What do we know about pediatric renal microlithiasis? J Renal Inj Prev 2017；6：70-75
4）Marra G, et al. Pediatric nephrolithiasis：a systematic approach from diagnosis to treatment. J Nephrol 2019；32：199-210

［増田俊樹，坂井智行，澤井俊宏］

I 排尿障害・腎尿路疾患

3 腎疾患（嚢胞腎，水腎症，腎機能への薬物の影響）

POINT

- 嚢胞腎は定期的な嚢胞の増大や腫瘍化の確認，腎機能評価（電解質含む），高血圧管理が軸となる
- 水腎症は，形態的な評価と腎機能低下，腹痛や腰痛，有熱性尿路感染症の有無が方針決定に影響する
- 腎尿路系に影響を及ぼす薬剤があることを知る．また，腎機能に応じて薬剤の投与量を調整する必要のある薬剤もある

1. はじめに

超音波検査は侵襲性が低く簡便に行える検査であるため，重症児者においても比較的よく行われる検査である．超音波検査で偶発的に発見される腎疾患として，頻度の多いものに嚢胞腎と水腎症がある．本項では嚢胞腎，水腎症の診療に関して記載する．また，重症児者に対して使用される薬剤と腎機能への影響および腎機能評価についてあわせて言及する．

2. 嚢胞腎の管理

ⓐ 嚢胞腎の鑑別

腎臓に嚢胞を認める疾患で，成人で最も頻度が多いものは単純性腎嚢胞である．50歳で人口の約50%が有しているとされているが，30歳未満ではまれである．ほかに代表的なものとして，常染色体顕性（優性）多発性嚢胞腎（autosomal dominant polycystic kidney disease：ADPKD）がある．その他の詳細な鑑別疾患に関しては「エビデンスに基づく多発性嚢胞腎（PKD）診療ガイドライン2020」[1]のADPKDの鑑別診断の項が参考になる．

重症児者では繊毛病（シリオパシー）であるJoubert症候群や結節性硬化症に合併する腎病変を評価する際に，嚢胞腎が見つかることがある．

ⓑ 各疾患の特徴と管理の要点

嚢胞腎を有するいずれの疾患でも，定期的に嚢胞の増大や腫瘍化の確認，血液検査による腎機能評価（電解質含む），高血圧管理が診療の軸となる．嚢胞感染や嚢胞内出血に至ることもある．

1）単純性嚢胞

通常は無症状であり，治療は不要である．

2）ADPKD

遺伝性嚢胞腎疾患のなかで最も頻度は高い．小児期には無症状で，超音波検査や検尿で偶発的に発見されることも多いが，肉眼的血尿や腰背部痛が出現することがある．ADPKDは進行性に嚢胞が増大し，腎不全に至る．高血圧や脳動脈瘤，心弁膜症，肝嚢胞を合併することがある．管理における注意点は，腎機能低下，脳動脈瘤破裂によるくも膜下出血，肝嚢胞または腎嚢胞感染で，定期的な腎機能評価が必要である．高血圧を合併する場合は降圧療法を行う．

3）結節性硬化症に合併する腎嚢胞，腎血管筋脂肪腫

30%に腎嚢胞を，60%に腎血管筋脂肪腫を合併する．これらはそれぞれ高血圧や腎不全の原因となりうる．また腎血管筋脂肪腫は大きさに応じて出血の危険性が増大するため，慎重な経過観察が必要である．

図 1　SFU 分類

grade 0：水腎症なし　grade 1：腎盂の拡張のみ　grade 2：腎盂の拡張と一部腎杯拡張　grade 3：腎盂拡張とすべての腎杯拡張　grade 4：腎皮質の菲薄化を伴う

3. 水腎症の管理

水腎症は尿路感染症を契機に発見されることが多い．形態学的な評価で治療介入を検討する場合と，症状の有無によって治療介入を判断する場合がある．

一般的に，水腎症の程度は SFU 分類（図 1）によって評価される．grade 0～2 では経過観察される場合が多く，grade 3 以上で手術介入が検討される．

grade 0～2 では超音波検査の画像所見の異常以外に症状を伴うことは少ないが，grade 3 以上で有熱性尿路感染症を繰り返す場合や間欠的水腎症による腰痛や腹痛，経年で進行する腎機能の低下を伴う場合に治療介入が検討される．膿尿のみで炎症所見を認めない場合には，経過観察となることもある．

4. 腎機能への薬物の影響

腎機能へ薬物が影響を及ぼすことがあり，薬物投与前に腎機能を知っておくことは重要である．腎機能によって薬物量を調整しなければならない薬剤もある．

近年の CKD 診療ガイドラインでは，血清クレアチニン（Cr）によって糸球体濾過量（GFR）を推算することが推奨されており，推定 GFR（estimated GFR，eGFR）を自動計算し検査データに自然表記される病院も増加しつつある．しかし，Cr は筋肉量に相関するため，筋肉量の少ないことが予想される高齢者や運動量の少ない重症児者では Cr は低値をとることが多く，Cr による腎機能評価は不正確になる可能性が高い．筋肉量の少ない人に対しては，シスタチン C（表 1）や血清 β_2ミクログロブリンを用いるなどほかの

表 1　年齢別血清シスタチン C 基準値（mg/L）

	2.5 パーセンタイル	50 パーセンタイル	97.5 パーセンタイル
3～5 か月	0.88	1.06	1.26
6～11 か月	0.72	0.98	1.25
12～17 か月	0.72	0.91	1.14
18～23 か月	0.71	0.85	1.04
2～11 歳	0.61	0.78	0.95

	2.5 パーセンタイル		50 パーセンタイル		97.5 パーセンタイル	
	男児	女児	男児	女児	男児	女児
12～14 歳	0.71	0.61	0.86	0.74	1.04	0.91
15～16 歳	0.53	0.46	0.75	0.61	0.92	0.85

（Yata N, et al. Reference ranges for serum cystatin C measurements in Japanese children by using 4 automated assays. Clin Exp Nephrol 2013；17：872-876．Uemura O, et al. Cystatin C-based equation for estimating glomerular filtration rate in Japanese children and adolescents. Clin Exp Nephrol 2014；18：718-725 より一部改変）

項目を用いて腎機能評価を行うことが有用である．シスタチン C は甲状腺機能やステロイド使用に影響を受ける点には注意する．Cr やシスタチン C を用いた eGFR の推算式は「CKD 診療ガイドライン 2018」[2]や小児の「腎機能障害の診断」と「腎機能評価」の手引き[3]を参考にされたい．

また長年，わが国では腎機能評価として，クレアチニンクリアランス（CCr）値が利用されていたこともあり，薬物投与量の調整に関する腎機能評価は CCr で示している資料もある．CCr は eGFR よりも約 1.4 倍その値が高く出ることに注意する．

ⓐ 抗けいれん薬

重症児者に対してよく投与される薬剤に抗けいれん薬がある．腎尿路系へ影響を及ぼす可能性のある有名な薬剤として，バルプロ酸（デパケン®）とゾニサミド（エクセグラン®），トピラマート（トピナ®）がある．バルプロ酸は Fanconi 症候群，ゾニサミドは尿路結石の副作用がある．抗けいれん薬は管理上不可欠な薬剤であるが，副作用に注意しながら定期的な経過観察を行い，症状出現時には適切な対処と薬剤の変更が検討される．慢性腎

臓病では，抗けいれん薬の薬物動態が変わる場合があることにも注意する．

ⓑ感染症に対して使用する薬剤

喀痰の排出困難や排尿自立の困難や排泄困難のために重症児者は，誤嚥性肺炎や尿路感染症などで抗菌薬を使用することがしばしばある．予防的抗菌薬として比較的使用されやすいスルファメトキサゾールとトリメトプリムの合剤（バクタ®）は，腎機能の悪化がなくても血清Cr値をわずかに上昇させる．緑膿菌感染などにより腎毒性のある抗菌薬を使用する可能性もあるため，それらの薬剤が腎毒性物質か否かを把握し，使用する場合は慎重に腎機能を経過観察することが望ましい．具体的にはアミノグリコシド系薬剤，単純ヘルペスウイルスや水痘・帯状疱疹ウイルスに対するアシクロビルの全身投与，抗真菌薬のアムホテリシンBなどが腎毒性を有する薬剤として知られている．

文　献

1）厚生労働科学研究費補助金難治性疾患等政策研究事業（難治性疾患政策研究事業）難治性腎障害に関する調査研究班（編）．エビデンスに基づく多発性嚢胞腎（PKD）診療ガイドライン 2020．東京医学社，2020（https://jsn.or.jp/academicinfo/report/evidence_PKD_guideline2020.pdf）

2）日本腎臓学会（編）．エビデンスに基づくCKD診療ガイドライン 2018．東京医学社，2018 https://cdn.jsn.or.jp/data/CKD2018.pdf

3）小児慢性腎臓病（小児CKD）小児の「腎機能障害の診断」と「腎機能評価」の手引き編集委員会（編）．小児慢性腎臓病（小児CKD）小児の「腎機能障害の診断」と「腎機能評価」の手引き．2019（http://www.jspn.jp/guideline/pdf/20191003_01.pdf）

［山本かずな］

I 排尿障害・腎尿路疾患

4 膀胱瘻・腎瘻

POINT

- 膀胱瘻・腎瘻は，他の方法での対応が困難な場合に最終的に選択される有用な方法である
- しかし，カテーテルによる動きの制限，逆行性感染による尿路感染，膀胱の廃用性萎縮などの問題を十分に考慮して造設・管理することが肝要

1. 膀胱瘻

膀胱から尿道口までの下部尿路に閉塞をきたす病変（尿道狭窄など）があり，清潔間欠自己導尿（clean intermittent catheterization：CIC）や抗コリン薬，β_3刺激薬などの保存的治療を行うも，尿のドレナージができないことで，膀胱の高圧環境が是正されず腎機能障害をきたす場合に行う．経皮的膀胱瘻（図1）と膀胱皮膚瘻（図2，3）がある．経皮的膀胱瘻は一時的な尿路変向で，定期的なカテーテル交換が必要になる（図1）．膀胱皮膚瘻は，半永久的な尿路変向で下腹部にストマを作成するので，CICやカテーテル留置は不要であるが，腹圧で尿が漏れるため，ストマにおむつやパッドを当てておく必要がある（図2，3）[1,2]．いずれの膀胱瘻も尿路を低圧に保つことが可能で，腎機能を保護することができる．

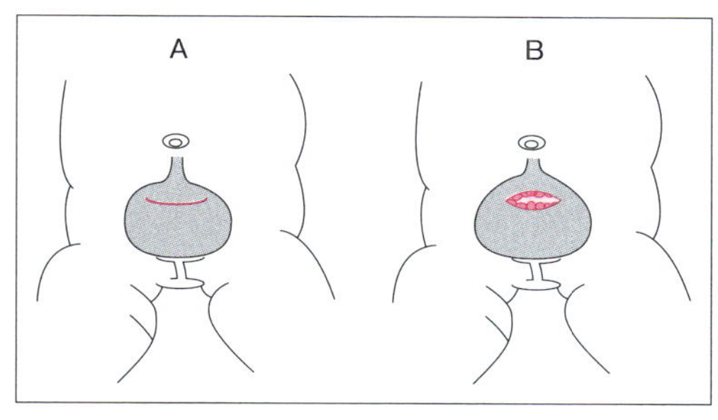

図2 膀胱皮膚瘻造設術

A：膀胱頂部の下方を横切開し，膀胱を露出する
B：膀胱を高位切開し，腹直筋筋膜と膀胱筋層を固定し，脱落予防とする．皮膚と膀胱粘膜を縫合する

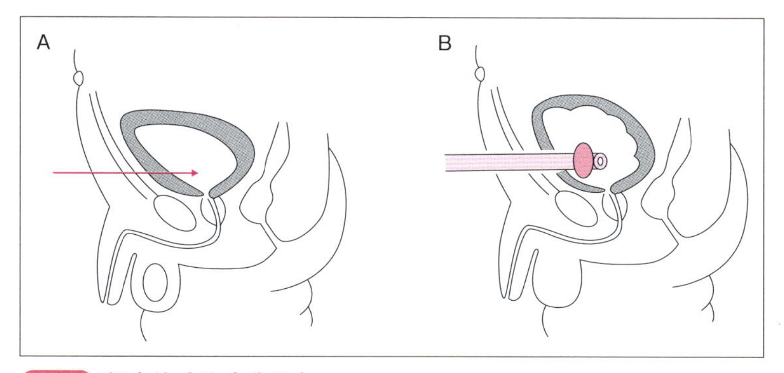

図1 経皮的膀胱瘻造設術

A：膀胱を尿または生理食塩水で充満させ，超音波ガイド下に恥骨上一横指の高さで膀胱穿刺を行う
B：ガイドワイヤーを挿入し，tractを徐々に拡張し，腎盂バルーンカテーテル（体格や目的にあわせて8〜12 Fr（直径2.7〜4 mm）を挿入する．固定水は滅菌精製水を用いる

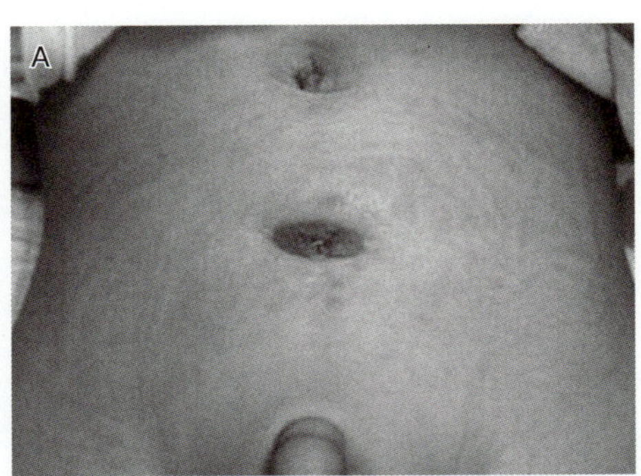

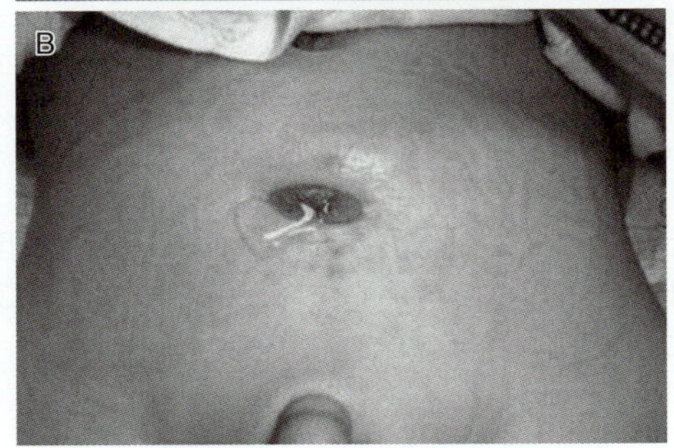

図３　膀胱皮膚瘻術後

A：ストマが臍と恥骨の間にみられる．安静時では尿は漏れない

B：腹圧がかかると尿が漏れる．集尿パウチは貼らずに，おむつやパッドで尿を回収する

2. 腎　瘻

腎内や腎盂尿管移行部から尿管膀胱移行部までの上部尿路に閉塞をきたす病変（尿管狭窄，結石，腫瘍）があり，保存的治療（逆行性尿管カテーテル留置）を行うも，尿のドレナージができない場合や感染のコントロールができない場合に行う．側臥位もしくは腹臥位で行い，成人では局所麻酔で可能であるが，小児では全身麻酔を必要とする．未治療の血液凝固異常や抗凝固薬服用中の場合は禁忌となる．経皮的腎瘻造設術は超音波ガイド下に行われるが，側彎や拘縮がある場合，腎の位置が前方に移動しており，背面からの腎穿刺が不可能なこともある．CTで腎と胸膜・腹膜の位置関係，穿刺角度を確認する必要がある．経皮的腎瘻は，一時的な尿路変向で，定期的なカテーテル交換が必要になる．結石などが尿管に陥頓している場合は，腎瘻を利用し内視鏡的に摘除が可能である[3]．背面から腎瘻が刺入されているので，カテーテルが折れ曲がりやすいため，移動時や体位変換時に注意を払う必要がある（図４）．

ⓐ カテーテル管理について

膀胱瘻，腎瘻に使用するカテーテルは腎盂

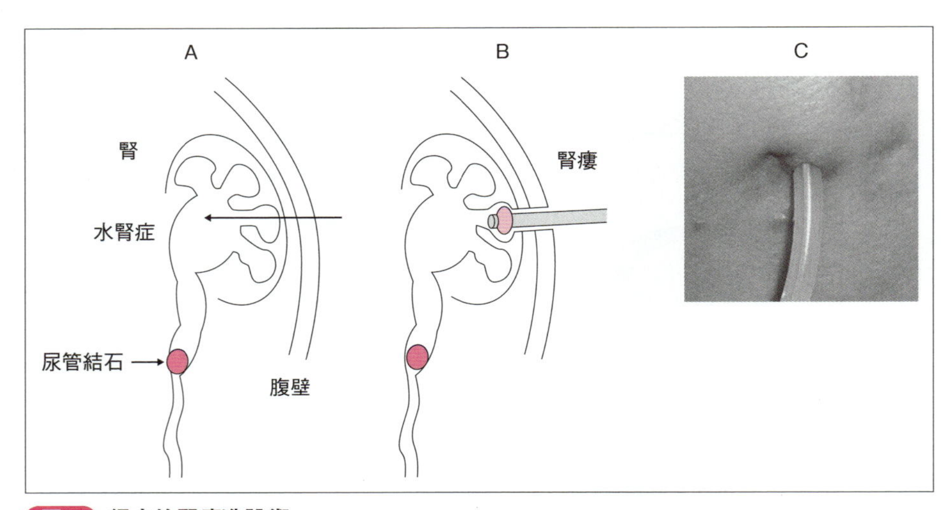

図４　経皮的腎瘻造設術

A：超音波ガイド下に拡張した腎盂を穿刺する

B：ガイドワイヤーを挿入し，tractを徐々に拡張し，腎盂バルーンカテーテル（体格や目的にあわせて8〜12 Fr：直径2.7〜4 mm）を挿入する．固定水は滅菌精製水を用いる

C：腎瘻挿入部：長期の留置の場合，肉芽ができることもある

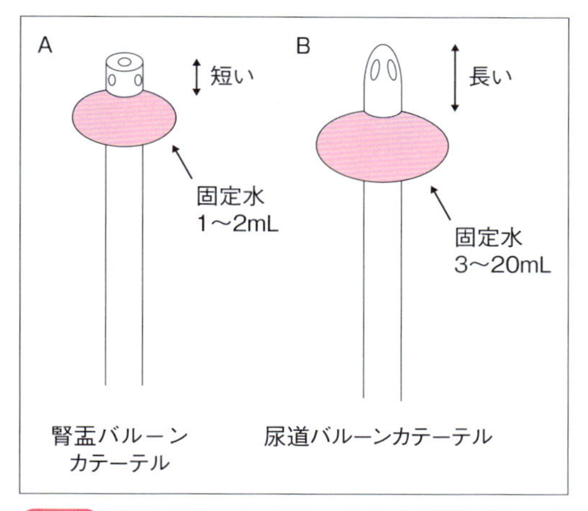

図5 腎盂バルーンカテーテルと尿道バルーンカテーテル

腎盂バルーンカテーテル（A）の先端は，短く先端が鈍になっていて腎盂粘膜を傷付けない構造になっている．先端に穴が開いているので，ガイドワイヤーを用いた挿入が可能である．尿道バルーンカテーテル(B)の先端は挿入しやすいように先端が尖っている．穴は側孔のみのものが多い

バルーンカテーテルを用いる．先端が短く刺激が少ないが，固定水が 1〜2 mL と少ないことに注意する（図5）．

1）カテーテル交換

4 週ごとにカテーテル交換を行う．固定水は，自然と抜けることがあり交換時には半量まで減少している．固定水には精製水を用いるべきで，生食などを用いると抜去できないことがある．普段からカテーテルの刺入深度（皮膚レベルで何 cm）と記録することが肝要で，交換の際はその深度を確認しながら行う．交換がむずかしい場合は，X 線造影検査室で尿路を造影し，行う場合もある．

2）自然抜去予防

カテーテルを抜くと通常 1〜2 日で完全に閉鎖してしまうので，自然抜去しないように注意する必要がある．カテーテルの刺入深度を毎日記録することで，自然抜去は予防できる．またカテーテルが深く入りすぎると，先端が膀胱壁や腎盂壁にあたり，出血をきたすので注意する．腎盂バルーンカテーテルは固定水が 1〜2 mL と少ないため，定期的な固定水の入れ替えと刺入深度を記録しておくことで，自然抜去が予防できる．

3）感染対策

カテーテル挿入後 48 時間で尿路感染が成立するが，抗菌薬の長期投与は耐性菌が出現するため控えるべきである．尿路感染によってパープルバッグ症候群[4]やカテーテル閉塞をきたす場合は，短期間の抗菌薬を投与する．水分摂取を多くし尿量を増やすようにする．カテーテル周囲から滲出液が出るので，ベンザルコニウム塩化物液でカテーテル刺入部を消毒のうえ Y ガーゼなどで保護しておく．

文 献

1）松岡雄一郎，他．膀胱皮膚瘻造設により下部尿路排尿機能障害管理と QOL が改善した 4 症例．脳と発達 2020；52：421-423
2）Duckett JW. Cutaneous vesicostomy in childhood. The Blocksom technique. Urol Clin North Am 1974；1：485-495
3）追田晃子，他．尿路結石．小児外科 2017；49：1141-1145
4）Sabanis N, et al. Purple Urine Bag Syndrome：More Than Eyes Can See. Curr Urol 2019；13：125-132

［上仁数義，中川翔太，小林憲市，河内明宏］

J 骨折・骨粗鬆症

1 重症児者の骨折

POINT

- 重症児者の施設内骨折発生頻度は年間2〜3%台である
- 原因は種々の要因による骨脆弱性が背景にあるが，直接原因が不明の場合が多く，家族との信頼関係に影響を及ぼすこともある
- 骨折の発生部位は大腿骨，手指，足趾が多く，次いで下腿骨や上腕骨に多い

1. 骨折の発生頻度

西日本重症心身障害児施設協議会加盟施設では2004年から骨折調査が続けられているが，近年では日本重症心身障害福祉協会加盟施設における全国的な調査も2014年から毎年行われている．それによると施設入所者の骨折の発生頻度は年間2〜3%台である[1〜3]．

年齢，性別による年間発生頻度は20〜50歳では低く，20歳未満，50歳以上で高い傾向にある．特に50歳以上の女性に高く4〜5%の値を示す．運動発達レベルごとの年間発生頻度は寝たきりの入所者（大島分類1，4）では2〜3%であるが，移動可能の入所者では3〜5%と多かった[1,2]．

2. 骨折の部位

2019年までのデータで，西日本2,106件，全国2,362件の骨折についての部位では大腿骨，手指・手部，足趾・足部がほぼ同程度で22〜23%を占め，以下，下腿，上腕骨の順になっている[1〜3]（図1）．

以前の重症児者の大規模調査[6]では大腿骨に次いで上腕骨骨折が多く報告されているが，近年の西日本や全国の調査では上腕骨は9%台で比較的少なく，手指や足趾の割合が増えている．

運動レベル別でみると大腿骨骨折については，特に寝たきりの入所者（大島分類1，4）に多く約40%を占めている．また大腿骨骨折のなかでは膝に近い顆上骨折が2/3と多くみられ，一般の高齢者に多い大腿骨頸部骨折は移動可能な，いわゆる"動く重症児者"におもにみられる．移動可能な入所者では足・足趾や腕・手など身体の末梢部分の骨折が多い．立位バランスが悪く転倒や物にぶつかる機会が多いためと考えられる（図2）．

3. 骨折の原因

重症児者の骨折の背景には骨脆弱性があり，その原因については運動量の減少，抗重力姿勢の不足，廃用性萎縮，慢性の栄養障害，抗てんかん薬の投与などについて多くの研究が行われている．また重症児者の骨折には骨脆弱性に加えて四肢関節の拘縮が大きな原因となっていると考えられる．

骨折の直接原因についての調査では不明が70%，おむつ交換・体位交換・移乗時など介護に関する原因が11%，転倒・転落は10%，衝突・打撲などは3%，発作・不随意運動は2%であった．原因不明が多いのは重症児者の骨が極めて脆弱で，ごく軽微な力で骨折が起こり気づきにくいこと，また本人が痛みを訴えることが困難で，発見が遅れるためと考えられる．

予防がむずかしい背景があるが，介助に関する骨折が，原因ありの1/3を占めていることは，注意深い介助である程度骨折を減少させることも可能と思われる．

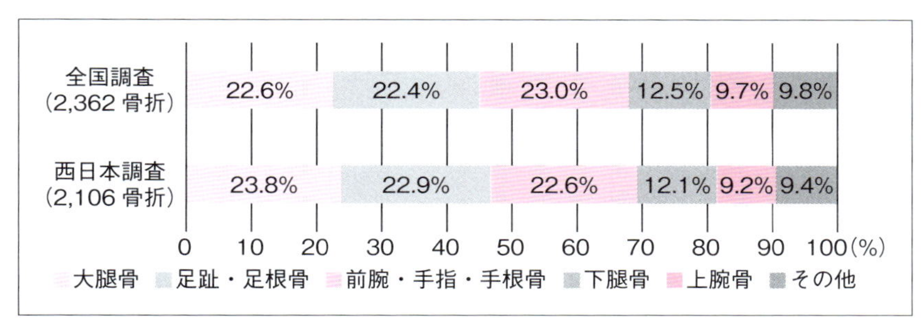

図 1 骨折の発生部位

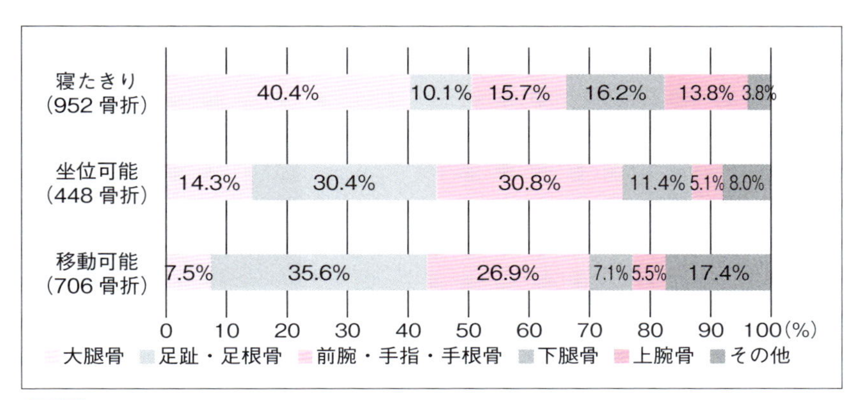

図 2 移動レベル別骨折部位
(西日本重症心身障害児施設協議会の調査)

4. 骨折の起こりやすい場所とその原因

一般的に長管骨においては関節に近い骨幹端部が骨髄の割合が高いため強度が低く，特に成長期の子どもには骨量の低下が認められている．重症児者においても 20 歳未満の入所者の骨折の頻度が高い理由の 1 つはこのためと思われる．

骨折のなかで一番多い大腿骨骨折については，発生頻度の高い部位は膝関節に近い骨幹端部の大腿骨顆上部である．そして重症児者については骨粗鬆症に加えて四肢の関節拘縮がしばしばみられるので，末梢部を持ち上げると，テコの作用で離れた部位に大きな力が加わり，骨折を引き起こすと考えられる[4,5]．膝関節に拘縮がある場合は大腿骨顆上部や下腿骨の近位部に，また股関節に拘縮がある場合は大腿骨頸部に近い部位に骨折を起こしやすい．同様の機序で上腕骨の頸部に近い骨折も起こると考えられる．

5. 骨折の診断

一般的には骨折は外傷が加わり，本人が疼痛・機能障害を訴え，局所の腫脹・熱感・圧痛・異常可動性などを認め，X 線所見とあわせて診断が容易なことが多い．

しかし重症児者の場合は，局所症状に気づかず，診断に難渋して 1～2 日してから診断がつく場合もしばしば経験する．重症児者は疼痛に対する表現が困難なため全身症状として熱発や脈拍の増加によって初めて局所症状に気づくこともある．また X 線所見も不全骨折の場合，骨粗鬆症のため骨梁の非連続性も見分けがつきにくく，1～2 週間後に X 線写真で骨折線が明瞭になったり，あるいは仮骨形成により診断が確定する場合もある．

X 線写真で判然としない場合，CT や MRI で早期確定診断は可能と思われるが，重症児者の場合は撮像場所への移送が困難であったり，撮像時の静止が困難なことも多い．バイタルサインに変化があり，その原因がはっきりしない場合は，全身を注意深く観察して局

所所見を見逃さないことが重要である．

X線所見が明瞭でない場合でも，骨折を疑う臨床所見があれば適当な固定などを行うべきと考える．

6. 骨折の治療

重症児者の骨折の治療はアンケート調査では90%が保存的に(包帯固定，シーネ固定，ギプス固定など）行われている．

手術治療はおもに大腿骨や上腕骨の骨幹部骨折などで髄内釘固定やプレート固定などが行われていて，保存的治療では骨折部の整復位が保持できず骨癒合の得られにくい場合や保存的な固定を長期間継続することが困難な場合と考えられる．この場合は特に術中・術後の合併症に注意を払う必要がある．またいずれの場合でも固定に関しては，圧迫などによる循環障害，神経障害，褥瘡などが発生しないよう，局所所見，全身症状の観察を十分行うことが必要である．

7. 症　例

次に自験例を示す．

【症例1】右大腿骨転子下骨折（脳性麻痺，両股関節高位脱臼)，男性，45歳，大島分類1
更衣，おむつ交換時に苦痛様の表情と発声あり．X線診断後，体幹～足関節ギプス固定を行い，3か月で骨癒合完成．両股関節高位脱臼であったため，股関節の拘縮が著明であった（図3)．

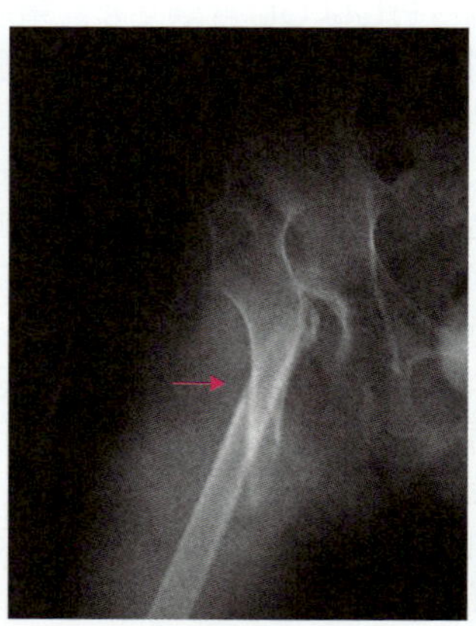

図3 【症例1】右大腿骨転子下骨折，男性，45歳

【症例2】右大腿骨顆上骨折（低酸素性脳症)，男性，21歳，大島分類1
入浴後頻脈，顔色不良となり約4時間後，膝関節の腫脹，熱感に気づく．X線診断後，大腿ギプス固定を行い，2か月後骨癒合（図4)．

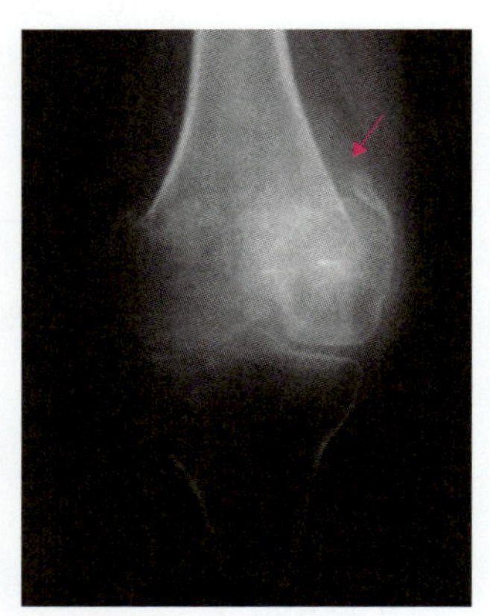

図4 【症例2】右大腿骨顆上骨折，男性，21歳

【症例3】右脛骨骨折（脳性麻痺)，女性，64歳，大島分類1
右下肢全体の浮腫に気づいたが，2日間経過をみていてX線診断が遅れた．大腿ギプス固定6週間にて骨癒合．原因，時期など不明だが介助時の受傷と考えられる(図5)．

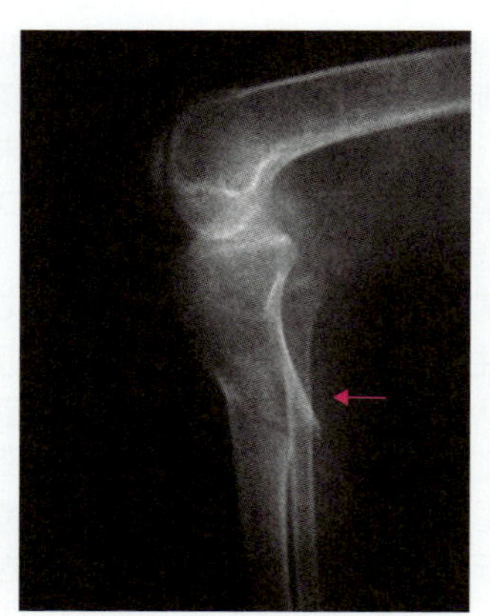

図5 【症例3】右脛骨骨折，女性，64歳

【症例4】右上腕骨骨折（結核性髄膜炎後遺症)，男性，20歳，大島分類1
右上肢の腫脹に気づく．かぶりの衣服が多

く，更衣時の介助によるものと推察される．ハンギングキャストにて6週間で骨癒合（図6）．

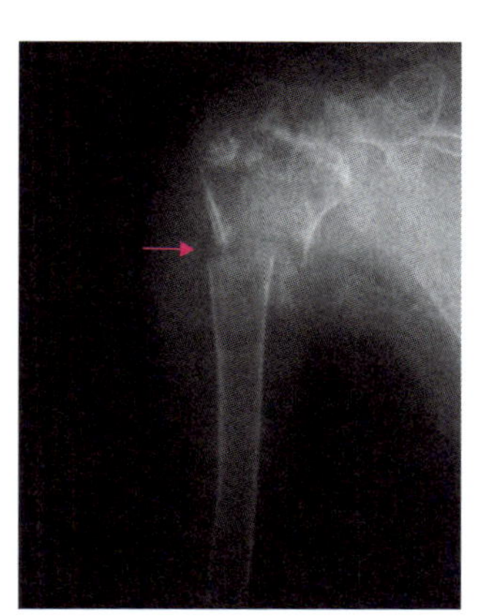

図6 【症例4】右上腕骨骨折，男性，20歳

文 献

1）森下晋伍，他．アンケート調査報告．西日本重症児施設協議会広報 2013；15：42–56
2）伊達伸也，他．骨折アンケート調査報告．西日本重症児施設協議会広報．2014～2019.
3）日本重症心身障害福祉協会（編）．全国重症心身障害施設実態調査．入所児者の骨折状況．2015～2020.
4）伊達伸也．重症心身障害と骨折．重症心身障害の療育 2010；5：221–223
5）森下晋伍．重症心身障害児（者）の施設内骨折について―実態と予防に向けて―．重症心身障害の療育 2006；1：91–96
6）吉野邦夫．重症心身障害児（者）の骨折と骨脆弱性．黒川 徹（監），重症心身障害医学最近の進歩．日本知的障害福祉連盟，1999；167–171

［森下晋伍，伊達伸也］

コラム

カルシウムアルカリ症候群―活性型ビタミン D_3 製剤とマグネシウム製剤併用などによる，高カルシウム血症

傾眠傾向が続く患者．血液検査を行うと，血清カルシウム（以下，Ca），クレアチニンやシスタチンCが上昇し，低クロール性代謝性アルカローシスも認めた．どのような病態を考えるか？ 確認すべき病歴はあるか？

高Ca血症の原因の1つに，カルシウムアルカリ症候群がある．高Ca血症，腎機能障害，代謝性アルカローシスを3徴とし，近年は，骨粗鬆症に対するCa製剤や活性型ビタミン D_3 製剤と，重炭酸に変換される緩下薬の併用によって発症が報告されている．発症の機序は，高Ca血症になると血管が収縮して糸球体濾過量が減少し，Ca排泄が低下する．腎尿細管での重炭酸イオンの再吸収が亢進し，そこにアルカリの摂取が重なりアルカローシスが助長され，さらにCa再吸収が促進して高Ca血症が遷延する．

重症児者では，抗重力運動の減少や抗てんかん薬の内服，栄養不良などから骨密度が低下しやすく，Ca製剤や活性型ビタミン D_3 製剤が治療の1つとして選択される．便秘症も多く，酸化マグネシウムが使用される場合もある．

脱水状態やもともとの腎機能低下が重なると，カルシウムアルカリ症候群の発症リスクが上がるが，予測はむずかしく，突然発症する場合も少なくない．治療は，原因薬剤やCa摂取を中止し，補液を行うと通常は数日で軽快する．しかし，半年ほど高Ca血症が遷延する場合や，3割程度は腎機能低下が続く．

＜ポイント＞

・Ca製剤や活性型ビタミン D_3 製剤と，マグネシウム製剤などの併用により，カルシウムアルカリ症候群を発症することがある．

・多剤併用となりやすい重症児者の診療においては，この可能性を考慮した定期的な検査を含む慎重な投薬管理と，全身状態の把握が不可欠である．

参考文献

・龍華章裕．薬剤によって起こる電解質異常とは．薬事 2017；59：939–946
・安西真衣，他．活性型ビタミン D_3 製剤とマグネシウム製剤併用によるカルシウムアルカリ症候群―症例報告と発症リスクの検討―．日重症心身障害会誌 2022；47：143–148

［安西真衣］

J 骨折・骨粗鬆症

2 骨折の原因としての骨粗鬆症，骨折予防のための薬物療法

- 様々な原因により，重症児者の骨強度は低下している
- 骨密度や骨折歴の有無に応じて骨折リスクの評価を行う
- 骨折リスクが高い場合は，骨粗鬆症の治療を行う

1. 原　因

重症児者は，骨強度の低下，拘縮，変形の存在により，骨折を起こしやすい．寝たきりの脳性麻痺患者で年4%程度発生すると報告されている．重症児者の低い骨強度には，以下の原因が考えられる．

ⓐ荷重不足

荷重は，骨の成長，骨強度を規定する重要な因子であり，荷重不足は骨成長を遅延させ，骨代謝としては骨吸収の促進をまねく．多くの重症児者に当てはまる．

ⓑ内服薬

抗けいれん薬やステロイドの内服は，低骨密度，骨折リスクと関連がある．フェニトイン，フェノバルビタールなどはビタミンD代謝を加速させるため，内服を開始すると約1〜1年半後よりビタミンD不足や骨密度の低下を認めると報告されている[1)]．

ⓒ内分泌疾患

骨成長，骨成熟，骨密度増加には，成長ホルモン，甲状腺ホルモン，性腺ホルモンなどが深く関与する．成長ホルモン分泌不全や性腺ホルモン異常がある場合，骨密度の低下をみることがある．

ⓓ栄養，代謝

重症児の身体発育は概して遅延していることが多く，口腔過敏やこだわりによる偏食で栄養状態が不良なこともある．経管栄養剤を使用している重度脳性麻痺児は，さらに骨密度が低下しているという報告がある．脂質の吸収低下や日光曝露の減少からのビタミンDの低下，経管栄養剤を長期使用する重症児者におけるビタミンKの欠乏は，骨代謝に影響を及ぼしうる．

ⓔ先天性

I型コラーゲン遺伝子の異常により骨脆弱性を示す骨形成不全症などでは骨折を繰り返す．

上記の複数の原因により，骨密度や骨質の低下を認めると考えられる．

2. 診　断

WHOは「骨粗鬆症は，低骨量と骨組織の微細構造の異常を特徴とし，骨の脆弱性が増大し，骨折の危険性が増大する疾患である」と定義し，骨密度による診断カテゴリーを設定している．このカテゴリーでは，骨密度値が若年女性平均値の−2.5 SD（標準偏差）以下（Tスコア≦−2.5）を骨粗鬆症としている．わが国で作成された骨粗鬆症の診断基準では骨折既往の有無を考慮に入れて，若年女性の平均骨密度値（young adult mean：YAM）を100%とし，YAMの70%未満，また，脆弱性骨折を有する場合は80%以下と規定されている．

小児の骨粗鬆症についてはThe International Society of Clinical Densitometry（2019）が，このWHOのTスコアに準じ，骨密度が同年齢，同性の平均値の標準偏差Zスコアの−2.0以下で，骨折既往歴があることと定義している[2)]．ただし，重症児者では年齢に比し，体格が小さく骨幅や骨容量も小さいので，これらも考慮した総合的な判断が必要であろう．

3．おもな検査

ⓐ骨密度

骨粗鬆症の診断，骨折リスクや治療効果の判定に重要である．

1）dual-energy X-ray absorptiometry：DXA

2 種類の X 線を骨に当て，骨とその他の組織との吸収率の差により骨密度を測定する．ガイドラインで推奨された高精度な測定法であるが，高額の機材で広いスペースを必要とし，配置施設は限られる．

2）定量的 CT 測定法（quantitative CT：qCT）

CT 値を利用した測定法で，3 次元的に分離して測定できる．一方で放射線被曝量が多く，再現性には劣る．

3）定量的超音波骨量測定法（quantitative ultrasound：QUS）

超音波を利用した測定法で，測定値は骨密度と相関するとされているが，骨密度とともに骨質も評価している可能性がある．通常，海綿骨の多い踵骨を測定部位とする．放射線被曝がないため小児も測定可能であるが，測定位置や骨容量により，誤差が大きい．

4）microdensitometry：MD 法

第 2 中手骨の X 線写真をアルミニウム板と同時に撮影し，X 線撮影像の濃淡や皮質骨の幅から評価する方法である．簡便で多くの施設に採用されている．

ⓑX 線検査

骨形態や骨成熟の評価に有用である．重症児者の大腿骨や脛骨は，横径が小さく皮質部も薄い．骨端線閉鎖など骨年齢を評価できる．

ⓒ骨代謝マーカー

健康な骨では破骨細胞が行う骨吸収と，骨芽細胞が行う骨形成のバランスがとれている．一方，骨吸収が骨形成を上回ると骨密度が減少し，骨粗鬆症に至る．骨代謝マーカーには，破骨細胞，骨芽細胞それぞれの活性を示す骨吸収マーカー（血清 NTx〈I 型コラーゲン架橋 N-テロペプチド〉，血清 CTx〈I 型コラーゲン架橋 C-テロペプチド〉，血清 TRACP-5b〈酒石酸抵抗性酸ホスファターゼ〉，尿 NTx，尿 CTx，尿 DPD〈デオキシピリミジン〉），骨形成マーカー（血清 BAP〈骨型アルカリホスファターゼ〉，血清 PINP〈I 型プロコラーゲン-N-プロペプチド〉）と，骨質を評価する骨マトリックス関連マーカー（血清 ucOC〈低カルボキシル化オステオカルシン〉）があり，骨代謝の把握は，将来の骨密度や骨折リスクの予測に有用である．

重症児者は筋肉量が少なく尿中クレアチニン排出が少ないことにより，尿排出マーカーはより高値を示しやすい．血清 TRACP-5b は，日内変動，腎機能低下の影響を受けにくい有用なマーカーである．血清 ucOC の高値はビタミン K 欠乏を意味し，骨におけるビタミン K 作用不足の指標となる．

ⓓその他の血液検査

血中 Ca（カルシウム），P（リン），PTH（副甲状腺ホルモン），1,25（OH）$_2$ビタミン D，尿中 Ca/Cr（カルシウム/クレアチニン比）の測定は，病態把握や，治療の選択に有用である．

4．治　療

現在，原発性骨粗鬆症には治療のガイドラインがある．一方，ほかに骨粗鬆症を惹起する原因がある，いわゆる「続発性骨粗鬆症」の場合も，重症児者のように原因疾患の治療が困難な場合は，骨密度や骨折歴の有無に応じ骨折リスクの評価を行い，原発性骨粗鬆症に準じて骨粗鬆症の治療を行う．以下が勧められる薬剤である．

ⓐ活性型ビタミン D$_3$製剤

原発性骨粗鬆症に対する推奨グレード B の内服薬である．抗けいれん薬使用の寝たきり脳性麻痺児に対するカルシウムとの併用療法で有意な骨量増加が得られた報告[3)]がある．重症児者には，栄養を補う側面もあり投与が望ましい．潜在的な原発性副甲状腺機能亢進症が存在し，高カルシウム血症を起こすことがあるので注意を要する．

ⓑビタミン K$_2$製剤

推奨グレード B の骨粗鬆症治療薬で，骨粗鬆症の疼痛緩和や骨折予防に有効であること

が確認されている．ビタミンＫ摂取量が少ない場合もあり，血中の ucOC を測定し，高値を示す場合にはビタミンＫ薬を投与する．

ⓒビスホスホネート製剤

破骨細胞に作用し過剰な骨吸収を抑えるため，骨芽細胞の形成が有意となり骨密度が上がる，原発性骨粗鬆症に対する推奨グレードＡの治療薬である．内服開始の１〜３か月後，骨吸収マーカー値の低下をみる．

起床後朝食前に十分な水で内服し，約 30 分間体を起こしておく服用方法は，薬の吸収率を上げ，逆流による食道潰瘍を防止する目的である．重症児者でも特にアカラジアや食道逆流（gastroesophageal reflux：GER）が認められた症例や，坐位保持を保てない症例は使用しにくい．頻度は低いが顎骨壊死の報告があり，抜歯の際は投薬の一時中断が勧められている．小児への使用報告もあり，明らかに骨折頻度は減少するので，ベネフィットがリスクを上回ると判断される症例には使用することが勧められている[4〜6]．現在，月１回の内服薬とともに年１回の点滴投与薬も発売されている．

ⓓPTH 製剤（テリパラチド）

PTH の間欠投与は，海綿骨の骨形成を促進する．推奨グレードＡの薬剤で，連続して２年間皮下投与する．骨肉腫発症のリスクから骨端線閉鎖までは禁忌で，成人で著しい骨量低下，複数の骨折歴があり，骨折の危険性が特に高い場合に勧められる．

ⓔデノスマブ

破骨細胞の形成，機能調節にかかわっている RANK リガンド（RANKL）を選択的に抑制するモノクローナル抗体で，破骨細胞の働きを抑える骨粗鬆症の治療薬である．ビスホスホネート製剤と同じく小児への使用報告は少ないが，６か月に１回，皮下投与のため，重症者にも導入しやすい．低カルシウム血症になりやすいため，カルシウム製剤の併用を要する．また中止の際には骨吸収が亢進し骨密度が低下し多発椎体骨折が生じうるため，ビスホスホネート剤への変更が必要になる．

現在，原発性骨粗鬆症の治療では骨密度の上昇が認められるビスホスホネートが主流となっており，重症児者に対しても，多くはないが国内外で報告がある．現在デノスマブも発売されており，骨成長終了後の重症者には，治療効果がより高いこれらの薬剤の導入を検討するべきである．しかし，前述の中止の際の骨吸収亢進や骨折の問題から取り入れにくい面もあり，個々に治療方法を検討する必要がある．

骨成長終了前の重症児の骨粗鬆症は，栄養障害の側面もあり，骨量のピークを高く作るためにも早期よりカルシウム，ビタミンＤ，ビタミンＫの補充などを考慮していくことが望ましいと考える．

ⓕその他の療法

荷重，振動などメカニカルストレスを与える治療で骨密度が上昇した報告がある．また，日光を全く浴びる機会のない重症児者は週３回 10〜15 分カーテンをあけて日光を浴びることを奨励する論文がある．

＊重症児者の骨粗鬆症治療においては定期的に血中カルシウム値の測定が必要である．

文　献

1）Verrotti A, et al. Bone and calcium metabolism and antiepileptic drugs. Clin Neurol Neurosurg 2010；112：1-10.

2）International Society for Clinical Densitometry. 2019 ISCD Official Positions Pediatric. 2019（http://www.iscd.org/learn/official-positions/pediatric-positions/）

3）Jekovec-Vrhovsek M, et al. Effect of vitamin D and calcium on bone mineral density in children with CP and epilepsy in full-time care. Dev Med Child Neurol 2000；42：403-405

4）Henderson RC, et al. Bisphosphonates to treat osteopenia in children with quadriplegic cerebral palsy：a randomized, placebo-controlled clinical trial. J Pediatr 2002；141：644-651

5）Ozel S, et al. Informing evidence-based clinical practice guidelines for children with cerebral palsy at risk of osteoporosis：an update. Dev Med Child Neurol 2016；58：918-923.

6）Simm PJ, et al. Consensus guidelines on the use of bisphosphonate therapy in children and adolescents. J Pediatr Child Health 2018；54：223-233.

［酒井朋子］

K 皮膚・爪の障害

1 褥　瘡

POINT

- 褥瘡対策を系統的に推進していくには，褥瘡の発生要因・基本となる褥瘡管理のアルゴリズム・最新の褥瘡予防・治療について多職種間で共通認識する必要がある
- 褥瘡管理は，全身状態・生命予後・患者/家族の希望・人的物的資源の充足状況によっては，治癒だけでなく，現状維持を目標とすることもある．いずれの場合も，施設内外のリソースを活用したり病診連携を図り，療養生活のなかでの合目的支援を継続するために努力する

1. 褥瘡の定義

褥瘡とは「身体に加わった外力は，骨と皮膚表層の間の軟部組織の血流を低下させる．この状態が一定時間持続されると，組織は不可逆的な阻血性障害に陥り褥瘡となる」と定義されている（日本褥瘡学会 2005）．

近年，NPPV マスクや点滴固定用シーネ，胃瘻など治療目的でデザインされ使用される機器が原因で発生する褥瘡が，「医療関連機器圧迫創傷（medical device related pressure ulcer）」として注目を集め従来の褥瘡とは区別されるようになった．小児では，この医療関連機器圧迫創傷が 6〜8 割を占めるといわれている．

重症児者においては，医療関連機器圧迫創傷と同時に，自重により発生する従来の褥瘡においても個別的な対応が必要である．一般成人と比較して褥瘡発生部位も非常に特異的である．姿勢保持困難や関節拘縮，側彎を反映した体幹変形，筋緊張による体軸のねじれなどのために形状も複雑で発見時にはすでに深部に至る損傷であることも少なくない．

以上のことをふまえ，医療者は細心の注意を払って予防的・治療的ケアを行わなければならない．

2. 褥瘡管理の実際

褥瘡発生要因は，「圧迫（pressure）」「剪断（shear）」，「摩擦（friction）」「温度・湿度（microclimate）」である．特に組織の虚血や細胞変形を直接的に引き起こす「圧迫（pressure）」「剪断（shear）」対策が最優先ではあるが，これら 4 つの要因を個別性にあわせてどのように調整するかが重要である．「温度・湿度（microclimate）」とは「皮膚と支持面間の温度と湿度の状態」のことを指す．組織の新陳代謝・発汗促進，圧迫への耐性が低下するため，直接皮膚表面をヒーターなどで加温しないこと，寝具類も透湿性・通気性にすぐれた製品を選択し，汚染予防用のゴム製防水シーツなどは原則使用しないことが推奨される．対象者の皮膚の湿潤状態や寝床内の環境は重要なアセスメント項目である．

日本褥瘡学会の褥瘡管理ガイドラインにおける，基本的な褥瘡管理のアルゴリズムを示す（図 1）[1]．重症児者本人を含め，多職種からなるチームで褥瘡対策を系統的に推進していくには，基本となる考え方や予防・治療に関する具体的な方策を共通認識する必要がある．

ⓐ 全身の皮膚の観察

褥瘡発生を含む，皮膚の小さな変化を早期に発見して対処するために，1 日 1 回程度，全身の皮膚の観察を実施することが勧められる．更衣や清潔ケアの際などに，皮膚が密着している箇所，外力の影響を受けやすい部位は入念に観察を行う．

ⓑ 褥瘡の鑑別

褥瘡は最初は発赤として発見されることが

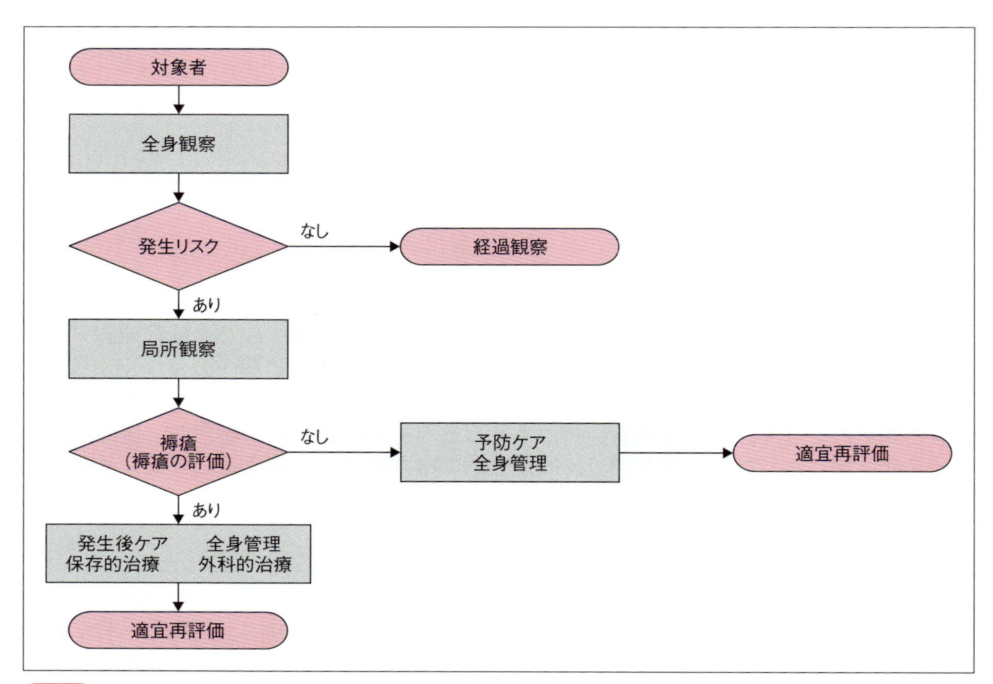

図１　褥瘡管理のアルゴリズム
（日本褥瘡予防学会教育委員会 ガイドライン改訂委員会．褥瘡予防・管理ガイドライン（第４版）．褥瘡会誌 2015；17：487-557 より作成）

多い．圧迫しても消退しない発赤はNPUAP/EPUAP分類（米国褥瘡諮問委員会：National Pressure Ulcer Advisory Panel：NPUAP，ヨーロッパ褥瘡諮問委員会：European Pressure Ulcer Advisory Panel：EPUAP）ではstage 1，日本褥瘡学会のDESIGN-R® 2020ではd1に相当する．褥瘡の鑑別にはガラス板や透明なアクリル板を使った圧診法が一般的である．発赤部位を３秒程度圧迫したときに白く変化する場合は褥瘡ではないので，医師に報告し，鑑別診断を受ける必要がある．

ⓒ 褥瘡の発生予測・評価

褥瘡発生リスクを客観的に判断するために，対象に適したアセスメントツールを利用することは，ガイドラインでも高い推奨度をもって勧められている（表１）[1]．なお，それぞれのツールが示す褥瘡発生危険点は，対象の療養する環境によって左右されるので留意する．

褥瘡発生リスクアセスメントは最低週１回，全身状態が変化した際はその都度アセスメントを実施する．

重症児者の場合，関節拘縮や変形，側彎などに関連した骨突出部位に摩擦やずれを受けやすい．そのうえ，発汗や唾液などの体液，排泄物による汚染など皮膚湿潤のため，より摩擦係数が上昇する．経口摂取ができず，経腸栄養剤で栄養管理されているケースでは，皮膚をはじめ，健常な組織に必要な微量元素やビタミンが不足しやすいなど，リスクアセスメントツールにない「その他の危険因子」について注意し，局所の観察を強化する．

ⓓ 褥瘡の予防

1）骨突出部位・医療機器との長時間接触部位の保護

骨突出部位は，摩擦を低減し，皮膚を保護する目的で，ポリウレタンフィルムドレッシング（例：エアウォール®〈skinix〉・優肌パーミロール®HS〈日東メディカル〉・テガダーム™ロール〈3M〉など）やすべり機能付きドレッシング（リモイス®パッド〈アルケア〉）を貼付することが従来より勧められている．昨今では多層構造のソフトシリコン/ポリウレタンフォームドレッシング（メピレックス®ボーダー，ハイドロサイト®ライフアレ

表1 褥瘡発生リスクアセスメントツール一覧

対　象	一般的	高齢者	小　児
アセスメントツール ＊（　）は推奨度	日本語版ブレーデンスケール（B）	OH スケール（C1）	ブレーデン Q スケール（C1）
褥瘡発生危険点	病院：14 点以下 在宅・施設：17 点	軽度：1〜3 点 中等度：4〜6 点 重度：7〜10 点	スキンケア介入 23 点以下 カットオフ値 16 点以下

（日本褥瘡予防学会教育委員会 ガイドライン改訂委員会．褥瘡予防・管理ガイドライン（第 4 版）．褥瘡会誌 2015；17：487-557 より作成）

ビンライフ）の有用性が報告されている．シリコンの自着性を利用したドレッシングなので毎日の局所の観察の際にはしわにならないように剝がせば連用可能である．

医療機器と接触する部位は，ハイドロコロイドドレッシング（例：デュオアクティブ® ET〈コンバテック〉，テガダーム™ハイドロコロイドライト〈3M〉）などの創傷被覆材やシリコンドレッシング（例：シカケア®〈スミスアンドネフュー〉）などが使われてきたが，皮膚保護材（ブラバ伸縮性皮膚保護テープ®〈コロプラスト〉）を転用したり，局所の形状や必要量をカットして使えるクッション・ドレッシング（ココロール®〈skinix〉，アドプロテープ®・クッション〈アルケア〉）などもよく使われている．

2）体圧分散マットレスの使用

体圧分散マットレスの使用はガイドラインでは最も高い推奨度 A であり，対象の褥瘡発生リスクや日常生活自立度を考慮した体圧分散マットレスを使用することは基本である．体圧分散マットレスは，マットレスに身体を沈みこませ，身体を包みこむことで，身体と体圧分散マットレスの接触面積を拡大し 1 か所にかかる圧を低減することができる．エアーマットレスでは複数のエアーセルが周期的に膨張と収縮を繰り返すため，マットレスの接触部分を変化させることができる．しかし，高い体圧分散性能を有するエアーマットレスも，マットレス単体では不十分で，特に身体変形が強い場合は，身体と体圧分散マットレスとの隙間を埋めて接触面積を増やすよう種々のサイズのポジショニングピローを併用する．また施設内では感染対策の点から，ディスポーザブル製品の導入が積極的に推奨されているため，耳介部の接触予防には，ピュアフィックス®（日本メディカルプロダクツ）を加工し，円背や側彎の突出部には 3M™レストン™粘着フォームパッド，踵・下肢にはヒールアップブーツ（LAVABO）を筆者は併用している．体圧分散マットレスを使用中でも，廃用性萎縮の予防や呼吸リハビリテーションのために，経時的な体位変換を実施する．

3）体位変換

基本的に 2 時間，体圧分散マットレス使用時は 4 時間以内の間隔で体位変換を実施する．寝床に接していた部位，特に骨突出部位を観察した際，紅斑を認める場合は，身体に加わる外力の影響があるので，体位変換時間を短くするか，体圧分散マットレスの設定あるいは機種の見直し，上級機種への変更を検討する．ポジショニングピローが不足していたり，体位変換で夜間安眠が阻害されることを避けたい場合は，マットレスの下にポジショニング用ではない通常の枕を挿入し，6 か所（右足→右腰→右肩→左肩→左腰→左足）時計回りに枕を移動させる方法（スモールチェンジ法）を行う．この方法は従来の体位変換と比較しても皮膚のずれ，体圧においてすぐれていることが実証されている．

4）ずれ力の発生と残留ずれ力への対応

一般的に 30° 側臥位や 90° 側臥位が推奨されているが，対象の身体的特徴や呼吸リハビリテーションの状況をふまえて対応する．

30° 以上頭側を挙上すると，寝床と接触している後頭部から背部，踵部に至る身体にずれ力が発生する．仙尾部には上半身の重力がかかるだけでなく，時に呼吸抑制をも引き起こすので，手を入れる・軽く抱き起こす・足

を持ち上げるなどして寝床との接触面に生じた残留ずれ力を排除する．最新の高機能エアーマットレスには残留ずれ力を排除する機能が搭載されている機種もある．

車椅子乗車時は股関節・膝関節・足関節は90°になるようティルト調整する．自分で坐位保持ができない場合は，15 分を目安に座り直しを含む姿勢調整を行う．また，車椅子の連続乗車時間は 1 時間以内とすることが望ましい．最近は新しい製品の開発も進んでいるがシーティングに関しては理学療法士等の専門職にアドバイスを求めることを推奨する．

このほか，栄養管理について，食態選択や食事支援，経腸・経静脈栄養について医師をはじめとする多職種チームで連携し検討する．

3. 褥瘡の治療

ⓐ褥瘡の局所アセスメント

DESIGN-R® 2020 は，depth（深さ）・exudate（滲出液）・size（大きさ）・inflammation/infection（炎症/感染）・granulation tissue（肉芽組織）・necrotic tissue（壊死組織）・pocket（ポケット）について評価する褥瘡の局所アセスメントツールである（図 2）[2]．DESIGN-R からの改訂では depth（深さ）に「深部損傷褥瘡（DTI）疑い」と inflammation/infection（炎症/感染）に「臨界的定着疑い」が追加された．DTI（deep tissue injury）は軟部組織内で外力による虚血・代謝障害によって組織壊死が起こっているが，外観からの推測が困難な状態をいう．臨界的定着（critical colonization）は創面の細菌数が増えて創の治癒遅延をきたしている状態をいう．滲出液の増加，浮腫状の肉芽形成などの変化がみられる．

D の数値は重み値に関係せず，E から P までの 6 項目についてそれぞれ点数をつける（合計 0～66 点）．重症度の高いほど高得点となり，治療に伴って点数が減少すれば改善傾向を示す．

ⓑ急性期褥瘡

褥瘡発生から約 2 週間程度は強い炎症所見や疼痛を伴い，短期間に多彩な病態を表すため DESIGN-R® 2020 で評価することがむずかしい．ポリウレタンフィルムなど創が視認できるドレッシング材で創面を保護するなどして，毎日の観察を怠らないようにする．DTI が疑われる場合は二重発赤や硬結があり皮膚温の変化が確認される．発赤程度の d1 褥瘡と考えていたものが急速に悪化してしばしば臨床で問題となることが多いので，エコーを用いて組織内部の変化を確認することを医師と相談する．

ⓒ慢性期褥瘡

褥瘡発生から約 2 週間が過ぎ，急性の炎症反応が消退すると，褥瘡の深達度は真皮までの比較的浅い褥瘡なのか，皮下組織を超える深い褥瘡かが判断できるようになる．浅い褥瘡の場合は，創面を保護し湿潤環境を維持しながら再生治癒を促すことができる．しかし，真皮を超える深い褥瘡の場合は，DESIGN-R® 2020 で局所アセスメントを行い，重症な項目の治療を優先する．細菌の巣である壊死組織の除去を最優先にし（N→n），肉芽形成の促進（G→g）を行い，創の縮小（S→s）をめざす．

ⓓ創面環境調整（wound bed preparation）

創傷治癒過程においては，その過程を阻害する要因を取り除き，創傷が治癒するための環境をつくることが重要である．具体的には，①壊死組織の除去，②細菌負荷の軽減（感染・炎症の管理），③創部の乾燥や過剰な滲出液の制御，④ポケットや創縁の処理を行うことである．創面の清浄化が終了したら，湿潤環境下で褥瘡を管理する（moist wound healing）．

1）壊死組織の除去

壊死組織を除去するために外科的デブリードマンを行うことは，最も有効で合理的な方法である．周囲の健常組織との境界が明瞭となった時期に実施すれば，健常組織の損傷も少なく患者への侵襲も最小限である．外科的デブリードマンの適応については局所感染巣の局在，壊死組織の量および拡大範囲，創部の血行状態，痛みへの耐性に応じて決定する．このほかにも蛋白分解酵素製剤を使った化学的デブリードマンや自己融解（壊死組織の軟化）によるデブリードマンなどを組み合わせてこまめに壊死組織を除去する．

DESIGN-R® 2020　褥瘡経過評価用

カルテ番号（　　　　　　　　　　）
患者氏名　（　　　　　　　　　　）

月日	/	/	/	/	/	/

Depth[*1]　深さ　創内の一番深い部分で評価し，改善に伴い創底が浅くなった場合，これと相応の深さとして評価する					
d	0	皮膚損傷・発赤なし	D	3	皮下組織までの損傷
				4	皮下組織を超える損傷
	1	持続する発赤		5	関節腔，体腔に至る損傷
				DTI	深部損傷褥瘡（DTI）疑い[*2]
	2	真皮までの損傷		U	壊死組織で覆われ深さの判定が不能
Exudate　滲出液					
e	0	なし	E	6	多量：1日2回以上のドレッシング交換を要する
	1	少量：毎日のドレッシング交換を要しない			
	3	中等量：1日1回のドレッシング交換を要する			
Size　大きさ　皮膚損傷範囲を測定：［長径（cm）×短径[*3]（cm）］[*4]					
s	0	皮膚損傷なし	S	15	100以上
	3	4未満			
	6	4以上　16未満			
	8	16以上　36未満			
	9	36以上　64未満			
	12	64以上　100未満			
Inflammation/Infection　炎症/感染					
i	0	局所の炎症徴候なし	I	3C[*5]	臨界的定着疑い（創面にぬめりがあり，滲出液が多い．肉芽があれば，浮腫性で脆弱など）
	1	局所の炎症徴候あり（創周囲の発赤，腫脹，熱感，疼痛）		3[*5]	局所の明らかな感染徴候あり（炎症徴候，膿，悪臭など）
				9	全身的影響あり（発熱など）
Granulation　肉芽組織					
g	0	創が治癒した場合，創の浅い場合，深部損傷褥瘡（DTI）疑いの場合	G	4	良性肉芽が創面の10%以上50%未満を占める
	1	良性肉芽が創面の90%以上を占める		5	良性肉芽が創面の10%未満を占める
	3	良性肉芽が創面の50%以上90%未満を占める		6	良性肉芽が全く形成されていない
Necrotic tissue　壊死組織　混在している場合は全体的に多い病態をもって評価する					
n	0	壊死組織なし	N	3	柔らかい壊死組織あり
				6	硬く厚い密着した壊死組織あり
Pocket　ポケット　毎回同じ体位で，ポケット全周（潰瘍面も含め）［長径（cm）×短径[*3]（cm）］から潰瘍の大きさを差し引いたもの					
p	0	ポケットなし	P	6	4未満
				9	4以上16未満
				12	16以上36未満
				24	36以上

部位［仙骨部，坐骨部，大転子部，踵骨部，その他（　　　　　　　　）］　　合計[*1]

＊1　深さ（Depth：d. D）の得点は合計点には加えない
＊2　深部損傷褥瘡（DTI）疑いは，視診・触診，補助データ（発生経緯，血液検査，画像診断等）から判断する
＊3　“短径”とは“長径と直交する最大径”である
＊4　持続する発赤の場合も皮膚損傷に準じて評価する
＊5　「3C」あるいは「3」のいずれかを記載する．いずれの場合も点数は3点とする

http://jspu.org/jpn/member/pdf/design-r2020.pdf

図2　DESIGN-R®2020　褥瘡経過評価表

日本褥瘡学会（編）．褥瘡状態評価ツール　改定DESIGN-R®2020　コンセンサス・ドキュメント．照林社，2020より）

2）細菌負荷の軽減（感染・炎症の管理）

硬い壊死組織の下に膿の貯留や膿瘍形成の疑いがある場合は，ごく一部を切開してみる．排膿を認めた場合は，速やかに膿性滲出液のドレナージと創面の十分な洗浄を行い，制菌作用の高い薬剤・ドレッシング材を充填する．臨界的定着が疑われる場合はバイオフィルム（biofilm）対策が重要である．バイオフィルムは創面に粘度が高く，ぬめりのある糊のような物質（＝extracellular polysaccharide：EPS）で認識されることが多いが，そこでは細菌のコロニーが形成されているため除去に努めなければならない．最近では検出試薬（バイオフィルム検出ツール〈サラヤ〉）やバイオフィルム除去用薬剤（プロントザン® 〈ビーブラウン〉）も入手できる．洗浄などの物理的除去では疼痛などケアストレスへの配慮が必要である．

洗浄は，滲出液や薬剤の付着がある創周囲も含め十分な量の微温湯で丁寧に行う．

3）創部の乾燥や過剰な滲出液の制御

創傷被覆材は創面の湿潤環境を保ち，過剰な滲出液を吸収するなどの役割をもつ．浅い褥瘡は，保険適用であるハイドロコロイド（デュオアクティブ® ET，デュオアクティブ® CGF〈コンバテックジャパン〉，アブソキュア® サジカル，アブソキュア® ウンド〈日東メディカル〉，コムフィール® アルカスドレッシング〈コロプラスト〉など）を貼付することが多い．ハイドロコロイドを使って創を密閉することで，外からの汚染予防，創表面でのガス交換を遮断することによる血管新生と保温，創面のアルカリ化の抑制が期待できる．また，創からの滲出液を吸収し，ゲル化・膨潤するので湿潤環境を形成し，ドレッシング交換時の二次損傷の予防，疼痛軽減，壊死組織の自己融解の促進も期待できる．浸出液が多い場合は吸収量の多いポリウレタンフォーム（ハイドロサイト®，ハイドロサイト® プラス，バイアテン® 等）を選択する．細菌数の増加が懸念される場合は銀イオンによる制菌性が期待できる創傷被覆材（メピレックス® Ag，アクアセル® Ag フォーム等）を選択する．

4）ポケットや創縁の処理

ポケットがある褥瘡は，滲出液がドレナージされにくく，創面の過剰な浮腫が生じる，壊死組織が残存するため炎症が遷延し細胞活動が低下する，洗浄や薬剤充填が不十分になるなどの理由から，しばしば難治化する．保存的治療を行って改善しない場合は，外科的に切開を検討する．

壊死組織の除去が完了した褥瘡では，肉芽組織増殖の促進を目的に局所陰圧閉鎖療法を実施することが多い．創面を密閉し，－125 mmHg を基準とした持続陰圧をかけることは，創内に残存した感染性物質や過剰な滲出液を除去し，創面を保護しながら湿潤環境を維持して細胞の遊走と増殖を促進することができる．重症児者では，ドレッシング材の貼付面積が狭くてうまく貼付できなかったり，小刻みな振戦やつっぱりなどのねじれを伴う外力の影響を受けてドレッシングがずれて何度も交換したり，かえって褥瘡をドレッシングで圧迫したりと管理上問題となることが多い．局所陰圧閉鎖療法では，ドレッシングの貼付面積を最小限にし，ドレッシングの交換頻度を延長することができるので，重症児者へのケアストレスを減らすことも可能である．なお，2014 年（平成 26 年）度の診療報酬改定より在宅での局所陰圧閉鎖療法が保険適用となったことから，外来患者にも積極的に導入しやすくなった．しかし，保険適用される期間は限られているため，開始時期の見極めが重要である．また，陰圧閉鎖療法の確実で安全な実施のために，機器の取扱いについてチームで周知する必要がある．

文　献

1）日本褥瘡予防学会教育委員会 ガイドライン改訂委員会．褥瘡予防・管理ガイドライン（第 4 版）．褥瘡会誌 2015；17：487–557

2）日本褥瘡学会（編）．褥瘡状態評価ツール　改定 DESIGN–R® 2020　コンセンサス・ドキュメント．照林社，2020

参考文献

・真田弘美，他（編）．NEW 褥瘡のすべてがわかる．永井書店，2012

・田中マキ子．ガイドラインに基づくまるわかり褥瘡ケア．照林社，2016

・田中マキ子，他．トータルケアをめざす褥瘡予防のためのポジショニング．照林社，2018

［佐々木貴代］

皮膚・爪の障害

2 ストーマ周囲皮膚障害

POINT

- ストーマ周囲皮膚障害発生時は，何よりその原因究明が重要である．原因に対する正しい対処が問題の早期解決につながる
- 予防的なスキンケアの実践を心がけるとともに，適正な装具管理や装具選択などの専門的アドバイスは，皮膚・排泄ケア認定看護師やストーマ外来などのリソースを活用することが望ましい

1. ストーマの種類

排泄路であるストーマは，ストーマ造設部位・開口部の数・ストーマの保有期間などにより分類される．

消化管ストーマの場合，造設された腸管が空腸・回腸の小腸ストーマ（ileostomy：イレオストミー），盲腸・横行結腸・下行結腸・S 状結腸の結腸ストーマ（colostomy：コロストミー），開口部の数では，排泄口の数が 1 つのものは単孔式，2 つあるものを双孔式とよぶ．双孔式は造設方法の違いにより，係蹄（ループ）式・二連銃（ダブルバレル）式・分離式に分けられる．これらのストーマは直接腸管粘膜を体表に出しており，自然閉鎖することはない．

尿路ストーマ（urostomy：ウロストミー）には，回腸導管・尿管皮膚瘻・膀胱瘻・腎瘻がある．尿管皮膚瘻・膀胱瘻・腎瘻などでカテーテルが留置されている場合は，事故抜去すると早期に瘻孔が閉鎖してしまうので，早急にカテーテル再挿入などの処置を要する．

ストーマの保有期間では，一時的ストーマ，永久ストーマに分けられる．対象のストーマはどういったストーマなのかを正確に把握することからストーマケアは始まる．

2. 正常なストーマ

正常なストーマは多数の毛細血管を反映して赤く粘液で濡れている．痛みを感じず，括約筋がないため排泄を自分の意志でコントロールできない．よって社会生活を営むために，排泄物を一時ためておく袋（ストーマ装具）を使用する．通常，周囲皮膚からストーマ排泄口は少し高い位置になるよう造設されている．大きさは造設部位や対象の腸管の太さによって様々である．

3. スキントラブル以外の合併症

術後早期合併症には，ストーマ（粘膜）壊死・脱落・粘膜皮膚接合部離開などがある．晩期合併症になると，狭窄・陥没・膿瘍・脱落・ストーマ傍ヘルニア・出血などがあげられる．尿路ストーマについては通過障害・狭窄・尿路感染症・結石などが考えられる．定期的に手術を担当した主治医の診察を受け，合併症の有無と早期対応を心がける．

4. スキントラブルへの対応

ストーマの管理上のトラブルで最も多いのがストーマ周囲皮膚障害である．多くは表在性の炎症である一次刺激性接触皮膚炎であり，原因が除去されれば改善する．医療者は日常のストーマケアの際に，ストーマ周囲皮膚障害を含め局所を系統的に観察し，原因について検討する必要がある．

ⓐ ストーマ周囲皮膚区分

ストーマの周囲を観察する際は，ストーマを中心として同心円状に範囲を拡大しながら

観察を行う．ストーマに最も近い部分から，①近接部 adjacent，②皮膚保護剤貼付部 barrier，③皮膚保護剤貼付外周部 circumscribing，④その他の部位に分別し，それぞれの部位に紅斑・びらん・水疱・膿疱・潰瘍・組織の過形成，皮膚の色調の変化（色素脱出・色素沈着）などの有無とその範囲を観察・記録する．特に近接部は排泄物の侵襲を受けるので浸軟（ふやけ）にも注意して観察を行う．浸軟（maceration は皮膚の角質細胞が過度の水分によって膨潤した現象をいうが，可逆的な変化であるため皮膚科学では治療の対象ではない．しかし，表皮深層における細胞間連絡の減少によって皮膚の外力耐性が低下していること，構造変化に伴ってバリア機能が低下し，高分子までも真皮深層にまで到達し炎症を引き起こしていることが明らかとなった．よってストーマ近接部も排泄物に含まれる消化酵素や細菌の影響を受けやすくストーマ皮膚障害が頻発する部位であることを留意する．

ⓑストーマ周囲皮膚所見による原因検索

ストーマ周囲に皮膚障害などの変化があった場合は，その原因について必ずアセスメントする．やみくもにストーマ装具を変更したり，薬剤を塗布するなどしても状況は改善しない．局所の状態とともに排泄物の性状や量，腹壁の状態や日常の管理状況などを聴取する．

アルカリ性の高い排泄物の接触など化学的刺激が原因となっている場合，面板のホールカットが大きすぎないか，皮膚保護剤の溶解範囲が広すぎないか，ストーマ装具の耐久性と排泄物の性状が合っているか，また，ごくまれに皮膚保護剤の成分が原因となっていることもあるので，最近装具変更を行ったかなどを確認する．

機械的刺激については，凸型装具の圧迫が腹壁に対して強すぎないか，ベルトなどで締めつけていないか，装具除去やスキンケアの際に手技が不適切ではないか，などを確認する．

生理的要因として，体毛・発汗の状態や過度の装具交換頻度の延長による皮膚保護剤下での細菌の増殖を疑う．また，皮膚の脆弱性を亢進させるステロイドなどの薬歴や既往歴を確認する．

内的要因としては，特に炎症性腸疾患の患者で強い疼痛を伴う難治性潰瘍が発生した場合は，壊疽性膿皮症を疑う．紅斑を伴って鱗屑（カサカサした薄皮）ができては剥がれていく慢性の皮膚障害の場合は，乾癬も疑われる．このようにストーマ周囲皮膚障害は，必ずしも排泄物やストーマ装具の管理に関連した接触皮膚炎だけではないことも念頭におくことが重要である．

ⓒスキンケアの原則

スキンケアの原則は，①皮膚を清潔に保つ，②刺激物を除去する，③機械的刺激を避ける，④感染を防止することである．

ストーマと周囲皮膚は微温湯による石鹸洗浄を基本とする．ストーマは創傷ではないので消毒は不要であるし，排泄口なので石鹸により皮膚の清浄化を図ることが最も重要である．しかし，常に皮膚保護剤が貼付されている脆弱な皮膚なので，ケアは愛護的に行い，洗浄時に必要以上にこすったり，何度も洗浄したり，皮膚に残った皮膚保護剤を爪を立てて除去するなどは避けるよう指導する．筆者は，装具除去には必ず専用の剥離剤を使い，石鹸洗浄時は指の腹を使って円を描くように，と指導している．石鹸はよく泡立てた状態で使用することが重要で，皮膚が脆弱なケースでは弱酸性洗浄剤を使用することもある．

装具を装着する範囲に体毛がある場合は，ハサミや女性用電気カミソリなどを使って短くカットする．剃刀によるシェービングや除毛クリームなどは，かえって皮膚を傷める可能性があるので行わない．

ストーマ装具に使われる皮膚保護剤には，酸性を弱酸性に，アルカリ性を弱酸性にする緩衝作用，水分を吸水し粘着・ゲル化する皮膚保護作用，皮膚を弱酸性に保ち皮膚炎の原因菌を活性低下させる静菌作用がある．皮膚保護剤が使われておらず，直接便を受ける袋を貼る粘着式装具に比べると，格段に皮膚障害の発生は低下する．しかし，不適切な装具管理を原因とした皮膚障害も多い．感染予防の点からも，装具の交換頻度は適正な間隔で計画的に実施する．排泄物が漏れないことがよいということではない．使われている皮膚保護剤の親水性ポリマーと疎水性ポリマーの配合によって，吸水性・耐久性には違いがあり，対象の特徴によっても交換頻度は異なる．装具のマッチングや適正な交換頻度の相談については，皮膚・排泄ケア認定看護師が担当するストーマ外来への受診が最も望ましいが，受診困難な場合は装具メーカー各社が設置するカスタマーサービスをまずは利用することを検討する．

5．装具交換の手順

装具交換は計画的に行うのが一般的である．特に消化管ストーマの場合は食事から2時間以上経過した時間帯がよい．飲食直後は消化管運動が活発なので，装具交換の最中に便が出てくることが多く失敗しやすい．尿路ストーマも飲食後は排泄量が増えるので同様である．

ⓐ装具交換に必要な物品の準備を行う

1）ストーマ装具

穴あけが必要な装具の場合：コロストミーの場合はストーマ粘膜の基部径（根本）の実測値＋5 mmを基準とする．イレオストミー・ウロストミーでは実測値＋2 mmを基準とする．すでに穴が開いている既成孔装具の場合，穴あけは不要であるが，穴のサイズが上記の適正範囲内であるかを確認する．

2）石鹸・微温湯

入浴・シャワー浴ができる場合は不要である．ベッドサイドで交換する場合は微温湯をスポイトなどの容器に準備する．

3）清拭用のコットン

筆者の場合はガーゼやウェットティッシュは使わない．ガーゼは濡れると繊維が硬くなること，ウェットティッシュには化粧水が染み込ませてあるので，使うなら清浄綿がよい．コットンは比較的安価である．

4）ごみ袋

ベッドサイドで交換する場合は，2枚準備する．除去後の汚染した装具はにおいが拡散する元になるので速やかに処理するためである．なお，除去後の汚染した装具は，自治体の指示に従ってごみ処理を行うが，必ずストーマ袋内の排泄物はトイレに流し，小さくたたんで廃棄するよう指導する．

5）その他

必要によって以下のものを準備する．剥離剤，ストーマケア製品（粉状皮膚保護剤・皮膚皮膜剤・用手成形皮膚保護剤などいつも使っているもの），排泄物や洗浄水を受ける受水盆・洗面器やパッド，ペン，ストーマゲージ（ストーマサイズを計測する型紙のようなもの），鏡，処置用手袋など．

6）患者側の準備

可能であれば事前にストーマ袋内の排泄物は破棄しておく．また，交換時にはプライバシーの保護や室内の臭気など，環境に配慮する．

ⓑ装具を愛護的に除去する

皮膚保護剤の端を少しだけ剥がし，皮膚と皮膚保護剤の接着面に剥離剤を染み込ませる．面板はゆっくりと剥がし，適宜剥離剤を追加する，皮膚を指で押さえるなどして皮膚を引っ張らないようにする．装具を剥がしたら，粘着面を必ず観察し，皮膚保護剤の溶解・膨潤の様子を観察する．この状況によっては，交換間隔を調整したり，皮膚保護剤を補正することもある．

ⓒストーマと周囲皮膚を丁寧に洗浄する

石鹸や洗浄剤をよく泡立てて皮膚に付着した汚れを浮かせるようにして洗い流す．特に消化管ストーマの場合は外周部から中心に向かって円を描くように洗浄すると，排泄物の汚れを周囲に拡散することがなくてよい．

ⓓストーマ周囲皮膚の水分を拭き取り，自然に皮膚を乾燥させる

ごしごしこすらないよう，ドライヤーなどは使わず，自然乾燥させる．尿路ストーマの場合は断続的に尿が排泄されるので，コットンを筒状に巻いて（ロールガーゼ）ストーマに当てると排泄された尿を周囲皮膚に付着させなくてよい．薬剤を塗布する場合はこのときに行うが，軟膏やクリームだと装具は密着しにくく，装具漏れを起こす原因にもなるので，ローションタイプの使用を推奨する．

ⓔ装具を装着する

あらかじめ準備しておいた装具を装着する．装着前にストーマ装具の下になる皮膚にびらんなどがあれば，粉状皮膚保護剤を適量散布して滲出液をゲル化させる．薬剤を塗布した場合も少量散布するとよい．しかし，あ

まり多すぎると装具の密着を阻害するので，表面がドライになる程度でよい．

姿勢をよくして腹部は伸展させ，しわが入らないよう皮膚をしっかり伸ばすようにする．単品系装具(いわゆるワンピース)では，排出口(ストーマ袋の出口)の方向を確認し，適切な向きに装具を装着する．二品系装具(いわゆるツーピース)の場合は先に面板を装着し，後からストーマ袋を装着するのが一般的である．

ⓕ装具を密着させる．装具が確実に装着できたかを確認する

装具装着後，2～3 分程度は装具の上から手のひらで押さえて密着を高める．交換が済んだからといってすぐに活動をはじめると，十分に装具の密着が得られないことによる不容易な漏れの原因となるため注意する．

ⓖ閉鎖具を閉める

閉鎖具はクリップ式・マジックテープ式・キャップ式など製品によって異なる．適切な方法で閉鎖する．このときにコロストミーの場合は消臭潤滑剤を袋内に入れてもよい．必要に応じ，ストーマベルトを装着したり，ストーマカバーを付ける．

ⓗ後片づけをする

＊

排泄は食事と同様，人間の基本的欲求であり，ストーマケアは排泄ケアの 1 つである．ストーマケアの原則を守り，安全で確実なケアの提供を心がける．ストーマ製品の開発は日進月歩である．最新の情報をもっているストーマ外来を上手に活用し，より個別性の高いケアを継続していただけるよう願っている．

参考文献

・峰松健夫，他．浸軟皮膚における組織構造とバリア機能の変化．日創傷オストミー失禁管理会誌 2011；15：278-281
・東京ストーマリハビリテーション研究会．第 30 回東京ストーマリハビリテーション講習会テキスト．2020
・松原康美．ストーマケアの実践．医歯薬出版，2007

［佐々木貴代］

K 皮膚・爪の障害

3 爪白癬

POINT

- 爪白癬の治療には時間がかかります
- 爪が肥厚している場合は少しずつ丁寧に削りましょう

1. 爪白癬の鑑別診断

爪甲が白濁，肥厚する疾患には，爪白癬以外にも爪甲鉤彎症や爪乾癬など鑑別すべき疾患が多数あり，治療開始前に白癬菌の存在を確認する必要がある．顕微鏡を用いた苛性カリ（KOH）直接鏡検は簡便で，菌要素の確認ができれば診断は確定する．陰性の場合は真菌培養を行うが，いずれにしても白癬菌の検出率を上げるために，爪甲下の粉状の所をできるだけ多く，そしてなるべく深くまで切り込んで検査することが大切である．

2. 爪白癬の治療

爪白癬の治療の原則は抗真菌薬の内服とされている．内服療法にはテルビナフィン（ラミシール®）の持続内服療法やイトラコナゾール（イトリゾール®）パルス内服療法，ホスラブコナゾール（ネイリン®）がある．新しく発売されたホスラブコナゾールの治癒率は3か月内服して1年後に60%である．しかし，内服療法には，①基礎疾患と内服の問題，②併用薬剤の問題，③肝機能障害など副作用の問題，④薬剤費が高価，⑤内服の拒否などの問題があり，外用単独で治療せざるを得ない症例にたびたび遭遇する．特に，重症児者における爪白癬の治療ではその傾向は強いが，たとえ治癒が望めない場合でも，環境中での菌のばら撒きや患者の他部位への感染の予防，症状増悪の予防の点でも外用療法は積極的に行うべきである．

外用療法にはエフィナコナゾール10%爪外用液（クレナフィン®）とルリコナゾール5%爪外用液（ルコナック®）の2剤が爪白癬の保険適用である．両外用剤とも1日に1回爪に外用するが，その効果は1年間継続使用して10数%である．外用抗真菌薬のよい適応は，表在性白色爪真菌症（SWO）と軽症～中等症の遠位側縁爪甲下爪真菌症（DLSO）である．

爪の根本が侵される近位爪甲下爪真菌症（PSO）や爪全体が厚く肥厚するタイプは極めて難治性であり，外用薬を患部によく染み込ませるためには，可能な限り罹患した爪を除去する必要がある．一般的には爪切りやニッパで爪を切った後に爪やすりで削る方法がとられているが，爪甲が厚く硬い場合は爪甲を軟らかくする工夫が必要となる．筆者はスピール膏® を罹患した爪の大きさにあわせて貼り，粘着テープで固定し，3～7日後にニッパや剪刃で爪を削り取ると，容易に痛みもなく爪甲を薄くすることができる．スピール膏® は絆創膏基剤にサリチル酸50%を含有したもので，市販もされている．注意点として，①スピール膏® の粘着力は強いので，スピール膏® を無理に剝がすと脆弱な爪は一緒に取れてしまうことがあること，②密封されるので局所感染症があれば増悪し壊疽に陥ってしまう可能性もあること，③無理に削ると爪床を傷付け出血してしまうこと，④第1趾の爪の削り過ぎは爪甲鉤彎症になる可能性もあることなど，局所の評価が重要である．

参考文献

・東　禹彦．爪白癬の局所療法．皮病診療 2000；22：676-677

［岡田知善］

L 眼の問題

1 角膜乾燥・自傷による眼の障害

POINT

- 瞬目は眼表面の涙液層の維持に重要な役割を担っており，瞬目がないということは角膜にとって致命的な状態である
- 自傷行為による眼障害は，訴えがないために発見が遅れ，高度な視力障害が両眼に生じたときに初めて気づかれることが多い

1. 乾燥による角膜障害

ⓐ眼表面の防御機構

1）眼のうるおいは涙だけではない

眼の表面は涙液だけではなく，フィルム状の涙液層で覆われており，この涙液層は最表層から油層と液層に分けられる（図1）．油層は，眼瞼にあるマイボーム腺からの脂で構成されている．液層は涙液とムチンで構成されている．ムチンは，結膜杯細胞由来の分泌型ムチンと角膜上皮細胞由来の膜型ムチンがある．涙液のみでは，すぐに乾燥し，また眼表面全体にいきわたりにくいが，油層が涙液の表面張力を下げ眼表面に広がりやすくすると同時に，蒸発も防いでいる．

2）瞬目（まばたき）の多彩な役割

瞬目は単に眼表面を潤すだけではなく，多彩な役割を担っている（表1）．涙液を眼表面全体に均一に押し広げ，かつ涙液を老廃物やゴミとともに鼻側の涙点へ押しやることにより定期的な涙液交換を行う．さらにはマイボーム腺からの脂の分泌を促すという役割もある．

油層
液層：涙液＋ムチン
角膜

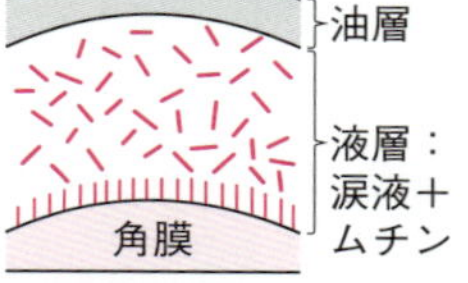

図1　涙液層の構造

表1　瞬目の役割

- 眼表面に涙液層を広げる
- 眼表面の掃除
- 涙液交換
- マイボーム腺分泌促進

3）防御機構の崩壊

眼表面にとって，涙液層および瞬目がともに正常に維持されていることが必要不可欠である．瞬目がないと涙液層が広がらないだけでなく，油層の構成成分である脂や液層の構成成分であるムチンが不足し，涙液層そのものが不十分なものとなり，乾燥がさらに進むという悪循環に陥ることになる．また眼表面の掃除ができないために感染の危険性も高くなる．このように瞬目がない状態は，角膜にとって最悪の環境といえる．

ⓑ角膜障害

1）点状表層角膜症

乾燥が軽度であれば，角膜上皮の微細な欠損である点状表層角膜症を生じる．充血，眼脂はあっても軽度であり，悪化するほど充血は強くなるが，角膜の変化は肉眼ではわからない．

2）角膜潰瘍

乾燥が重度となると広範な上皮欠損を生

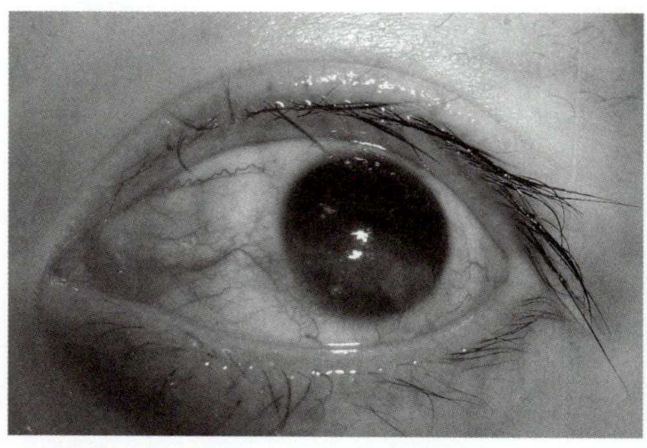

図2　血管侵入を伴った角膜混濁

じ，感染を併発する危険性が高くなる．感染による病変が角膜実質内に及ぶと角膜潰瘍（あるいは角膜膿瘍）となり，潰瘍部は白濁し，充血は強く，眼脂も多くなり，自覚的には強い痛みがある．角膜潰瘍が重篤化すると角膜穿孔を生じることがあり，角膜穿孔はさらに眼内炎を生じ，失明につながる．穿孔するとそこに虹彩が嵌頓するために，瞳孔は不整となる．

3）角膜混濁

角膜障害が遷延すると，角膜混濁を生じ，さらには角膜に血管が侵入し，より高度な角膜混濁となる（図2）．混濁が瞳孔領に及べば当然高度の視力障害となる．

4）糸状角膜炎

その名の通り角膜表面に糸状の白色物を生じ，眼脂が付着したようにみえるが（図3），これは角膜上皮の一部が過剰増殖することにより発生しており，容易には除去できず，高度の充血，流涙を伴い，自覚的には強い痛み，異物感がある．しばしば，寛解，再発を繰り返し，徐々に角膜混濁を生じてしまうことがある．種々の眼表面疾患や眼瞼疾患が複合的に関与しており，はっきりとした原因は不明であり，治療に難渋することも多い．

5）マイボーム腺機能不全

角膜障害ではないが，角膜障害をきたす要因となる疾患である．マイボーム腺は瞼板内にあり上下の眼瞼縁に開口部をもつ脂腺であり，分泌される脂質が涙液層を構成している．マイボーム腺機能不全は，瞬目がない例にしばしばみられ，重篤になると開口部が閉塞してしまう（図4）．マイボーム腺機能の障害により脂の分泌は低下し，涙液層の性状劣化をきたし，眼表面の乾燥を助長する．

C 乾燥を防ぐ処置

乾燥を防ぐ方法として以下の方法がある．

①人工涙液やヒアルロン酸ナトリウム点眼；頻回の点眼

②眼軟膏の点入

③眼を覆う；半透明のテープ（メパッチクリア®）使用

程度に応じて上記処置を組み合わせていくことになる．乾燥が軽度であれば，日中は頻回点眼，夜間は軟膏を組み合わせる．重度になれば，日中も含めて軟膏（2～4回/日），角膜潰瘍であれば眼軟膏点入のうえ，眼を覆うようにする必要がある．眼を覆う方法として，家庭用のラップを使用する方法もある．上下の眼瞼を絆創膏などで留め閉瞼させようとしても，眼瞼の張力のほうが強く，うまくいかないことがほとんどである．

眼軟膏は大量に点入する必要はなく，少量を入れて，眼瞼で眼表面に延ばすようにする．重度であれば1回の量を増やすのではなく，点入する回数を増やすほうが効果的と思われる．また，眼軟膏の種類により症状の悪化をきたすことがあるので，悪化がみられたら，軟膏の種類を変更する必要がある．これは，軟膏の基剤による影響である．

結膜も乾燥により障害をきたし，ムチンの産生が低下しているため，その産生を増加させる点眼薬（レバミド点眼：ムコスタ®点眼液UD2%）も有効である（なお，レバミド点眼は保険上ドライアイのみの適応であるこ

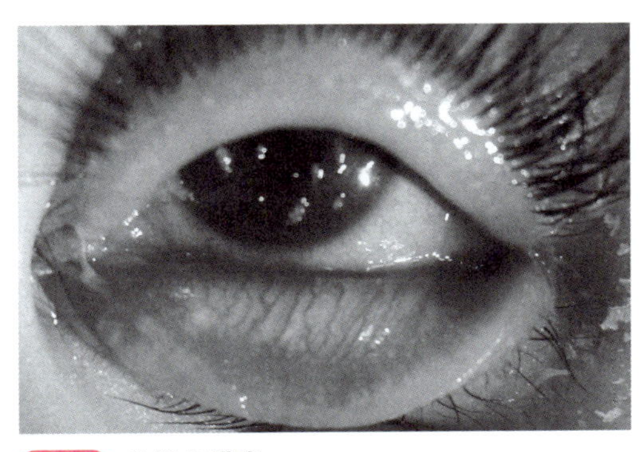

図3 糸状角膜炎
角膜に白色，糸状の付着物がみられる

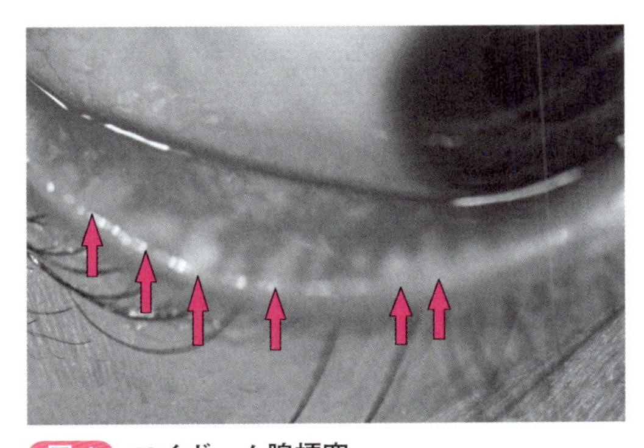

図4 マイボーム腺梗塞
マイボーム腺が梗塞し，眼瞼縁に垂直に管の拡張が多数みられる（⬆）

とに注意が必要）.

マイボーム腺機能不全に対しては，眼瞼を温め，鑷子などで詰まっている脂を押し出したり，ベビーシャンプーを希釈し（眼瞼洗浄用のシャンプーもある），綿棒などに付けて眼瞼縁を擦過したりするなどの処置を行う.

残念ながら，以上の処置を行っても高度の角膜混濁を生じてしまうことはしばしばあり，感染，角膜穿孔を起こさないようにすることが最低限の目標となる．また，全身状態の悪化とともに角膜障害の悪化がみられることがよくあり，注意が必要である．逆に，治療に難渋していても，全身状態の改善とともに角膜障害が改善することがある.

2. 自傷行為による眼障害

ⓐ失明につながる網膜剝離

自傷行為による眼障害の一番の問題点は，訴えがないために発見が遅れ，それゆえに，両眼性の障害となったときに初めて発見されることがしばしばあるという点である.

自傷行為による眼障害としては，角膜びらん，前房出血，白内障，硝子体出血，網膜剝離などがあり，程度は様々であるが決してまれではない．角膜びらんや前房出血などは肉眼ではわからず，軽度であれば自然治癒するので気づかれないことがほとんどと推測される．また，誘因となりえる自傷行為は，必ずしも眼を叩く，押すなどの直接的な行為だけではなく，繰り返される頭部への衝撃でも十分起こりうる.

問題となるのは，失明につながる網膜剝離で，日常行動の異常に気づかれ受診された段階では状態が重篤となっていたり，すでに片眼は失明していたりすることがある．また長期間経過した網膜剝離は難治性のことが多く，かつ，たとえ網膜が復位しても重篤な視力障害を残してしまう.

そして，治療されたとしても，術後手術眼の安静をいかに保つかは，手術以上にむずかしい問題である．透明のプラスチック製眼帯などで保護したり，両肘が曲がらないようにする抑制帯をしたりすることなど，さらには薬物による鎮静がどうしても必要となることもある．それでも繰り返す自傷行為により再剝離し，失明に至る不幸な例もまれではない.

ⓑ困難な予防，早期発見

自傷行為による眼障害は，いかに予防し，いかに早く発見するかにあるということになる．予防策としてヘッドプロテクター，程度がひどいときや手術歴があれば，両肘抑制帯も必要と考える．しかし，これらのものも長期に継続すると，精神的な問題が生じることが考えられるので，可能であれば薬物の併用も必要と思われる．早期に発見するためには，自傷行為のある児は定期的な眼科検診を行うことぐらいしかない．歩かなくなったという変化はもちろんだが，片眼ばかりこするというと，アレルギー性結膜炎と即断されがちだが，片眼だけのアレルギーは考えにくいので，眼に何かが起こっている可能性も考える必要がある.

同様に，自傷行為がなかったのが眼を押したり，叩いたりするようになれば，やはり何かが起きている可能性を考える必要がある．早期発見のために定期的な眼科検診という手段もあるが，毎日診察するわけにはいかないので，発見が遅れるという問題は残る．また，慣れた眼科医でないと診察が困難となる問題点もある.

いずれにしろ，自傷行為は眼にとっても大変悩ましい問題である.

［髙相道彦］

M 鼻・耳の問題

1 鼻のケア ―鼻炎・副鼻腔炎・鼻ポリープなど

POINT

- 鼻内吸引管は鼻翼を越えたら顔面に対して直角方向に向ける．吸引圧が高くなり過ぎないよう注意する
- 鼻ケア時に鼻出血した場合には，綿球か小ガーゼを挿入し，軽く鼻翼をつまむようにして，下方を向かせるか，坐位を保てない場合には顔面を側方へ向くようにして，血液が咽頭内へ流れ込まないようにする
- 片側性の膿性鼻汁が遷延する場合には，鼻内異物や鼻ポリープ，鼻腔内腫瘍などの病的状態も念頭におく

1. はじめに

鼻は本来，呼吸の出入り口であり，吸気とともに香りを感じる機能を担う最も原始的な遠感覚器官でもある．乳児は鼻で呼吸を行い，ほぼ連続的に口からミルクを飲む．このとき，皮膚や粘膜の知覚とともに鼻で行う吸気によって母親や介護者の香りも知覚する．周囲の事物との距離を知ることは意識の萌芽と豊かな体験の礎となるものである．安定した鼻呼吸は，脳と身体の機能が無事に行われていること，こころの安定を表すものであり，保護者や介護者にとっても安心の源である．鼻呼吸はその後の身体成長に伴い，発声，発話，咀嚼，嚥下，身体運動の成長を促すものとなる．一方，重症児者においては，身体機能の成長の遅れや機能発現の不良により，鼻呼吸がうまくできないことが多い．また，前鼻孔を介して経鼻経管栄養チューブや吸引チューブが挿入される，舌根沈下や下顎後退に伴う中咽頭の気道狭窄に対して経鼻エアーウェイが挿入されるなど鼻呼吸そのものが制限されることも多い．鼻呼吸が障害されると，呼吸は口呼吸に依存するため，咀嚼が行われず丸呑みする，下顎が下制し（開口し），舌根は後退するので嚥下にも不利となる．また，超低出生体重児や重症児として出生し，生直後から気管挿管されているか気管切開を受けている場合には，その後，抜管，気管切開孔を閉鎖しても，鼻をかむことのむずかしいことが多く，鼻風邪や副鼻腔炎が遷延化する，副鼻腔炎が原因で容易に肺炎に至るなど，鼻内ケア，処置は重要である．

2. 鼻炎・副鼻腔炎・鼻ポリープなど鼻内の炎症

鼻内の炎症の原因には細菌感染，真菌感染，アレルギー，腫瘍，異物挿入，さらに小児においては鼻腔後方にあるアデノイド（咽頭扁桃）による影響が多い．また，後鼻孔閉鎖や口蓋裂，鼻中隔彎曲などの鼻腔形態の変形に起因して炎症が遷延化している場合もある．炎症が鼻腔から副鼻腔に及ぶと鼻汁は膿性で，粘稠度を伴うものとなる．副鼻腔炎が遷延化すると，浮腫状となった粘膜が鼻内へ突出し，鼻ポリープ（鼻茸）を形成する．時に大きくなった鼻ポリープが後鼻孔を完全に閉鎖し，咽頭へ垂れ下がるか，前鼻孔から突出することもある．鼻ポリープにより鼻腔と副鼻腔との交通が不良になると副鼻腔炎はさらに遷延化するとともに，頭痛や頭重感，発熱，鼻呼吸が制限されることでいびきや不眠，イライラ，睡眠時無呼吸の原因となる．小児例では，鼻腔後方にあるアデノイドの増殖，炎症が影響し，その前方にある鼻内および副鼻腔の炎症の誘因となる．アデノイドの増殖は通常3〜5歳がピークであり，いわば成長の過程に起こるものといえるので，鼻内吸引やネブライザーを行うのみで，長期にわたって抗菌薬等の薬剤を服用する必要はない（しばしば行われている）．

なお，一側性の副鼻腔炎の場合には上顎臼歯のう歯が原因の歯性副鼻腔炎，真菌性副鼻腔炎，内反性乳頭腫などの腫瘍性病変が原因である場合があり，CTを含めた精査が必要である．アレルギー性鼻炎でも同様に頭痛や頭重感が出現しうるが，鼻汁はおもに水様性であり，発熱まできたすことはないが，鼻のムズムズ感により，鼻をこすったり，鼻内をいじったりすることで外鼻や鼻前庭の皮膚炎や蜂窩織炎，鼻出血の原因となる．スギやヒノキで代表される花粉症では鼻閉が急激に悪化するので，前述の症状が強く，目のかゆみも伴うようになる．鼻閉による咀嚼困難，嚥下困難を訴える場合もある．鼻内への異物挿入については，経鼻経管栄養チューブや経鼻エアウェイなどの医原性のもの以外に，自ら異物を挿入してしまう，時にそれを繰り返してしまう場合がある．異物が鼻内に留まっている場合はよいが，気管内へ落ち込み，気管支異物になると重篤になる場合もある．異物がボタン型電池の場合には，局所の組織を強く腐食・破壊するので，緊急での除去が必要となる（しばしば摘出に難渋する）．なお，先天性後鼻孔閉鎖症では啼泣時にチアノーゼが改善するという現象が知られている．

3. 鼻内のケア

まず，鼻汁がどのような性状であるのかを観察する．膿性で，臭気を伴う場合は感染性のもの，水様性のものであればアレルギー性のものであることが多いが，アレルギー性鼻炎に副鼻腔炎が合併していることもある．泡沫状・漿液性の鼻汁が多量の場合には，唾液や胃食道逆流物の鼻腔への逆流による場合がある．また，鼻汁が片側性である場合には，鼻ポリープや鼻腔内腫瘤，異物による場合がある．

外鼻は顔面下方に向かうが，鼻腔自体は顔面に対してほぼ直角に，鼻腔後方に向かって存在している．このため，鼻内吸引や鼻洗浄を行う際には，器具の先端が鼻翼を越えたら

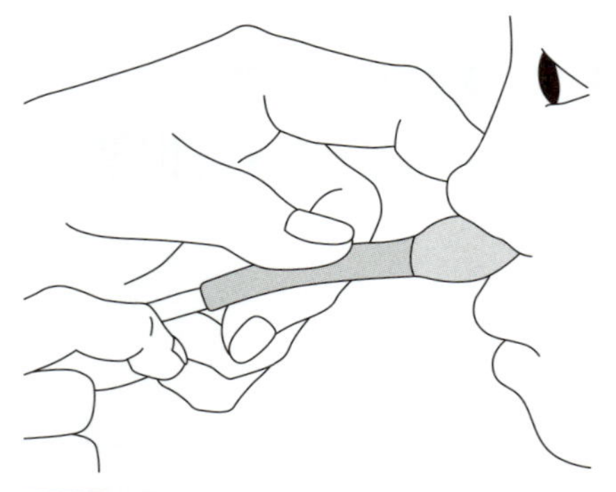

図1　鼻吸引管の当て方
オリーブ型吸引管は鼻翼を越えてからは顔面に対して垂直の方向に向ける．このとき，吸引管をもつ手の人差し指を相手の頬付近に当てて，急激な動きに備えて固定しておく．また，この固定により吸引管の角度の微調整もできる．もう片側の手で，吸引管の接続部をゆるめたり，チューブ部分をつまむなどして吸引管の圧を調整するとよい

顔面に対して垂直方向に向くようにする（図1）．吸引チューブを鼻内後方もしくは咽頭内にまで進める際には，鼻腔底に沿うようにゆっくりと挿入するが，途中で抵抗がある場合には鼻中隔彎曲や下鼻甲介に当たっている場合があり，無理にチューブを挿入しないよう気をつける．また，吸引圧は鼻腔後方に達してからかけるようにする．オリーブ型鼻吸引管により鼻内吸引を行う際には，一気に鼻汁を吸引しようとすると，外鼻が虚脱し，鼻粘膜が吸引され，鼻汁を吸引できないばかりか出血の原因になることもある．オリーブ型吸引管と吸引器の接続を適宜ゆるめるか，チューブを折り曲げて，一気に吸引圧が上昇しないようにして，徐々に鼻汁を鼻腔前方に移動させつつ行う．その際，吸引管の先端を上下左右にとあまり動かす必要はなく，吸引管の先端が鼻内構造物に当たっておらず，吸引できているのであればそのままの状態で静かに吸引されるのを待つのがよい．入浴後には鼻内湿度も上昇しているので，よく吸引できることが多いが，必要に応じて生理食塩水のネブライザー後に吸引を行うとよい．なお，鼻内吸引時に顔面が動いてしまうか，体動が激しい場合には，介助者がいたほうが安全である．

前鼻孔付近に固まった鼻汁は先端が鈍の鑷

子か，湿った綿棒で除去してもよいが，決して鼻内の後方へ向かって操作しないよう注意する．処置に伴い鼻出血がある場合には，多くの場合，鼻中隔前方の粘膜からの出血なので，数分間鼻翼をつまんで圧迫するか，小ガーゼか綿球を前鼻孔付近に当てておけば，大抵の場合は止血される．その際，下方を向かせるか，坐位が保てない場合には顔面を側方へ向け，咽頭内に血液が流れ込まないようにする．鼻洗浄については，健常成人が行うように洗浄液を鼻腔後方に送り込み，その後，咽頭内に流れ落ちた洗浄液を口腔外へと排出することはむずかしい．スポイトかシリンジでゆっくりと少量の生理食塩水（1～2 mL）を鼻内へ注入し，その後すぐに吸引するか，顔面を下方に向けるかして，洗浄液が鼻腔後方に流れ込まれ，誤嚥しないよう注意する．無理に行わないほうがよいが，上手にできるようになると効果がある場合がある．なお，上記のケアはあくまで状態を改善させるか，悪化させないためのものであり，根本的な治療ではない．改善が乏しい場合には，耳鼻咽喉科専門医の診察を受けたほうがよい．

4. 前鼻孔付近および外鼻のケア

頻回な鼻汁吸引や鼻汁を拭き取る場合や，自分で引っ掻くか，擦る，鼻内へ指を突っ込んでしまうことなどにより前鼻孔周囲～鼻前庭皮膚の炎症や蜂窩織炎を起こすことがある．温めた濡れガーゼやタオルで乾燥した痂皮を柔軟化させ，0.05%塩化ベンザルコニウムか 0.05%クロルヘキシジンで消毒後，アズノール® 軟膏や，感染を伴っている場合にはゲンタシン® 軟膏やリンデロン® VG 軟膏を塗布する．鼻前庭や鼻内へ軟膏を塗布する場合には，綿棒の先端に付けた軟膏を，前鼻孔を越えた位置で擦りつけ，その後鼻翼をつまむようにすると鼻前庭全体に軟膏が広がり塗布される．

5. 薬剤服用等に際しての注意点

慢性副鼻腔炎に対してよく処方されるマクロライド系抗菌薬は，抗てんかん薬やテオフィリンなどの喘息治療薬の血中濃度を上昇させる場合があり，併用には注意が必要である．アレルギー性鼻炎に対する抗アレルギー薬（おもに抗ヒスタミン薬）では，傾眠傾向や眼圧上昇，口渇などの副作用がある．また，鼻閉が強い場合に使用されるプソイドエフェドリンを混合した抗アレルギー薬では，突発的に走りだす，頭部を壁にぶつけるなどの激しい異常行動が誘発される場合があるので注意が必要である．なお，内服薬の多い重症児者に対しては，抗アレルギー薬の湿布剤が有用である．点鼻薬については，噴霧時の刺激から使用できないことが多いが，微粒子がパウダー状になったものではほとんど刺激がないので，睡眠中に行うと有効である場合がある．

［三枝英人］

M 鼻・耳の問題

2 中耳炎など，耳のケア

POINT

- 外耳内の観察・処置時は，小児では耳介を後下方に，成人では後上方へ牽引する
- 耳漏はその性状の如何にかかわらず，ガーゼや綿球などで外耳道内を閉塞させない
- 耳垢は，綿棒の先端で外耳道壁を触りながらゆっくり引き抜くようにして除去する．無理な操作では耳垢が押し込まれたり，容易に出血したりするので注意する
- 内耳の機能が維持されるには十分な水分摂取が必要である

1. はじめに

空気中からの音の波動（音波）は，耳介で集められた後，外耳孔から外耳道内へと入り，鼓膜を振動させる．鼓膜の振動は鼓膜裏面に付着する３つの耳小骨で増幅された後，内耳へ伝達され，内耳内のリンパ液の波動を惹き起こし，（蝸牛の）有毛細胞を揺らし，電気信号，さらには神経信号へと変換され，音として感知される．また，内耳はさらに，身体の姿勢やバランス調節に重要な三半規管・耳石が連続し，身体に及んだ波動や揺れを感知している．内耳のリンパ液は，内耳を取り囲む毛細血管を中心とする血管条からおもに生成されるため，循環血漿量の維持は重要である．内耳機能の障害により，めまいや難聴・耳鳴がひき起こされるので，内耳機能を維持するためには十分量の水分摂取を確保することも大事である．以下では，内耳より外方にある，中耳と外耳，耳介のケアについて述べる．

2. 中耳と中耳炎について

中耳は鼓膜とその裏面から内耳へと連続する耳小骨が振動する，内耳とは異なり，空気で満たされた空間である．この空気は，耳管を介して，鼻腔後方にある耳管開口部から運ばれる．小児期には，耳管の形態が未熟であり，鼻炎や副鼻腔炎，耳管開口部付近にあるアデノイド（咽頭扁桃）の炎症が耳管を介して中耳に達して，急性中耳炎を起こしやすい．また，耳管開口部付近の炎症により，耳管を介しての中耳への含気が滞ると中耳内に液体が貯留し滲出性中耳炎を呈する．急性中耳炎の場合には痛みを訴えるか不機嫌を呈し，発熱の原因となるが，中耳内に貯留した膿汁が増加し，鼓膜が穿孔，耳漏を呈すると逆に痛みが軽減，解熱する．滲出性中耳炎の場合には痛みを訴えず，音に対する反応の不良や無関心で発見されることが多い．

急性中耳炎は抗菌薬や消炎鎮痛薬の内服，鼓膜切開で改善するが，誘因となる耳管開口部に近い鼻のケアも重要となる．耳漏がある場合，外耳道内にガーゼや綿球を詰めると，感染が長引くばかりか拡大するので，流れ出る液体を拭き取り，外耳の皮膚の清潔を維持するのみにとどめる．耳内からの出血の場合も同様に，外耳道内にガーゼや綿球を詰めず，耳介表面にガーゼを当てておくのみとする．滲出性中耳炎では，改善が乏しい場合には，鼓膜切開や鼓膜ドレーン挿入術，さらには小児では誘因となっているアデノイド（咽頭扁桃）の切除が行われる場合がある．なお，（最近ではあまり実施されなくなっているが）耳管通気を行うことも意外と有効である．鼓膜の穿孔の多くは，中耳の炎症の消退とともに自然治癒するが，中耳炎を繰り返すことで，穿孔が残存し，慢性中耳炎に移行することもある．

図1 小児の耳内観察方法
小児の場合，耳介を後下方に牽引すると，耳内を観察しやすい．成人の場合には耳介を後上方に牽引する．耳痛を訴える場合，耳介を牽引すると痛みが増強する場合には外耳炎であることが多く，中耳炎による耳痛との鑑別ができる

また，これらとは別に，本来は粘膜で覆われた中耳腔内に皮膚組織が入り込んで，耳小骨や中耳周囲の骨を破壊する真珠腫性中耳炎という病態がある．真珠腫性中耳炎は基本的には手術が必要な疾患であり，急性中耳炎や滲出性中耳炎から移行する場合もあるので，耳症状が遷延する場合には耳鼻咽喉科医の診察を受けたほうがよい．なお，中耳炎か外耳炎かの判断は，外耳炎の場合には耳介を牽引すると痛みを訴えるが（図1），中耳炎の場合には痛みを訴えないことで簡易的に行える．成人で激しい耳痛を訴える場合は，耳内の問題ではなく，耳前方にある顎関節の痛みであることが多い．

3. 外耳のケア

外耳道は外耳孔から鼓膜までの約 2.5 cm の深さで，鼓膜に近い深部は皮膚が薄く，骨で囲まれているため硬いが（骨部外耳道），外方は皮下脂肪とともに軟骨で囲まれ軟らかい（軟骨部外耳道）．耳垢を除去するときや点耳薬を使用する際などを含めて外耳道内を観察するには耳介を，小児では後下方に，成人では後上方へと牽引すると観察しやすくなる（図1）．耳垢を除去する際には，耳垢と外耳道壁の間に抵抗なく挿入できる間隙から，静かに精製水で湿らせた綿棒を挿入し，綿棒先端を外耳道壁に軽く押し当てながら引き出し，その後，乾燥した綿棒で拭き取るようにすると外耳道の皮膚に傷がつきにくい．入浴後は耳垢も湿っているので，綿棒で拭き取りやすくなる一方で，耳垢を押し込んでしまうことがあるので注意する．耳かきは，外耳道皮膚の損傷を起こすことがあり，推奨されない．硬い耳垢の場合には，除去時に痛みを訴え，出血をきたすこともあり，耳垢水（重曹：グリセリン：精製水＝1：5：10）を外耳道内に滴下し，十分にふやかしてから除去する．鼓膜表面までは，約 2.5 cm の距離があるのでよほど深く綿棒や耳かきを挿入しない限りは，鼓膜を直接，傷付けることは多くないが，不意の体動や周囲からの衝突により綿棒が一気に深部に達することがあるので，介助者がいたほうがよい．また，綿棒をもつ手の小指をケアを受ける相手の頭部周囲に接地しておいたほうがよい．鼓膜を穿破し，内耳に影響がおよぶと激しいめまいや難聴・耳鳴を起こすので（外傷性内耳障害），注意が必要である．また，痛みが強い場合は，外耳道真珠腫や真菌感染，異物の介在の場合が疑われるので，無理をせず，耳鼻咽喉科専門医の診察を仰ぐようにする．なお，生後半年程度の乳幼児では胎脂が外耳道内に充満していることも多く，入浴後などにふやけて耳漏を呈することがある．基本的には丁寧に除去すればよい．

Down 症候群や重症児者では，外耳道が狭く，また，頸部の反り返りや捻転が強いために観察がむずかしい場合がある．左右どちらかに頸部が捻転している場合には，唾液や鼻汁が外耳道内に流れ込み，汚染することがある．頸部や体幹を支持しながら慎重に清潔を保つ必要があるが，一人でケアを行うことはむずかしく，介助者がいたほうがよい．

4. 耳介のケア

耳介は集音機能とともに，顔面の外観を形成する機能を有している．耳介は弾性軟骨に皮膚がゆるく付着した構造であるが，耳垂（耳たぶ）の部分のみは軟骨を欠き，皮下脂肪を含むものとなっている．てんかん発作による反り返りや，体幹や頸部の捻転のために，顔面の片側のみを強く圧迫するか，擦りつけ

るような姿勢の場合には褥瘡形成とともに，唾液や鼻汁が流れ込み，褥瘡の部分とその周囲皮膚の汚染・感染が進むことがある．また，皮下出血（耳介血腫）を反復し，皮下が線維化し，耳介の変形をきたすこともある．皮膚への溶連菌感染により耳介およびその前方である頬部に蜂窩織炎（丹毒）を発症することもある．したがって，耳介への機械的刺激や汚染を可能な限り軽減させる工夫も必要である（ドーナツ枕やクッションの使用など）．しばしば，耳介の前方に小孔が認められ（先天性耳瘻孔），感染を起こすと強い発赤と腫脹を呈することがある．切開・排膿，場合によっては摘出術を必要とすることもあるが，感染を起こさない限りは小孔付近を積極的に清浄する必要はない．内腔より白色分泌物が認められる場合には，清潔に拭き取って，0.05%クロルヘキシジンなどの消毒薬で軽く消毒しておけばよい．耳垂の後面には，粉瘤とその二次感染が認められることが多い．忘れがちになるが，耳介の前面とともに後面の清潔ケアも重要である．聴覚過敏のためにヘッドホン型イヤーマフラーを常時装用している場合にも同様に注意する．免疫能低下や栄養不良により皮膚に帯状疱疹が出現することがあるが，帯状疱疹が耳介に出現した場合，顔面神経麻痺や難聴，めまいを伴うこと（Hunt 症候群）があるので，耳介に帯状疱疹が出現した場合には耳鼻咽喉科専門医の診察を受けたほうがよい．

［三枝英人］

N 歯の問題

1 う蝕・歯肉炎と，その予防のための診察と看護ケア

POINT

- 口腔の解剖学的構造は硬組織と軟組織からなり，それぞれに発生するおもな疾患がう蝕と歯肉炎である
- う蝕と歯肉炎の主因は歯垢であり，歯垢の抑制除去が課題となる
- これらの疾患は重症児者に特異的なものではなく，重症化しやすいこと，治療が困難であることが特徴である
- そのために予防の視点に立つ看護ケアが重要である

1. う蝕・歯肉炎の発生原因は特異的ではない

う蝕と歯肉炎の主因は歯垢（プラーク）である．歯垢は口腔細菌が歯の表面に付着したもので，その成分中の有機質の大半は，細菌とその代謝物である．う蝕は歯垢の細菌で歯面が脱灰されることにはじまる．歯肉炎は歯垢の中の細菌毒素や歯垢が石灰化した歯石の刺激で生じる．歯垢を生じさせないこと，歯面の歯垢を除去することをプラークコントロール（PC）といい，口腔疾患の予防と治療の基本である（図 1）．

重症児者は様々の要因で，歯垢が成長しやすく除去しにくい．すなわち PC が困難である．その結果，う蝕や歯肉炎の進行を早め，重症化し治癒しにくいという問題をかかえる．そのことを理解し，効率のよい PC を行うことが看護ケアの課題となる．

2. 重症化を促進する要因

ⓐ 歯垢が生じやすい歯と歯並び

重症児者では歯と歯の間の隙間がない歯並びの問題や前臼歯のエナメル質形成不全が多く，う蝕を重症化する一因となる[1]．

ⓑ 歯垢を成長させやすい食物

経口可能な場合，食物に含まれる糖分が多く，飲み物や食物の粘着性の高いものを摂取する機会が増える．

ⓒ 歯垢の主成分の口腔細菌

唾液分泌の低下や口腔ケアの困難さで細菌数が増加する傾向がある．

重症児者は，これらの上記 3 要素に加えて PC をさらに困難にする問題をもつ．

ⓓ 出生から始まる呼吸機能の問題

重症の場合は人工呼吸器を病院や施設，自宅で用いることが多い．この場合は口腔細菌を増加させないために，歯が生える前から口腔ケアが必要である．

ⓔ 全身の筋緊張や異常姿勢反射の存在

異常姿勢反射は身体や顔面の固定，口腔の開口維持がむずかしく，口腔ケアを困難にする．また，唾液減少や口腔諸筋の不随意運動で PC を自分の力で行うこと（自浄作用）が期待できないことが多い．

ⓕ 嚥下にかかわる哺乳・摂食機能などの問題

1）歯垢の誘因である食物に関して

哺乳期が延長すると哺乳びんを長期に使ったりミルク以外の栄養物を補給したりする．離乳困難な場合，食形態が軟らかい初期の形態にとどまることが多い．嚥下の問題があれば食物が口腔内に停留しやすくなる．唾液の嚥下に問題があれば，口腔の唾液分泌が減少し，唾液中の口腔細菌が繁殖する．これらは歯垢の成長を助長する．

2）口腔ケアに関して

嚥下に問題がある場合，不注意なケアによる誤嚥の問題が生じる．

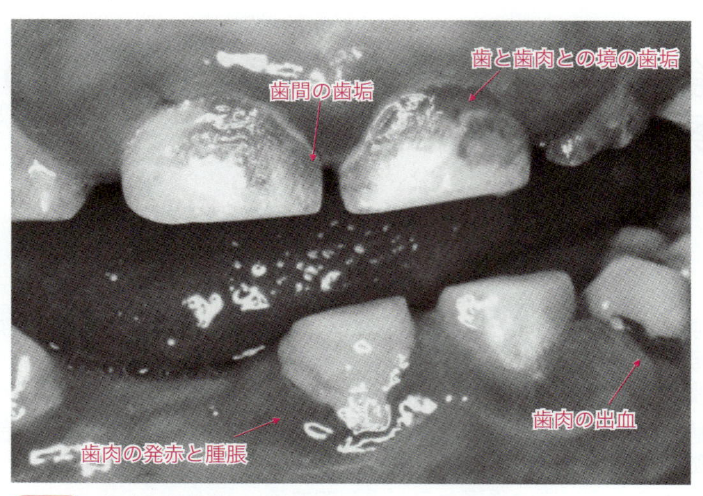

図1　歯垢と歯肉炎を見極める

歯垢は染め出す液を用いると赤く染まる．視診でもすぐに確認できる．歯と歯の間，歯と歯肉の境目が付着しやすい部位である．歯肉炎は歯垢を原因とし，歯との境目の歯肉の発赤から始まり，歯肉の腫脹，自然出血と炎症像が次第に進行する．この写真のケースは歯と歯の間が隙間が十分にある

ⓖ心臓疾患やてんかん発作などの合併症の存在

合併症によってPCが困難な場合も多い．心臓疾患があると離乳期の食内容を配慮する余裕がなくなり，歯垢成長を加速するショ糖の多い間食に偏りがちになる．てんかん治療薬の副作用で歯肉の増殖が早期から生じることもある．医療者や家族にとって医療行為が優先されるために，口腔の問題は後回しにされ，具体的な対応が理解されずに経過し，先々PCを困難にすることも多い．

ⓗ医療者の誤解

重症児者であるがゆえに口腔疾患が必発するのは当然とする意識があれば，それはPCという考えがなかったことによる誤解である．

ⓘ専門家の連携の不備

予防を中心とする看護ケアは，歯科医療者との連携，支援があってはじめて充実する．

3. 重症化する要因への対処を含めた具体的な看護ケア

重症児者の歯科疾患に特異的なことはない．しかし，重症化しやすく，治療が困難であることから，PCを人生の早期からはじめることが重要である．図2[1)]の結果は重症児者のdf歯率が，単一疾患児に対して高いことを示している．しかし，図3[1)]の示すように同じ重症児者でも，う蝕活動性が抑えられた群はdf歯率は低くなることが示されている．これは重症児者の乳児期からの看護ケアが重要であることを示す．表1は診察から看護までの予防の視点に立った看護ケアの流れである．

ⓐ視　診

歯垢が（自浄作用が及ばない）歯と歯肉の境，歯と歯の間にあるか確認は可能であり，PCが必要な状況か判断材料となる．初期う蝕は歯が部分的に白く変化することからはじまるのでみつけやすい．初期う蝕はPCにより，重症う蝕に進まなくなる確率が高く[2)]，予防的観点から大切な診査項目である．歯肉炎の症状は一般的炎症像と同じで，発赤，腫脹，出血の有無を観察し判断する．

ⓑ看護ケア

看護ケアは重症児者に早期からかかわることで効果を高める．

口腔の過敏が認められるとPCを容易にするために口腔過敏の除去や仰臥位で股関節や膝関節を曲げる反射抑制肢位を準備する．

口腔ケアは歯ブラシが最優先される．同時に人工呼吸器管理を受けている重症児者や経管栄養が主の場合，歯の萌出前から口腔細菌の軽減のためにスポンジブラシを併用する．

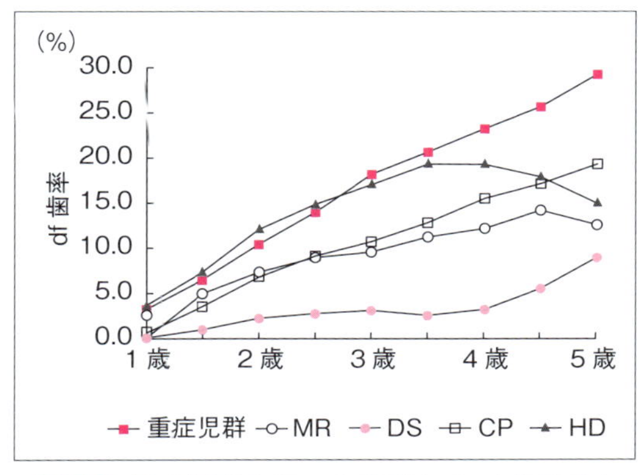

図 2 重症児群と単一疾患群との df 歯率の年齢変化

重症児群：重症心身障害の大島分類によるもの，MR：知的障害，DS：Down 症候群，CP：脳性麻痺，HD：難聴．それぞれに疾患単独で合併症がないものを選択した．PC 指導を集団として定期的に行ったが年齢とともに重症児群の df 歯率（d：う蝕歯，f：治療済みの歯），すなわちう蝕罹患率が増加していることがわかる．常に個別の重点的なケアが必要であることを示す

（武田康男，他．通園障害児の歯科衛生管理．第 2 報 乳歯齲蝕罹患率の経年変化．小児歯誌 1997；35：393-400 より一部改変）

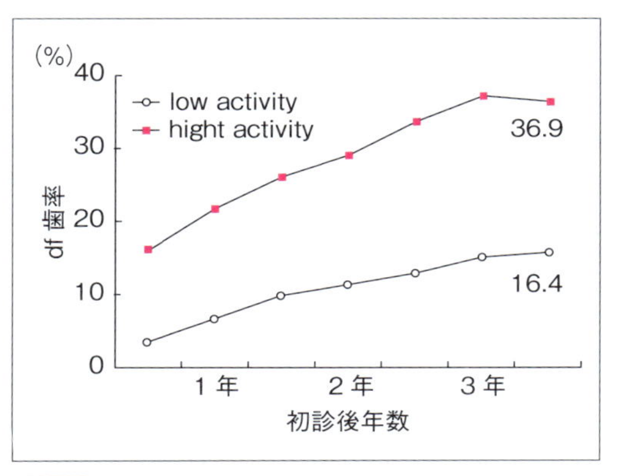

図 3 重症児の初診時のう蝕活動性からみた df 歯率の経年変化

う蝕活動試験は，採取した歯垢を 48 時間培養した結果で判定する．high activity 群は low activity 群よりも歯垢の酸の産生能が高く，う蝕罹患率も倍以上に高くなる

（武田康男，他．通園障害児の歯科衛生管理．第 2 報 乳歯齲蝕罹患率の経年変化．小児歯誌 1997；35：393-400 より一部改変）

表 1 予防的観点からの診察と看護ケアの流れ

1. 視診で，歯垢，歯肉炎，初期う蝕，歯の形成不全，歯並びからハイリスク児を確認する

- a. 歯垢の不潔域での付着状況
- b. 初期う蝕の判断（図 5）
- c. 歯肉炎の症状の確認→辺縁歯肉の発赤・腫脹・自然出血の有無（図 1）
- d. エナメル質形成不全の有無とその広がり（前歯部・臼歯部に罹患しているか）
- e. 前歯の歯と歯の間に空隙の有無の確認（図 1）

2. 看護ケア　視診をもとにハイリスク児のケアを PC を中心に計画する

- a. 口腔ケアを容易にする前準備　顔面口腔内の過敏や原始反射の残存があるときは必要
  - → 口腔過敏を軽減する（顔，特に上口唇の脱感作・歯肉のマッサージ）
  - → 特に乳歯萌出後の歯磨きを開始する前に行うと効果的
  - → 口腔周囲筋群（口輪筋，頬筋，舌筋など）の筋マッサージを有効に行う
- b. 口腔のケア
  - → 歯の萌出直後は歯ブラシは使わず指で歯の周囲のマッサージから始める
  - → 前歯は歯冠 1/2 の高さ位から，臼歯は咬合面 1/3 くらいが萌出してから，歯磨きを始める
  - → 口腔のケアは仰臥位で行う．伸展反射が強い場合，反射抑制体肢位をとる
  - → 口腔ケアは食後を基本とするが，回数より 1 日 1 回でも正しく磨くほうがよい
経管栄養利用児者は，嘔吐などの不慮の問題を避けるために空腹時に行う
  - → PC の部位は歯頸部・隣接面・噛み合わせの溝の 3 か所である（図 5）
  - → スポンジブラシは人工呼吸器装着児者では歯ブラシと併用する（歯が生えてなくても必要と判断できればスポンジケアを始める）
- c. 糖質コントロール
  - → 経口可能な場合は，ショ糖の含有した食べ物，飲み物は可能であれば避ける

スポンジブラシは周到な準備と正しい操作をすることで，はじめて役に立つ（図 4，表 2）．歯ブラシによる PC の基本は，写真に示す 3 か所（自浄作用がない）のプラークを機械的に落とすことである（図 5）．そのために，歯ブラシは，植毛部（ブラシの頭部分）が小さ

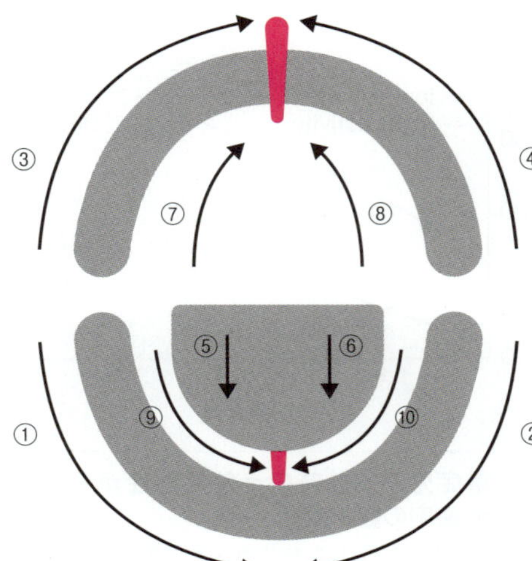

ケアの順序

1. スポンジ（SP）は始めにコップの水の中で揉みほぐし軟らかくする
2. SP の水は指で十分に絞り切る
3. 口唇を SP でパッティングし（プレパレーション）口腔内に挿入する
4. ケアのステップ（1〜9）に従って，1 ステップごとにケアする
5. SP に付着した汚れはペーパータオルでしっかりぬぐい取る
6. コップの水の中で SP に吸い込んだ唾液と雑菌とを指で揉み出す
7. SP を完全に絞りきって次のステップに移る
8. 口唇の乾燥が顕著な場合は再度パッティング後に，挿入する
9. 5〜7 を繰り返す．コップの水は可能な限り，頻回に取り替える
10. 舌苔が顕著な場合，ケアの途中で舌パッティングを繰り返し軟化してから舌ケアする

ケアの方向と部位

①②下顎口腔前庭
③④上顎口腔前庭
⑤⑥舌背
⑦⑧硬・軟口蓋
⑨⑩舌と口腔底の間の空間

ピンクは上唇小帯，舌小帯を示す．新生児では口腔容積に対して相対的に大きく，上唇小帯は口蓋前方まで伸びており，舌小帯は個体差が激しく強直しているものも多い．これらは不用意な操作で痛みを引き起こす．その他の頬小帯とともに口腔内の観察を行い，存在すれば避けてケアすることが大切である．

図4　スポンジブラシによる医療的口腔ケアの順序，ケアの方向と部位

（武田康男．新生児の口腔ケアを考える―いのちに向き合う口腔ケアの実際―．歯界展望 2018；131：764-773 より改変）

表2　医療的ケアにおいて準備するもの

1. スポンジブラシ
   柄が紙製でしなりがあるもの，スポンジ部分は口腔内の分泌物をしっかりからめとる性状を有するものがよい
2. ペーパータオル・キッチンペーパー
   スポンジに絡んだ分泌物を取るには厚手のしっかりした紙がよい．ガーゼではなく吸水性のある紙がお勧め．1 回のケアで数回は交換する
3. 透明コップ 2 個で 1 セットを数セット準備する
   初めのコップでスポンジに吸い込んだ雑菌と唾液を揉み出し，次のコップで再度揉み出してスポンジをきれいにする．2 個をセットにし，汚れたらセットを交換する
4. 水・お茶
5. 保湿剤（プレパレーション・ファイナルケア用）

（武田康男．新生児の口腔ケアを考える―いのちに向き合う口腔ケアの実際―．歯界展望 2018；131：764-773 より改変）

初期う蝕
隣接面
咬合面
歯頸部平滑面

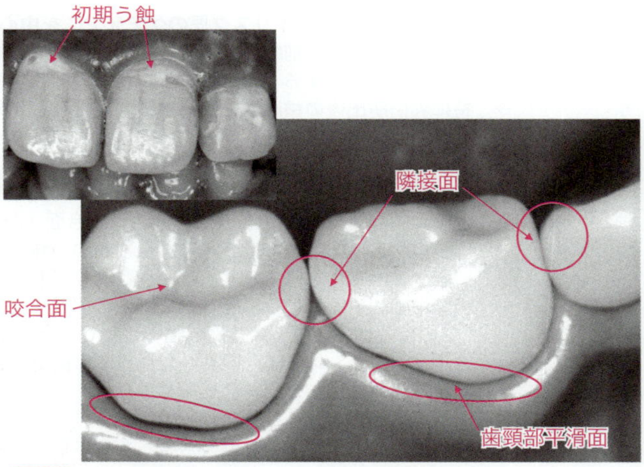

図5　自浄作用の及びにくい歯面の理解

○の中が歯と歯の間の自浄作用が及びにくい部位（隣接面）．楕円が歯と歯肉の境の自浄作用が及びにくい部位（歯頸部）でともにプラークコントロールで歯磨きを重点的に行う必要がある．左上写真は歯頸部歯面にできた初期う蝕の白斑に注目する

く，植毛の腰がしっかりしているものがよい．最も推奨されるのはワンタフトタイプの歯ブラシである．ケアする歯面によって顎の開閉，口唇の排除のやり方，ブラシの操作を変える必要がある．乳歯萌出後は1日1回からはじめ，次第に毎食後行う．しかし，事情によって毎食後は困難な場合もある．その場合，1日1回でも十分に行うことがよい．また，栄養注入後嘔吐しやすい場合，空腹時に行うなど臨機応変な対応が求められる．スポンジブラシは分泌物を絡め取る機能にすぐれたものを正確なテクニックで使用する．

糖質コントロールは大切な看護ケアである．将来の口腔疾患を予防するうえで，短期的なQOLと称して，むやみにショ糖やその他の甘味物を用意することは慎む必要がある．なぜならば食習慣は将来の本人のQOLに密接に関係するからである．人工呼吸器管理や嚥下困難，呼吸器感染を起こしやすい場合，歯みがきとスポンジブラシをセットでケアを行う．歯ブラシケアを行い，スポンジケアを実施する．これによって歯ブラシ使用後に生じる落下細菌数の増加が引き起こす誤嚥性肺炎を軽減，あるいは予防が可能となる[3)]．

文　献

1）武田康男，他．通園障害児の歯科衛生管理．第2報．乳歯齲蝕罹患率の経年変化．小児歯誌 1997；35：393-400

2）Dirks OB. Posteruptive Changes in Dental Enamel. J Dent Res 1966；45：503-511

3）武田康男．新生児の口腔ケアを考える―いのちに向き合う口腔ケアの実際―．歯界展望 2018；131：764-773

［武田康男］

コラム　採血・静脈確保のための手浴の方法，手指基部・手関節近くの表在静脈

（1）手浴（図1）

大きめの透明な円筒形に近い容器に入れた約40～42℃のお湯に，手を漬ける．この写真では手指のみ漬けているが，手全体を漬けたほうが，手背や，手関節より上の部分の静脈がしっかり拡張する．車椅子坐位，臥位のいずれでもよい．足浴は幅の広い容器で，同様に行う．

（2）各指の基節の背側の静脈・各指の付着部の指間部の静脈（図2），前腕屈曲側の手関節に近い部分の表在静脈（図3）

肘や手背の静脈で採血が困難な場合に，これらの静脈や肘のすぐ上の上腕の細い表在静脈から採血を検討する．

［北住映二，岩井智子］

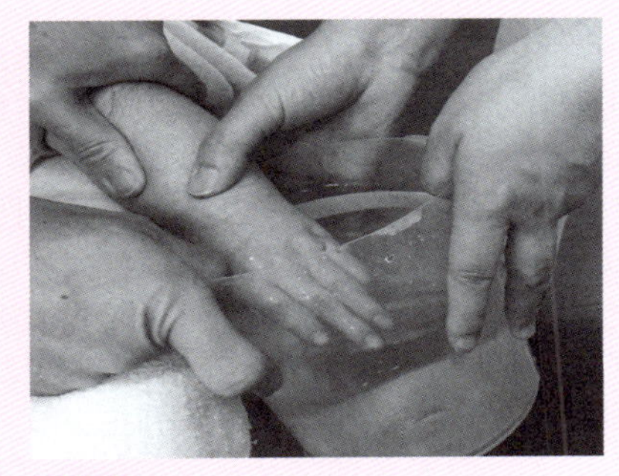

図1

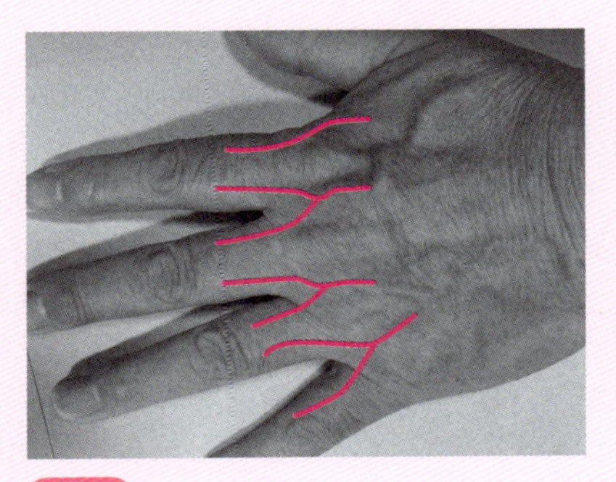

図2

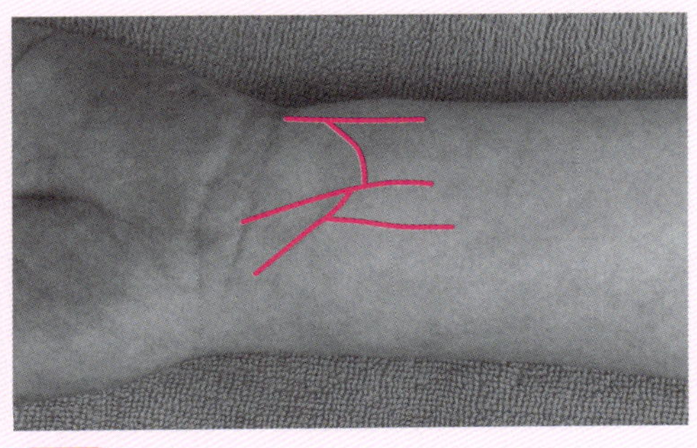

図3

O　緩和ケア

1 悪性腫瘍の緩和ケア

POINT

- 重症児者の療育において，悪性腫瘍の緩和ケアはこれまでほとんど考慮されてこなかった領域だが，重症児者の余命が飛躍的に延びているため今後重要なテーマになると思われる
- 重症児者の緩和ケアにおいても，症状コントロール，トータルペインに対するケア，家族ケア，チームアプローチなど一般の緩和ケアと同じポイントが重要であるが，本人とのコミュニケーションが困難なことが多く，苦痛の評価などに工夫が必要である
- 重症児者においてもACP（advance care planning）は非常に重要である．検査をどこまで行うのか，治療および緩和的な介入をどこまで行うのか，これまで家族が重い障害と向き合い重ねてきた歩みを受け止めつつ，その想いに寄り添って，丁寧に意思決定を支援する．そして，本人と家族にとって満足のいく最期の迎え方をともにつくっていくことが重要である

1. はじめに

重症児者の悪性腫瘍の緩和ケアは，重症児者ががんに罹患するほど，長期に生きられることが少なかったので，これまでほとんど考慮されてこなかった．小児がんの患者には障害児も少なからずおり，重症児の悪性腫瘍の緩和ケアは，経験している施設もあると思われるが，成人期に達した重症者の悪性腫瘍の緩和ケアは，成人の緩和ケアでもこれまでほとんど考慮されておらず，未知の領域といってもよい．しかしながら，重症児者の余命が飛躍的に延びているため，重症児者のケアにおいて，今後重要なテーマになると思われる．本項では，疼痛の評価とオピオイドの使用法とACPについて詳述した．以下，当院で在宅緩和ケアを行ったケースを提示する．

2. 症例（27歳，男性）

診断：脳性麻痺，てんかん，膀胱尿道移行部の悪性腫瘍．

既往歴：在胎41週，3,805 gで出生．重症新生児仮死，くも膜下出血でNICUに入院．寝たきり，四肢麻痺，発語不可の重症心身障害者．15歳で経口摂取が困難となり，経管栄養開始し，16歳で胃瘻造設，噴門形成術実施．17歳から当法人からの訪問診療開始．

現病歴：25歳11か月で血尿を認めるようになり，細胞診の結果，クラスⅤとなったが，家族と相談し，経過をみていた．26歳6か月で短期入所の際に，療育施設で単純CTを撮影し，腎外腎盂の拡張を指摘，再度の尿の細胞診でクラスⅣとなり，尿道の悪性腫瘍の可能性が高いと考えられた．両親と相談し，本人に負担のない検査を行いつつ，保存的にみていく方針となった．26歳8か月で造影CTで前立腺に腫瘍があることがわかり，泌尿器科医にコンサルトし，前立腺がんか移行上皮がんを考え，PSAが低値であることから移行上皮がんの可能性が高いと考えた．26歳11か月で吸気時の喘鳴出現，舌根沈下など上気道の狭窄と判断し，経鼻エアウェイを使用開始．27歳3か月で頻脈が多くなり，苦痛様の表情が多くなり，アセトアミノフェンを20 mg/kg/回で1日4回使用，十分な鎮痛効果が得られなかったので，フェンタニル貼付剤1 mgを使用開始した．その効果を認め，2 mgまで増量．腫瘍による尿閉になったときに備え，27歳5か月で膀胱瘻の手術を実施．27歳6か月で発熱，下腹部から下腿にかけての浮腫も増強し，腫瘍増大に伴う尿路感染と考え，セフトリアキソン使用開始．フロセミドの投与も開始した．セフトリアキソンを5日間使用しても，CRP 13 mg/dLと改善を認めず，セフタジジムに変更し，全身倦怠感の緩和にデキサメタゾン1 mgを開始した．抗菌薬をセフタジジムに変更して解熱し，感染症は改善傾向だったが，腫瘍が腹腔内で増大し，腹水貯留，呼吸不全を起こした．呼吸苦があると考え，塩酸モルヒネ5 mg/日，ミダゾラム2 mg/日でPCA（patient controlled analgesia）ポンプを使用し持続皮下注射による投与を開始した．モルヒネを徐々に増量し，モルヒネ48 mg/日，ミダゾラム16.8 mg/日まで増量した．PCA開始から7日目，26歳6か月，家族が見守るなか自宅で死亡された．

3. 疼痛の評価

本症例において，苦慮した点は，疼痛および呼吸苦の評価とその緩和である．疼痛評価の方法には，セルフレポート（自己申告），行動の観察および生理学的変化による評価があるが，一般には，セルフレポートが最もよく用いられる．セルフレポートには，100 mmの直線を用いて，患者に自分の感じている痛みの強さを最もよく表していると思う線上の位置に印を付けてもらい，端からの長さを測定するvisual analogue scales（VAS）[1]や0から10までの数字の大きさで痛みの程度を表現するnumerical rating scales（NRS），小児の疼痛評価で最も頻用されている段階的な苦痛を感じている顔の表情によるface scales[2]などがある．

また，提示したケースのように，重症児者の場合には，セルフレポートは困難な場合がほとんどである．セルフレポートが困難な重症児者のために開発されたのが，行動観察による評価であるpaediatric pain profile（PPP）[3]である．これは，20項目からなる行動の観察による評価である．http://www.ppprofile.org.uk/でダウンロードすることが可能である．

4. 疼痛コントロール

WHOのガイドライン『WHO guidelines on the pharmacological treatment of persisting pain in children with medical illnesses』によると，以下の4つが小児の疼痛治療のキーコンセプトとされている．重症児者にもこのコンセプトを応用できる．

ⓐ using a two-step strategy（2段階戦略の薬物療法）

まず，アセトアミノフェンもしくは非ステロイド性抗炎症薬（NSAID）を使用する（イブプロフェンなど）．それで不十分な場合は，強オピオイド（塩酸モルヒネ，オキシコドンなど）を用いる．症例でもアセトアミノフェンから投与を開始し，有効でないとすぐにフェンタニルを開始している．

ⓑ dosing at regular intervals（定期投与で）

疼痛管理の基本は痛みが出現してからの頓用ではなく，定期投与による管理が原則である．症例でも，鎮痛薬は定期投与で使用した．

ⓒ using the appropriate route of administration（適切な投与経路で）

一般的に投与経路は，可能な限り経口投与が望ましいとされるが，重症児者は薬剤がうまく飲めないことも少なくないので，本人に適した投与法を選択する．本項の症例でも，経口摂取のアセトアミノフェンからはじめ，経口困難になってから貼り薬などに変更しているが，やはりPCAポンプによる持続皮下注射によるオピオイドや，ミダゾラムの投与が必要な場合もあり，その場合には躊躇なく持続皮下注射に切り替えるべきである．

ⓓ adapting treatment to the individual child（子ども個々に対応）

鎮痛薬の量は個人差が大きいので，個々の患者にとっての最適量を定める必要がある．特にオピオイドには投与量の制限がないので，疼痛効果と副作用のバランスを適切に評価し，副作用が許容できなければオピオイドの変更を考慮する．

5. 具体的な鎮痛薬の投与法

第一段階のアセトアミノフェンの有効時間

は4～6時間であり，鎮痛効果の期待できる最低量が10 mg/kgである．したがって日本の小児科領域で解熱薬として一般的に用いられている投与量（10 mg/kg×3～4回/日）では持続的な疼痛効果が得られないことが多い．肝障害などに注意しながら，多めの量を使用する．

アセトアミノフェン
10～20 mg/kg×4～6時間ごと

アセトアミノフェンが効かない場合は，速やかに第二段階の強オピオイドを使用する．その第一選択薬は塩酸モルヒネである．塩酸モルヒネには，過去の多くの経験や研究に基づく効果や副作用，長期的な安全性などのデータがあること，剤形が豊富などの理由による．

塩酸モルヒネ開始量
3～6か月　0.5 mg/kg/日，分4～6
6か月以上　0.5～1 mg/kg/日，分4～6
>12歳　20～60 mg/日，分4～6

強オピオイド薬は常時の疼痛用の定期薬と突出痛用の頓用薬の両方をあらかじめ処方しておく．突出痛への頓用の投与量は24時間投与量の1/4～6，つまり1回分である．

塩酸モルヒネには投与量の制限がない．開始量で疼痛が出現する場合は頓用を服用し，その必要量にあわせてモルヒネの定期投与量を増量していきながら適量を決める．これをタイトレーション（titration）という．タイトレーションでのモルヒネは可能な限り即効薬を4時間ごとに用いて増量するほうが徐放剤を用いるより適量が把握しやすい．具体的には，2～3日の経過中，24時間平均で1回を越える頓用が必要であった場合に，前日量の20～50%を定期薬に上乗せしながら約2日ごとに適量まで増量していく方法と，24時間の間に投与した頓用の合計をそのまま次の定期薬に上乗せしていく方法がある．モルヒネの増量においては，激しい痛みでなければ前日の50%までの増量に抑えておくのが一般的である．適量が決まれば，同量を徐放剤（分2投与が多い）に変更する．ただし次の内服前に疼痛が出現するようなら分3のほうがよい．

6. ACP

現在，緩和医療において，ACP（advance care planning）[4)]が注目されている．本症例でも，本人の病状によって，常に家族の想いを傾聴し，それに基づき方向性を決定することを繰り返している．特に，重症児者の悪性腫瘍の場合，検査や治療をどこまで行うのか，その侵襲性とそれによって得られる効果などを医療チームのなかで十分検討するとともに，何よりもご家族の想いとこれまでの生活を中心においた方針の決定がされなければならない．症例では，検査の選択において，診断を正確にすることにこだわらず，大まかな腫瘍の特性がわかることで良しとし，治療においても，家に家族とともにいられること，苦しくないことを基準に，膀胱瘻の造設だけにとどめ，その他は感染症の治療，癌性疼痛や呼吸苦の緩和などを行った．

7. まとめ

重症児者の悪性疾患の緩和ケアのポイントとして，疼痛の評価とコントロールを中心に述べた．それは，疼痛のコントロールが，悪性腫瘍の緩和ケアの出発点であり，要であるからである．悪性腫瘍の患者の90%に疼痛があるといわれている．重症児者であっても，一般的な疼痛対策によって症状コントロールが可能になることを強調したい．

文　献

1）Gaston-Johansson F. Measurement of pain：the psychometric properties of the Pain-O-Meter, a simple, inexpensive pain assessment tool that could change health care practices. J Pain Symptom Manage 1996；12：172-181
2）Wong DL, et al. Pain in children：comparison of assessment scales. Pediatr Nurs 1988；14：9-17
3）Hunt A et al. Clinical validation of the paediatric pain profile. Dev Med Child Neurol 2004；46：9-18
4）日本医師会．人生の最終段階における医療・ケアに関するガイドライン．（https://www.med.or.jp/dl-med/doctor/r0205_acp_guideline.pdf）

［前田浩利］

緩和ケア

2 その他の疾患・状態の緩和ケア

- 終末期を迎える経過が，がんと異なり比較的ゆるやかに進行し，時に急速に病態が変化するので予後の予測がむずかしい
- 同様の理由で心肺蘇生を行わないこと（do not attempt resuscitation：DNAR）や延命治療の中止の判断がむずかしい
- 治療が最後まで継続されることがあり，それが苦痛の緩和につながることがある
- 非がん疾患の緩和ケアもがん患者の緩和ケア同様，症状コントロールが重要であるが，疼痛の出現頻度は下がり，呼吸苦の緩和の重要性が高い

1. はじめに

重症児者が，がんで亡くなることは増えてきているとはいえ，割合としては少ないと思われるので，非がんの緩和ケアは，ほぼすべての重症児者を対象とする．非がん疾患の緩和ケアの歴史は新しい．欧米では1990年に入って，多くの非がん患者が，苦痛の中で亡くなっていることがいくつかの大規模研究で明らかになり，21世紀になって非がん疾患の緩和ケアは急速に広がった．WHOは，2002年に新たな緩和ケアの定義を発表し，その中で緩和ケアは「生命を脅かすあらゆる疾患による問題に直面している患者とその家族に対して」提供されると明記されている．

2. 非がん疾患の緩和ケアの特徴

非がん疾患の緩和ケアの特徴は，①終末期を迎える経過がんと異なり，比較的ゆるやかに進行し，時に急速に病態が変化するので予後の予測がむずかしい，②同様の理由でDNARや延命治療の中止の判断がむずかしい，③治療が最後まで継続されることがあり，それが苦痛の緩和につながることがあるという3点である．さらに，本人の意思確認，苦痛の評価，セルフレポートが困難であるという点は，重症児者の悪性腫瘍の緩和ケアと同様である．

3. 死に至る軌道モデルと生命が脅かされる状況

イギリスの小児緩和ケアの有名なテキスト『Oxford Textbook of Palliative Care for Children 2006』[1)]では緩和ケアの対象となる子どもの死に至る軌道を以下の4つのグループに分けて記述している．

1. 治療可能であったが，治療が奏効しなかった子ども達．悪性腫瘍の再発，治療不応例など
2. 高度な医療によって生存期間を延長することはできるが，早期の死が避けられない子ども達．Duchenne型筋ジストロフィーなど
3. 根治療法が存在しない進行性の疾患と診断された子ども達．多くの先天性代謝異常症など
4. 進行性ではないが，全身の衰弱や呼吸器感染などで早期の死を避けられない子ども達．重度脳性麻痺など

そして，これらすべてを緩和ケアの対象とする「生命が脅かされる状況」としている．「生命が脅かされる状況とは19歳までの小児期に発症し，40歳までに50%以上の確率で死に至るあらゆる疾患や病態である．また，非常に侵襲性の高い治療を受けなければ早期に死に至るあらゆる疾患や病態も含まれるが，急性疾患や治癒可能な外傷，精神疾患

（拒食症など）は除外される」としている[1]．

日本では重度の脳性麻痺など重症児が，医療ケアと療育のなかで，成人期になっても豊かに生きることが可能になっており，国や文化によって生命観に違いがある．

4. 非がん疾患における緩和するべき苦痛

高齢者を含む非がんの成人の死に至る最期の 1 週間に出現する症状は，呼吸困難が最も多く，全体の 68%に出現し，疼痛は呼吸困難に比べかなり少なく 27%に出現するといわれている．しかし，疼痛は弱い疼痛がほとんどであるが，呼吸困難は中等度以上が多く，主治医が終末期に緩和するべき症状としてあげた症状の中でも，最も多かった[2]．

5. 呼吸困難の緩和

呼吸困難は，疼痛と同じく，主観的症状であり，客観的所見と一致しないことも多く．SpO_2や血液ガスが問題ないから大丈夫というわけではない．その評価は，疼痛と同様にセルフレポートが最も重要である．呼吸困難を引き起こす機序は必ずしも明らかではないが，「不安」と「呼吸困難」は特に相関関係が強いといわれている．

薬物療法は，モルヒネ，ベンゾジアゼピンが主体となる．そのほかに，ステロイド，気管支拡張薬，酸素や非侵襲的陽圧換気療法（noninvasive positive pressure ventilation：NPPV）が用いられ，気道分泌の増加に対しては，分泌を抑制する薬剤も有効である．この数年，在宅医療でも使用できる機器が増え，導入が容易になった高流量鼻カニュラ酸素療法（high flow nasal cannula oxygen：HFNC）も有用である．呼吸困難の緩和のための薬物療法で，エビデンスがあるのがモルヒネであり，モルヒネと併用することで効果が認められるのが，ベンゾジアゼピンである．これらの薬物療法は，呼吸困難に対して有効であるが，呼吸回数や酸素飽和度といった測定可能な指標には必ずしも現れない．モルヒネはさらに不安，疼痛，肺血管抵抗を低下させせる効果もある．鎮痛に用いる量の 25〜50%程度から始め，効果にあわせて調整する．すでに投与されている場合は，25〜50%増量する．

塩酸モルヒネ
（経口）0.1〜0.5 mg/kg/日，成人で 10〜20 mg/日，分 4〜6

ベンゾジアゼピンではミダゾラム（ドルミカム®）が舌下（粘膜投与），皮下注射，静注，持続皮下注射など，投与経路も多様で，効果もシャープで最も使いやすいが，保険適用がないのが弱点である．ドルミカム® の薬用量は文献[3]を参照．

ミダゾラム（ドルミカム®）
（舌下）0.2〜0.3 mg/kg/回 6〜8 時間ごと（2 回以上投与が必要なら持続皮下注射へ変更）
（皮下/静注）0.05〜0.1 mg/kg/回，1 時間以上あけて
（持続皮下注射）0.03〜0.2 mg/kg/日
ジアゼパム（セルシン®）
（内服）0.2〜0.3 mg/kg（1 日 2 回で始めて必要なら 3〜4 回まで増量）
（坐薬）ダイアップ® 1〜3 歳：4 mg，3〜12 歳：4〜10 mg，12 歳以上 10 mg
ステロイド
エビデンスは明らかではないが，よく使用される．デカドロン®やリンデロン®を使用する場合が多い．1 日 0.5〜8 mg を適宜使用する．当院では，成人で 1 mg/日（分 2 朝，昼）から使用開始することが多い．

6. 持続皮下注射

最末期の呼吸困難の緩和において，持続皮下注射（continuous subcutaneous infusion：CSCI）は，非常に有益な手法である．それには以下のような利点がある．安定した血中濃度が持続して得られる．経口薬の内服ができない患者に投薬できる．経口薬に比べ副作用を軽減できる場合がある（モルヒネなど）．静脈ルートに比べ処置が容易で，処置時の苦痛が少なく，日常生活の邪魔になりにくい．また，静脈ルートに比べトラブルも少ない（点滴漏れ，ルート感染，点滴過量投与な

ど). 静脈内投与と同様の効果が得られる. 薬を混合することで複数の症状を管理できる. 注射ポンプはもち運びが容易(軽い, 小さい, コンセントがいらない).

筆者らは, モルヒネとミダゾラムを混合して使用し, 最末期の呼吸困難をほぼ全例でコントロールできている. 薬用量は, 前項O-1 悪性腫瘍の緩和ケア (p.248) を参考にしていただきたい.

7. オピオイドの副作用

がん, 非がんにかかわらず, 緩和ケアの要の症状コントロールで, オピオイドは重要な位置を占める. 以下にその副作用と対策を述べる.

悪心・嘔吐：オピオイド投与開始時や増量時に起こることが多く, 1～2 週間で耐性が生じ, 症状は治まる. これは, 大変不快な症状で, 患者を苦しめるので, オピオイド投与時には同時に, 必ず鎮吐薬の投与も同時に行う. 以下の 2 剤がよく使用される.

プロクロルペラジン (ノバミン®)
0.4 mg/kg/日, 分 3～4
ハロペリドール (セレネース®)
(経口) 0.025～0.15 mg/kg/日, 分 1～2 (皮下中) 0.025～0.15 mg/kg/日 (max 5 mg)

便秘：オピオイドによる便秘は, 極めて頻度が高いため, 予防的な下剤の投与は欠かせない.

かゆみ：オピオイドによるかゆみ (特に鼻の周囲や顔) は決してまれではない (小児のほうが, 頻度が高いといわれている). 抗ヒスタミン薬などを使用する. かゆみがひどければオピオイドの変更を考慮する.

鎮静：オピオイド開始時に眠くなることがあるが, 数日で消失する. 眠気が続く場合は, 肝, 腎, 脳の障害を考慮する必要がある.

不穏：鎮静とは逆に不穏を認める場合がある. ハロペリドールを投与し, オピオイドを減量する. またオピオイドの変更も考慮する.

ミオクローヌス：これは高用量のオピオイドを使用している場合に多い. また腎障害の進行によって血中濃度が上昇しているために起こっていることもあるので注意を要する. 治療にはミダゾラム (ドルミカム®), クロナゼパム (リボトリール®) などが用いられる. オピオイドの変更も考慮する.

尿閉：成人に比べ小児のほうが頻度が高いといわれている. 膀胱圧迫や間欠導尿が試みられる. オピオイドの変更も選択肢の 1 つである.

呼吸抑制：オピオイド投与による呼吸抑制は, 恐れられているが, 実際には疼痛がある中での呼吸抑制は極めてまれである. まれな例外としては, 急な疼痛の減少によるものやオピオイド代謝の急な変化によるものがありうるが, それでもナロキソンを必要とすることはまれである. ナロキソンを投与すると即座に効果があるが, 一方鎮痛作用も消失することを忘れてはならない.

身体依存, 精神依存：1 週間以上オピオイドを投与している場合, 急にやめると身体依存が出現し得るので, 減量・中止する場合はゆっくり減量する必要がある. 特にフェンタニルの発貼剤は離脱症状が出やすく, 他のオピオイドにローテーションしても, 離脱症状が出現するので注意を要する. オピオイドに関する誤解の多くは精神依存, あるいは「麻薬中毒」についてである. 適切に使用すればこのようなことはまず起こらない.

文 献

1) Ann Goldman, et al. Oxford Textbook of Palliative Care for Children. Oxford university press, 2006；8
2) 平原佐斗司, 他. 非がん疾患の在宅ホスピスケアの方法の確立のための研究. 2006 年度後期在宅医療助成・勇美記念財団助成, 2006
3) British Medical Association. BNF for children. 2009

［前田浩利］

P 重症児者への漢方薬治療

POINT

- 重症児者の多くは虚弱体質であり合併症が多い．合併症の治療や全身管理，予防と健康維持に漢方治療は有用である
- 重症者の高齢化に伴い，身体機能の低下やがんの罹患が問題となりうる．高齢者のフレイル・がん緩和ケアにも漢方治療は有用である

1. はじめに

日本の医学の歴史を振り返ると，西洋医学が初めてわが国にもたらされたのは江戸時代である．当時は鎖国により外国の情報が制限されているなかで，唯一の貿易相手国であるオランダからドイツの解剖学書のオランダ語訳が輸入された．それを和訳した本が杉田玄白の解体新書である．そのようにオランダからもたらされた西洋医学のことを当時は蘭方とよび，それまでの伝統医学のことを漢方とよぶようになった．明治時代に医師資格は西洋医学に限定されたことで，東洋医学はマイナーな存在になった．なお，中国の免許制度は西洋医学と伝統医学が別々である．わが国は保険診療で西洋医学と東洋医学の診療を同時に受けられる世界で唯一の国といえる．世界保健機関（WHO）では，2018年に発表した国際疾病分類の改訂版（ICD-11）において，伝統医学の項を新設して東洋医学だけを取り上げた．今や欧米では日本以上に漢方薬を用いた研究や治験が盛んに行われている現状にある．

2. 漢方薬の治療対象

多くの人がイメージする漢方薬は，長期間飲まないと効果が出ない，という慢性疾患への治療薬というのが実情かと思われる．漢方薬の歴史は約2000年あり，昔はおもな死因である感染症を漢方薬で短期勝負の治療をしていた．中世になり人々の生活が豊かになると慢性疾患が増えたことで，漢方薬を長期投与するようになった．つまり急性疾患，慢性疾患ともに漢方治療の対象となりうる．現代ではおもに補助的な治療として処方されることが多いのが現状であるが，特に活用される病態は，ウイルス感染症，冷え症（代謝機能低下），月経関連症状，倦怠感，不定愁訴，未病（生活習慣病の前段階）である．

重症児者の多くは行動制限や活動性が少ないことから基礎代謝が低く，環境変化の影響を受けやすいことで低体温を呈することがある．そのためにデリケートな虚弱体質となり合併症に悩まされることが多い．そのような虚弱さや身体の冷えに対する治療に漢方治療が有用といえる．

また近年，後期高齢者といえる重症者の存在が珍しくはなくなりつつある．高齢化に随伴するフレイルやがん治療におけるケアにも漢方治療は有用性が高い．

ⓐ 重症児者の証

病弱であることから虚証であることが多く，実証はまれといえる．漢方薬は大きく虚証向け，実証向けに分類される．注意すべきは，虚証の人に実証向けの漢方薬を投与すると副作用が出やすい点である．その逆は問題になることは少ないが，有効性が低下する可能性がある．

ⓑ 感染症

感染症における漢方治療は，本人のもちうる免疫力を最大限に活性化することで有効性を発揮する．上気道炎やインフルエンザウイルス感染症の初期には，麻黄剤である麻黄湯

や葛根湯を用いることが知られている．麻黄による発汗と解熱作用が有効とされる．インフルエンザウイルスではインターフェロン活性による間接作用が知られている．RS ウイルスに対しては，ウイルス膜の糖鎖抗原に対する直接作用が報告されている．

注意すべきは，栄養状態が悪くて虚証が潜在していることがあり，実証向けである麻黄湯や葛根湯によって強い副作用がまれに出る場合がある点である．そのような場合には桂枝湯がよい．

下気道感染では，主治療となる抗菌薬の作用はおもに殺菌作用であるが，残存する気道粘膜の炎症の鎮静化には小柴胡湯を併用するとよい[1]．また排痰促進には肺胞サーファクタント分泌作用のある麦門冬湯や清肺湯が有用である．

感染時の全身状態低下に伴う麻痺性イレウスでは，発熱初期から大建中湯を予防的に投与しておくと回復がスムーズである．病後回復期には免疫力向上作用のある補中益気湯，十全大補湯が有用で，これらは感染予防や皮膚の MRSA 保菌の治療にも応用される．感染を繰り返す虚証の体質改善には内臓を温めることによる機能回復効果を目的に，若年者では小建中湯，高齢者では真武湯が有用である．

ⓒ 消化器疾患

顔面筋の拘縮または弛緩により閉口困難なケースでは，口内炎や口臭，歯肉出血が問題となりやすい．半夏瀉心湯で含嗽するか，溶かして口腔内塗布をする．この方法は抗がん剤副作用での難治性口内炎の治療に応用されている．

消化不良や食欲不振には，胃の蠕動運動を促す六君子湯が有用で，軽度の胃食道逆流症に応用される．

下痢症では，感染の場合は五苓散による抗炎症作用と抗脱水作用，感染ではない場合は機能回復に小建中湯や大建中湯または両者の混合が有用である．

難治性の慢性便秘症に悩まされるケースが多い．便秘の誘因となる病態を考慮して，次項にある虚弱体質の管理や冷え症の治療を行う．体質によって虚証と中間証で使い分ける．

表 1　虚弱体質の管理

方剤名	病態	備考
六君子湯	心身の活気作用	
小建中湯	虚弱体質改善，免疫機能低下	
補中益気湯	虚弱体質改善，免疫機能低下	
十全大補湯	身体の活気作用，免疫機能低下	
人参養栄湯	老人性フレイル，サルコペニア	アンチエイジング
真武湯	基礎代謝低下，深部の冷え	
小柴胡湯	慢性炎症	桂枝湯併用で体質改善（柴胡桂枝湯）
桂枝茯苓丸	うっ血，血行促進，体表の冷え	血流改善による温め効果

ⓓ 虚弱体質の管理（表 1）

食が細い場合に六君子湯を用いると，直後から胃蠕動運動が活性化され，食欲回復が期待される．胃壁由来のグレリン分泌が促進され視床下部に作用する．食欲中枢刺激作用や，抗ストレス作用，間接的な抗炎症作用（ミクログリア抑制），消化機能だけでなく脳機能の改善効果が期待される．

小建中湯は食べても体重が増えにくい場合や，消化不良で下痢しやすい場合に有用である．補中益気湯や十全大補湯は感染症を繰り返しやすい場合に感染予防効果がある．

高齢者の体調管理において，人参養栄湯は年齢による体力低下へのアンチエイジング作用が期待され，高齢者のフレイル改善に有用である．真武湯は年齢による新陳代謝低下と冷えに有用である．

抗炎症作用のある小柴胡湯は，抵抗力低下による慢性炎症の反復時に有用で，微小循環改善作用のある桂枝茯苓丸[2]との併用で相乗効果がある．

ⓔ 冷え症の治療

全身性の冷えには，前項の虚弱体質の治療を行う．

四肢末端の冷えには，女性で月経に伴う症状がある場合はホルモン調整作用のある当帰芍薬散や桂枝茯苓丸を試し，しもやけになるほどでは当帰四逆加呉茱萸生姜湯がよい．

表2 がんの治療

病態	方剤名	備考
全身倦怠感	十全大補湯	QOL改善，白血球減少軽減
食欲不振	補中益気湯	食後の眠気
嘔気・嘔吐	六君子湯，五苓散	
下痢	半夏瀉心湯	薬剤性にも有効
口内炎・口内痛	半夏瀉心湯，立効散	含嗽
口腔内乾燥	麦門冬湯	唾液分泌促進
末梢神経障害性疼痛	牛車腎気丸	
吃逆	呉茱萸湯，芍薬甘草湯	温服
オピオイドによる眠気	葛根湯，麻黄湯	エフェドリンの覚醒効果
精神的苦痛（抑うつ）	六君子湯，半夏厚朴湯，香蘇散	
浮腫	柴苓湯	小柴胡湯＋五苓散
せん妄・モルヒネ耐性予防	抑肝散	

神経痛やしびれを伴う冷えには疎経活血湯，関節痛を伴う冷えには桂枝加朮附湯が有用である．

ⓕ筋緊張の治療

芍薬甘草湯は筋けいれん痛に有効で[3]こむら返りに著効して即効性がある(5〜10分)．筋肉への直接作用と，中枢痛覚伝達路への作用が知られている．頓服としての頻用例では，痙性麻痺で四肢がつるように筋肉が突発的に緊張する場合や，尿閉により過緊張・発汗著明となった場合などがある．月経痛や尿路結石の疼痛にも応用される．

持続的な四肢緊張の弛緩に，芍薬甘草湯の少量持続投与が有用である．ただし腎機能低下がある場合には浮腫や偽性アルドステロン症など副作用の出現に注意を要する．

ⓖ睡眠障害の治療

入眠困難の比較的軽度な不眠に用いる．緊張感による突発的な不眠では，抑肝散，酸棗仁湯，甘麦大棗湯に即効性が期待される．いずれも催眠作用ではなく，緊張感からの解放によるリラックス効果といえる．

抑肝散は不安感や苛立ちがある場合，甘麦大棗湯は不安感や悲しさがある場合，酸棗仁湯は興奮して気が高ぶっている場合などに用いる．抑うつを伴う場合には柴胡加竜骨牡蠣湯により2週間ほどで安定してくる．

酸棗仁湯の作用機序として，シナプスにおける①GABA遊離促進，②MAO活性化，③ドパミン減少が知られており，10代以上で効果が出やすい．飲み方は眠前に2倍量を服用する．通常の1回量ではまず効果が出ない．

ⓗがんの治療（表2）

高齢化に伴ってがんになるケースが増加している．一般にがん医療においては，漢方薬は支持療法（補助療法）と緩和医療に用いられている．支持療法では，抗がん剤や放射線治療に伴う副作用や合併症に対して漢方薬が用いられる．緩和医療では，抑うつや体力低下，浮腫などの症状に応用される．

3. 漢方薬の副作用

原料の生薬そのものは薬理作用のある物質を含んでいることから，明確な効果がある裏返しに副作用への注意が必要である．

代表例として，小柴胡湯による間質性肺炎と偽性アルドステロン症がある．間質性肺炎はおもに黄芩という生薬によるといわれているが，明確な機序は不明でまだ結論が出ていない．偽性アルドステロン症は甘草という生薬に含まれるグリチルリチンによるもので，むくみや高血圧，脱力，筋肉痛がみられる．投与量に注意されるが，用量依存性ではなくホスト側の感受性によるとされている．一時，C型肝炎の治療にインターフェロンに加えて小柴胡湯が頻用されたことで，これらの副作用が注目された．

他に，麻黄のエフェドリン作用による動悸や発汗，附子によるトリカブト中毒，黄耆による発疹，山梔子の長期使用による腸間膜静脈硬化症，地黄による胃腸障害，桂枝によるシナモンアレルギーなどがある．

甘草と麻黄は，量が増えると副作用のリスクが上がる可能性を指摘されている．そのため，漢方薬を数種類組み合わせる際には，生薬量が増え過ぎないよう注意する．特に，芍薬甘草湯の甘草，麻黄湯の麻黄は，1 剤だけでも多量に含まれているため，連続使用は数日程度にする．

4. 処方上の注意

漢方薬を飲むにあたって，他の薬との併用で問題になることがある．副作用の項でも触れたが，漢方薬同士の併用は生薬のオーバラップに注意が必要である．市販薬のなかには，商品名はカタカナであっても，原料が生薬だけのものや，西洋薬と生薬の合剤のものがある．

西洋薬との併用における注意点をあげる．麻黄含有薬は，エフェドリンを含むため，MAO 阻害剤や甲状腺製剤との併用に注意する．甘草含有薬は，ループ利尿薬との併用に注意する．一部の生薬には CYP 酵素をブロックする作用がある．実際には西洋薬に漢方薬を併用することでの中毒としての有害事象の報告はない．

重症児者のなかには年齢の平均体重より軽いケースがいる．投与量の考え方に注意がある．多くの場合，西洋薬に準じて成人量から年齢相当に減量して投与される．また，体重を基準にした量の設定法も知られている．いずれの算出方法でも，漢方薬の効果を出すには不足する．実際には 10 kg 以上で成人の 1/3，20 kg 以上で成人の 2/3，30 kg 以上で成人量を投与するのが望ましい．

処方箋には食前または食間と表記する決まりになっている．漢方薬を飲むタイミングとしては空腹時が理想的といえる．食物成分，特に食物繊維が生薬の代謝に影響する可能性がある．しかし実際には，食後に飲むと効果が消失するわけではなく少し落ちる程度であるため，食後に服用することになっても気にしないように伝えている．

5. 服薬時の工夫

保険処方する漢方エキス剤はフリーズドライ製法である．粉のまま服用しても効果はあるが，本来はお湯に溶いてから飲むのが正式な方法である．それにより味覚と嗅覚への刺激が強まることになるが，実は香りにも薬効がある．

しかし苦味のために拒薬が問題になりやすい．温めたココアやミルクに溶かすことで，舌の味蕾細胞の感度が下がるために飲みやすくなる．

経管栄養の場合では粉のままではチューブが詰まるため，溶解してから注入する必要がある．お湯のほうが早くに溶けるが，白湯でも 15 分ほどおくことで 8 割以上は溶けるため，溶けた上澄みだけを注入するとよい．なお漢方薬の投与量と効果に厳密な法則はなく，人によっては少量でも十分に有効なことが多々ある．

文　献

1）山崎玄蔵．細菌性肺炎に対する漢方治療の有用性．漢方と最新治療 2019；28：55-60
2）平山暁他．ライブイメージングによる桃核承気湯・桂枝茯苓丸・当帰芍薬散の微小循環動態への特性評価．日東洋医会誌 2020；71：8-17
3）日高隆雄．マウスモデルにおける芍薬甘草湯の基礎的検討．漢方と最新治療 2016；25：85-90

［尾崎裕彦］

第3章

看護ケアなどのポイント

A 重症児者の，看護・処置手技などの実際的ポイント（一般医療と違う留意点など）

1 状態悪化時の対応，救急・準救急的対応

POINT

- 側彎などの胸郭の変形や開口不良に伴い，蘇生処置にむずかしさがあること
- 気管軟化症による呼吸困難は発見時の対応の良否が予後を左右すること
- 救急状態に至らないための予防的な対応や，救急状態に陥る前の早めの対応が重要であること

1. はじめに

重症児者における救急処置そのものは，何ら一般のそれと変わるものではない．ただし，ショック状態や心肺停止状態で発見された場合を除き，呼吸状態の悪化が引き金となることが多いため，考え方としては気道確保を中心にして呼吸・循環動態の把握・管理を行うことが主となる．背景に低栄養状態や脱水傾向が存在することも多く，救急処置中やその後の急性期の治療においてなかなか病態が落ち着かず，さらに回復期にはもともとコントロールがむずかしかった筋緊張の亢進や気道狭窄のために退院や転院までのケアに苦慮することもある（むしろ，この段階で慣れた環境に移るほうが平常時に戻るまでの期間が短くなることが多い）．このほか，頭頸部や体幹の変形や捻れによって対応や治療が非常にむずかしいものになることも少なくなく，こういった重症児者特有の病態によって起こる救急事態もあり，病態を理解したうえで対処できるかできないかが，救命率や後遺症の有無などの救急の成否に大きくかかわってくる．

また，障害児者（特に重症児者）は言葉を発することができず，その他の手段でも的確に症状を伝えることができない場合も多く，介助者によって察知された普段の状態とのわずかな差異から，診察や適切な検査によって状態悪化の前段階にあることを早めにとらえて対応しないと，それが「死」に直結するような状態ではないとしても，予備力のなさから状態が急激に悪化することもまれではなく，準救急的な状態においても時間的な余裕がそれほどあるわけではない．

2. 蘇生処置における障害児者特有の困難さ

ⓐ胸郭の変形に伴う心肺蘇生の困難さ（左心室の位置の特定）

重症児者では胸郭の前後方向の発達が不良で，左右に長い扁平化した胸郭となっていることが多く，縦隔の前後方向にスペースの余裕がなくなり，心臓は縦隔のやや左側に寄っていることが多い．胸椎の側彎があると外観からは左心室の位置の特定が困難になることも多いが，こういったケースでも左心室は胸骨と脊柱（胸椎）を結ぶ線（そのケースにおける縦隔）のやや左側に位置しており（図1），そこをめがけて胸郭を圧迫することがよいと考えられる．ただし，図1からもわかるように肋骨がなだらかに彎曲していない場合もあり，圧迫しづらいときがあるかもしれない．

ⓑ開口不良に伴う挿管困難

重症児者では下顎が後下方に強く引かれ，小さくて発達が不良なことも多く，挿管時に十分に開口できないことも多い．何とか喉頭鏡を挿入できたとしても喉頭展開できないこともある．マスク換気ができていれば慌てる必要はないが，それが不十分な場合には経鼻

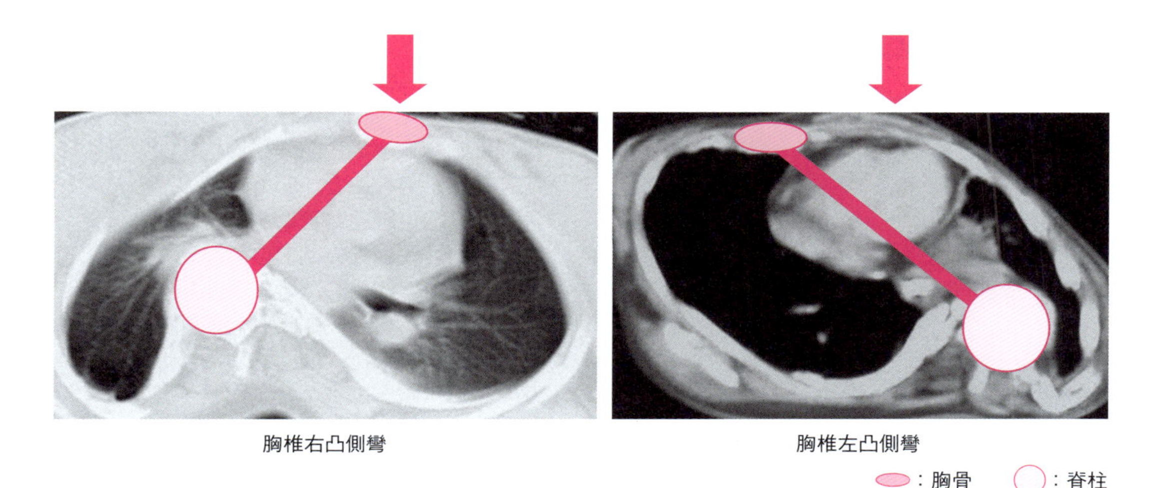

図1 **側彎がある症例の左心室の位置**
左心室は胸骨と脊柱を結ぶ線のやや左側にあり，蘇生処置の際には矢印の位置を圧迫する

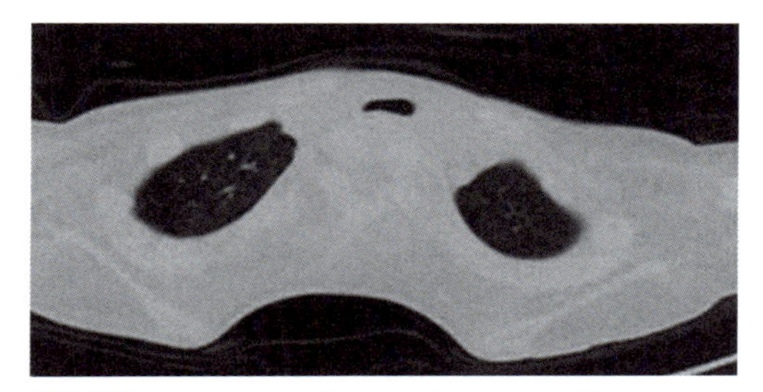

図2 **気管の扁平化と胸椎による圧排**
胸郭が扁平化し，気管も扁平化しており，胸椎が前方に張り出して後方から気管を圧排している（反り返りにより，さらに圧排が強まる）

挿管も考えなければならない．経鼻挿管では頸部を十分に後屈させて鼻から挿管チューブを進め，呼気の吹き出しをしっかりと確認し，補助的に超音波検査を行うなどしてチューブの固定位置を決め，一連の処置後にX線で挿管チューブの先端の位置を確認する．

3. 胸郭の変形に起因する救急状態

ⓐ 気管軟化症による呼吸困難―初療の良し悪しで予後が変わる―

気管軟化症による呼吸困難は重症児者が救急搬送される主たる原因の１つであり，初療の良し悪しが予後を大きく左右し，対応が遅れると気管内挿管や気管切開が必要になり，最悪の場合は救命できない場合もある．その病態は気管軟骨部の脆弱性や膜様部の伸展と過度の隆起があり，呼気時に気管内腔が高度に虚脱して内腔が保持できなくなることで起こる気道閉塞であり，換気困難から dying spell（呼吸停止と心停止）に至ることがある重症児者の突然死の原因の１つである．

小児では血管奇形や食道閉鎖症などの先天性の要因で起こることがあるが，だいたい2歳くらいまでに症状は軽快してくる．しかし重症児者では胸郭の扁平化，および胸椎の前方への変位や側彎などの後天的な要因に伴い，気管内腔も左右に広がった扁平な形になり（図2），その変形に伴って後方からは脊柱により，前方からは胸郭出口付近では腕頭動脈や胸骨により，気管分岐部付近（ほとんどの場合は左主気管支）では大動脈によって外から圧排されているところに（固定性の狭窄が認められることも多い），咳嗽時や興奮時，筋緊張の亢進に伴い急激に胸腔内圧が上昇したときに，気管内腔が虚脱に陥って呼吸困難を起こすことが多く[1]，経年齢的に胸郭の変形が強まってくるとリスクが高まってくる．気管切開や気管内挿管されていたとしても，カニューレや挿管チューブよりも末梢に軟化症を起こす部位がある場合には，呼吸困難を起こす可能性がある．

発見直後の対応が何よりも重要であり，あくまでも気管軟化症は呼気中心の呼吸困難であることを忘れずに対応することが肝要である（マスク・バッグでは吸気の介助しかでき

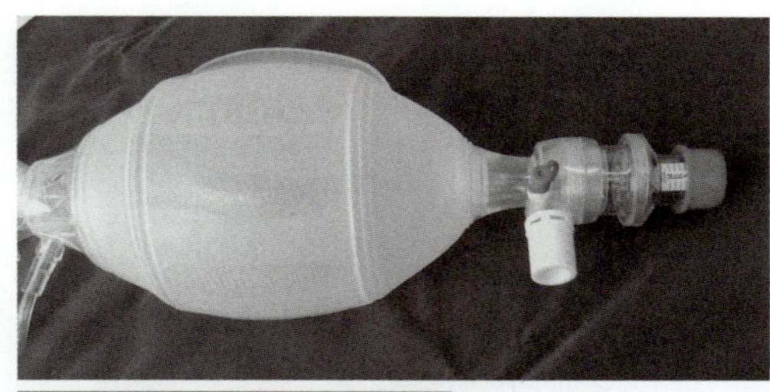

PEEP弁部分（拡大）

図3　PEEP（呼気時陽圧）弁付き自己膨張式バッグ（Ambu 社製）

ない）．胸郭が扁平で，特に上部胸椎が前方に変位している重症児者が反り返って呼吸困難を起こしていたら，一口大の固形物を食べた直後に起こした呼吸困難ではない限り，気管軟化症による呼吸困難を疑って処置を開始する．

①まず，反り返っていると胸郭は吸気位のままになっていることが多いので，体幹を（できれば上下肢も含めて全身を）屈曲位にする

②酸素を投与しながら胸郭を圧して呼気を介助する（スクィージング）

③筋緊張亢進や興奮した状態がコントロールできないようなら，鎮静を図る（場合によっては深い鎮静が必要）

④自発呼吸が弱いようなら，自己膨張式バッグ（できればPEEP弁付き〔図3〕を使用．病院の場合はジャクソンリース回路でもよい）で吸気を介助する（②の呼気介助も継続）

発見時にすでに心肺停止状態なら蘇生をしながら救急搬送するしかないが，発見が早く，①～③の対処で済んだ場合には救急搬送は不要なことが多い．

ⓑ気管腕頭動脈瘻からの出血―予防的な対応で回避を―

腕頭動脈は大動脈弓から最初に分岐して気管の前面を左下から右上に向けて横切る動脈で，あまりバリエーションのない血管であり，本来なら背側にある気管との間にある程度スペースが存在する．しかし，胸郭が扁平化し，上部胸椎が前方に変位していると，胸郭出口付近で気管は後方から脊柱に圧排され，腕頭動脈が気管前壁を押さえつけるように走行していることがある．こういったケースで通常の位置で気管切開された場合には，気管カニューレの先端の位置が腕頭動脈の接している付近になるため，頸部が後屈した姿勢でカニューレの先端が気管前壁に強く押しつけられていると，肉芽や潰瘍が形成されやすくなり，脆弱になった気管壁・血管壁に瘻孔ができて動脈性の出血をきたし，救命が困難な事態になりかねない．

これを防止するために，気管切開術を受ける前に胸部CT検査（造影しなくても位置関係の把握は可能）で気管と腕頭動脈の位置関係を確認し，必要であれば腕頭動脈離断術や人工血管による置換術も検討する（二十代半ばくらいまでは上部胸椎が前方に変位してくる可能性があることも加味して検討する）．それらの血管の手術の適応にならなかったケースでも，彎曲がゆるやかな（角度の大きい）カニューレを用いて，カニューレの先端が気管の前壁方向に向かないような工夫を行い，さらに，定期的に気管ファーバースコープ検査で確認し，腕頭動脈瘻の形成を未然に防ぐようにする．

4. その他の救急・準救急状態と対応

ⓐ中枢神経系の疾患・状態

1）けいれん重積状態

詳細については第２章D-3 重症児者のけいれん重積症の治療を参照（p.162）．救急状態に陥らないように対応していくことが肝要であるが，そのケースごとに対応方法やタイミングが異なるので注意が必要．

2）シャント機能不全（水頭症の悪化）

未熟児出生で脳室内出血をきたした後に髄液の流れが妨げられているケースやChiari奇形Ⅱ型がある二分脊椎のケースなどでは，VPシャントなどを留置して脳室に過剰に髄液が溜まらないように人工的に流出させていることがある．VPシャントの場合はチューブが腹腔まで延びていて，排出された髄液は腹膜から吸収されているが，途中の圧を調整

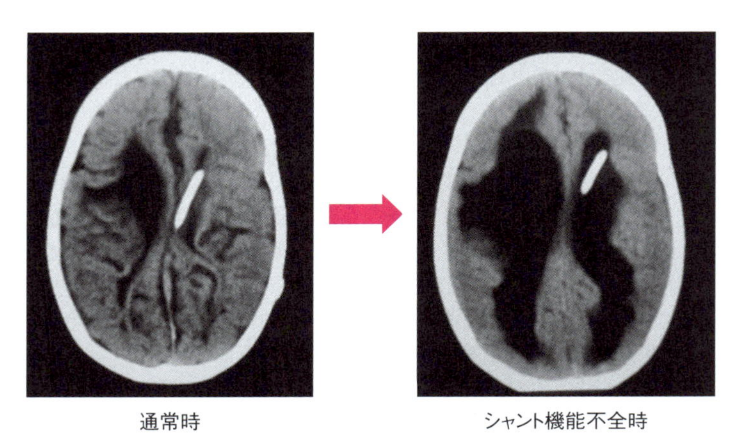

図4 シャント機能不全による水頭症の悪化
左側脳室にVPシャントが留置されているが，右図では側脳室が拡大して脳溝が消失し，大脳縦裂部分の空間もなくなり，正中線も少し左にシフトしている

しているバルブの故障やチューブの断裂，腹腔内でのチューブの屈曲や先端が狭い空間に入り込んで髄液の排出-吸収がうまくいかなくなると，シャント機能不全による水頭症の悪化がみられることがある（図4）．シャントが留置されているケースで啼泣や不機嫌，活動性の低下や傾眠状態，悪心や嘔吐などがみられた場合には，シャント機能不全による脳圧の亢進も疑い，早急に頭部CT検査を施行して通常時の画像と比較することが必要で，これらの徴候を見逃さないようにすることが重要である．

ⓑ窒　息

障害児者のなかには咀嚼が不十分なままで固形物を丸呑みにしているケースが比較的多く，食塊を口腔内から力強く咽頭に送り込めていれば何とかなるが，変形などによって摂食時の姿勢で頸部の後屈が強まったり，下顎周辺の筋力が落ちたりすることで食塊が咽頭を通過する時間が延びてしまうと，食物の塊を誤嚥して気道を塞いでしまう可能性が高くなる．対応としては，直ちに頭部を完全に体幹よりも下にするようなうつ伏せ姿勢や，側臥位の姿勢で左右の肩甲骨の間付近をしっかり叩いて気道から出させる（背部叩打法）．体重が20 kg以上で胸郭に変形がなく，がっちりした体格の障害児者であればHeimlich法（腹部突き上げ法）を用いることもあるが，変形が強いと勢いのある呼気が得にくいにもかかわらず，肋骨骨折などの二次的な事故につながることがあるため推奨できない．

一口大の固形物が喉頭のすぐ上の喉頭蓋谷やすぐ横にある梨状窩に入り込んでしまった場合にも，息苦しさを感じた障害児者がパニックになっていることがあるが，よく観察すると，「声が出せている」「空気を吸うことができている」などが認められるので慌てる必要はなく，前記のような姿勢をとらせて背部を叩打し，吐き出させるようにする．

窒息も含めて誤嚥に関しては，随時，頸部の後屈の程度や下顎の動きなどを観察して評価しながら，食形態や摂食時の姿勢の工夫などによって予防的に対応していく必要がある．

ⓒ胃酸の逆流による救急状態

重症児者では胃食道逆流症を合併していることが多く，強酸性の胃酸が食道に逆流したことにより迷走神経反射が起こり，徐脈や無呼吸がみられることもあり（第2章B-1-①病態と内科的治療・姿勢管理，表1参照，p.88），胃食道逆流は乳児突然死症候群の原因の1つではないかともいわれている．また，声帯が胃酸によって浮腫状になるとクループ様の呼吸状態となることもあり，気管の内壁が胃酸に曝露されると気管攣縮を起こして呼吸困難をきたすこともある．これらの症状は逆流の頻度が少なくても起こる可能性があるため，胃食道逆流症という診断を受けていない場合もある．上気道閉塞性の呼吸障害や側彎などによる体幹の変形増強などの胃食道逆流の誘因がある場合には，この疾患の存在に留意しておく必要がある．

ⓓ 急性腹症

初めに触れたように障害児者では腹痛などの痛みを的確に表現できないことが多い．不機嫌，筋緊張亢進，発汗過多などでの表現や，なかには心拍数が増加しているだけのときもある．しかし，腹痛が認められる疾患のなかには未治療のままでは腹膜炎などの重篤な疾患につながるものもあり（腹膜炎を起こしていても筋性防御がはっきりとわからないこともある），経時的に何度も診察を行い，限局性の圧痛などを見逃さないようにして疾患を特定していくことが必要である．障害児者の急性腹症で特徴のある疾患などについて列挙する．

1）空気嚥下に伴う急性胃拡張

障害児者では不慣れな介助者による食事介助や興奮などに伴って空気の嚥下が急激に増え，急性胃拡張により迷走神経反射を起こし，ショック状態になったケースも報告されている．このほか，胃食道逆流症に対する噴門形成術の術後数か月間は，空気嚥下による急性胃拡張を起こす可能性が高くなるので要注意である．

2）腸回転異常症

腸回転異常症は染色体異常などに伴って合併していることもあるが，そのような素因がないことも多い．この疾患を合併していても症状がないまま過ごせる場合もあるが，中腸軸捻転症（約 80%は新生児期に症状が認められる）を起こして時間が経過すると，血流障害から腸管壊死を起こすことがある．急激に腹部膨満が強まったときには注意が必要である．

3）固形物による消化管通過障害など

障害児者では異食症が問題となっていることがあり，それが消化管の通過障害の原因になることがある．また，繊維成分の多い食物を咀嚼不十分なままで嚥下し，それが閉塞の原因となることもある．それらの閉塞部位は回腸末端とその 100 cm 以内の回腸に多いとされている[2,3]．

このほか，自験例に一口大の普通食を咀嚼不十分な状態で嚥下している障害児者で，比較的太めの魚骨による消化管穿孔例があり，まれではあるが固形物を丸呑みしている障害児者では注意を要する．

4）腸重積症，急性虫垂炎，鼠径ヘルニア嵌頓，急性陰嚢症（精巣捻転症，精巣上体炎），卵巣嚢腫茎捻転など

障害児者で股関節を動かすことを嫌がって整形外科外来を受診することがあるが，そのなかに下腹部付近の痛みを伴う疾患が隠れていることがある．下腹部や鼠径部，男性であれば陰嚢の観察・診察も忘れずに行う必要がある．

5）胆石症

障害児者（特に施設入所者）では，夕食から朝食まで長い時間が空いている場合があり，胆嚢内での胆汁の貯留・濃縮が進み，胆石が生成されやすいと考えられる．

6）尿路結石

障害児者で合併しているてんかんの治療として，ゾニサミドやトピラマート，およびアセタゾラミドが投与されていることがあり，尿のアルカリ化によって尿路結石が生成されやすい．

7）VP シャント腹腔側端部分による嚢胞形成・炎症

水頭症で VP シャントが入っている場合，その腹腔側端部分による嚢胞形成や炎症のために反復性の腹痛や急性腹症をきたすことがある．超音波検査や CT での確認が必要である．また，その末端が消化管穿孔を起こしたとする報告もあり，この場合は髄膜炎発症のリスクもある．

文　献

1）水野勇司，他．重症心身障害児（者）における気管軟化症の臨床的検討．脳と発達 2005；37：505-511
2）原田恭一，他．医療用ビニール手袋異食による消化管通過障害に対し，術前に診断し得て摘出した 1 例．京都府医大北部医療セ誌 2019；5：47-53
3）大瀧義郎，他．食物によるイレウスの 10 例─術前診断に関して─．日臨外医会誌 1997；58：606-611

［中谷勝利］

A 重症児者の，看護・処置手技などの実際的ポイント（一般医療と違う留意点など）

2 採血・静脈確保など

POINT

- 重症児者では，末梢静脈からの採血・静脈確保が困難な例が多い．何度も針を刺すことにならないように，工夫が必要となる

1. 肘周辺からの採血・静脈確保

手背からよりも肘からのほうが，痛みは少なくて済む．長時間の輸液は肘では維持困難だが短時間の静脈注射は肘からも選択肢となる．静脈が深めの位置にある場合には翼状針でなく直針のほうが採血しやすい．正中部での採血困難な例では，外側や内側の静脈を探す．本人が肘を強く曲げてしまい他動的にも伸ばせない例では，無理に肘を伸ばそうとすると骨折のリスクもある．肘屈曲位のままでの，外側静脈（触診で確認する，直針のほうが採血しやすい）や，かなり内側の静脈からの採血が可能なことがしばしばある．

肘の太めの静脈でなく，肘のすぐ上の上腕の表面の細い静脈からのほうが翼状針でスムーズに採血できる例もかなりある．

2. 手，指，手関節近く，足からの採血・静脈確保

手背部の表在静脈からが一般的だが，他に，①前腕屈曲側の手関節に近い部分の表在静脈，②手関節部の静脈，③各指の付着部の指間部の静脈，④各指の基節の背側の静脈（正中または内側か外側）からが，可能であり得る（〈コラム 採血・静脈確保のための手浴の方法，手指基部・手関節近くの表在静脈〉図2，3参照，p.247）．固定方法に工夫すれば長時間の輸液も可能である．上肢で不可能な場合には，足背や足の趾からの採血・静脈確保も，検討する．小児で静脈確認のために使用されるトランスイルミネーター（https://redlight.jp，赤色LEDから放射される光が皮下組織を透過し静脈を描出する）は成人でも手，指，足の静脈の確認に有用である．

3. 手浴，足浴による，静脈拡張

熱湯に漬けて温めたタオルをビニール袋に包み皮膚に当てる方法は，静脈を温めて拡張させる効果は乏しく有効でないことが多く，熱傷のリスクもある．〈前述のコラム〉の図1のように，40〜42℃程度の湯に手や足を直接に漬けて温めるのが有効である．肘からの場合には無効だが，手や前腕，足からの採血・静脈確保には極めて有効である．

4. その他のポイント

ⓐ 全身姿勢

仰臥位か車椅子坐位か，採血・静脈確保がしやすい姿勢を選択する．

ⓑ 記　録

それぞれのケースで，採血時の姿勢（全身，肘が伸展位か屈曲位かなど），採血できた部位，トライしたができなかった部位，手浴・足浴を要したかなどを記録しておくことが有用である．処置に抵抗しやすいケースでは介助者が何名必要でどのように介助したかの記録も重要である．

ⓒ 状態悪化前の予めの静脈確保

平常から採血や静脈確保が比較的むずかしいケースでは，状態が悪化するとさらに困難になる．徴候があるときには，悪化する前に予め静脈確保しておくのが合理的なこともある．

［北住映二，岩井智子］

B 生活におけるケア

1 更衣，体位変換，移乗のケア

POINT

- ほとんどの重症児者の骨が脆弱で骨折しやすいことを熟知したうえで，丁寧で細やかな援助が必要
- そのためには，重症児者個々の体の状態を十分把握したうえで常に意識的にケアを行う

1. はじめに

重症児者の場合，ほとんどの例が高度の骨粗鬆症を合併し骨が非常に脆くなっている[1)]．また四肢の各関節には変形や脱臼・拘縮があり，側彎症により体幹の変形も著しい例が多い．筋緊張が亢進している例から低下している例まで様々であり，不随意運動を呈するアテトーゼ型麻痺では，筋緊張の度合が大きく変動する．このような要因から些細な力で骨折を起こしてしまう危険性が高いため，介助場面では細やかな注意が必要となる．

第2章 J-1 重症児者の骨折，J-2 骨折の原因としての骨粗鬆症，骨折予防のための薬物療法参照（p.216，220）．

2. 介助場面で注意するポイント

①まず手を触れる前に優しく，ゆっくり声かけを行い，互いに心と体の準備をしておくこと[2)]．
②重症児者自身の力を活用しながら，日常生活行動自体が運動訓練になるという視点で介助をすること．たとえば袖を通す前と通した後に，関節をそれぞれ動かし骨や筋肉に刺激を与えるなど，介助者が常に意識をしながらケアを行うことが重要である．
③低緊張の場合は，四肢の先端がどこにあるかを常にイメージしながらケアを行うことで，骨折のリスクを下げることができる．

3. 骨折予防のために注意するポイント

①介助者が骨折好発部位を知るとともに，骨折の既往がないかを知っておく．既往があることは最大リスクとされるため，対象者の骨折既往とその部位を把握しておくことも重要なことである．
②介助中に急激なストレッチやねじれを加えないこと（図1）．
③各個人の関節の動く範囲や方向を理解し，過剰な動きを入れないこと．
④テコの作用で力が一点に集中するような支点を作らないこと（図2）．

4. 重症児者の更衣援助技術のポイント

①重症児者の身体や関節可動域，関節拘縮の程度，筋緊張の度合などを十分把握したうえでの援助が重要である[3)]．
②可能性が少ない，または緊張の高い側，つまりは動きが作りにくいほうから袖を通し，動きの大きいほうの側を後に通す．脱ぐときは，逆に動きの大きいほうから脱いでいき，少ないほうを後にする工夫も有効なことが多い．
③更衣時は，ソフトな力加減で，末梢だけをもたず関節の二点支持が重要である．そのためには，原則として二人介助が望ましい．
④無理な力が加わらないように，ゆとりのある衣類の形態や素材に注意と工夫が必要で

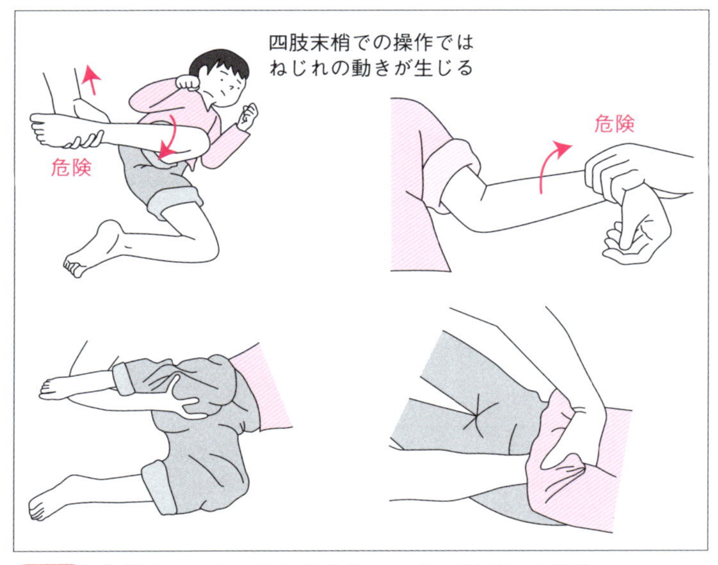

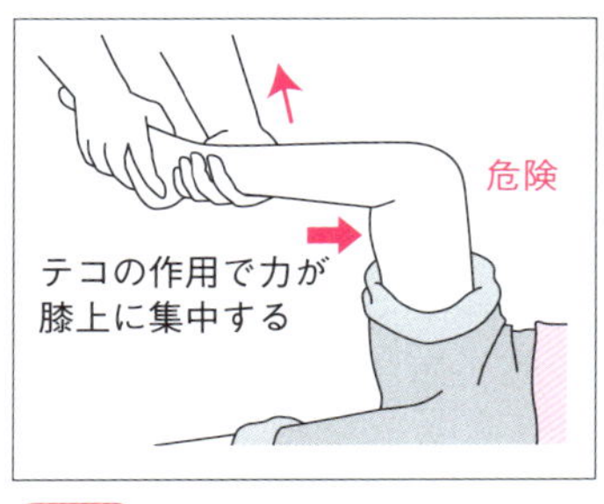

図2 膝上でのテコの作用

図1 末梢をもった危険な操作と，安全に配慮した操作

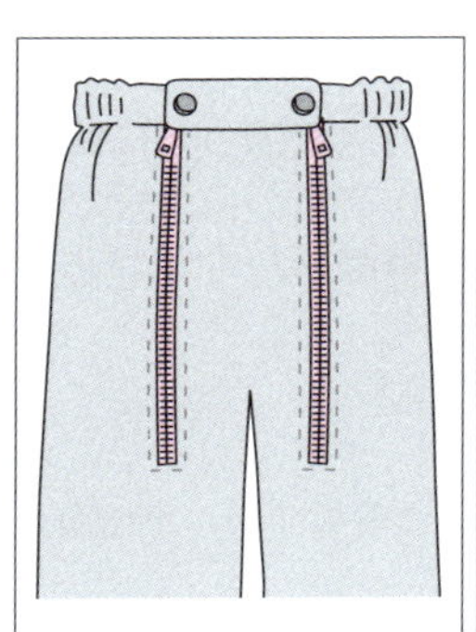

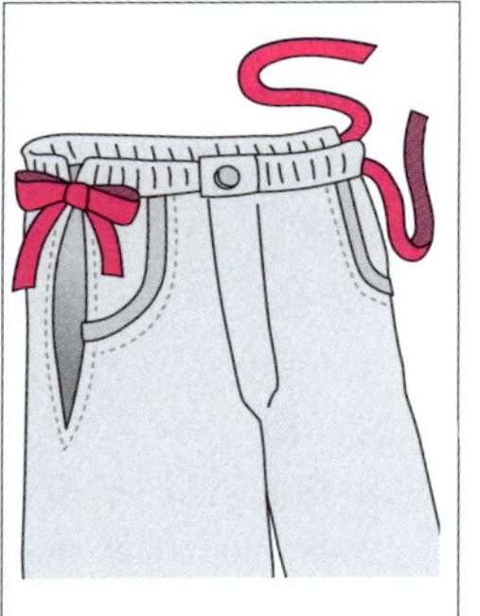

図3 ズボンのダブルチャック・両脇スリット紐加工

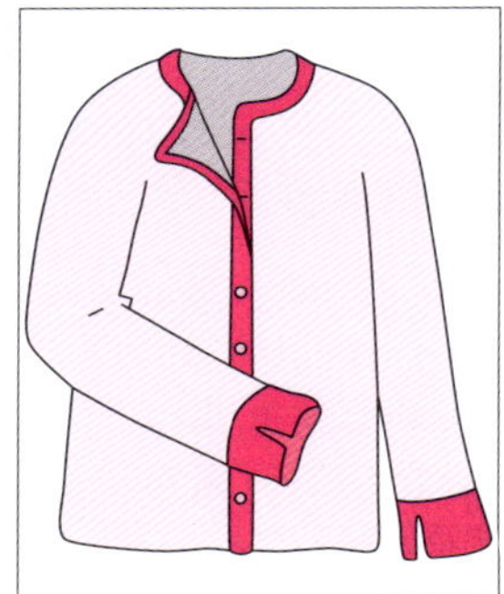

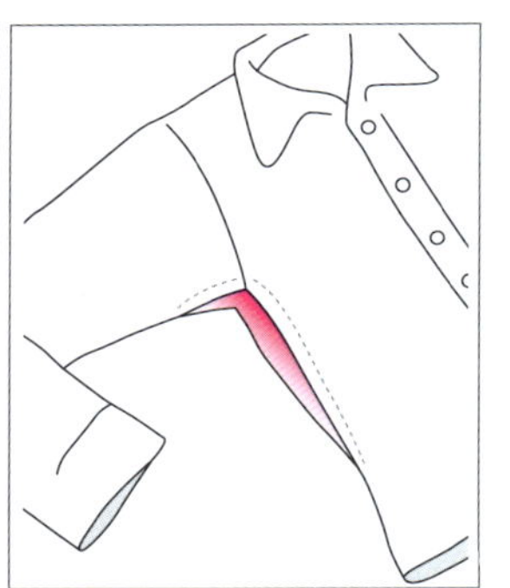

図4 伸縮性シャツの前あき・袖口・脇加工

ある（図3，4）.

5. 重症児者の移乗援助技術のポイント

①移乗援助に関しては介護リフトやスライドシートを活用しノーリフトケアを導入していくことが重要である.

②低緊張や四肢の随意性が低い場合，四肢末梢の位置にまで配慮をしないと，ベッド等にぶつけたり，足先を巻き込まれたりといった事故につながり，骨折を引き起こすことがある．その予防のために，クッションやTシャツ，ヘアバンド等を利用し，体幹から四肢ができるだけ離れていかない工夫も安全な介助の助けとなる（図5）.

③移乗移動を最短距離で行えるように，ベッドと車椅子の位置，介助者の位置をあらかじめシュミレーションしてから移乗を行うことが重要である.

④車椅子や坐位保持装置にはリクライニング・ティルトの機能が備えられているものも多くなってきており，移乗時には，移乗しやすい角度に調整をしておくことも重要である.

⑤立位可能な場合には，下肢の位置関係を十分に確認しないまま坐位姿勢に移行すると，ねじれの力がかかるため骨折の危険性が高くなる．車椅子と足底が常に平行になるように，足の位置を確認する必要がある

図5　移乗援助時の四肢の固定例
上肢はＴシャツなど伸びる素材で両上肢を固定し，下肢はベルト付きのクッションで固定する

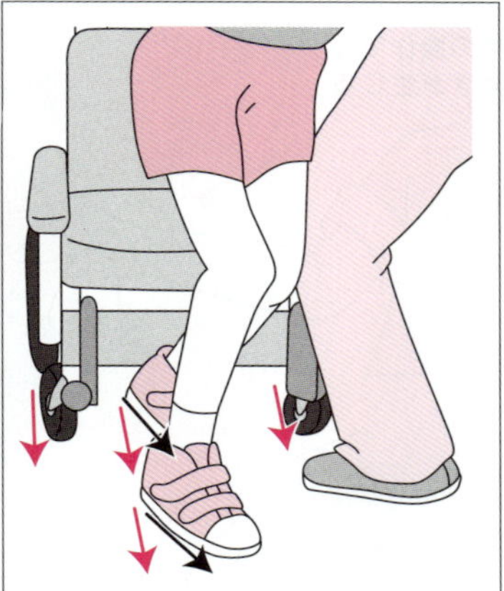

図6　坐位移行時
体の向きと下肢の向きが合わないと，下腿のねじれが生じる

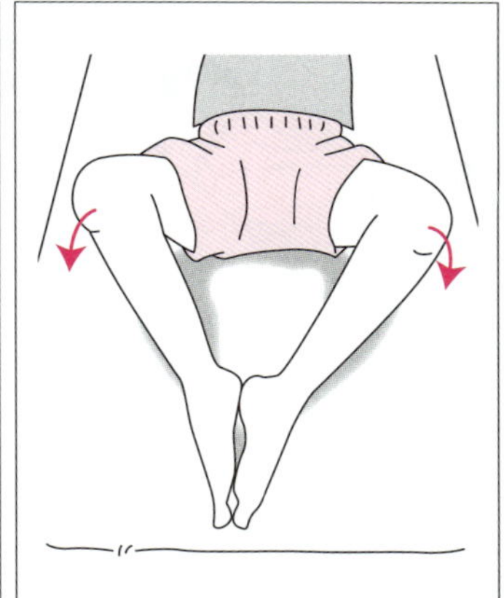

図7　四肢が連動して動かない場合
姿勢変換時に，急激な股関節の開排や，上体の回旋に伴う股関節での急激なねじれの危険性が起こる

（図6）.

6. 重症児者の体位変換援助技術のポイント

①体幹部の体位変換時に四肢が連動して動かない場合，急激な四肢が振れる動きが起こる可能性があり，注意が必要である（図7）.

②車椅子坐位の姿勢で，浮腫の軽減などのために下腿を挙上する場合，膝関節の伸展の可動域を超えて挙上を行うと骨折の危険性がある．リクライニング・ティルト機能を利用したうえで，関節可動域に配慮するか，ベッド上で挙上することが望ましい.

③ポジショニングクッションの抜きさしや，靴下の着脱の際には，無意識のうちに四肢末梢でねじれが入る操作を行う危険性があるため，常に各関節を意識した介助が必要である.

文　献

1）中島健一郎．骨脆弱性と骨折予防．小児内科 2008；40：1648-1650
2）江草安彦（監）．重症心身障害療育マニュアル．第２版，医歯薬出版，1998
3）中井芙美子，他．明治時代の看護法にみる寝衣交換の看護技術の基盤．看統研 2013；15：8-14

［岡嵜洋実］

B 生活におけるケア

2 排泄ケア

POINT

- 排泄という行為は非常に個人的で，他者に知られたくない行為である
- 個々に合わせた環境（場所や方法，使用する道具など）の調整・工夫が必要である
- 排泄物は，重症児者の体調を知る大切な情報である

1. はじめに

人は様々な食物から栄養を摂取する．食物残渣や古くなった細胞は便として，また老廃物は尿として体外に排泄される．この過程は人が生きていくうえで，自然な過程（生理現象）である．

一方で，排泄という行為は非常に個人的なことであり，他者にはみせたくない（恥ずかしい）行為である．しかし，ほとんどの重症児者は，排泄の自立がむずかしく，この非常に個人的な行為に看護師や介護者の支援を必要としている．他者に排泄のケアをゆだねなければならないことは，辛いことである．このことをふまえたうえで，重症児者個々の排泄の特徴を理解し，プライバシーを尊重したケアが提供できるようにしなければならない．

2. 重症児者の排泄の特徴

重症児者は薬剤（抗けいれん薬，筋弛緩薬など）の影響や，運動機能障害により臥床の状態が長く運動不足であり，食物繊維や水分の不足，自律神経のアンバランスなどが原因と考えられる便秘症[1)]が多い．有効な腹圧をかけられないことにより，便や尿を出す力が弱い．排尿障害のために，残尿がある．また，下剤を服用しているため，便の性状は軟らかめから水様便であることが多い．これに加え尿意・便意や，排泄があったことを伝えることがむずかしいなどの特徴がある．

3. 排泄ケアの目標

排泄ケアの目標は，人としての尊厳を守り個々の発達や障害にあわせた安全で快適なケアを提供することである．

4. 排泄支援の実際

ⓐ 排泄に適した環境を整える

排泄は通常トイレで行うものである．トイレは清潔で使いやすく，安全で快適，落ち着いて排泄できるように環境を整え，ケアに入る前後には適切な声かけを忘れてはならない．自力坐位がむずかしいケースでは専用の補助具を使う，臥位のままで使用できるトイレを使うなどの工夫が必要である（図1〜3）．トイレ以外の場所で排泄ケアを行う場合は，ついたてやカーテンを使い，ひざ掛けを掛けるなどプライバシーの保護や臭気，音などに配慮する．排泄ケアは同性介護が基本である．特に月経中は女性が対応できるように配慮する．

トイレでの転倒・転落や異食などの事故を防ぐため，声かけや見守りなど個々に合わせた安全管理対策を個別支援計画に立案しておくことが大切である．排泄ケア用の物品は使用後すぐに片付け，いつでも使えるように整理し，清潔な環境に保管しておく．院外受診や外出活動の際は，訪問先のトイレや排泄ケアの可能な場所を前もって調べておくとよい．

ⓑ おむつ交換

重症児者の骨は脆弱で折れやすい．加えて

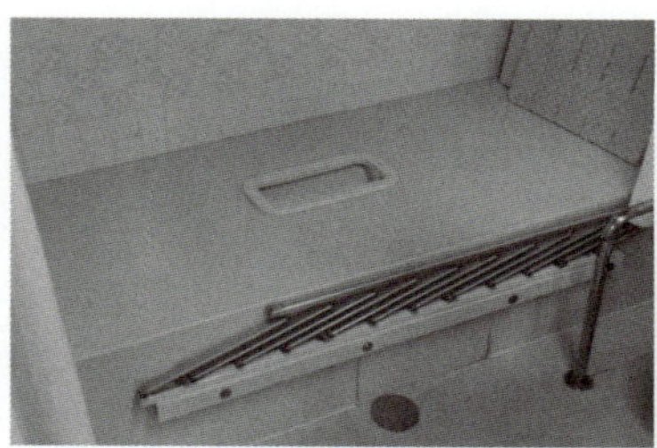

図1　仰臥位で使用できる掘り込み式のトイレ

転倒防止バーを設置している．便器の周囲にマットを敷いて使用する

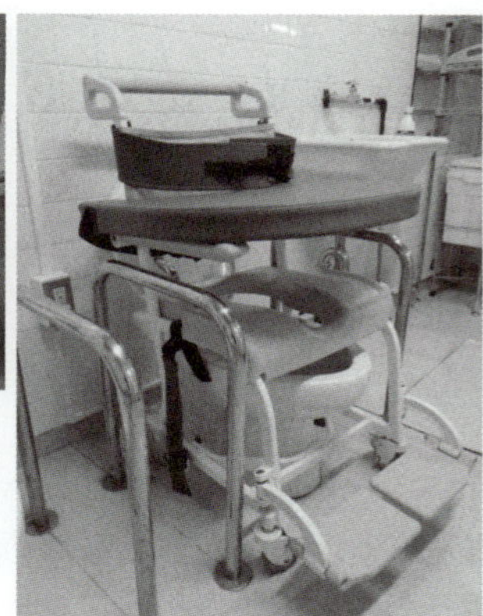

図2　洋式便器に専用の補助具をセットしテーブルを付けた状態

両腕をテーブルに乗せると姿勢が安定する

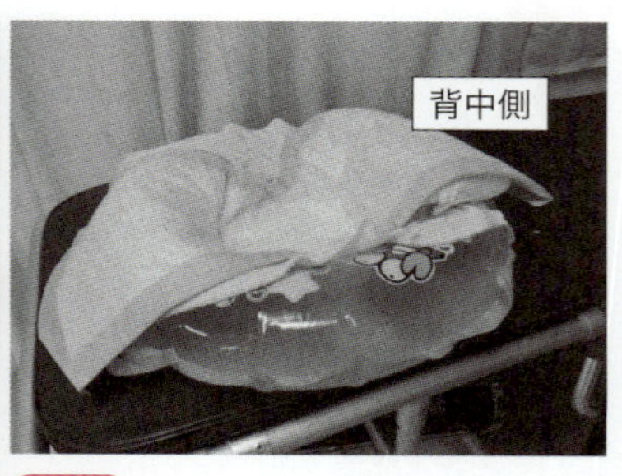

図3　ベッド上で使用する簡易便器の工夫例

浮き輪と紙おむつを使って作成．浮き輪の空気の量で，高さの調節が可能．背中側を少し高くすると漏れを防止できる

風に吹かれた股関節のように自力で下肢を立てられない，側臥位が保てないなどの理由から，おむつ交換は2人で実施することが基本である．体格や骨折既往のあるケースでは3人でケアするなど，個々に合わせた対応が必要である．変形や拘縮のために関節可動域に制限があるケースでは，可動域を調べたうえで無理のない範囲で交換する．無理な交換は骨折や脱臼の原因になる．筋緊張の強いケースでは，緊張が収まるのを待ってから交換する．

おむつ交換の前に，最終排尿時間や排便の有無を確認しておく．排尿間隔があいているときは，腹部（特に下腹部）の観察をする．個々により異なるが，12時間以上排尿がない場合は，それまでの状況や摂取水分量を確認し，導尿の必要性について相談する．排泄後は適宜洗浄し，尿路感染やスキントラブルを予防する．下痢で頻回に排便があるときは，微温湯で洗浄し，保護用のクリームを塗布しておく．

重症児者は腰に比べ大腿部が細いことや，変形のために股関節に隙間ができ漏れる場合がある．動きの活発なケースではおむつがずれてしまう．漏れを防ぐためには，個々に合わせたおむつの当て方に工夫が必要である．おむつ交換時は，排泄物での汚染，感染を予防するために専用のエプロンや手袋を着用し，擦式手指消毒薬を準備する．交換後は手指衛生を行う．感染症が疑われる場合は，ビニール袋に入れ，周囲を汚染しないように注意し廃棄する．抗菌薬を内服しているときは，下痢傾向になるので注意しておく．

おむつ交換後，排泄物の量・色・臭い・性状・混入物を観察・記録し報告する．排泄物は重症児者の体調を知る情報である．小さな変化にも対応できるよう日頃の重症児者の排泄について把握しておくことが大切である．

C 紙おむつの選択と特徴

多種多様な紙おむつ（肌面は弱酸性に作られている）が市販されている．利用者の体格や排泄の量を知り，アウターテープタイプ(以下アウター)の適したサイズを選択する．大小どちらのサイズがいいか迷った場合は，小さめサイズを選択するほうがフィットする．尿が漏れるのを防止するために，尿取りパッド（以下パッド）を重ねて使うよりは，アウターの種類や当て方（アウターにパッドを重ねる，パッドを蛇腹折りにして当てるなど）を検討したほうが効果的である．

紙おむつは便を吸収するようにはできていない．近年構造を改良し便が漏れないように工夫されたおむつも発売されている．それでも漏れが生じるため，排便のときはトイレや便器を使用したほうが望ましい（図4）．

＊紙おむつを使用する施設が増えてきている．布・紙おむつそれぞれに長所短所があるが，ここでは紙おむつについて述べた．

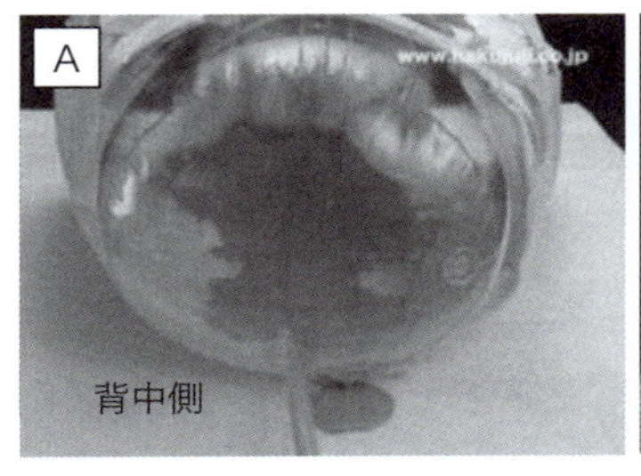

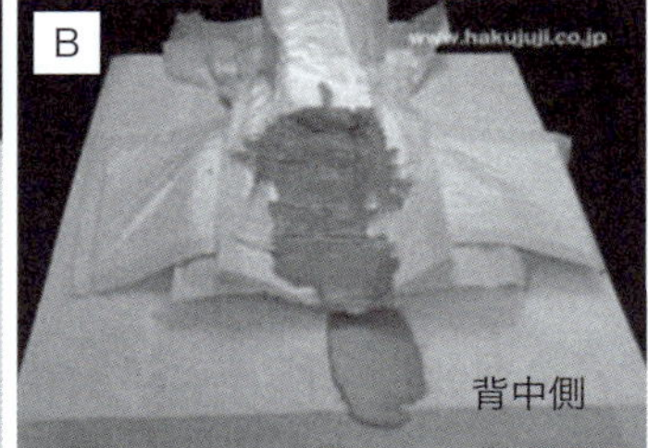

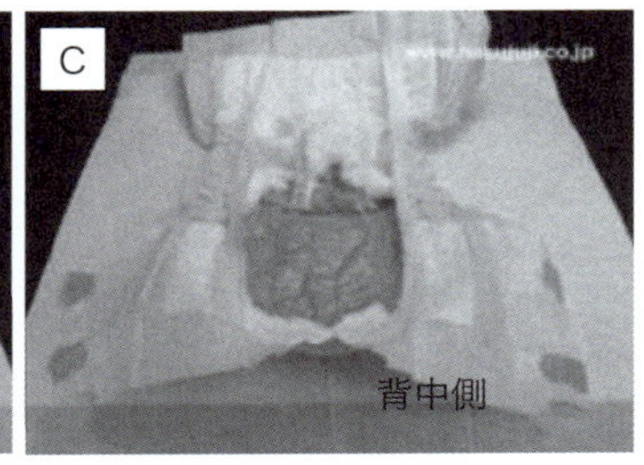

図4 疑似便（水様便）を使った漏れの実験

A：アウターとパッドを重ねて使用し仰臥位でモデルを使い便の流れを実験で再現，B：A のモデルをはずした状態．背中側に便が流れている，C：アウターのみ使用で A と同様の条件で実験した場合，漏れはない．
（写真提供：白十字株式会社）

ⓓ トイレットトレーニング

尿意・便意を示す何らかのサインをみつける，それをサインとして育てるなど，利用者のもっている力を上手に活用し，トイレットトレーニングを行う．また，時間ごとの誘導をする．「失敗しても責めない，成功したらほめる」を繰り返し，自立を促していく．排泄中は排泄を促すような声かけや，事故のないように見守る．長時間トイレに座っていることのないように，1 回の時間を決めておくとよい．生活リズムを作り，トイレットトレーニング自体が目的とならないようにする．

障害の進行や老化により，排泄が自立していた利用者がおむつを使用するケースに対しては，自尊心を損なわないような配慮が必要である．

5. 浣腸施行時の注意点

浣腸は直腸に便がたまっている場合に有効な方法である（大腸全体の動きが低下した状態のときは内服薬の下剤を選択する）．直腸に便がたまっていないときに浣腸をしても効果は期待できない．直腸に便があり浣腸を施行したが，浣腸液だけが排泄された場合や怒責することができない，便が硬すぎる場合には摘便を選択することを考え，相談する．浣腸をする前には声かけをし，施行中・後の利用者の観察をする．排便後は速やかに清拭もしくは洗浄する．排泄の有無・量・性状・臭い・混入物について記録し報告する．

浣腸はトイレもしくは便器を使って実施するのが望ましい．浣腸施行後一定の時間がたっても排便のないときは，ケアを終了しその後の排便の状況を観察する．排泄中は掛物で素肌の露出を避けるようにする．

浣腸で腸蠕動が刺激され，痛みや不快感で，筋緊張が強くなったり，心拍や血圧が上昇することがある．また，痛みに驚いてパニックになることも予想されるので注意する．

文　献

1）米山　明．小児慢性便秘症の病態・診断・治療．心身障害児の排便管理．小児外科 2008；40：201-206

参考文献

・西村かおる．アセスメントに基づく排便ケア．中央法規，2008
・吉岡恭一，他．排泄ケアの目標と達成留意点．浅倉次男（監），重症心身障害児のトータルケア．へるす出版，2006；62-65
・加藤久美子．浣腸について―考え方の方法とポイント―．はげみ 2020：392：25-29
・小桁綾由美．快適な紙おむつの使用方法～紙おむつの構造，用途に応じた効果的使用法・選び方～．はげみ 2020：392：30-34
・清家幸子．効果的なおむつ使用への取り組み．はげみ 2020：392：35-38

［石井美智子］

B　生活におけるケア

3　入浴ケア

POINT

- 入浴は皮膚の清潔を保ち，新陳代謝を促す．また，心身の緊張をやわらげることにより，リラックス効果が期待できる．入浴中はスキンシップやコミュニケーションを図り，全身状態を観察する機会でもある
- 重症児者は筋緊張異常・不随意運動・変形・拘縮・医療機器の装着により，入浴中の転落・外傷・熱傷・溺水などの突発的な事故のリスクが高い．さらに急激な状態の変化が起こることもあり，常に安全に留意する必要がある

1. はじめに

入浴ケアは重症児者にとって体温維持のために多大なエネルギーを消耗し，体力を奪われる危険性がある．そのため，介助者は重症児者一人ひとりの身体状況を把握し，安全で安心できるケアを提供していく必要がある．

施設によって，使用する入浴機器などの設備環境は異なるが，本項では特殊入浴装置による入浴ケアについて述べる．

2. 入浴ケアの実際

ⓐ入浴前の準備・手順

1）バイタルサイン・筋緊張の程度と状態，機嫌など，全身の状態を観察し入浴可否を（看護職員が）決定する．

2）衣類・おむつ類・タオル・洗顔フォーム・シャンプー・ボディシャンプー・ドライヤー・テープ類（濡れたテープの交換・チューブ類を束ねる）・速乾性手指消毒液を準備する．
※洗顔フォーム・シャンプー・ボディシャンプーは，皮膚や頭皮の状態により個別に選択する．

3）換気障害のある重症児者の脈拍・SpO_2観察のため，パルスオキシメータ，浴室と脱衣室に酸素吸入・吸引セットを準備する．

4）気管切開や人工呼吸器，酸素吸入をしている重症児者がいる場合はトラキマスク，フィルターをはずした人工鼻，気管切開部分を覆うタオル，自己膨張式バッグ，酸素吸入チューブ，酸素ボンベ（図

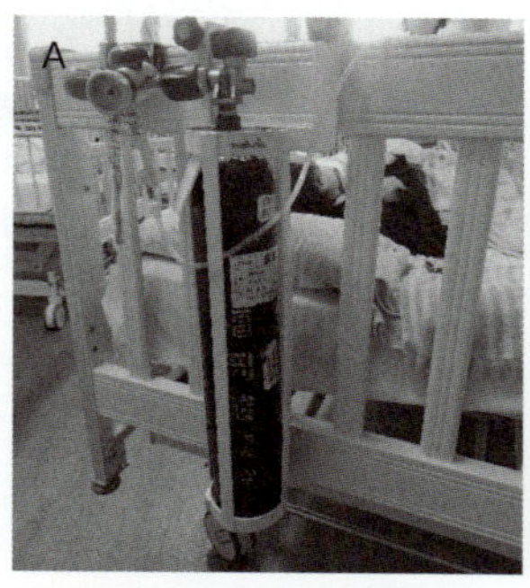

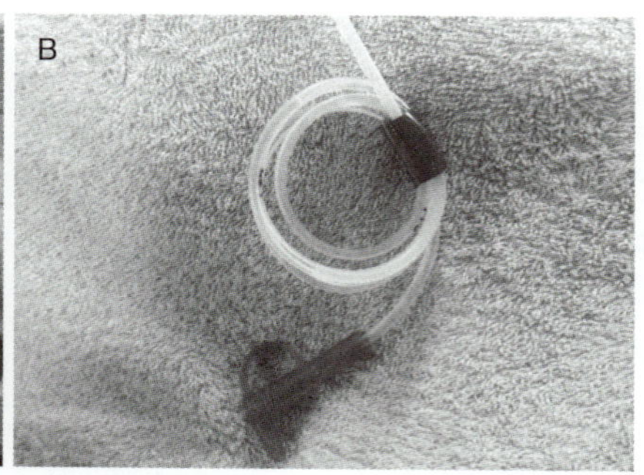

図1　移動時，酸素ボンベラックを使用（A），テープでまとめた経鼻胃管チューブ（B）

1-A）を準備する．

5）介助者はＴシャツ・短パン・入浴介助用エプロンを着用し，滑りにくく水捌けのよいスリッパに履き替える．
6）浴室や脱衣室の温度を確認する（夏期22～24℃，冬期24～26℃）．
7）気管内・口腔内・鼻腔内の分泌物吸引をすませておく．
8）経鼻胃管チューブはテープやゴムなどでまとめ，固定テープが剥がれていないか確認する（図1-B）．
9）気管切開部はトラキマスクやフィルターをはずした人工鼻を装着し，周囲をタオルで覆う（図2）．
10）人工呼吸器使用中の場合は，呼吸器はスイッチの入れ忘れを防ぐため，電源をオンにしたままはずし，テストバックを装着する．看護師がバギングし，表情や呼吸状態を観察しながら，浴室に移動する（図3-A，B）．
11）酸素使用中の場合は，酸素ボンベに十分な残量があることを確認後切り替える．
12）浴室に移動後，介助者は対象者に声を掛けながらゆっくり衣類を脱がせる．
13）プライバシー配慮のため身体に掛物をし，2人以上で抱えストレッチャーに移乗する（場合によっては，リフトや移乗ボードを利用）．移乗後は危険防止のため，サイドフェンスをロックし，ストッパーを掛け安全ベルトを装着する．

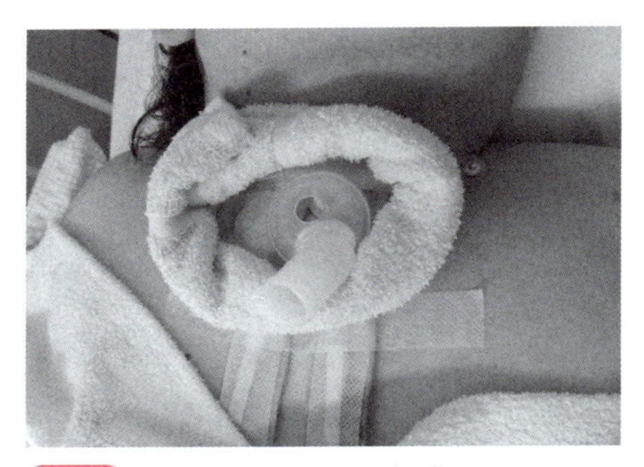

図2 気管カニューレの保護
気管切開部分の保護は，粘着テープ付きのパウチ類をカットし貼付する方法もあり，本人に合った方法の選択が必要

ⓑ入浴中の手順

1）入浴時間は10～15分程度とする．
2）湯温（38～40℃）は必ず温度計で計測後，湯を介助者の手に掛けて確認し，足元から順にゆっくり湯を掛ける．
3）洗髪時は突発的な動きに注意し，目や耳に湯が入らないように注意する．気管切開の場合は気管切開部に湯が入らないよう注意する．
4）洗顔は介助者の手で泡を顔の数か所に乗せ，軽くマッサージするように洗う．濡らしたタオルで泡を拭き取り，顔を横に向けながら弱めのシャワーで流す．横に向くことが困難な場合は，濡らしたタオルで拭き取りを数回繰り返す．
5）ボディシャンプーを泡立て，首，胸部，上肢，下肢，陰部の順に末梢から中枢に向かって強くこすらないように洗う．皮膚の重なり合う部分は特に丁寧に洗う．
6）背部を洗うときには，安全ベルトをはずし，介助者同士で声を掛け合いながら側

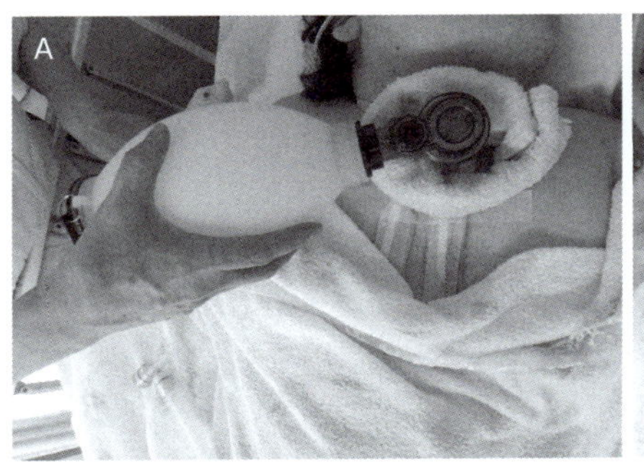

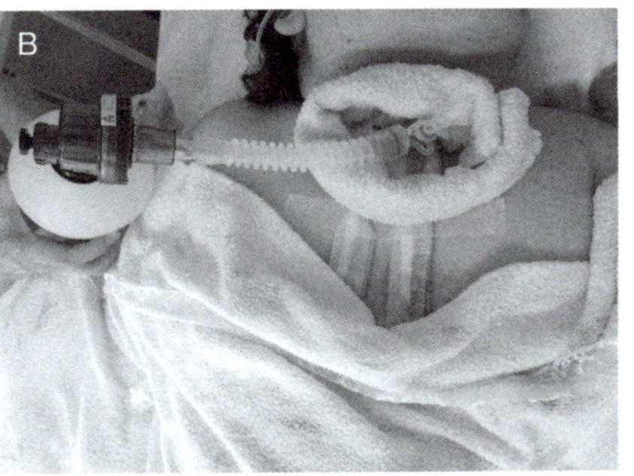

図3 看護師はバギングしながら移動（A），必要時は自己膨張式バッグにカテーテルマウント装着（B）

臥位にする．急な体動に注意し，入浴中は目を離さない．

7）気管切開をしている場合は，気管切開部に水が侵入しないよう注意を怠らない．気管カニューレホルダーを巻いている首周りは，直接湯を掛けて洗うのは困難なので，手をすべり込ませて洗い流す．

8）人工呼吸器使用中の場合は，看護師がストレッチャーの頭部側に立ち，呼吸状態を観察しながらバギングを行う．１回換気量と呼吸回数は個別に把握しておく．

9）酸素使用中の場合は，浴室に移動後浴室用の酸素に切り替え，指示された流量に設定する．

10）洗いが終了したら，シャワーをかけながら十分に洗い流す．

11）浴槽に入れる前に安全ベルトを装着する．気管切開の場合は気管切開部に湯が入らないようストレッチャーの高さを調整する．手足がストレッチャーから出ていないか確認し浴槽に入れる．

c 入浴後の手順

1）入浴後すぐに移乗できるようにベッドメーキングを行い，衣類とおむつ類を準備する．

2）全身の水分を拭き取り，掛物を掛け２人以上で抱えベッドに移乗する．

3）皮膚の状態を観察しながら，褥瘡処置や軟膏処置を行う．

4）衣類とおむつ類を着用．髪をドライヤーで乾かし，くしやブラシで整える．湿潤しやすい手掌・足趾間などは，水気を拭き取ったあとドライヤーの送風を数秒当てると乾燥しやすい．

5）姿勢を整え，ベッドを自室に移動する．

6）気管切開の場合は，濡れたカニューレホルダーをはずし，水分を拭き取り，新しい物に交換する．気管切開部のガーゼと固定テープ・人工鼻，経鼻胃管チューブの固定テープも交換する．

7）人工呼吸器使用中の場合は，呼吸状態を観察しながら素早く呼吸器を装着する．自室のモニターを装着し，人工呼吸器のチェックを行う．

8）酸素使用中の場合は，流量を確認し自室の酸素に切り替える．

9）入浴後は一般状態に異常がないか，確認する．

3. 入浴ケアの注意点

1）入浴は空腹時を避け，食後１時間前後たってから実施する．

2）入浴中は，常に声を掛けながら，ゆっくり静かに介助し，不安の軽減に努める．

3）介助時は，障害の種類や程度・皮膚の状態により，個別に配慮する点についてはスタッフ全員が把握しておく．

参考文献

・浅倉次男（編）．重症心身障害児のトータルケア．へるす出版，2012；66-67

・重症心身障害児在宅療育支援マニュアル作成委員会．訪問看護師のための重症心身障害児在宅療育支援マニュアル．東京都福祉保健局，2011

［城谷智子，岩戸ひとみ］

B　生活におけるケア

4　誤嚥性肺炎予防のための口腔ケア

POINT

- 口腔ケアは「口腔の清潔を保つ」,「口腔機能の維持・向上」の2点から誤嚥性肺炎に対する予防効果が期待できる
- 重症児者においては,「誤嚥物に含まれる細菌の減少」,「食物誤嚥の減少」,「偶発的な誤嚥の減少」をケアの目標とする
- 日常生活の支援の一環として継続可能なケアプランを作成する

1. はじめに

重症児者の合併症の1つである呼吸器感染症は，発熱原因の約半数を占めるといわれている．重症児者の呼吸器感染症は重篤化しやすく,「重症児者の死因の1位は肺炎である」との報告[1)]もあり，重症児者の日常において，肺炎は最も対応が必要とされる問題の1つである．そのなかでも誤嚥により生じる誤嚥性肺炎は，日常のケアにより予防が期待できる疾患である．このことはいいかえれば，誤嚥性肺炎の発症には日々のケアの質が大きく影響することを意味し，ケアを提供する側の責任は大きい．本項では,「誤嚥性肺炎の予防」という観点からの口腔ケアについて説明する．

2. 口腔ケアとは？

従来，口腔ケアという用語は定義が曖昧であり,「歯みがき」とほぼ同義に用いられていた時期もあった．しかしながら近年では，誤嚥性肺炎を予防するための口腔からのアプローチとして,「口腔の清潔さを保つ」ことを目的としたケアと「口腔機能を維持・向上させる」ことを目的としたケアという概念として捉えられるようになってきている．前者が従来の意味合いをもつ狭義の口腔ケアであり，後者までを包括したものが広義の口腔ケアである．本項における口腔ケアは，広義の意味で用いる．加えて重症児者においては，本来のケアの定義である「生活を支える営み」という点も加味し，口腔の問題から生じるトラブルを未然に防ぐ役割もそこにもたせたい．

3. 重症児者における誤嚥性肺炎を予防する口腔ケア

重症児者において，誤嚥性肺炎の予防という観点から口腔ケアを考えると，その目標は以下の3点と考えられる（図1）．

ⓐ口腔の清潔保持

口腔内には，500種類以上の細菌が存在しているといわれている．それらの菌のなかには，むし歯や歯周病の原因菌だけでなく，肺炎球菌をはじめとする肺炎の原因菌も含まれている．また，口腔内に存在する細菌は，

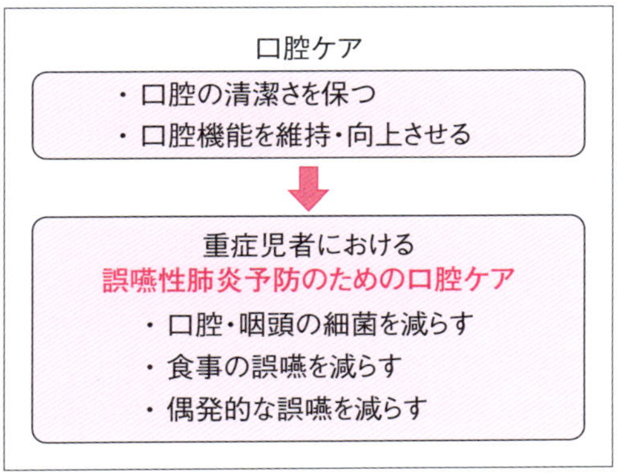

口腔ケア
・口腔の清潔さを保つ
・口腔機能を維持・向上させる

重症児者における
誤嚥性肺炎予防のための口腔ケア
・口腔・咽頭の細菌を減らす
・食事の誤嚥を減らす
・偶発的な誤嚥を減らす

図1　重症児者における口腔ケアの目的

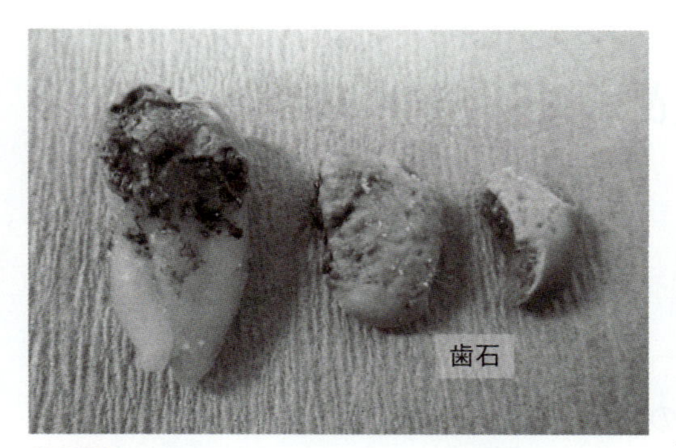

図2　抜去歯（左）と付着していた歯石（中央・右）

長期に渡ってケアが不十分だった歯に付着していた歯石．歯冠大にまでなっているが，口腔ケア時に割れて口腔内に落下しているのが見つかった

その種類だけでなく量（数）も問題となる．歯垢（プラーク）1 g中には10^{11}個の細菌が，唾液1 mL中には，10^{9}個の細菌が存在するといわれており，口腔は肺炎の原因菌のいわばリザーバーとなっている．誤嚥性肺炎の原因菌については諸説あるものの，このように多種かつ多数の細菌が口腔に存在する歯垢，唾液（分泌物）の誤嚥は，肺炎につながる可能性が高い．Yoneyamaら[2)]は施設入所高齢者を対象に定期的な口腔清掃によって肺炎を予防できる可能性を示したが，これは定期的な口腔清掃が口腔内細菌の減少させたことによると考えられる．唾液は，無味かつ温度が体温に近く，少量ずつ咽頭・喉頭へ垂れ込んでいく．そのため嚥下反射を惹起させにくく，嚥下機能の低下した者では，唾液の誤嚥をゼロにすることは不可能である．そこで，口腔ケアにより唾液などの誤嚥物に含まれる細菌数を減少させることで，誤嚥による侵襲を軽減させることを目指す．誤嚥の質を改善させることで「誤嚥があっても肺炎になりにくい」環境づくりを目指す．

ⓑ 嚥下機能の維持・改善

摂食嚥下にかかわる口腔や関連器官の機能を維持・向上させることは，食物や唾液の誤嚥の予防につながる．発語や咀嚼といった行為が乏しく，禁食により経口摂取の機会が著しく制限されることも多い重症児者は，健常者と比べ摂食嚥下関連器官を運動させる機会は著しく少なく，廃用性変化が生じると考えられる．このような例では，ケアやマッサージなどで摂食嚥下にかかわる諸器官を他動的に動かすことが廃用の予防につながる．加えて，定期的な口腔ケアの継続によって咳反射[3)]や嚥下反射潜時[4)]が改善するなど，ケアという行為そのものが嚥下機能の改善に寄与するとの報告がある．さらに，誤嚥性肺炎が口腔の機能に影響を及ぼすとの報告[5)]もあり，「誤嚥性肺炎にさせない」こと自体でも機能維持につながる可能性もある．

ⓒ その他の偶発的な誤嚥の予防

誤嚥性肺炎の予防とは少し異なるが，重症児者にとって問題となる誤嚥は，唾液や食事だけではない．脱離した修復物（歯科治療の「詰めもの」や「被せもの」），乳歯や習癖（歯ぎしりなど）により脱落した歯，あるいは噛みちぎった衣服の切れ端といった異物の誤飲・誤嚥は，大きなトラブルへと発展することがある（図2）．自らの口腔のコンディションを訴えることができない重症児者にとって，口腔ケアの時間は，ケアの提供者が習慣的に口腔内をチェックする唯一の機会である．その際，ケアを提供する側の少しの注意が，誤嚥（時として窒息）のリスクの早期発見と回避につながる．

4. 口腔ケアのポイント

ⓐ 口腔ケアの対象者

重症児者の場合，基本的にセルフケアは不可能であり，全員がケアの対象となる．そのなかでも経口摂取を行っていない者は，舌などを動かす機会の減少や唾液分泌量の低下などから自浄作用が低下しており，細菌が増殖・滞留しやすい口腔環境となっている．一概にはいえないが，誤嚥性肺炎予防の観点からは，経口摂取が可能な者よりも，経口摂取を行っていない者にこそ口腔ケアが必要とされるケースは多い．

ⓑ 口腔ケアの頻度

口腔内細菌はケア後，数時間で増殖する．そのため口腔ケアは，頻回かつ丁寧に実施するほど効果が高いことはいうまでもない．しかしながら，「日常生活の支援の一環として継続できるケア」を考えた場合，全対象者に頻回で丁寧な口腔ケアを提供することは現実的には困難である．そこで，「覚醒状態が悪く，食事の誤嚥のリスクが高い者には，毎食前に短時間でもケアを実施し，覚醒や嚥下機能の賦活を促す」，「肺炎の既往がなく，食事の誤嚥のリスクも低い者には，少なくとも睡眠前のケアだけは徹底して行う」，「緊張や抵抗が強く，ケアが困難な部位がある者には歯科往診を依頼し，毎日のケアは可能な範囲で行う」など，個々のリスクに応じたケアプランを設定することが継続的なケアには重要である．

ⓒどこをケアするのか？

う蝕や歯周病の予防を目的としたケアでは，「口腔内局所に付着したう蝕・歯周病原因菌の徹底除去」が重要になる．つまり，口腔内のある 1 か所に汚れが残っていると，その部位のう蝕や歯周病は進行してしまう．一方，誤嚥性肺炎の予防を目的としたケアの場合は，「細菌が減少した口腔内環境を維持すること」が重要である．つまり，口腔内の 1 か所が汚れていても，それ以外の部分の汚れが除去できていれば，口腔全体の菌の増殖は抑制ができていると考える．そこで，①歯のブラッシングだけでなく，舌や口蓋・頬などの粘膜の清拭も意識して行う，②局所の細かな汚れの除去にこだわるのではなく，大まかでも口腔「全体」をまんべんなくケアすることを優先する（図 3），③ケアにより歯面や粘膜面から遊離した汚れ（細菌）を口腔外からしっかり除去・回収するために口腔内全体を清拭して終了する，の 3 点にケアのポイントを絞る．また，局所の細かな汚れやケアが困難な部位は，歯科受診や往診を依頼するなどして「現場で行う毎日のケア」と「歯科による専門的なケア」を使い分けることも，ケアの継続と質の維持には大切である．

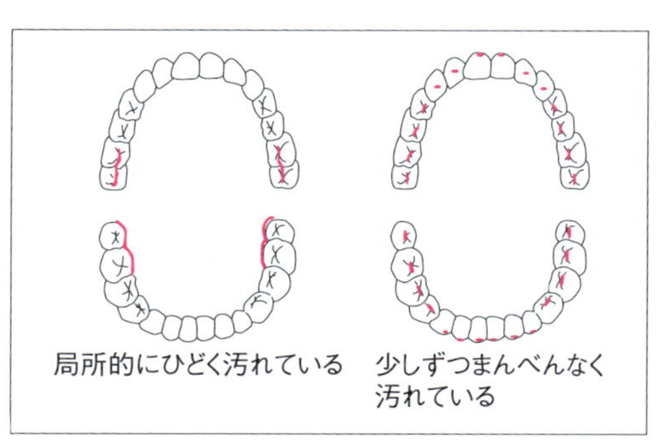

図 3 口腔ケアの部位
左は局所的な汚れがひどく，右は全体的に少しずつ汚れが残っている．口腔全体としてみると右のほうが汚れが多く残っており，誤嚥性肺炎のリスクが高い

5. 口腔ケアにかかわる重症児者の特徴

ⓐ筋緊張，くいしばり，歯ぎしり

口腔周囲筋の過緊張は，開口困難の原因となる．また口唇の過緊張は，口腔前庭部のスペースを閉鎖し，ケアを困難にする．開口器による補助や，手指を用いた口唇の排除などケアのためのスペースを確保する手段が必要となる．また，緊張やストレス反応として，歯ぎしりやくいしばりを認める例も多い．このような習癖は，歯牙の動揺・脱離につながりやすい．日頃から歯ぎしりなどの習癖がないかに注意し，認められる場合には早期に歯科に相談する．

ⓑ開咬，高口蓋

開咬，高口蓋は舌と口蓋の接触を阻害し，自浄作用を低下させる（図 4）．自浄作用の低下や口腔乾燥は，細菌の増殖を助長するため，清掃不良となる部位を意識した口腔粘膜の清拭が必要になる．乾燥する部位には，保湿剤の使用が有効なこともある．

ⓒ著しい歯列の不正

全身・局所の様々な異常により生じる歯列の不正は，口腔ケアを困難にし，局所に「汚れの溜まり場」を形成する（図 5）．個々の歯列の状況を把握することが重要である．

ⓓ覚醒レベル

疾患の進行や服用薬剤の影響，生活リズムの乱れなど原因は様々だが，日中に覚醒レベルが低下している例は多い．食前の覚醒状態は，食事の誤嚥・窒息に大きく影響する．覚醒を促し，安全に食事を摂取するための準備として，口腔ケアが奏効するケースがある．

ⓔ歯科医療者との連携

口腔内の状況は個人差が大きく，経時的に変化もしていく．口腔内の状況確認や症状に応じた清掃方法・器具の選定などは，症例によっては困難なケースも多い．このようなケースでは，歯科医療者と情報を共有し，注意すべきポイントを明確にしておくことが望ま

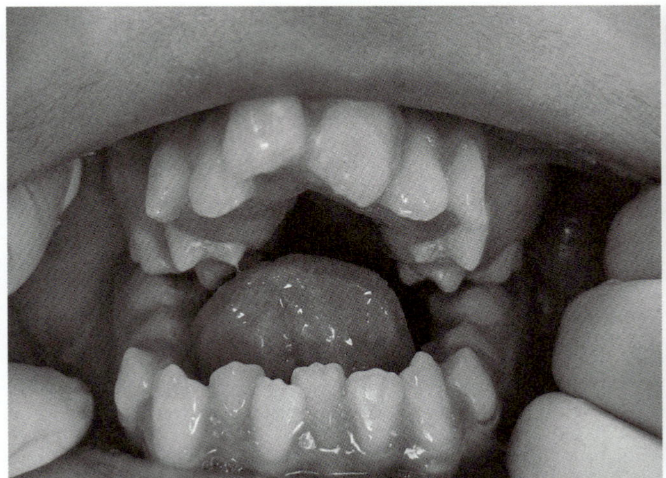

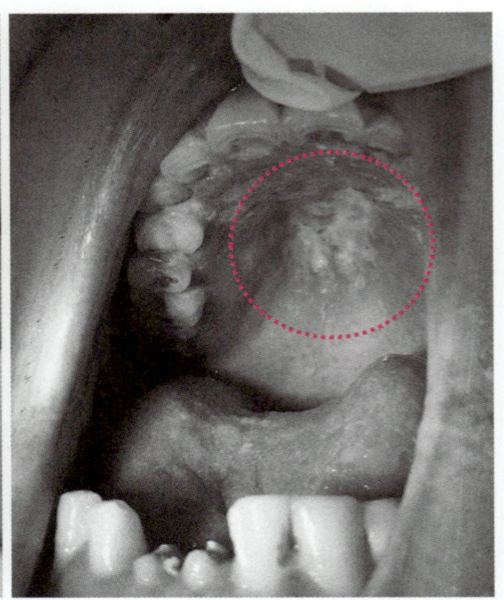

図４　開咬，高口蓋と口蓋の汚れ

左は開咬，高口蓋の１例．舌と口蓋が接触せず自浄作用が低下する
その結果，右のように，口蓋に汚れが付着してしまう（円内）

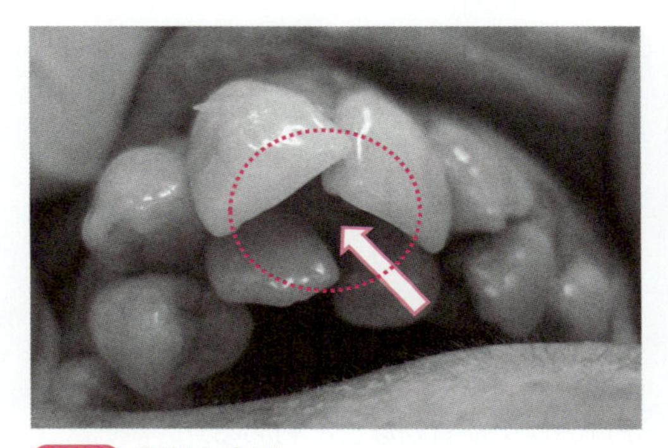

図５　不正な歯列

歯が重なった部分はみえにくく，清掃器具も入りにくいため汚れがたまってしまう（⇨）

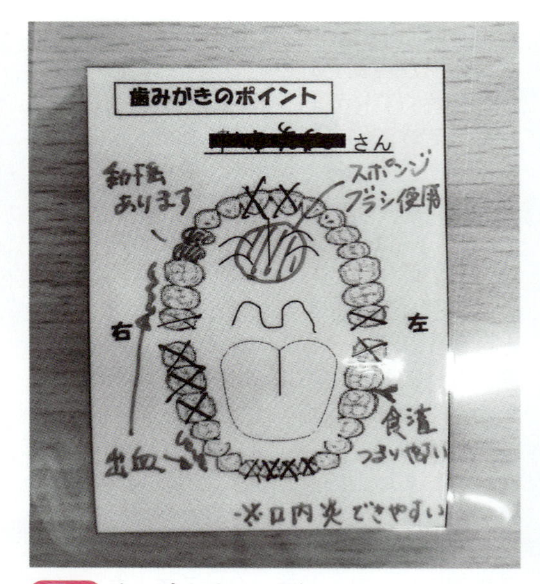

図６　ケア時のチェックシート

残存する歯の位置，動揺歯の部位やケアの方法等を図示したもの．ベッドサイド等，目に留まりやすい場所に掲示しておくことで，口腔ケア担当者がケア時の注意点を把握しやすくなる．シートは歯科医療者の定期健診にて更新している．

しい．また，口腔の情報をケアにかかわる全員で共有しやすくするような工夫も有効である（図６）．可能な限り歯科と連携し，継続可能なケアプランを作成することをお願いしたい．

文　献

1）折口美弘，他．重症心身障害児・者の死亡時年齢からみた死因分析．医療　2002；56：476–478
2）Yoneyama T, et al. Oral care and pneumonia. Lancet 1999；354：515
3）Watando A, et al. Daily oral care and cough reflex sensitivity in elderly nursing home patient. Chest 2004；126：1066–1070
4）Yoshino A, et al. Daily Oral Care and Risk Factors for Pneumonia Among Elderly Nursing Home Patients. JAMA 2001；286：2235–2236
5）Komatsu R, et al. Aspiration pneumonia induces muscle atrophy in the respiratory, skeletal, and swallowing system. J Cachexia Sarcopenia Muscle 2018；9：643–653

［田中信和］

B 生活におけるケア

5 爪のケア

POINT

● 重症児者の爪は基礎疾患・栄養状態により変形していることが多く，状態に応じた介助方法と用具の選択が必要

1. 正しい爪の切り方

正しい爪の切り方は，爪の先端と指の先端が同じ高さになるように，爪の白い部分を1mmほど残し真っ直ぐにカット，両サイドが引っかからない程度に角をとる（図1）．足の深爪や三角カットは，巻爪や陥入爪を起こす原因になる．また，爪切りでカットした爪の断面は真っ直ぐで，掻き傷を作りやすいため爪やすり（エメリーボード）で滑らかに仕上げを行う．

2. 重症児者における爪のケア

重症児者の爪は基礎疾患・栄養状態よりヒポクラテス爪（図2）（爪が円形ドーム状に指先を覆う），さじ状爪（図3）（爪が凹んでスプーン状に反り返る）が多くみられ，爪切りでカットするときに皮膚も一緒に切ってしまい，傷を作ってしまうことがたびたびある．介助者が1人で爪切りを行うと，急に動いてしまい皮膚を切ってしまうこともある．安全に爪のケアを行うためには介助方法と用具の選択が必要となる（表1）．

白癬爪・巻爪・陥入爪のケアは，専門医やフットケア指導士と相談し行い，ケアに使用する用具（図4）は感染防止のため，個人用とし他の人と共有しないようにする．

3. 肥厚爪のケア

肥厚した爪（図5）は衣類や靴下の着脱時に引っかかり爪が剥がれたり，歩行時に靴先

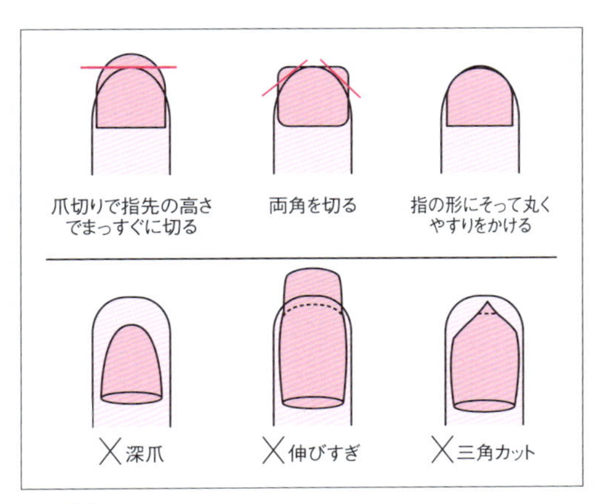

図1 正しい爪の切り方

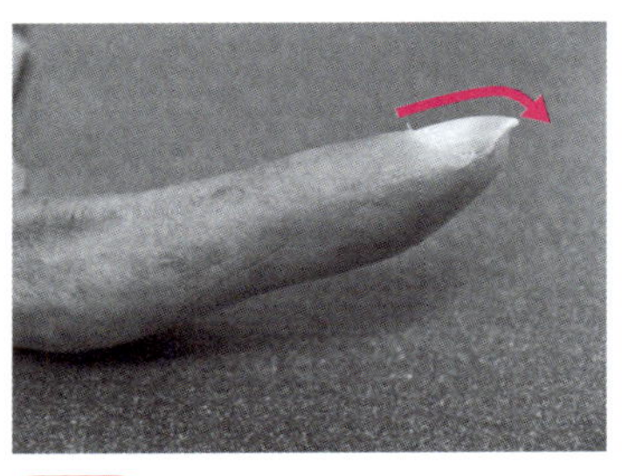

図2 ヒポクラテス爪

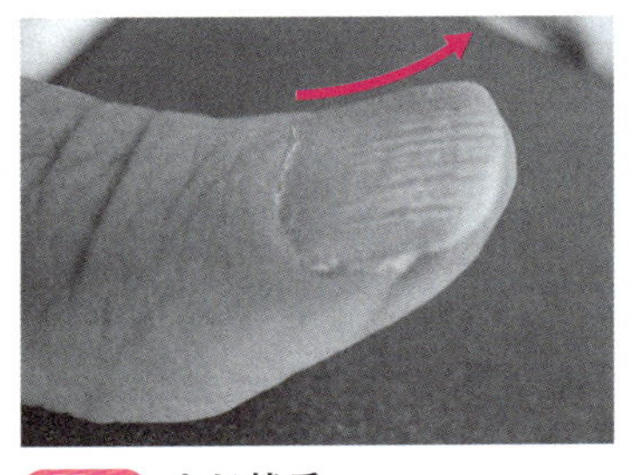

図3 さじ状爪

表1 爪のケアに使用する用具の選択基準

選択基準	用具
①掌を開くことができる ②急に指・手・足を動かさない ③1人の介助者で爪ケアができる ④掻き傷を作らない	爪切り
①〜③はできる ④掻き傷を作る	爪切り スポンジファイル
＊掌を開くことができない ＊急に指・手・足を動かす ＊手足を固定（抑制）するか，介助者2人で行わなければできない ＊爪先と爪下皮がくっついている ＊繰り返し爪切りで出血をしてしまう	エメリーボード スポンジファイル
＊白癬爪	ニッパー エメリーボード スポンジファイル

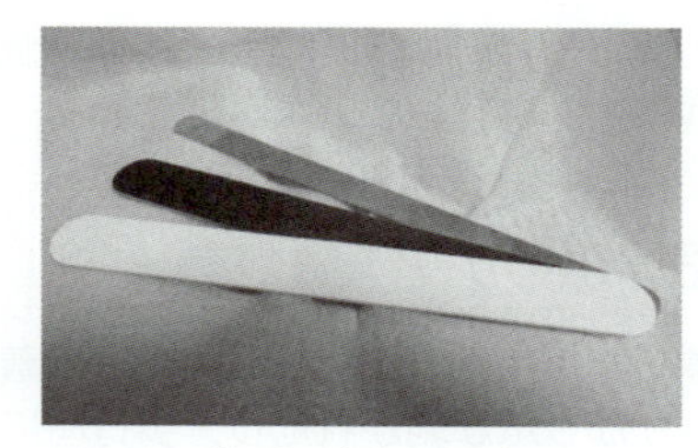

エメリーボード（爪やすり）

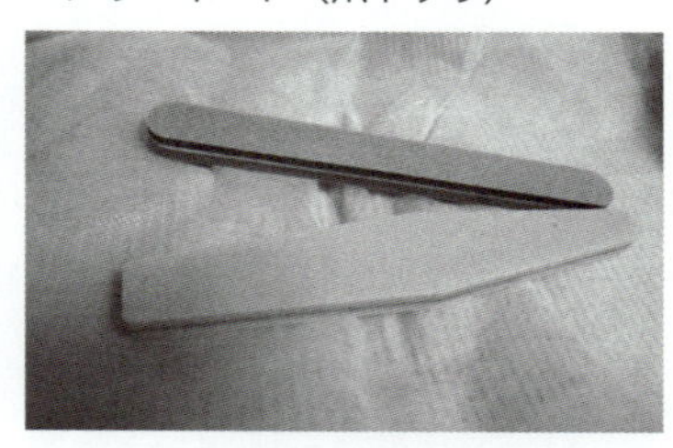

スポンジファイル
（やすり後の爪を滑らかにする）

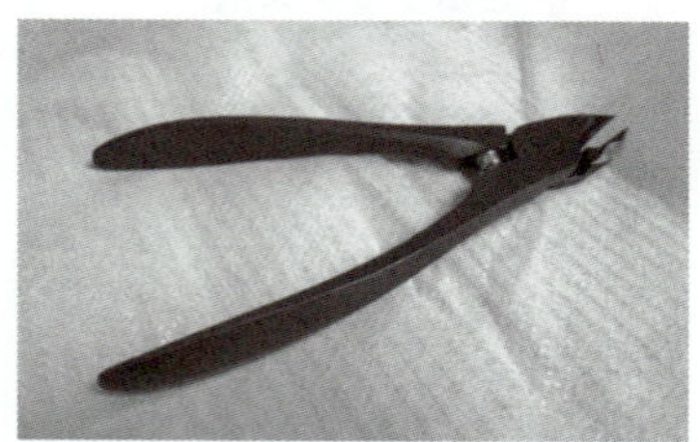

ニッパー

図4 爪のケアに使用する用具

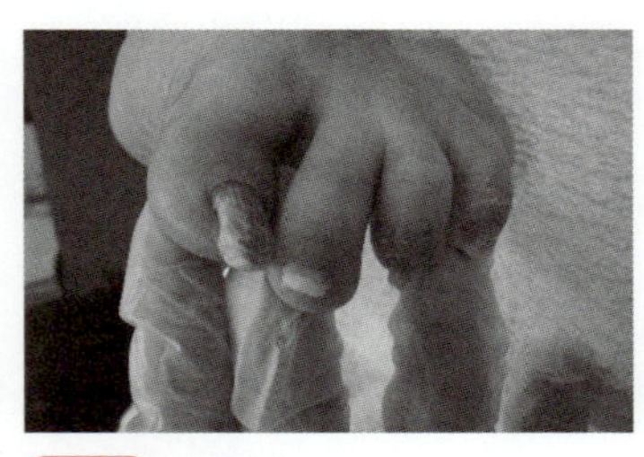

図5 肥厚爪

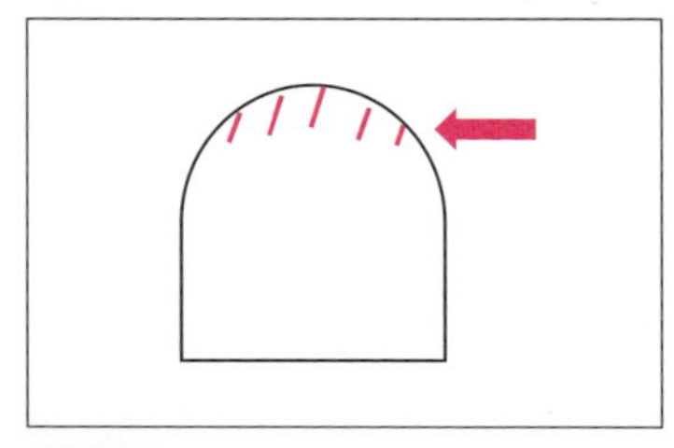

図6 肥厚爪カット

に当たってしまい歩きにくいことがある．肥厚爪のケアは爪の表面を削り薄く滑らかにすることで引っかかりを軽減し爪剥離を予防する．

ⓐケアの方法

伸びた爪先に斜めに切り込みを数カ所入れニッパーで少しずつカットしていく（図6）．爪の表面を小回りのきく赤ちゃん用の電動ヤスリや小ぶりのステンレス製ヤスリを用いて削る．

参考文献

・つめきり文化研究所（http://www.tzume.jp/）
・巻き爪・COM（http://www.makitume.com）
・かぽれホームページ：巻き爪と陥入爪の違い・治し方（https://ca-pore.com/_ct/17353102）

［高橋由美子］

B 生活におけるケア

6 服薬ケア，坐薬

POINT

● 重症児者の服薬時には，剤形別の注意点をよく理解したうえで，状況に応じた工夫が必要

1. 薬剤師の立場から

ⓐ服薬の方法

1）服薬の工夫

重症児者は嚥下機能が低下していることが多いため，経口にて薬の服用をする際には工夫が必要とされることが多い．また錠剤の服薬が困難な場合も多く，粉砕した薬の場合は，服用の際，むせ込みにも注意が必要である（錠剤の粉砕により，遮光が必要になったり，吸湿に注意を要したりする場合があり，管理が煩雑になることがある）．具体的な方法としては以下のとおり．

【経口の場合】

①散剤を水に溶かし，少しずつスポイトを用いて服用する

②とろみのある「服薬補助ゼリー」を活用する

【経管の場合】[1)]

③「簡易懸濁法」という，錠剤・カプセル剤のまま温湯に懸濁し，チューブで投与する方法が一般的となっている（チューブの閉塞に注意）．元の剤形のままなので，懸濁の直前まで処方変更が可能となり，変更時も医薬品の経済的ロスを削減できるなどのメリットが多い

2）服用しやすい剤型の選択

錠剤のなかでも，口腔内崩壊錠（OD 錠）は，服薬する側にとっても，服薬援助する側にとっても有用な剤形である．口腔内崩壊錠は唾液で崩壊するため，水がなくても服用できる（従来通り，水で服用しても構わない）．

個包装された液剤やゼリー剤，また貼付剤，OD フィルム剤等，幅広い剤形が開発されている医薬品もある．服薬状況に応じて，よりよい剤形を選択することが可能になってきた．

ⓑ相互作用のある薬について

重症児者は合併症のため，定期的に何種類もの薬を服用していることが多い．そのなかでも併用に注意する薬としては，

・酸化マグネシウム（便秘治療薬）

・マグネシウムやアルミニウムを含む製剤（制酸薬）

・鉄含有製剤（貧血治療薬）

があげられる．これらの薬は，感染症治療に用いられる一部の抗菌薬の併用に注意が必要で，同時に服用すると，一部の抗菌薬の吸収が低下する．それぞれの服用時間をずらすことで対応するとよい（図１）．

ⓒ坐　薬[2)]

坐薬は，経口で服薬できない際に有用な剤形であり，重症児者においては，比較的使用

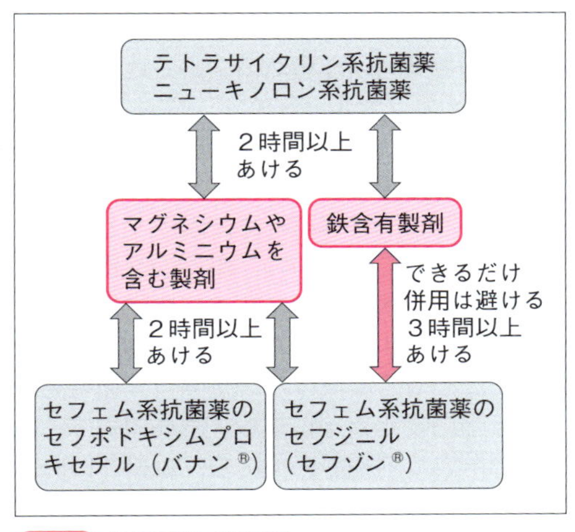

図１　抗菌薬の服用例

表１ 坐薬の使用順序

①	水溶性基剤の坐薬 ドンペリドン坐薬（ナウゼリン® 坐薬） ジアゼパム坐薬（ダイアップ® 坐薬）など
②	油脂性基剤の坐薬 アセトアミノフェン坐薬（カロナール® 坐薬） ビザコジル坐薬（テレミンソフト® 坐薬） フェノバルビタール坐薬（ワコビタール® 坐薬）など

頻度の高い薬である．2 種類以上の坐薬を使用する場合には，（緊急の場合を除いて）使用の順序に注意が必要である．まず，①水溶性基剤の坐薬を使用後，30 分以上の間隔をおいて，②油脂性基剤の坐薬を使用する（表1）．30 分以上間隔をおく理由としては，①と②を同時に使用すると，水溶性坐薬の有効成分であるドンペリドンとジアゼパムは脂溶性のため，油脂性基剤に溶け込んでしまい吸収阻害が起こるためである．

［太田圭子］

2. 看護師の立場から

ⓐ 内服薬

重症児者はてんかんや呼吸障害・消化器障害や行動障害などの様々な合併症を併せもち，多種類の薬剤を併用して服薬しているケースが多い．効率的に薬効を期待するうえでも，確実な与薬が必要である．重症児者の日常生活から，フィジカルアセスメントや生活習慣・身体機能などを検討し，適切な与薬ケアを行う必要がある．そこで，剤形別にそれぞれの与薬時の注意点について述べる．

1）錠剤・カプセル

錠剤やカプセルには，薬の成分の味，においや色などを隠して飲みやすくしたものや，薬の効果を持続させるために腸の中でゆっくり溶けるようにしたもの，あるいは胃酸による分解や胃壁への障害を防ぐため胃では溶けず腸で溶けるようにしたものなどがある[3]．介護者にとっては取り扱いやすく，必要量が確実に服用できる．しかし，重症児者は認知力や理解力に問題があるため，錠剤が口腔内に残り吐き出すことも多々ある．確実に飲み込んだか確認する必要がある．また，年少者や嚥下困難者には誤嚥の危険があるため適応しない．

2）散剤・顆粒剤

散剤や顆粒剤は，重症児者に多く取り扱われる薬剤形態であるが，口腔内で散剤が広がる，薬の味を感じやすいなどの点から，内服時の工夫が重要となる．重症児者には，服薬ゼリーを用いて内服援助を行うことが多い．それでも服薬を嫌がる場合は，配合禁忌に注意しながら，重症児者が摂取できる量の嗜好品やジュースに混ぜるようにする．プリンやアイスクリーム，海苔の佃煮など比較的味の濃い嗜好品を用いるとよい．溶解後は成分が化学変化を起こすので時間をおかずに与薬することが大切である．食べ物に混ぜる場合もあるが，食事を嫌がるようになることもあるため極力避けたい．また薬剤によっては配合の適否があるため「何に溶かすか」薬剤師と相談することを勧める．

経管栄養を行っている重症児者への与薬については，チューブで与薬できない散剤・顆粒剤がある．水に溶けにくく，すべてのチューブで閉塞を起こす可能性がある薬剤や，顆粒の粒子が大きく，チューブの太さによっては閉塞を起こすものがあり薬剤選択時に注意が必要である．錠剤やカプセル，徐放性製剤は分割・粉砕すると急速に分解され，薬効が効きすぎる危険もある．チューブ閉塞時は，ミルキングやフラッシュを行い，効果のない場合はチューブの交換をする．

3）水　剤

水剤は，希釈度や粘稠度の高い水剤は沈殿性や分離性がある場合が多い．そのため，そのまま投与すると粘度が安定せず，一回に投与する量が同量でも含有されている薬剤の量が異なることがある．また，水剤は，服用しやすく吸収が早いが，服用量が不正確になりやすい．投与前に薬液ボトルを上下にゆっくりと転倒混和し，泡立ちに注意しながら攪拌してから計量カップ，スポイトで正確に測り，重症児にあわせた用具を用いて内服援助をする．

4）その他

重症児者はてんかんの合併率は 50～70%と多い．抗てんかん薬の長期服薬が必要であり，体重や年齢，吸収・代謝機能の個人差も大きく，副作用や血中濃度の変動に注意が必要である．重症児者は，副作用の訴えがほとんどなく，わかりにくい．薬剤を効果的に使用するには，薬剤の特性を理解し，特に副作用について把握しておくことが重要である．

内服後に薬を嘔吐した場合，消化・吸収率を考慮し，服薬後 30 分を目安として対応する．内服後 30 分以内に嘔吐した場合は新たに内服する．以後の場合は追加せずに様子をみる．いずれの場合も医師への確認は必要である．

ⓑ坐　薬

坐薬は，利用率が高い反面，挿入後の刺激により排便や不快感から腹圧がかかり排出されてしまうことがある．羞恥心やプライバシーの保護に努め，本人がリラックスできるかかわりが求められる．挿入時には潤滑剤として，白色ワセリンなどを利用するとよい．キシロカイン® ゼリーはショックなどを起こす可能性があるため使用しない．

挿入された坐薬が排出された場合，排出された坐薬を再挿入できれば問題ないが，挿入何分後の排出か，坐薬の固形状態（挿入時の半分程度の固形のまま排出されたかなど）を医師に報告し，対応を確認する．

［澁谷徳子］

文　献

1）倉田なおみ（編）．内服薬 経管投与ハンドブック．第 4 版，じほう，2020；18–19
2）櫛田賢次，他．小児科領域の薬剤業務ハンドブック．じほう 2008；119
3）山岸昌一（監），柳澤克之（編）．薬の分類．ナースのための読み解く薬理学．メディカルレビュー社，2009；30

参考文献

・江草安彦（監）．重症心身障害療育マニュアル．第 2 版，医歯薬出版，2005；57–62
・堀　美帆，他．子どもの成長・発達と内服援助の方法．小児看護 2019；42：24–30

C 重症児者とのコミュニケーション

POINT

- 個々の重症児者に適したコミュニケーション方法を活用し，確実かつ安全に看護ケアを提供することが必要
- 重症児者の日常生活を通してコミュニケーションを深めることは，重症児者の意思を汲み，その方らしい「生活」や「人生」の選択・支援につながる重要なケアである．

1. 言語聴覚士（ST）の立場から

ⓐコミュニケーション上の基本的心構え

基本的な心構えは，わかろうとすること，伝えようとすること，想像力を働かせることである．ケアの機会を捉えて，丁寧な言葉かけやタッチングなどで気持ちの交流を心がけることが，重症児者の人生に深く貢献するということを理解してかかわる．

ⓑコミュニケーション上のポイント

1）どのように感じるか想像してかかわる

どの感覚についても，スピードや刺激の強さに注意し，自分が相手の立場であればどう感じるかということを想像してかかわる．重症児者にとって，ケアする者の声の調子や触れ方は，自分と外の世界をつなぐ窓である．

①聴覚（図1〜4）

重症児者が日々使っている身近な感覚であり，かかわる際には，基本的に言葉をかける．聴覚障害の有無によるが，音量が大きすぎないように注意する．言葉はシンプルに，自然な抑揚をつけ，言い方を一定にしたり，オノマトペを使うなどわかりやすく工夫する．

②触覚（体性感覚）（図1，2）

重症児者にとってわかりやすい感覚である．言葉かけとともに，大いに活用するとよい．刺激が強くなりすぎないよう注意する．

③視覚（図3，4）

運動制限のため，自力では対象物や人を視野内に捉えられないことが多いので，みえる位置に呈示することを心がける．眩しさに敏感で閉眼しがちなケースもあるため，明るさや照明の位置に気を配る．視力にもよるが，眼との距離が近すぎたり，揺れたり動いたりするものにはピントを合わせにくいので，距離や静止時間などに注意する．

④味覚（嗅覚）（図4）

重症児者にとってわかりやすい感覚であり，生活の中で，味わうことが大切な楽しみとなっている場合も多い．味覚は能動的な口の動きとの関係がみえやすく，意図が判断しやすいため，やりとりにつなげやすい．

2）見通しがもてるような配慮をする

ケアが突然始まり突然終わるという状況にならないように工夫する．「○○が始まるのだな」「何かが始まるらしい」とわかるような予告を行い，心構えができてからスタートする．ケアの長さや流れが予測できるように，手順を一定にしたり，歌や数唱をつけるなど工夫する．終わりについても「おしまい」という区切りをしっかりと伝える（図1〜4）．

3）応答・表出を読み取るための間合いを設ける

乳児期初期のコミュニケーション発達において，親が「○○と言っているのね」と，乳児からの意図的な表出があると解釈してかかわる時期がある．重症児者とのコミュニケーションも，本人の立場に立ってできる限りの推測を行いながら，重症児者の思いを読み取るための間合いをはさみ，一方的ではない自然なやりとりの形をとることが大切である．

図1 車椅子のブレーキをはずす場面

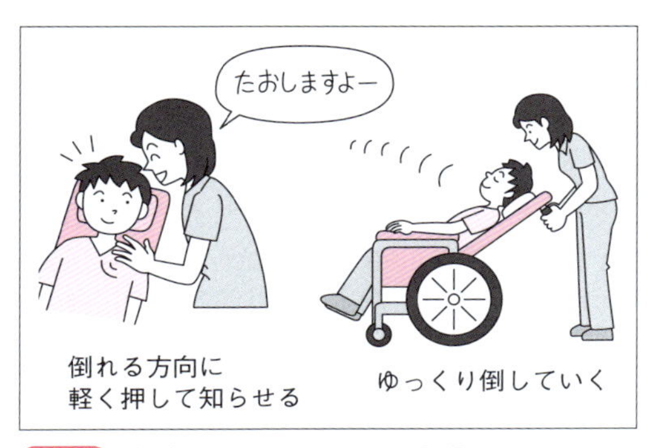

図2 車椅子の背もたれを倒す場面

図3 おしぼりで顔を拭く場面

図4 食事介助場面

c 入所施設で特に配慮すべきポイント（家庭生活の役割を担う観点から）

1）生活の中に選択場面を意識して設ける

日常生活の一コマとしての選択場面は，文脈ヒントが多く，重症児者・ケアする側の双方にとってわかりやすい．日々丁寧に意思を問う場面を重ねることで，重症児者のコミュニケーション能力も，ケアする側の読み取る力も，伸びていくことが期待できる．ただし，選んでもらうことに一生懸命になりすぎる必要はなく，リラックスした自然なやりとりを楽しむことが第一である．

2）生活の内容を吟味する

障害が重いと，制約の多い単調な生活になりがちである．重症児者一人ひとりにとってより幸せな人生とは何かを想像し，生活の内容を吟味することが入所施設には求められる．そのためにも普段から丁寧にコミュニケーションをとることが必要不可欠である．

d 簡単な日常会話が可能な重症児者とのコミュニケーションのポイント

1）本人のペースに合わせる

スピード優先ではなく，本人のペースを優先する．話の途中で本人が伝えたい内容の予測ができても，早合点して話の腰を折らずに最後まで聞く．ただし，緊急性が高い場合や，効率よくやりとりしたいという本人の意向がある場合は，この限りではない．

2）返答しやすい聞き方を心がける

- 「○○しますか？　しない？　します？」のように選択肢を矢継ぎ早に変えずに，「○○しますか？…しないですか…？」のように返答可能な間合いをとって質問する．

- 「Ａがいいですか？」という質問に対して，どうでもいい，他の話がしたい，よくわからない，もっと詳しく説明してもらってから判断したいなど，YESともNOとも返答しにくい場合があるので注意する．
- 「ＡとＢとＣとＤの中で選んでください」というように，基本的にはすべての選択肢を提示し，「決まりましたか？…」と確認し，「Ａ？…Ｂ？…」と聞いていく．
- 選択肢に窮した際には，WhenやWho，緊急度，気持ちなどからとりあえず聞いてみる．（例「いつの話？」「誰に聞いたらわかりますか？」「急ぎますか？」「また今度でも大丈夫ですか？」「困りごとですか？」「ちょっと気になる話？」）

［佐藤聡子］

2. 看護師の立場から

ⓐ 重症児者とスタッフとの間で構築されるコミュニケーション

1）コミュニケーションを交わすために必要な基本姿勢（心構え）

重症児者の方々と初めてかかわるスタッフは，どのようにコミュニケーションを取ればいいか戸惑いを抱えることが多く，その場を離れたり過剰に声掛けやスキンシップを行ったりと，自意識の強いかかわりに陥りやすい．一方，ベテランスタッフにおいても，経験的推論の強さが故に相手の意思を十分に汲めないかかわりになる場合もある．このように，重症児者とのコミュニケーションは経験年数に関係なくスタッフ中心のコミュニケーションが展開されやすい側面をもっている．これらを防ぐためには，スタッフ自身が先入観なく重症児者との交流が成立する基盤[1)]を毎回つくることが重要である．すなわち，スタッフ自身に渦まく戸惑いやその時の感情は否定せず認めたうえで，重症児者とともに「場」の認識（例：寝ているベッドの質感，聞こえる音など），「状況」の理解（例：今日の体調・好き嫌いなど），「気持ち」を想像（例：人が来て嬉しいな，など）することで，重症児者とスタッフとの「共有」が進み，通じ合う手ごたえを得る．このように，間主観的に重症児者と関係性を構築することが，大切な姿勢である．

2）Good Listenerとは〜スタッフがチームで行う重症児者のTalkへの解釈〜

コミュニケーションが開けてくると，重症児者のTalk，すなわち様々なサインや感情・思考の表出に意識できるようになる．そして，そのTalkをどのようにListen（聴く≒解釈）するかが次に重要な段階である．図５のＡさんについて写真を見比べると，目の開閉や眉間の皺，頬筋の挙上具合や，舌の位置などから表情の違いがみられる．しかし，「状況」を参照すると，写真の表情との因果関係が読み取れ，さらに「Ａさんとスタッフとのやりとり」を参照すると，Ａさんの好みや活動に伴う体調の変化，苦痛表現などさらに多くのことに気付くことができる．このように，重症児者のTalkをListenしていくためには，Ａさんの状況や前後の文脈と照らし合わせて推測していくことが重要である．また，一人で解釈を進めると主観である以上，偏りが生じる可能性があるため，Ａさんにかかわる多くのスタッフや家族と情報を共有し，多方面から継続的にみていくことで，Ａさんの感情や思いをより繊細かつ丁寧にListenしていくことにつながると考えられる．

3）Good Talkerとは〜生活主体者である重症児者のListenに働きかけTalkを引き出す〜

スタッフは，Listener（受けとめる側）に必死になることが多いが，コミュニケーションを構築していくためには，重症児者への働きかけ「Talker」になることも重要である．基本的な声掛けやタッチングなどはふまえたうえで（「1．言語聴覚士（ST）の立場から」を参照），われわれが日々提供する日常生活ケアや医療的ケアそのものに，たくさんのTalkが含まれていることを大切にしたい．

図５の写真２のＡさんとスタッフとのやり取りに注目していく．看護師等が行うケアには「心地よさ」や「快」をもたらす[2)]Talk（働きかけ）が多く，実際にＡさんも整髪をきっかけにコミュニケーションを開き，様々な反応や表出を引き出すことにつながった．そこで，スタッフはＡさんの選択を支援するためのTalk（声かけ）を試みている．客観的

Aさんの臨床像	低酸素性虚血性脳症による重度心身障害．左外斜視，視覚は光がわかる程度．聴覚障害あり．自力で身体を動かすことはできない．胃瘻，気管切開，終日人工呼吸器装着，低圧持続吸引チューブを口鼻腔に挿入
Aさんの社会背景	家族4人（父・母・姉・本人）．15歳まで在宅療養．その後，療育施設に長期入所．家族の面会は週2回，各季は家族外泊している
体　調	平常は，体温36.8℃，心拍数70台，SpO_2 98%．注入トラブルなし．呼吸音に雑音なくair入り良好

表情	状況	Aさんとスタッフとのやり取り
写真1	午後2時，テラスで散歩．天気は曇り．湿度が高め．近くに大きな道路があり，自動車のエンジン音やクラクションの音が鳴り響いている．	スタッフとテラスに出るとすぐに目を閉じ眉間に皺が寄る．スタッフが「まぶしいですか?」と声をかけ，サングラスをかけると薄目を開ける．散歩から5分程度で，微妙に下顎をリズミカルに上下し，舌は口腔内に引き下がる（舌根沈下）．呼吸器排出音の終わりに雑音が聞こえ始め，SpO_2は94%に低下した．
写真2	午後2時，お正月．着物に着替え，親戚が集合し写真を撮っている．きょうだいや従妹の子どもの声が賑やかに響いている．	スタッフが整髪し始めた頃から目を開き，目線は天井の一点を見つめている．瞳孔は3mm程度で左右同．眼球が艶で光っている．スタッフが「髪飾りはどれにしますか?」と1つ1つお見せするが，特に表情や行動に変化はみられない．「この髪飾り可愛いですね」とスタッフと家族が話をしていると，Aさんは瞬きをしたので，再度，「髪飾りどれにしますか?」と尋ねる．スタッフはAさんの瞬き回数が多かったと思われる和柄の髪飾りを頭に付ける．Aさんは微妙に下顎をリズミカルに動かすと，唾液を吸う低圧持続吸引に舌が当たることで，「シャカシャカ」と音が鳴っている．

図5　事例（ご家族の了承を得て写真掲載）

にみると，Aさんの目の表情や瞬きは偶然生じた可能性や，表情や瞬きが「Yes」を示すものではない可能性はある，しかし，Aさんがその「場」に参加し，Aさんとスタッフは対話を繰り返しながら共に生活を選択していく「過程」を踏んでいたことは確かである．このやり取りの積み重ねが，後述する重症児者の「自己決定支援」につながるものであり，支援者のTalkは，重症児者が生活や人生の主体者と位置づけるための重要な働きかけであると考えられる．

ⓑコミュニケーションから広がる重症児者の意思表示・意思決定への支援

1）「いつもと違う」への気づきと診療・看護

支援者は「いつもと違う」から徴候を捉える場合が多い[3]．一方で，症状なのか強い感情表出（Talk）なのか見極めがむずかしい場合もある．常日頃から重症児者とのコミュニケーションを図り，「いつもの状態」や「体現として現れる症状」などを把握したうえで判断していくことが重要である（表1，2）．図5のAさんは，異なる状況において，「下顎を

表1　「いつもの状態」を把握するための情報収集の視点

○睡眠・活動・社会参加などの生活スケジュール
○体調などのサイクル
○家族や支援者からの日常の様子
　－性格・機嫌・趣向・ご本人にかかわる最近の出来事
○摂食・消化・排泄・皮膚・呼吸などの一般状態
○普段の関節拘縮や緊張，姿勢について
○普段の日常ケアや医療的ケアの方法
○普段の症状出現時の様子と対処方法
　－けいれん・発熱・嘔吐・むせこみ　等
○コミュニケーションの方法
　－感情の体現も含んだ表出方法や，やり取り・かかわり

表2　感情の体現の例

体現（症状）	感情
心拍の上昇	恐れ，呼吸苦，期待
息止め　SpO_2の低下	誰か来てほしい
啼泣　筋緊張を亢進	嫌悪・怒り，嬉しさ・興奮
手足の震え	驚き・緊張・不安
消化不良（胃残・排便異常）	ストレス・疲労

リズミカルに上下する」が確認されている．しかし写真１の場合，表情の乏しさや SpO_2 の低下，呼吸雑音なども同時に生じており，散歩による移動刺激などから，痰が貯留している可能性が考えられ，下顎の動きは「いつもと違う（努力呼吸としての症状や苦しいサイン）」と推測される．その場合には，「苦しいですね」と直ちに排痰ケアを行い，苦痛を取り除く必要がある．一方，写真２の場合，良好な表情で，髪飾りを付けたタイミングに合わせ下顎を動かしている．この場合，Ａさんのポジティブな感情の体現として捉え，「Ａさんとってもお似合いですよ」と共有することができる．このように，「いつもと違う」の気付きから，病態アセスメントを行ったうえで根拠に基づいた看護や治療介入を検討する一方，病態との裏付けがない場合には，意思表示として丁寧にくみとり，さらにコミュニケーションを深めていくことができる．

2）どこにいても誰といても「その方らしさ」を失わない連携・意思決定支援

重症児者は生活における人間関係や場の変化が多い．筆者は医療連携担当者として，他医療機関とのやり取りを行うが，特に，重症児者における「意識」や「コミュニケーション」について共有のむずかしさを感じている．たとえば，意識レベルを評価する指標（GCS や AVPU 等）の基準では，重症児者は「反応なし」と評価されやすく，家族や担当スタッフが確信していた重症児者それぞれのコミュニケーション能力も，第三者には信頼性や妥当性に欠けると判断されてしまう．重症児者の意識や意思は確かに存在しているが，それを失わないためにはどうすればいいのか．

提案としては，重症児者それぞれの意識やコミュニケーションを図る方法を普段から決め，第三者がわかりやすい方法で写真や動画なども用いて作成しておくことが望ましい．筆者の所属施設では，本人像について多職種で話し合う機会がある．その際作成した資料を，緊急搬送サマリーに同封して準備をしておく等，いつでも情報が途切れないように工夫をしている．また，Ａさんのように家族はいるが，長期入所等により家族には直近のＡさんの様子がわからない場合がある．その場合，よく知るスタッフが同席し，実際にＡさんとのやり取りや情報提供を行うことも効果的であり，重症児者の伝えたいことを紡ぎ，「その方らしさ」を失わない連携が必要である．

また，重症児者は，複雑な病態そのものや二次障害の影響などにより，治療の選択等が必要になる局面が多く，言葉での意思確認がむずかしい本人に代わって家族やスタッフは悩むことが多い．実際に筆者もＡさんのきょうだいとして悩む立場にあるが，今まで述べてきたコミュニケーションを重症児者の幼少期から育むことで，感情の表出や，日常生活ケアでの積み重ねでわかってきた人となりや趣向，家族や支援者とともに大切にしてきた思い出や価値など，本人の意思や本人にとっての最善を推測するための「財産」が沢山あることにも気づいていた．最善な結論を出すことに重きをおくのではなく，本人と家族，スタッフがチームとなり，培った今までの財産をふまえて，さらなる対話（Talk & Listen）を重ねる「過程」を踏むことこそが，意思決定において重要な支援である．

［伊藤正恵］

文　献

1）西村ユミ．交流が成立する基盤．語りかける身体―看護ケアの現象学．ゆみる出版，2001：196-205
2）杉原康子．発達を促すケア．倉田慶子，他(編)．ケアの基本がわかる重症心身障害児の看護．へるす出版，2016：209
3）市原真穂．はっきりした症候がないなかで身体状態を的確に把握し，効果を予測しながらケアを行う臨床推論．小児看護 2021；44（Suppl）：966-974

参考文献

・松田　直．施設・病院訪問教育と子どもの生活の充実を図る視点．発達障害研究 1999；20：287-295
・日浦美智子．笑顔のメッセンジャー．文芸社，2010
・森永京子．小児の重複障害．廣瀬　肇(監)，言語聴覚士テキスト．第２版，医歯薬出版，2011；295-304

D 成長・発達を促すケア

POINT

- 子どもの成長・発達は，形態的・量的変化を示す身体の成長と，機能的・質的な変化をしていく運動・感覚などの発達の側面があり，連続性や順序性がある
- 重症児の発達の原則は，健常児と変わらないが，粗大運動の獲得が不十分なまま成長していくことで正常とは違った運動習慣が身につき，偏りが生じてしまうことがある
- 重症児の成長・発達はゆっくりではあるが，子どもがもつ能力を信じて，引き出すかかわりが必要である

1. 成長・発達とは

生まれたての子どもの体重はおよそ3,000 g くらいで，身長は46 cm 程度であるが，3〜4 か月を経過すると，体重は3倍の9,000 g 程度となり，身長は1.5倍の69 cm 程度となる．また，生まれたての子どもは，目の上に布を置いて視界を遮っても，嫌がらないが，5か月の子どもは両手で布を取ることができる．子どもには，このような形態的・量的変化を示す身体の成長と，機能的・質的な変化をする運動・感覚などの発達の側面がある．

子どもの成長は常に一定の速度で進行していくわけではなく，乳幼児期や思春期には急速な成長がみられる．そして，身体的な成長と機能的な発達には，綿密な関係性がある．たとえば，子どもの頭囲からは，中枢神経が発達する頭部の状態を把握することができる．生後300〜400 g の脳の重量が生後半年で2倍，7〜8歳でほぼ成人の脳重量(1,320〜1,450 g)の95%に達するので，頭蓋も大きくなる．脳の細胞は，およそ140億個あるといわれている．脳の神経細胞は，シナプスを増やして，情報の伝達を上手く機能させる．細胞が増えていけば，脳の重量も増加し，頭蓋も大きくなっていくことになる．脳の細胞の特徴は，一度，何らかの障害を受けた細胞は元通りにはならない．しかし，もともと活動を休んでいる細胞が脳にはあり，その細胞を上手く活動させることで，機能は補えるといわれている[1]．子どもの脳の細胞が一番発達している時期は生後まもなくから3年くらいの間といわれるが，成人しても発達することは可能であり，繰り返し刺激を与えられることで，脳機能を向上させることができる．子どもの成長・発達には個人差はあるものの，目安となる身長や体重などの値からかけ離れていれば，成長・発達に何らかの問題があると考え，早期に対応する必要がある．

また，子どもの発達には連続性や順序性があることをわれわれ支援者は理解しなければならない．たとえば運動機能は，「首が座らないと頭は自由に動かせるようにはならず，肩や腕を動かして座るという動作にはつながらない」，「粗大運動から獲得され，微細運動の獲得につながる」などの原則に従い発達する．これらはすべて脳からの情報伝達によって，発達する．成長・発達の原則を理解したうえで，子どもの成長の経過や発達の段階を正しくアセスメントする必要がある．

2. 重症児者の成長・発達について

重症児者の場合，脳にダメージを受けることで脳の機能が発達せず，運動機能や知的機能に遅れや停止が起きることがある．発達の原則は健常児と変わらないため，粗大運動の獲得が不十分なまま成長していくことで正常

とは違った運動習慣が身につき，偏りが生じることがある．運動機能の発達が遅れると，自分の周囲に置いてあるもの（たとえば寝ている乳児の身近にあるタオルや毛布）や遊び道具（ガラガラなど）などに触れることができず，その感触やにおいなどを認知する機会を得られない．そうしたことで，知覚や触覚の過敏を生じてしまうことがある．また，移動運動ができなければ探索行動もできないため経験を積み重ねることができず，感覚器官を活用した認知機能に遅れが生じてしまう．言葉の理解には，聴覚，認知，発語の３つの機能の発達が必要となる．つまり，「聞こえる」，「言葉を理解できる」，「呼吸を調整して，舌を動かす筋肉の協調運動ができる」などそれぞれの能力が連動して「言葉を話す」動作に結びつく．言葉を話すことで，自分以外の他者とコミュニケーションを取り，意思を表現し，他者と相互の関係を作る．コミュニケーションは言葉だけではなく「身振りや手振り，表情」などで表現され，相互にそれを読み取ることで成立する．しかし，重症児者の場合，運動障害も加わり「身振り手振り」，「表情」などを用いて表現することがむずかしい場合も多い．また，言葉の発達には目や手先の協応も必要となるため，運動障害の強い重症児者は指を舐める，つかんだものを口で確かめるというような行動の広がりを体験することがむずかしく，発達の遅れが顕著となる．

3. 重症児者の成長・発達を促すケア

重症児者の身長・体重のような身体の成長は，原因疾患により，目安となる値が異なる．成長ホルモンの分泌に問題を生じるような疾患であれば，成長を低下あるいは促進させることもある．

身長体重の増減には，栄養摂取状況が影響する．乳幼児期の「哺乳あるいは食事が上手くできずに，体重が増加しない」状況は子どもの栄養摂取を評価する際の基本的な視点である．栄養摂取している内容と量，方法をケアしている支援者から情報収集し，子どもの摂食嚥下機能とあわせてアセスメントする必要がある．重症児では，摂食嚥下機能に障害をもつことも多く，近年では，経鼻経管栄養よりも胃瘻や腸瘻からの栄養方法を治療上，乳幼児期から選択される場合も多い．子どもと家族が「食事をともに楽しむ」経験をもてないことで，食事の際のコミュニケーションの機会が得られにくい．経管栄養であっても，「いただきます」，「ごちそうさま」の言葉かけは，「食事」を意味づけるかかわりとなる．

知的機能の発達は，運動障害の状況や合併症によっても違いがある．コミュニケーションは，言葉を用いたものだけでなく，「体に触れられる」，「抱っこをされる」ことで他者とのかかわりをもつことができる．人のぬくもりに安心感が得られ心地よいと感じる「タッチング」は，コミュニケーションの大切な手段となる．そして，それは発達を促すケアの大切な要素となる．重症児者自身が，快表情やあるいは不快のサインを他者に伝えることができれば，家族以外のたくさんの支援者とコミュニケーションがとれるようになる．そのようなかかわりをもつことができれば，家族と離れた場所での活動も不安なく経験できるようになる．様々な音に慣れ親しめれば，どのような場所に行っても，緊張しないで過ごせるようになる．また，家族の愛情とともに，周囲の支援者から向けられる優しい気持ちなどによって，感情も豊かになる．

重症児の成長発達はゆっくりではある．しかし，ゆっくりではあっても変化する．重度であればあるほど，その変化はみえにくいかもしれないが，子どもがもつ能力を信じて，引き出すかかわりが必要である．年齢とともに，成人としての自覚がもてるよう，会話やレクリエーションの内容は，生活年齢に伴って工夫し，配慮していかなければならない．

文　献

1）吉岡　博，こどもの発達・知能の遅れ．日本小児医事出版社，1993；7-8

［倉田慶子］

E リハビリテーション的ケア

POINT

- 子どもと家族が楽に楽しく過ごせるようにサポートしましょう
- サポートが生活の一部になるような工夫をしましょう
- 家が病室や訓練室にならないようにしましょう

1. はじめに

子どもたちにとっての生活の基本は家庭であり，入所者であれば施設である．私たちは子どもたちとその家族がいかに楽しく，楽に生活できるかを考え，支えていくことに全力をあげていかなければならない．

「リハビリの先生だからできる」といろいろな場面でよく聞かれるが，生活の大半を担う保護者や介護者ができるケア方法，遊び方を提案することがリハ職の務めである．

そして保護者，介護者は自信をもって子育てをしていくことが大切である．

2. 基本的な考え方

忙しい毎日，リハビリで言われた練習を実践することはむずかしい．しかし練習する機会がないと，子どもたちが楽しく，楽になることも減少していく．そこで「その子が1日のうちで1回は中心になること」を提案する．そしてそのときにリハビリから言われたことを心がけてみる．以下に例をあげる．

【例1】朝，兄弟の学校送り出しが忙しくA君（在宅児）の着替えができず，1日中パジャマで過ごしている．お昼ごろでもいいので胡坐をとらせながら着替えをしましょう，と提案．
→お座りの練習ができ，上着に手を通すのを待つことで手を意識的に動かし，着替えの練習もできる．

【例2】緊張があり足が硬いB君．おむつ換えの際に足を「10回」動かし「曲げて，伸ばして」と意識させるように言葉かけをすること，または歌に合わせて動かすことを提案．
→「10回」や「1曲」と決めることでダラダラとやることがなくなる．声かけをすることでB君が動かすことを学べる．関節の柔軟性を保ち着替えがしやすくなる．

【例3】身体がグラグラして座れないCちゃん．図1のように支える場所を変えながら，母子が好きなテレビを観ることを提案．
→好きなものは集中するので練習には最適である．

【例4】四肢が硬く全身が丸くなりやすいDさん．四肢を伸ばす関節可動域訓練やストレッチを考えてしまいがち．
→図2のようにお母さんと一緒にボール投

図1 テレビに集中

図2　お母さんと一緒にボール投げ

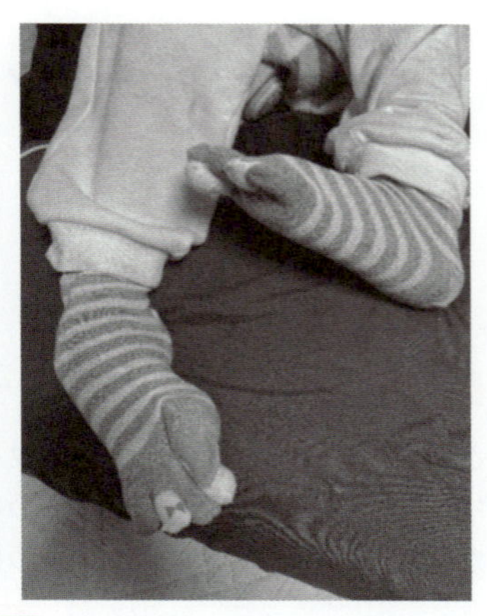

図3　五本指靴下を着脱する際に足趾一本一本触る機会が作れる

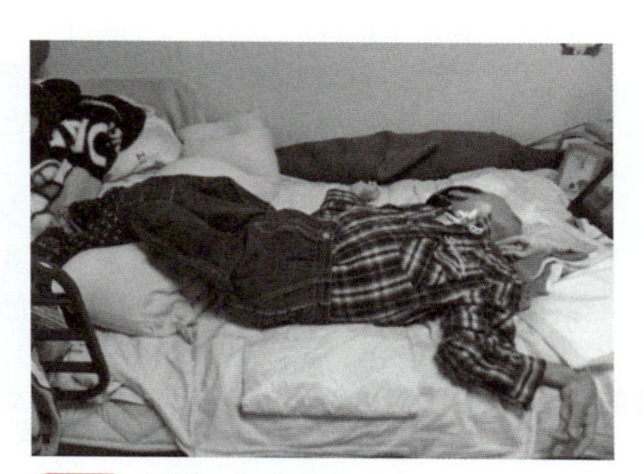

図4　通常の仰向け

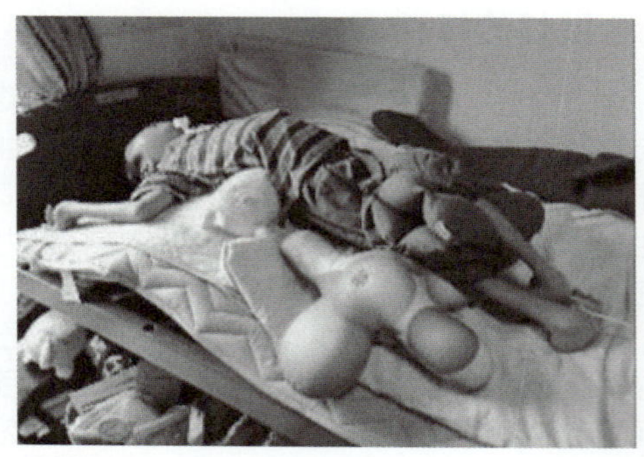

図5　SNP を意識した仰向け

げをすることが，肩から背中を伸ばすことになり練習となっている．家族と一緒に遊び笑顔にあふれる時間となる．

【例5】緊張が強くて足趾が重なったままになっているEさん．五本指靴下を履かせることを提案（図3）．

→着替えのたびにゆっくりと足を触る機会ができ，ストレッチする機会ができた．

【例6】緊張で全身を反り返らせて寝ているF君．介護用ベッドの頭と足を逆にし，膝を曲げておく機能を利用しながら彼のあるがままの姿勢（shape like natural posture：SNP）を維持できるようにした[1]．

→背中全面が接地し，楽に寝ていられるようになった．ショートステイなど施設利用時も同様にポジショニングしてもらうことができ，無理なく過ごすことができた（図4，5）．

【例7】側彎の強いGちゃん．図6のように，コルセットを付けて車椅子に乗ることを提案した．コルセットはSNPを中心に考えて，側彎の矯正を強くせず，変形にあわせて型取りをして作製した．

→身体の重さで右側に崩れることがなくなり，楽に座れるようになった．緊張もなくなり学校でも手の活動がやりやすくなった．

3. 福祉機器の取り扱い

福祉機器の作製に際しては，通常，リハビリで行っている練習でのハンドリング（療法士が動かしたり支えたりすること）から物に変えても大丈夫になったときに，リハビリ職が提案することが大切である．

そのため，日常生活で上手に福祉機器を使うことは，練習を継続することに近くなるため非常に有用である．

ⓐ装具の装着

踵がしっかりと入っていないことが多々ある．図7のように足首前面を固定し，やや足

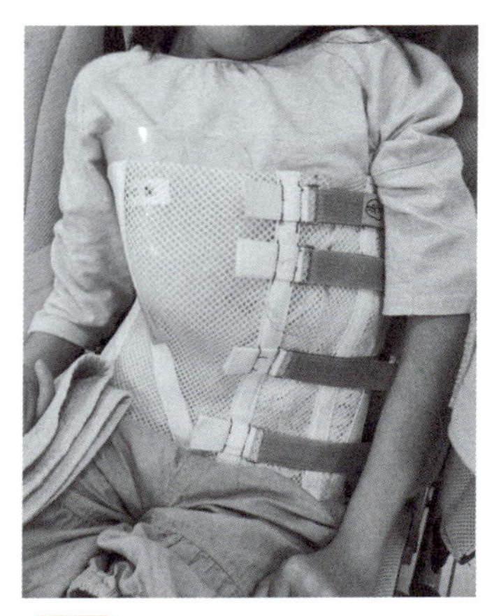

図6 SNPを意識したコルセット

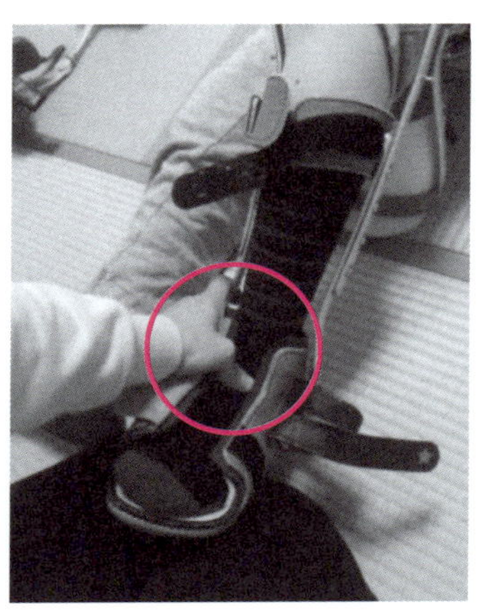

図7 足首前面を押さえて踵を入れる

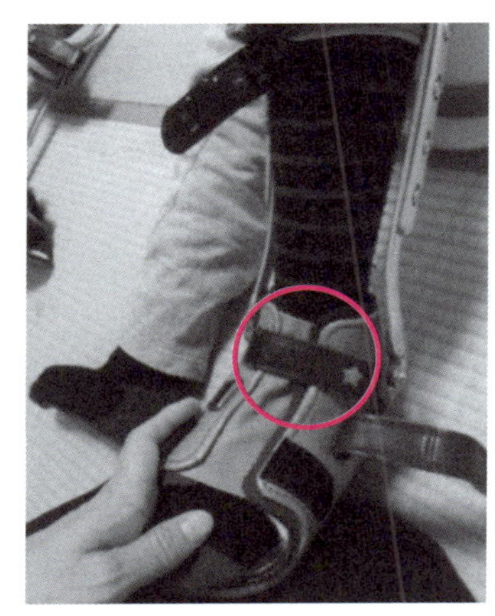

図8 肝心な足首のベルト

先を上げながら装具に入れると踵が入りやすく，ずれにくい．また足首のベルトが肝心であり，その他はゆるくても構わない（図8）．

ⓑ車椅子，椅子の乗せ方

骨盤が後傾し背中が丸くなって座ることが多く見受けられる．2人介助であってもティルト（車椅子や椅子が後に傾く機能）できる物であればティルトしてお尻をしっかりと入れ込むことが肝心である．坐位は両坐骨を接地して骨盤を立てて座るのが基本であり，目指すところでもある．

4. コミュニケーション

どんなに障害が重度であってもしっかりと目をみて話をする．年齢に合った話題や言葉使いをしていくことが大事である．伝わることがわかると表情も和らぎ，緊張することが少なくなる．

【例1】緊張が強くなると反り返って吸気しにくくなるHさん．下顎を支えながら「自分で息ができるところを探してごらん」とゆっくりと静かに声かけをする．緊張すれば苦しくなることを自覚すると自分でコントロールしようと試みる．慌てないでゆっくりとかかわりを続けることである程度楽に過ごすことができるようになる．

【例2】長く幼児言葉でかかわられていたIさん．練習中に読む本を絵本から文庫本にすると，読み聞かせ中に寝てしまうことがなくなった．

【例3】意向や選択など聞かれなかったJ君．「～どうする？」「○○と××どっちにする？」など聞くようにすると，全体に落ち着いてきた．よく人の顔をみるようになり，「Yes，No」がはっきりとしてきた．

5. まとめ

子どもたちと練習をしたり遊んだりした経験を紹介した．子どもたちは周りの助けが必要である．その助けも少しだけ子どもよりに考え，丁寧に時間をかけることでその後の生活がとてもしやすくなる．ある程度生活がしやすくなったらそれ以上にがんばらなくてもよいと考えている．それがその子の，その家族の生活である．楽に楽しく生活していかれることが目標である[2)]．

文　献

1）直井寿德．家だからしなくてはいけない楽なポジショニング．第3回日本小児在宅医療支援研究会一般演題．2013.9.7
2）直井寿德．どこまでみるの，在宅医療．第4回日本小児在宅医療支援研究会一般演題．2014.9.6

［直井寿徳］

F 重症児者の訪問看護

POINT

- 個性に合った健康づくり
- 生活全体のプランナー
- 地域を知って，地域を作る

1. 訪問看護の役割

重症児者は，出生直後や，発病直後に生命の危機といえるような状況を体験している．多くの困難を家族と乗り越え救われた命は，家庭や地域でその人らしく可能性の限りに輝いてほしい．

重症児者の訪問看護は，本人や家族のそばで健康を守り，普通の生活を営むことができるサポートをしながら，ともに命を育む．そして，本人やその家族が地域社会で楽しみや目標をもって生きていくことができるよう，将来を見通しながら他職種との連携を図る役割をもつ．

2. 健康を維持する

重症児者は，現病名が同じであっても個々に状態の特徴が異なる．重症児者にとっての「元気な状態」は必ずしも教科書通りの正常ではなく，その人なりのバランスで健康が保たれていることも多く捉えにくい．個々の病態や治療方針，見通しについて主治医から情報を得たり，家族に経過を聞いたりすることにより重症児者の特徴を把握することが重要である．

ⓐ個々の健康状態を知る

必要な観察ポイントを継続的にみていくことで，体調がよいときと，悪いときの状態がわかる．家族が「なんとなくいつもと違う」と感じる変化について訪問看護師は，裏づけをもって把握する．発熱時，けいれん発作，嘔吐や下痢などの症状があるときの対処方法や受診の目安を医師と相談し，家族とともに確認しておく．また，緊急時の連絡や受け入れ病院の確認も重要である．

個々についての必要な観察ポイントをあげて（体温，呼吸，循環，食事排泄，けいれん発作，睡眠など）継続的経過を記録する（表1）．日々，月，年ごとにまとめることにより長期の経過がわかり，病態や状態の変化も発見できる．病院などへの情報提供にも活用できる．

ⓑ食 事

摂食の障害や，逆流，消化器における障害などから，食べることが困難な状況にある重症児者は多い．しかし，「食べる」ことは，人にとっての楽しみでもあり，生きることの根源でもある．状態に合った食事の形態や，摂食方法，誤嚥を防ぐ姿勢など安全に食事ができる工夫を十分に検討しながら，より普通の生活に近い時間や方法で「食を楽しむ」ことを大切にする．胃瘻や，十二指腸チューブ，腸瘻などの方法で栄養剤を注入する場合でも，生活リズムや環境を「食事」として整える認識をもって工夫していくことが重要である．また，適切な摂取エネルギーや体重の変化を並行して観察することで医学的な裏付けをもって，食事の支援ができる．

ⓒ排 泄

排泄方法は，可能な限りの自立を促すが，活動の制限されている重症児者は，腸の動きも緩慢になりやすく，排便コントロールが必要な場合が多い．排尿についても尿閉や尿路

表1 日々まとめ表

年　　月

	体温	脈拍数	酸素飽和度	体重	睡眠	呼吸器	注入	排尿	排便（浣腸）	備考
1日										
2日										
3日										
4日										
⋮										
31日										

感染症などになりやすい傾向にあり，食事や水分の調整とともに観察していく．訪問看護や，リハビリのメニューに骨盤をゆらすことや下肢の運動，マッサージを加えることも有効である．排泄は，食事の内容や量に直結し，体を動かすことで腸の動きが活発になり消化吸収が促される．生活リズムや活動，睡眠や服薬状況など様々な要因が影響することを理解し，トータルでのアセスメントを実施して整える．

ⓓ清　潔

入浴は，誰でも身体がリラックスして，快いと感じる．重症児者にとっても同様で，入浴は循環がよくなり排痰を促し，皮膚を清潔に保つことで感染予防にもつながる．また，皮膚刺激により，抵抗力の向上や体温のコントロール，適度な疲労により，よい睡眠も促される．筋緊張の強い場合や，拘縮による可動域制限がある場合など，入浴時に浮力を利用して，無理なく動くこともできる．

人工呼吸器装着中や寝たきり状態でも入浴方法を工夫し，福祉サービスなどにより人員を確保することで入浴を実施することができる．可能な限り毎日入浴を目指したい．

ⓔ睡眠・生活リズム

活動性の低さや，けいれん，薬などの影響により，睡眠コントロールがむずかしい重症児者は少なくない．食事や入浴などを規則的に実施して，昼夜のメリハリをつける．重症児者が疲れてぐっすり眠ることができるほどの活動をすることはむずかしい．しかし環境を変化させ，通園や学校，通所などの日中活動の場ができることで生活のリズムが整うこともある．睡眠や生活リズムにおいても，個々の生活全体を見まわし，整う方法を考えていく必要がある．

ⓕコミュニケーション

言葉によるコミュニケーションがむずかしい場合もある．しかし，どんなに障害が重度でもうれしい，悲しい，怖い，好き，嫌いなどの感情をもっており，環境やかかわる人の気持ちを感じている．表出方法が少なく受け手側がキャッチできていないだけである．家族が読み取っているサインを教えてもらったり，日々のケアのなかで重症児者の気持ちに注意を向けたりして気持ちを感じることが大切である．

教育現場や作業療法，言語聴覚訓練などにおいて，ICTを利用したコミュニケーションツールも開発されている．訪問看護で実施することができなくても，コミュニケーションの知識や技術をもっている専門家などにつなぐことで，本人の伝えにくさが軽減できるかもしれない．

ⓖ家庭・環境に合わせたケアの提供

家庭でのケア，特に医療的なケアは病院と違い物品数が限られていることや，スペースの問題，ケア時の動線，ケアする人などその環境によって異なる．ケアの安全性や感染に対する配慮をしながら，普段ケアする家族が使いやすく，動きやすい配置やケア方法をその家に合った形で提案することが重要である．

また身体の特徴や医療的ケアに適した入浴や外出，活動時の器具の配置や物品の工夫などをすることで，家族がケアの負担を軽減できたり，自分でできたりといった環境整備ができるとよい．

ⓗ元気に楽しく過ごせる「イメージ」

重度の障害があり，医療的なケアがある場合の生活は医療行為を中心に考えられがちで

ある．医療的な管理やケアは，生命維持のために重要であるが，重症度に関係なくその人なりの健康を維持して，目標をもって生活することがより健康を増進することにつながると考える．周囲の支援者が将来に対してどんなイメージをもちながらかかわるかで，健康も生活も結果が変わる．

たとえば，人工呼吸器などがあり，医療的な処置も多い重症児者に対して「寝たきりで，家にいるほかない」という気持ちでかかわると，外に出て社会参加をしていくことには結びつきにくい．しかし，どんなに障害が重度でも，普通の生活から切り離さず年齢や希望に応じた生活イメージをもって，支援することが大切である．日常では「朝起きたら，顔を洗って着替える」「食事は３回」「学校に行く」「お風呂に入る」「よく眠る」などの生活の流れの基本は健常でも障害が重くても同様である．そして「外出する」「友達と過ごす」「旅行に行く」などの楽しみが生活に潤いを与え，生きがいともなる．それらの実現のために健康な状態を整えたり，支援の人を集めたりすることで，「今」何が必要かみえてくる．

本人や家族と話し合い，医療者として生命を守り，健康を保ちながら諦めずに「普通の生活」を目指すことで重症児者の世界を広げることができる．

❶活　動

医療やケアを受けるだけの受け身の生活ではなく，本人が能動的に動くことで楽しいと感じたり，人とのかかわりをもったりする場面は意識的にプランすることが大切である．日々のかかわりのなかで，十分なコミュニケーションをとり，本人が楽しいと感じることは何か，興味のあるものは何か，嫌いなことは何か，注意深く読み取り，様々な体験の機会をつくることが可能性を引き出し，成長を促すことにつながる．また，医療的ケア児者の活動場所は，まだまだ限られていて，選択できるところには到達していない．保育所，幼稚園，学校，通園などの支援体制が整い，社会参加できていくことが望まれる．

3. 生活全体のプランニング：家族を含めた生活のコーディネート

生活は，重症児者の年齢や健康状態，家族状況，成長や発達によって変化する．

健常な場合でも，幼稚園・学校・就職など経年的変化に応じて生活を変える．

重症児者も同様にかかわりが身体的なことや医療的なことのみにとどまらず，家族の想いを理解したうえでニーズをとらえて生活をコーディネートすることも家族の身近にいられる訪問看護の役割であり，やりがいとなる．本人のケアスケジュールに加え，兄弟の学校，両親の仕事状況などにより，ケアの手助けが必要なところを明らかにしてサービス調整を実施する．

多くの場合，ケアのほとんどが家族に任されていて，医療依存度が高いほどケアは複雑で，昼夜を問わずケアが必要になり，家族の負担が大きい．おもな介護者である母親は，睡眠不足になっていないか？　兄弟とのかかわりがもてているか？　家族のなかでどの程度のケア分担ができているか？　など注意しながら生活をみていく（図1）．

訪問の回数，時間，ケア内容は成長や発達，生活状況の変化に応じた変更も柔軟に対応できることが望ましい．生活の流れのなかで，家族にとって大変なケア（入浴や散歩など）を切り取るようにプランすることで，家族の負担を軽減でき，安定した生活が送れように生活を組み立てられる．また，本人が成長し家族も生活に慣れ，居場所もできたときには，自律に向けてケアを引き算することも必要であろう．将来はこうなりたい，または，こうなるといった目標を本人や家族そして支援者も共有し，かかわるチームで目標を目指す．

4. 家族の支援

子育ての方法は人それぞれで，家族の人生観，子育て観，障害観も多様であり，障害受容の過程も，その家族によって違う．

障害や病気をもった子どもが生まれたときや事故や病気でハンディを背負ったときに家族が絶望したり，人生や生活に対して大きな不安を抱えたりするのは当然である．医療的

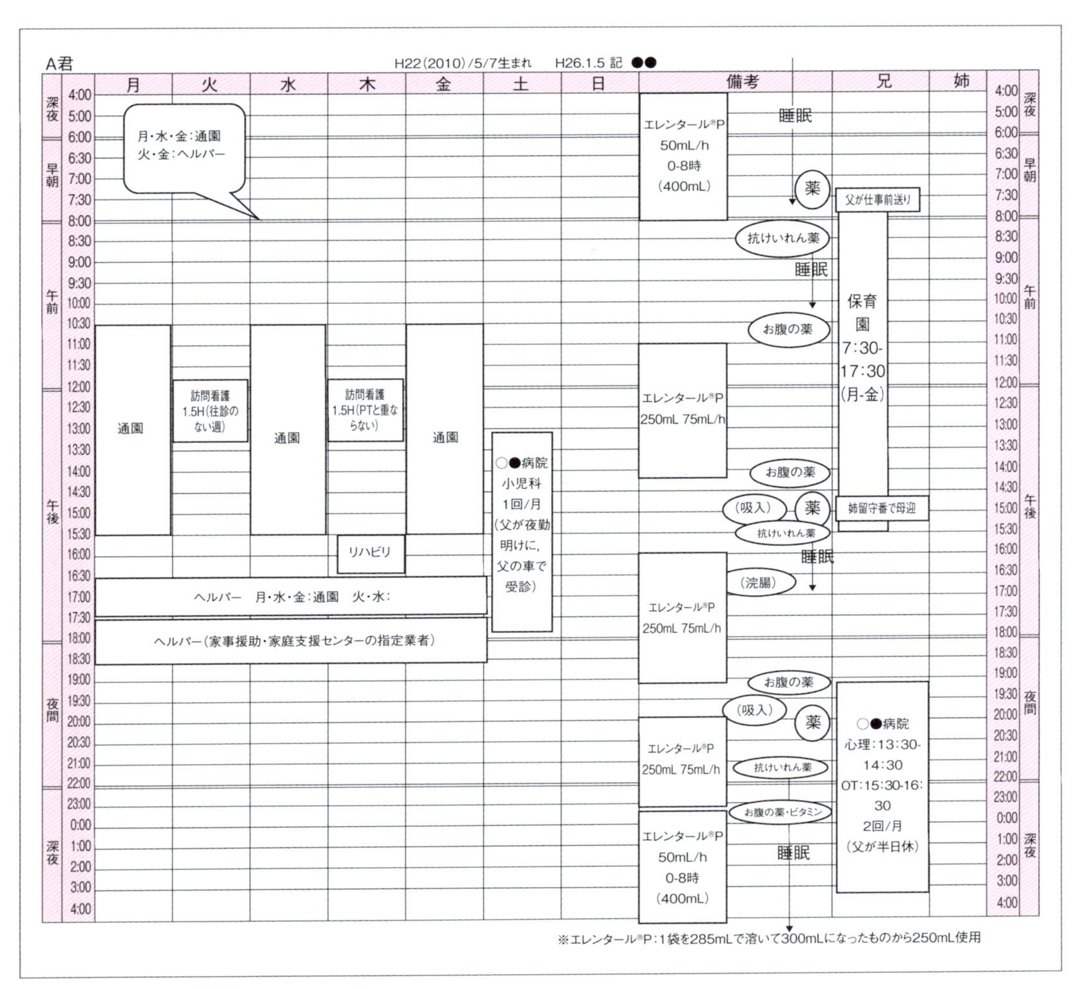

図1　週間スケジュール

ケアや介護，判断が家族に任され負担も大きい．相談する人もなく，孤立しやすい状態にある．

訪問看護師は，家族の身近で健康のこと，生活や環境，兄弟，地域などの相談を受け，気軽に話せる関係性をもつことが重要である．家族は話しをすることで，自身の気持ちに気づいたり，解決の道筋をみつけたりすることもある．看護師は，傾聴にとどめず，必要に応じてアセスメントをし，支援策を講じるように努める．

成長や加齢，家族環境の変化などに伴い生活は変化する．経済的理由などから介護者が就労を希望する場合もあれば，長年介護により体調を崩したり，家族の加齢に伴い介護がむずかしくなったりすることもある．家族の希望する生活が送れるために必要な支援を考え，地域の窓口につなぐことや，レスパイトケアの利用などを相談することが重要である．またその家族に予測される状況は，早い段階で策を講じて備えていく．

重症児者が健康に，楽しく家族や社会のなかで生きていくためにどのように支援するかを家族とともに考えながら実践することが重要となる．

5. 地域とつながり支えるチームを作る

重症児者を地域で育むためには，様々な機

関・サービスとのかかわりが必要である．病院や訪問診療，訪問看護・訪問介護・行政・保健師・学校などがある．医療依存度の高い重症児者であっても，医療者とのかかわりのみでは成長や生活を支えることはできない．重症児者のニーズにあわせて多くの職種とかかわりをもつ．これらについてケアコーディネートの役割として，地域には「相談支援専門員」や「医療的ケアコーディネーター」などの支援がある．訪問看護は本人の身近でかかわる立場から，これらの職種と十分な情報交換を行い，生活を支えていくことが望ましい．介護保険では，ケースごとにケアマネージャーがかかわり，支援の総合的なコーディネートがされる．重症児者については，利用するサービスの仕組みも複雑で，自治体によっても体制の違いがある．家族のみでサービスのコーディネートすることは非常に困難で，負担が大きい．「どこに聞いたらいいのかわからない」という声をよく耳にする．

たとえば，一人がかかわる医療機関をとっても，気管切開は○○病院，胃瘻や栄養は○○大学病院，神経や整形外科は○○療育センターなどと１つの身体を部分ごとに別の病院で管理を行い，全体を診てもらえるところがなく，緊急時の搬送先が決まっていないというケースもある．長年そのかたちで経過すると，調整は困難を極める．病状変化などのタイミングで，家族や在宅診療と話し合いで調整する必要がある．

また，就学や就労など人生の区切りの場面では，医療的ケアが難点となり，地域移行ができないことも多い．訪問看護師もつなぎ役になりながら本人や家族の希望を元に，教育を等しく受けることや，社会参加しながら生きていくことを基本認識しながら，かかわる人たちが，地域の問題として捉えて対処していくことが大切である．

ⓐ地域を知り関係者会議を開く

訪問看護師は，本人や家族のニーズを捉え課題を整理して，誰がどんなかかわりをすることで，課題解決になるのか予測をたてる．その地域にある機関や，制度，人について情報を集めて地域を知る．訪問診療，訪問看護，訪問介護，行政，学校，保健師，療育機関，病院など関係機関・サービスは多い．それらが一貫した支援をするために，重症児者の関係者が集まり，会議を開催する．病状の変化や新たな在宅サービスが必要になったとき，通園や就学などライフステージが変化する前の準備が開催のきっかけとなることが多く，アセスメントや情報共有のために，定期的に継続する．支援者が顔の見える関係性をつくり，その重症児者のことをよく知っている人が多いことは生活を支える基盤を厚くする．

ⓑ地域づくり

関係者会議で，１つ１つのケースを通して地域のチームメンバーが，それぞれの役割をもって重症児者の具体的ニーズを解決する支援を工夫する．それに基づいて個別支援計画を作成して実行する過程のなかで，チームメンバーの障害や病気に対する理解も深まり，支援のスキルが身につき課題が解決する．個々の障害についてのニーズを行政などが理解して支えることを丁寧に積み重ねることは，制度や仕組みの見直しや改善が必要な部分も明らかとなり，個々のニーズから地域がつくられていく．

訪問看護師は，長く本人や家族に寄り添い，医療面に加えて生活全般の困りごとに目を向ける意識をもち，地域と一緒に考えながら，生活のプランナーとなることが望ましい．

参考文献

・重症心身障害児在宅療育支援マニュアル作成委員会（編）．訪問看護師のための重症心身障害児在宅療育支援マニュアル．東京都，2011
・前田浩利（編）．地域で支える　みんなで支える　実践!! 小児在宅医療ナビ．南山堂，2013
・梶原厚子（編著）．子どもが元気になる在宅ケア．南山堂，2021

［木内昌子］

G 感染症対策・予防

POINT

- 常日頃から介護にかかわる全員の健康管理や感染対策を意識した行動（標準予防策，室内の換気など）を実践することが，安全，安心の基盤になる

〈インフルエンザ感染対策〉

- 経路別感染対策（飛沫，接触感染対策）を厳守する
- 抗原迅速検査の限界を理解して，解釈する（陰性でも感染を否定しない）
- 定期的なワクチン接種，感染者が出たら，抗インフルエンザ薬の予防内服を検討する

〈ノロ，ロタウイルス感染対策〉

- 嘔吐物，排泄物の処理は，個人防御具（PPE）を装着し，適切な消毒液を使用する
- 感染患者は，下痢などの症状が治まった後しばらくウイルスを排泄する

〈新型コロナウイルス，ヒトメタニューモウイルス，RS ウイルス，薬剤耐性菌〉

- 新型コロナウイルス感染拡大は，社会全体の感染への意識を高め，感染対策の浸透は，他のウイルス疾患の流行も阻止した
- ヒトメタニューモウイルス，RS ウイルス感染は小児だけでなく成人にも感染する
  重症児者は重症化し，施設の感染拡大（アウトブレイク）を起こすことがある
- 薬剤耐性菌対策は医療機関内に限らず，家庭や施設でも感染対策の重要な課題である
- ワクチン接種効果は，感染予防，重症化予防など極めて大きい．ワクチン接種歴や抗体価の確認は，介助を受ける者，行う者全員を対象に行う

1. インフルエンザの感染予防・対策

ⓐ はじめに

インフルエンザウイルス（以下，インフルエンザ）は，冬〜春にかけて流行する感染症である．重症児者の医療やケアにかかわる者にとって，インフルエンザ感染対策は重要である．流行期には感染対策の実施，日々の体調の観察を行い，迅速な患者の診断や治療につなげるようにする．重症児者は呼吸器疾患を合併する場合も多く，感染すれば重症化のリスクが高い．また入所，通所施設などで患者が発生すると，感染拡大しやすく，感染者数が多数出れば，一時的な施設閉鎖も必要となる．

インフルエンザに対する感染対策や診断，治療は 21 世紀に入り大きく変化した．重症児者へのワクチン接種，3 価から 4 価へワクチンの変更，インフルエンザ抗原検出キットや抗インフルエンザ薬の登場により，感染対策や治療が向上した．米国疾病対策センター（Centers for Disease Control and Prevention：CDC）が提唱する標準予防策や経路別感染予防策が，日本の医療機関や福祉施設でも認知され，具体的な行動の理解も普及した．以下，インフルエンザ感染症の臨床，診断，治療，感染対策について説明する．

ⓑ インフルエンザ感染症

1）インフルエンザ感染症の臨床

インフルエンザのうちヒトに感染するのは A 型と B 型である．通常 12 月〜4 月初旬，特に 1 月下旬〜2 月に流行のピークがある．まれに夏でも患者の発生がある．筆者の施設では 7 月にインフルエンザ感染患者を経験した．流行期ではないため，医療機関でも診断が遅れたため，アウトブレイクとなった．

表１ 抗ウイルス薬

内服薬	オセルタミブル（商品名：タミフル® など）	１日２回　５日間　カプセル，顆粒
	バロキサビル（商品名：ゾフルーザ®）	１回のみの服用
吸入薬	ラニナミビル（商品名：イナビル®）	１回のみの服用
	ザナミビル（商品名：リレンザ®）	１日２回　５日間
点滴静注薬	ペラミビル（商品名：ラピアクタ®）	１日１回　症状に応じ運用可

改めて，日頃からの標準感染予防策や経路別感染予防策の重要性を示唆する事例であった．

潜伏期間は通常１～３日程度である．感染力が強いのは発症直前～発病後３日程度である．ウイルスは咽頭で，発病後３～５日間は検出される．発病者は発症前日からヒトに感染させるので，日頃からのマスクの着用や手指衛生が重要である．また患者との接触者を調べる際には，発症前日から調査する．

感染経路は，飛沫感染と接触感染である．飛沫感染は，咳やくしゃみなどで１～２ｍの範囲にウイルスが拡散する．接触感染は，鼻汁や痰を触れた手から伝搬する．またインフルエンザウイルスは環境表面で数時間生存するので，環境面に存在するウイルスに触れた手から感染することもある．

臨床症状は，急激な発熱，頭痛，筋肉痛，関節痛などの全身症状が出現し，その後に咳や鼻汁などの呼吸器症状を伴う．しかし発熱がない症例や消化器症状が強い症例などもある．発熱がないからインフルエンザ感染症を否定することはできない．流行時期には，発熱がなくとも鼻汁や咽頭痛，頭痛や筋肉痛，倦怠感等でもインフルエンザ感染症の可能性がある．

2）診　断

日本では，診断にウイルス抗原迅速キットを使用することが多い．迅速検査は改良が進んでおり，検査キットの添付文書では，感度がおおむね90%以上とある．しかし，検査の限界を考慮して結果を解釈することも大切である．発症早期では，インフルエンザに感染していても抗原検査が陰性になることはしばしば経験される．また検体採取の仕方にも影響も受ける．迅速抗原検査が陰性でも，周囲にインフルエンザ感染者がいる場合や，流行シーズンに典型的症状があればインフルエンザ感染症と考えるのが妥当である．

3）治　療

治療薬は，抗ウイルス薬（表１）と解熱薬や去痰薬，鎮咳薬などの対症療法とがある．

抗ウイルス薬には，以下のように内服薬，吸入薬，点滴薬がある．

抗ウイルス薬は，なるべく発症から２日以内に開始する．しかし，それ以降でも肺炎などの重症な合併症があれば使用する．早期に使用することにより，症状が早く軽減され重症化の阻止が期待できる．2009年の新型インフルエンザ感染拡大の際には，日本での迅速抗原検査と抗インフルエンザ薬の服用は，有効な対策として世界的に認められた．オセルタミビルは，副作用として行動異常や消化器（嘔吐，下痢），出血症状（血便，吐血，不正子宮出血など）がある．ペラミビルは，内服や吸入が困難な場合に使用する．バロキサビル（商品名：ゾフルーザ®）は2018年に保険収載された新しい薬剤である．従来の薬剤がノイラミニダーゼ阻害薬であるのに対して，バロキサビルはキャップ依存型エンドヌクレアーゼ阻害薬であり，作用が異なる．服用が１回のみという利便性や，内服後に急速にウイルス量が低下するなど利点がある．しかし，小児の使用経験は少ないこと，また変異ウイルスが生じる可能性もあり，使用基準については，専門家の間でも一定の見解が得られていない．

対症療法としては，解熱薬，鎮咳薬，去痰薬がある．解熱薬は，アセトアミノフェンが比較的安全である．鎮咳薬は，咳の生理的な意義（痰の喀出）と鎮咳によるメリット（安静，安全に食事をとる）を比較して，服用を判断する．また，麻黄湯などの漢方薬も発熱や関節痛などの症状の軽減に有効である．

4）合併症

肺炎，副鼻腔炎，中耳炎，心筋炎や脳症などがある．これらの合併症を早期発見し治療することも重要である．

C 感染対策

感染対策は，いかに施設内や家庭内にインフルエンザを侵入させないか，拡散させないかを目標に，具体的な対策を示し指導する．ワクチン，標準予防策と経路別感染（接触，飛沫感染）対策の実際，感染者発生時の対応，抗ウイルス薬の予防内服について説明する．

1）ワクチン接種

施設利用者は集団感染のリスクが高く，また重症児者など基礎疾患のある場合は重症化しやすい．インフルエンザワクチンは発病抑止に一定の効果があり，また重症化の予防には大きな効果がある．これまでの報告では，65 歳以上の高齢者施設入所者では，発症を34～55%阻止した．また 1～6 歳未満を対象とした研究では，発症阻止効果は 20～30%との報告や，0～15 歳では発病予防効果が 1 回接種で 68%，2 回で 85%，16～64 歳では 1 回接種で 55%との報告がある．妊婦でも安全に接種可能であるが，14 週まではもともと自然流産も多いことから，接種時期はそれぞれの状況に応じ決定する．

ワクチン自体の安全性も高く，禁忌でない限り，毎年接種を行う．ワクチンの効果は接種 2 週間～5 か月であり，流行期を前にスケジュールを立てる．

2）感染経路からみた対策

インフルエンザはおもに飛沫感染，接触感染である．具体的な場面を想定して，どのような感染対策を実施すべきかを事前に確認しておく．

日頃の感染対策：新型コロナウイルス感染症のパンデミックにより，日本では 2020（令和 2）年に厚生労働省により，感染対策を念頭においた新たな新しい生活様式が提唱された．それはまさにインフルエンザ対策にも通ずる．

日々，利用者や職員の健康を確認する．鼻汁のみ，軽い咳だけでも，症状があれば申告する．日常的に手指衛生を励行する．外出から戻ったら石鹸と流水あるいはアルコール手指衛生を習慣化する．手指衛生といっても，やり方は人それぞれである．流水と石鹸では 20 秒を目安に指先，爪の間，指の間，手背，手首などくまなく洗う．アルコール消毒は 3 mL 程度とりしっかり擦りこむように消毒する．不織布製マスクの着用も社会的なルールとなった感がある．マスクは，おもに飛沫を飛ばさない効果，そして吸い込みをある程度抑止する効果がある．実際，インフルエンザの感染者のなかには，熱などの症状がない軽症例もある．気付かないうちに，感染源となっている可能性もある．ウレタンマスク製は効果がない．

新型コロナウイルス感染対策で有効であった 3 密回避（密集，密着，密閉）は，当然インフルエンザ感染対策でも同様である．施設では，職員同士マスクなしの会話，対面での食事は禁止する．季節を問わず換気も重要である．

流行時の対応：介護する者は，日頃から標準予防対策を実践する．標準予防策とは，すべての人に対して実施すべき感染対策である．症状の有無にかかわらず，汗以外の体液，排泄物，創傷のある皮膚，粘膜は感染性があると認識する．ケアの前後の手指衛生は基本である．インフルエンザにはアルコール消毒が有効であるが，アルコールの濃度により効果が変わるので，どの程度の期間で交換するかを決めておく．筆者の施設では，半年くらいを目途に消毒液を交換している．医療機関ではアルコール消毒液の消費量は，感染対策の徹底具合の目安になる．同様に入所，通所施設でも，アルコール消毒の消費量をモニターし，消費が少ない場合は，手指衛生が十分ではない可能性があり徹底を促す．

状況に応じた手袋，エプロンやゴーグル，フェイスシールドなどの個人防御具（PPE）の使用も有用である．食事や口腔ケア，排泄の介助，褥瘡の処置などでは，PPE を使用する．ケアの必要な対象者に，いつもと違う咳や鼻汁などの症状を発見したら，ケアの際に，接触予防策や飛沫予防策を実施する．熱の有無に限らず，経路別感染予防策を実施するのが大切である．

環境に対しては，共用物やドアノブ，ベッド柵などの高頻度接触部位の消毒も一日のうちに 1～2 回行う．清除シートを利用して消毒する．

3）インフルエンザ感染患者が発生した場合

施設利用者に感染患者が発生した場合：患

者が発生した場合は，入所施設では，感染拡大阻止の対応を迅速にとる．患者を個室に移す．患者と同室の利用者は感染潜伏期の可能性がある．二次的に拡散が起きないように，部屋を動かさず健康状態を観察する．患者の発症前日からの行動範囲から接触者を調べ，必要ならば抗インフルエンザ薬の予防内服も検討する．

通所施設利用者や職員に感染患者が発生した場合：流行期には，職員やその家族が感染することはしばしばある．職員や家族のワクチン接種は毎年行う．平素の健康管理は重要であり，本人や家族に発症があればすぐに職場に連絡する．連絡の遅れは予防内服などの対策が遅れてしまう．職員の体調に応じ，休業や勤務交代がスムーズに可能な職場作りを，管理者の責任で行う．

4）予防内服

施設内に感染者が出た場合，周囲の感染患者発生を防ぐために抗ウイルス薬の予防内服を実施することがある．予防薬として使用されるのは，オセルタミビル，ザナミビル，ラニナミビルである．対象は，インフルエンザを発症している患者の同居家族または共同生活者で，以下のような場合となっている．

①高齢者
②慢性呼吸器疾患・慢性心疾患患者
③代謝性疾患（糖尿病など）患者
④腎機能障害患者となっている．

嚥下障害や慢性呼吸障害を有する重症児者には予防内服の適応があると考える．日本感染症学会は，2012年にインフルエンザ病院内感染対策の提言として，早期から積極的な予防内服を推奨した．重症児者施設では，居住空間の共有，生活介助や医療的ケアが多いため，利用者同士，職員と利用者同士の接触が多く，感染拡散のリスクがある．利用者にインフルエンザ患者が発生した場合には同室の利用者や，感染者の近くで食事をした利用者などが予防内服の対象であろう．インフルエンザ感染患者は，発症前日から感染力を有するので，予防内服対象者を決める際には，空間的広がりだけでなく時間的広がりも考慮し，迅速に開始する．

職員への予防内服は，健康成人でワクチン接種があれば必ずしも服用しなくてもよいが，状況を考慮して内服を判断する．予防内服をせずに済むように，標準予防策，経路別感染対策を日々しっかりと実行し，また体調不良時は休養を取る．

予防内服は，オセルタナビルの場合は，成人では1日1カプセルで10日間とされている．重症児者の場合，吸入薬の使用が困難であり，内服のオセルタナビルが使用しやすい．

最近，予防内服が浸透するようになり，1シーズン中に，周囲に患者が発生するたびに予防内服が行われる例をみると，抗ウイルス薬の乱用による耐性ウイルスの出現や，副反応も懸念される．日頃からの感染予防対策を遵守し，予防内服の対象者をできるだけ絞り込むことが大切である．なお費用に関しては保険適用ではないので，費用の負担のルールを決めておく．

ⓓまとめ

新型コロナウイルス感染症が拡大した2020～2021年の冬季は，インフルエンザ感染症の流行はなかった．マスク，アルコールによる手指衛生，平素の健康管理，3密回避がいかに有効であるかが証明された．また，目からの感染を防ぐゴーグルやフェイスシールドを導入，継続することも重要である．インフルエンザウイルス感染症は，重症児者に肺炎，脳症など重症な合併症を起こすことがある．日頃からの感染対策は，施設職員や介護者の感染対策は当然のことであるが，利用者家族も一緒に取り組むことが一層の効果を上げる．

2. ノロウイルス感染症と対策

ⓐはじめに

ノロウイルス感染症による感染性胃腸炎や食中毒は，一年を通じて発生するが，特に11月頃から増加し始め12～1月にかけてピークを迎える．非常に感染力が強く，わずか100個のウイルスで感染が成立する．ノロウイルスは多様性に富み，多数の遺伝子型が存在するが主要なものは，Gene Group ⅠとⅡであり，日本はGⅡが感染者の8割以上を占める．

ⓑノロウイルス感染症

1）ノロウイルスの感染経路

ウイルスは感染者の糞便や嘔吐物中に排出され，ヒトからヒトに感染は拡がる．また環境下でも5～12日間生存するため，接触感染の原因となる．

具体的には，次のような経路がある．

・感染者の嘔吐物，排泄物の処理を行った場合
・食品取扱者が感染している場合，手指衛生の不十分な感染者が調理した食品を摂取した場合
・汚染された二枚貝を加熱処理していないで摂取した場合，汚染された井戸水などを不十分な消毒のまま飲水した場合
・ノロウイルス感染者の吐物の拭き取りが十分ではなく，カーペットなどに残った吐物が乾燥し，その中に含まれたウイルスが空気中に広がって吸入した場合
・共用の物品（ベッド柵，コンピューターのキーボードなど），トイレのドアノブやペーパーホルダーに付着したウイルスに触れた手から

2）感染症状

潜伏期間は平均1～2日であるが，食中毒では食後8時間後に発症した報告もある．通常，突然の嘔吐，下痢，腹痛で発症する．通常2～3日で症状は改善する．体力の低下した患者では遷延する場合もある．感染後に死亡例もあるが，どの程度ノロウイルス自体が影響していたのかは不明である．また感染しても発症しない場合や軽い風邪のような症状の場合もある．患者が感染力を有するは，発症2日前～発症後2週間であるが，発症1か月後にも便にウイルスが存在し，本人は症状がなくても感染源になるので注意が必要である．ノロウイルスの抗体は6か月しか持続せず，また複数の型のウイルスが存在するため，何度もノロウイルスの感染を経験する．

3）ノロウイルスの診断・検査

嘔吐や下痢から感染性胃腸炎を疑い，ノロウイルス感染症と診断を確定するには，ウイルス検出の検査を行う．検査方法は以下がある．

RT-PCR法，リアルPCR法：吐物や便に含まれるノロウイルスの遺伝子を抽出し，遺伝子を増幅して検出する方法である．糞便，吐物1gあたり1,000～1万個のウイルス量で陽性になる．感度が高く信頼性が高い．ただし特殊な装置が必要であり，迅速性に欠ける．

迅速抗原キット：イムノクロマト法による簡便な方法であり，キットさえあればよい．短時間で結果が出る利点があるが，検査感度は60～80%と必ずしも高くないため検査が陰性でもノロウイルス感染症を否定できない．これは，ウイルス量が100万個以上ないと陽性にならないこと，キットが反応しない遺伝子型ノロウイルスは陰性になることなどによる．なお，迅速抗原キットは3歳未満あるいは65歳以上，悪性腫瘍の診断が確定，臓器移植後，抗悪性腫瘍薬や免疫抑制薬使用中の場合のみが保険適用である．

4）ノロウイルスの治療

特別な治療はない．健常な人であれば1～2日で回復する．水分や糖分の補給を心がける．嘔吐のため水分がとれない場合は点滴が必要になる．嘔吐物の誤嚥により重症肺炎を発症し，死亡することもある．胃食道逆流や嚥下障害のある重症児者では，命にかかわる可能性もあり，注意する．

ⓒノロウイルスの感染対策

感染性胃腸炎の嘔吐や下痢は突然発症する．不適切な嘔吐や排泄物の処理が，感染拡大を招く．重症児者の場合，嘔吐は日常的に遭遇する症状である．その際，感染症による胃腸炎を考慮せず，嘔吐物の処理を実施すると，いざノロウイルスによる嘔吐と判明した場合は手遅れである．常日頃から嘔吐物や下痢の処理は，感染性のある排泄物として扱う．

1）日頃の備え

ノロウイルスは非常に感染力の強いウイルスであり，1例でも患者があれば，集団生活を送る者同士や職員に感染が広がる可能性がある．感染流行時期に限らず，常に標準予防策や経路別感染予防策の理解，遵守が大切である．

嘔吐や下痢などの消化器症状があれば，必ず報告することが大切である．特に職員は，軽症の嘔吐や下痢の場合でも必ず報告するように指導する．体調不良を申告し，必要に応じ休業を取れるような職場環境を作る．面会

者にも健康状態の確認に応じてもらう．

障害をもつ方のなかには，日頃より胃食道逆流症などにより嘔吐しやすいケースもある．しかし，感染症の可能性を安易に否定しない．

2）環境衛生

ノロウイルスは環境表面に存在する生存ウイルスからも感染が拡大するので，大勢が触れる物や場所は定期的に消毒をする．特にトイレの周りは，感染対策が何より重要である．ドアノブや鍵，水洗のハンドルやボタン，便座やペーパーのホルダーなどは，排便後の手を洗う前に触れる部位である．感染源としてのリスクが高いと認識する．

ノロウイルスはアルコールが無効で，消毒には次亜塩素酸ナトリウムを使用する．次亜塩素酸ナトリウムは，消毒する物により濃度を変える．有機物が多い便や嘔吐物では，1,000～5,000 ppm程度の高濃度の次亜塩素酸ナトリウム，有機物が少なければ，100～200 ppmに調整する．

調整の仕方：1,000 ppmとは0.1％である．次亜塩素酸ナトリウムには，市販の塩素系漂白剤を用いる．漂泊剤には5～6％の次亜塩素酸ナトリウムが含まれるので，少量をとり水で希釈する．たとえば5％の塩素系漂白剤には5％の次亜塩素酸ナトリウムが含有するので，10 mL（次亜塩素酸ナトリウムとして0.5 mL）を水道水で希釈して500 mL（1,000倍）にする．これで1,000 ppmの完成である．

例）5％の塩素系漂白剤　10 mL＋水道水（490 mL）で合計500 mL　1,000 ppm
　　5％の塩素系漂白剤　1 mL＋水道水（499 mL）で合計500 mL　100 ppm

濃度が薄いと十分な消毒効果が得られない．不十分な消毒により集団感染を起こした事例もある．濃度の高い次亜塩素酸ナトリウムは，消毒する対象物の素材によっては脱色や劣化を引き起こす．

実際，各場面の消毒は以下のとおりに実施する．

嘔吐や排泄物の汚染処理：清掃は，常にマスク，エプロン，手袋着用して行う．まず嘔吐物を紙や布で覆う．このときペーパータオルや新聞紙などパルプ製品は塩素を消費してしまうので，消毒に用いる次亜塩素酸ナトリウムはたっぷりと使用する．嘔吐物は広範囲に飛散するので広く消毒を行う．拭き取った紙や布，手袋等はビニール袋に入れ処分する．室内の消毒をしている際には，窓を開けて換気をしっかり行う．

リネン：嘔吐物や便が付いたシーツ等のリネン類を扱うときも手袋，マスク，エプロンを着用する．汚れを下洗いして落とす．その後で200 ppmの次亜塩素酸ナトリウムに10分間浸すか，85℃で1分間以上の熱湯消毒をする．汚染した物は専用のビニール袋に入れて周囲を汚染しないようにする．非汚染物と分けて洗濯する．

トイレ：嘔吐物や便が飛散したところは1,000 ppmの次亜塩素酸ナトリウムで消毒する．それ以外の床面は，200 ppmの次亜塩素酸ナトリウムを用いてモップで拭く．

高頻度接触部位：共用のパソコンのキーボードに付着したウイルスからの集団感染の事例もある．ドアノブ，机，床，電気のスイッチ等は，200 ppmの次亜塩素酸ナトリウムで消毒する．消毒部位に金属がある場合は，消毒10分後に布でふき取る．ウイルスは乾燥に強く，長時間環境の中で生存することができるので，トイレ以外の環境でも衛生は重要である．

ⓓ 患者への対応

1）入所施設の場合

患者は個室に隔離する．多数の患者が発生し個室隔離が困難な場合は，発症患者を集めて同室にする．厳重な接触予防策を実施し，二次感染を防ぐ．看護，介助職員の手を介しての伝搬阻止にも努める．隔離の介助は，下痢等の症状が治まって3日程度をもって判断する．入浴も下痢が治まっても3日間は入浴を控え，入浴再開後も，順番は最後にする．

2）通所施設の場合

発症時の対応は，嘔吐物の除去や環境対策は同様である．患者発生が確認された場合，他に感染者の発生がないかどうか，家族と施設で情報を共有する．

3）在宅での対応

急な嘔吐に対しては，常に感染性のあるも

として対応する．排泄介護の注意や，環境に生存するウイルスを意識して清掃する．また学校や通所先には，事情を報告し，施設ごとのルールに基づき利用を差し控える．

4）感染した職員への対応

ノロウイルスに感染した際に休む期間は，嘔吐や下痢が治癒した後，少なくとも2〜3日後が望ましい．ノロウイルスは下痢など症状が消失しても長期間ウイルスの排出が続く．きちんとした手洗いとトイレの環境消毒を実施する．手洗いは流水で20秒以上行う．同じ20秒でも石鹸洗いのあと10秒の流水洗浄を2回のほうが効果的との報告もある．施設内集団感染は職員が発端者であったり，職員が感染し利用者に伝搬したり，職員の手を介して拡散させる．職員の健康状態の確認，報告や感染対策の教育は重要である．

3. ロタウイルス感染症の感染対策

ロタウイルスは小児に胃腸炎を起こす代表的な病原体である．ロタウイルスはA〜G群の7種類に分類される．流行のシーズンは1〜4月である．生後6か月〜1歳を中心に流行し，5歳までにほとんどの小児が罹患する．5歳までに急性胃腸炎で入院する患者の40〜50%がロタウイルス感染による．

ⓐロタウイルス感染症の臨床

1）感染経路

ノロウイルス同様に感染力は非常に強く，ウイルス粒子10〜100個で感染が成立すると考えられている．患者便中に大量のウイルスが排出され，下痢便1gに1,000億〜1兆個のウイルスが含まれるといわれている．便の処理をした人の手を介して感染が拡がる．またウイルスは乾燥すると空気中を漂い，これが口に入って感染することもある．環境中でも安定して生存し，汚染された食物，水や手すりやドアノブに存在することもある．汚染された物を摂取して感染する場合，またウイルスが付着した物に触れた手を介して伝搬されることもある．

2）臨床症状

潜伏期は1〜4日である．症状は発熱，嘔吐，腹痛を認め，嘔吐から24〜48時間後に頻繁の水様性下痢（白色下痢）を認める．重い脱水症を伴うこともあり，他のウイルスより重症の胃腸炎を引き起こす．以前は白色下痢が特徴とされていたが，必ずしもそうではない．症状や便の色調だけでは，他のウイルス感染性胃腸炎とは区別ができない．合併症としてけいれん，肝機能障害，急性腎不全，脳症，心筋炎などがある．

1回の感染では免疫の獲得は不完全であり，乳幼児期以降繰り返し感染するが，症状は再感染以降，徐々に軽くなる．そのため成人では不顕性感染に終わることも多い．しかし，高齢者施設や福祉施設での集団発生のみならず，健常成人の集団発生事例もあり，必ずしも小児の感染症とはいえない．

3）診　断

簡便な方法としてイムノクロマト法による迅速診断キットがある．15〜20分程度で診断が可能である．迅速抗原検査の感度や特異度は比較的高いが，ロタウイルスの型によっては，感染していても陽性にならない場合があり判断は慎重を要する．治療は特別なものはなく対症療法である．

ⓑ感染経路からみた予防対策

ノロウイルス同様に，アルコールに抵抗性があり，便や嘔吐物の処理の際に次亜塩素酸ナトリウムを使用する．吐物や排泄物の処理だけでなく，環境に長く生存するため，高頻度接触部位の消毒や玩具の消毒なども重要である．吐物や排泄物には，乾燥させないように迅速に行う．1,000 ppm以上の次亜塩素酸ナトリウムを使用する．処理の際には，マスク，ガウンやエプロン，手袋を着用し，換気を行いながら実施する．床などに吐物が飛散した場合は，目に見えないほど小さい物もあり，より広い範囲を消毒する．リネンなどは，0.02%の次亜塩素酸ナトリウムでの拭き取りを行う．処理をした人は，流水と石鹸で20秒以上の手指洗浄を行う．

最近，日本でも乳児期中に経口ワクチンが定期接種となった．ワクチンの予防効果は90%以上と極めて有効なワクチンである．ロタウイルスは小児急性脳症の原因にもなり，乳児の予防接種の対象となったことは，脳症予防の観点からも歓迎すべきことである．

4. Covid-19

2019 年に中国の武漢で発生した新型コロナウイルスは，瞬く間にパンデミックとなり，21 世紀の人類の歴史に深く刻まれるであろう．感染症による生命への危機のみならず，医療や感染症対策，社会のあり方にも大きな変化を与えた．コロナウイルスには，大きく分けて４種類ある．１つは，以前より上気道炎の原因であったコロナウイルスである．感冒の原因の 10～15%を占める．重篤な感染症を起こすコロナウイルスもあり，2002 年の中国で重症急性呼吸器症候群（SARS：サーズ），2012 年に判明した中東呼吸器症候群（MERS：マーズ）の原因となるコロナウイルスである．幸いなことに SARS，MERS は，日本での流行を起こしていない．

そして４つ目が，2019 年以降にパンデミックを起こした新型コロナウイルス（Covid-19）である．2020 年以降，日本でも感染が拡大し，ウイルス変異を繰り返し，大流行を起こしてきた．

新型コロナウイルス感染症は，軽症者が多いが，全身のウイルス血症をきたし，高齢者では死亡率の高いウイルスである．

ⓐ新型コロナウイルスの感染様式

・飛沫感染
・接触感染
・エアロゾル感染　　が考えられる．

感染様式は，基本的には飛沫感染である．飛沫というと咳やくしゃみで飛散するウイルスがイメージである．飛沫はウイルス核に水分を含み，5 マイクロメートル（μm）程度の大きさを有し，発生源から２ｍの距離があれば落下する．そのためマスクを着用して距離を開けることが感染対策として有効である．しかし，新型コロナウイルスは，エアロゾルという様式で感染が成立するといわれている．5um 未満のエアロゾルは，会話や歌，運動でも発生する．換気の悪い環境では数時間空間を漂う．咳やくしゃみがなくても一定時間，換気の悪い空間を共有すると感染が成立する．マスクや距離をとるだけでは感染を防ぎ切れないので，換気をこまめに行い，接触時間を 15 分以下にする必要がある．

環境に付着したウイルスは増殖しないが，しばらく生存する．紙の上では 24 時間，布やプラステックでは 72 時間といわれる．高頻度接触部位に残ったウイルスを触れた手から感染することもありうる．しかし，接触感染で一番問題になるのは，ウイルスを含む湿性分泌物を触れて，口や鼻，眼をこする行為である．

ⓑ新型コロナウイルス感染症の臨床

潜伏期は 1～14 日間で，WHO の報告では５日程度で発症することが多い．感染可能期間は発症２日前から発症後 7～10 日間程度である．

症状は頻度の多いものに，発熱，咽頭痛，鼻汁，息切れなどがある．さらに倦怠感，筋肉痛，頭痛や消化器症状など加え，嗅覚・味覚障害が生じる．経過は，発症から１週間程度は軽症で経過し，80%は軽症のまま治癒するが 20%は肺炎を発症し，さらに 5%は 10 日以降に人工呼吸器など集中治療が必要となる．3～4%が死亡する．一方，感染しても 30%程度は無症状であると推定される．無症状者からも感染の可能性があり，感染対策を困難としている．

合併症には，急性呼吸不全症候群，心血管系では不整脈，ショック，心筋炎，血栓塞栓症などがある．重症化するリスクが高いのは，慢性閉塞性肺疾患，慢性腎臓病，肝疾患，肥満，脂質代謝，高血圧を有する人である．重症児者は呼吸器などに障害をもつ例も多く，重症化のリスクは高いと思われる．予後は，発症者の 3～4%が死亡する．最近は，後遺症として倦怠感，呼吸困難，関節痛，胸痛，咳，嗅覚障害，味覚障害などが報告されており，感染治癒後にも影響を与える．

感染の流行に季節性はないが，乾燥すると感染を起こしやすいので，冬期などの乾燥しやすい季節は感染が拡大しやすい．

ⓒ診　断

診断に使用されているのが，PCR 検査と抗原迅速検査がある．PCR は特別な装置が必要であり，時間はかかるが，感度は高い．無症状者の診断にも使用できる．唾液検体でも検査可能である．抗原迅速検査は，簡便な検査であり，結果も早い．インフルエンザウイルスを同時に検出できるキットも発売されている．発症から10日以内は，診断に使用可能であるが，それ以降は診断には適さない．また保因者検査には使用できない．

いずれの抗原検査も偽陰性（感染していても検査は陰性）には注意が必要である．抗体検査は診断には適さない．

ⓓ治　療

Covid-19に対する治療には抗ウイルス薬，中和抗体などがある．抗ウイルス薬には，経口薬としてモルヌピラビルと，ニルマトレルビル/リトナビルがあり，点滴薬ではレムデシビルがある．ニルマトレルビル/リトナビルは併用薬剤の相互作用があり，使用する前に確認が必要である．中和抗体薬としてソトロビマブ，カシリビマブ/イムデビマブがある．またステロイド薬も免疫調整薬として使用される．それぞれの薬剤は，病状や重症度に応じて選択される．呼吸不全には酸素吸入や人工呼吸器が使用される．また血栓症も合併するため，抗凝固療法としてヘパリンが使用される．

ⓔ感染対策

1）経路別感染対策

飛沫感染や接触感染予防策の徹底が基本となる．日常的に不織布マスクの常時着用，アルコールによる手指消毒，フェイスシールドやゴーグルの着用を忘れない．発熱患者や咳，痰が出る患者にかかわる場合は，新型コロナウイルス感染症が否定できるまでは，使い捨ての長袖ガウンや手袋，キャップを着用し，診療やケアを行う．ケアの後にこれらの感染用の防御具（個人防御具：PPE）を脱ぐ場合は，汚染の強い手袋やガウン，フェイスシールドの扱いに注意する．事前にPPEの着脱を練習し，いざというときに備える．PPEの着脱は，動画などを参考にする．

2）健康確認

施設利用者，職員ともに日々の体温測定や体調の変化を確認する．筆者の施設では，利用者や職員の家族の健康状態も把握に努めている．職員は，発熱以外の症状（倦怠感や頭痛など）でも休業するように指導している．

3）その他

万一，施設内で感染者が出た場合を考慮して，職員間の感染拡大や，濃厚接触者を減らすために以下のような事項を徹底する．①環境の衛生保持としては，高頻度接触部位の定期的な消毒，②院内のあらゆる場面での3密（密集，密閉，密接）のいずれも回避，③　職員休憩や食事場所のソーシャルディスタンス確保，マスク非着用の会話の禁止．

4）ワクチン

2020年にワクチンが開発され，2021年から日本でもワクチン接種が開始された．当初，アナフィラキシーなどの副反応が危惧されたが，甚大な問題とはなっていない．接種後の腫脹，発熱，倦怠感などは頻度も高かったが，症状は一過性である．ワクチンの効果は高く，感染，発病，特に重症化の抑制に効果がある．感染を完全に防ぐことはできないのは，ワクチンの性質上仕方のないことである．ワクチンは，ウイルス侵入を局所で阻止するIgAとよばれる抗体を増やすことはできない．新型コロナウイルスは全身を駆け巡り，呼吸器をはじめ様々な臓器に障害を起こし，重症化する．ワクチン接種により迅速に免疫が反応し，重症化を防ぐことができる．新型コロナウイルスは，決して軽症の感染症ではない．より多くの人に接種されることが望まれる．また，新型コロナウイルス感染症の後遺症に関しては，病態や治療に関して不明な点も多い．後遺症予防の観点からもワクチンには意義がある．

5. その他

ⓐヒトメタニューモウイルス（hMPV）

1）ヒトメタニューモウイルス感染症の臨床

2001年に発見されたウイルスであるが，実際にはウイルス自体はそれ以前にも存在していた．小児の風邪原因ウイルスの10%，成人の数パーセントを占め，まれな感染症ではない．一度感染しても終生免疫が持続せず，再感染が起きる．最近は重症児者施設での集団感染も報告されている．感染力が強く，感染者が発生すると施設内全体に広がり，利用者のみならず職員にも感染が広がる．高齢者施設でのアウトブレイクの報告もあり，年齢は小児に限らない．

有効な治療はなく対症療法が主体となる．基本的に，予後良好な感染症であるが，患者の基礎疾患などによっては，死亡例の報告も

ある．潜伏期が長く7日程度である．

筆者の施設でも，過去に集団感染の経験がある．職員をはじめとした基礎疾患のない患者は軽症の上気道炎で済むが，もともと呼吸器疾患がある重症児者では重症化し，回復するまでに時間がかかった症例もあった．この経験から，hMPVの施設内感染における特徴について以下があげられる．

①飛沫感染と接触感染（吸引や口腔のケアや食事介助の際に手に付いたウイルス）により拡がるが，感染性は非常に高く，職員の多くも感染した．

②臨床症状の幅が大きい．鼻汁や咳だけなどの軽症から呼吸困難を伴う重症例まであった．職員は比較的軽症であったが，重症児者には重症者が多い傾向であった．

2）診断と治療

現在，hMPVの迅速抗原キットが市販されている．保険適用は，6歳未満の患者で肺炎が疑われる場合に限られる．しかし，診断により感染症の原因が明確になり，適切な感染対策が取れるようになる．保険適用とはならないが，筆者の経験でも迅速抗原キットは病原体や感染者を「可視化」でき有益であると実感した．

しかし，保険適用の関係で迅速抗原検査を使用できなくても，伝搬性の高いhMPVの可能性を念頭におき，現場参加者が標準予防策を平素より実行し，状況により接触，飛沫感染予防を追加徹底することが何より重要である．

3）感染対策

感染経路はインフルエンザウイルス同様に，飛沫，接触感染である．施設の対応としては次のような対策が大切である．

施設内の侵入防止：職員や面会者の健康チェック，短期入所利用者の入所前の問診，健康観察の徹底．

標準予防策の重視：不織布マスクは，飛沫拡散を予防する．アルコール手指衛生は，接触感染を防ぐ．

有症状者の早期発見：熱がなくとも鼻汁や咳だけでも感染しやすいウイルス性疾患を想定する．

密閉，密集，密接の回避：軽症者からの感染拡大を予防するには，新型コロナウイルス同様の対応が必要である．介助を受ける者と介助する者の間，介助者同士の感染拡大の予防に有効である．

ⓑRSウイルス

RSウイルスは，呼吸器感染症を起こすウイルスであり，患者の75%が1歳未満の小児が占める．

2～3歳までには，ほぼすべての小児が感染するといわれている．流行は，秋～冬に多かったが，最近は初夏にも患者がみられるようになった．潜伏期は2～8日で，多くの場合4～6日である．感染しても咳や鼻汁などの上気道炎症状で済むが，乳児期早期や心疾患や神経筋疾患などの基礎疾患を有する場合は，肺炎や細気管支炎などを起こし重症化することもある．

感染経路は，飛沫感染や接触感染である．

小児に多い感染症ではあるが，RSウイルスに感染に罹患した患者から多量のウイルスの飛散を浴びた看護師が感染した事例や，高齢者施設でのアウトブレイクや重症患者の発生もある．高齢者では入院治療が必要な例や死亡例もある．高齢者が重症化する機序は明らかではないが，呼吸器の基礎疾患や免疫不全が関与していると考えられる．重症児者は呼吸器などの障害をもつ例も多く注意が必要である．施設職員などの介護者は感染しても，鼻汁程度の軽症で済む場合が多い．しかし，感染源として感染を拡大させる原因にはなる．マスクや手指衛生が重要である．

診断は，小児科の診療では迅速抗原検査が使用される．しかし，保険適用は，入院患者，1歳未満の乳児などの制限がある．特別な治療はなく対症療法となる．

消毒にはアルコールが有効である．感染対策上，手指衛生や環境の消毒に使用する．

ⓒ薬剤耐性菌

1）薬剤耐性菌とは

近年，抗菌薬に耐性のある細菌が，医療機関内での感染だけではなく，市中で起きた感染症でも検出される．以前より知られていたメチシリン耐性黄色ブドウ球菌（MRSA）に加え，バンコマシン耐性腸球菌（VRE），基質特異性拡張型βラクタマーゼ（ESBL）産生菌，カルバペネム耐性腸内細菌科細菌（CRE），多剤耐性緑膿菌（MDRP），多剤耐

表2 現在問題となっている薬剤耐性菌

	定着部位	臨床的特徴
MRSA	鼻腔，創部，褥瘡，気切部など	皮膚，軟部組織，血管内カテーテル感染
VRE	腸管，泌尿生殖器	腹腔内，尿路，手術部位，心内膜炎
ESBL産生菌	腸管，尿路カテーテル	腹腔内感染，尿路感染
CRE	尿路，医療器具，湿潤環境	尿路感染，血管内カテーテル感染
MDRP	気道，気切部，尿路カテーテル	肺炎，尿路感染
MDRA	皮膚，環境（湿潤，乾燥環境）	肺炎，尿路カテーテル感染

性アシネトバクター（MDRA）などが，現在問題となっている薬剤耐性菌である（表2）．特にESBL産生菌による尿路感染は，市中感染例が増加している．耐性菌は，感染症を起こした場合には治療が困難な場合が多く，院内感染などで死亡者が出ることもある．近年，新規抗菌薬の開発が停滞しており，耐性菌の問題は人類の脅威と認識されるべきである．日本でも2016年に政府が薬剤耐性菌対策アクションプランを策定した．

療育施設などで日常の現場で問題となるは，保菌者の存在と環境への定着である．保菌者とは，感染を発症していないが，培養検査で細菌が確認される状態である．MRSAなどは以前から，医療従事者の鼻腔に常在していることが知られている．また重症児者などで入院の機会が多い例や，抗菌薬の使用が多い場合は，耐性菌の保有者であることがある．また培養検査を受けていない場合は，保菌者であることが不明の場合も多い．保菌者が感染源となることが施設では問題となる．保菌者の痰や尿，創部に触れた介護者の手から伝搬する可能性があり，手指衛生やPPEの着用が重要である．また環境に定着している菌が他者に伝搬される可能性がある．MRSA，VRE，アシネトバクターなどは乾燥した環境で生存期間が長い．緑膿菌は手洗い場などの湿潤環境で長期生息する．これらの細菌は数か月単位で環境に生存する．高頻度接触部位や水回りの消毒も重要である．

2）感染対策

標準予防策を徹底する．誰もが多剤耐性菌を保有している可能性があると認識してケアを行う．ケアに必要なものは可能な限り個別化するか，ディスポーザブルの物を使用する．また，感染の伝播は接触感染によるため，

表3 ワクチン接種の完了基準

1歳以上に2回接種の証明あり
1回のみのワクチン接種は，2回目を接種（1回目から4週以上あけて）
既罹患でワクチン未接種者は抗体検査を受け，陽性を証明
上記のいずれにも該当しない場合は，4週間あけて2回接種する

ケアの前後は必ず手指消毒を行う．創部処置，吸引，排泄物の処理を行うときは，手袋，エプロンやガウンの着用，ゴーグルの使用を行う．また環境の衛生も重要である．清掃するポイントを1日に何回，何を用いて行うかを具体的に決めて行う．ベッド柵，ドアノブ，スイッチ類，トイレなどを清除シートで清拭する．血液や体液などで環境が汚染された場合は，次亜塩素酸ナトリウムで消毒する．

ⓓ 予防接種で防げる病気（vaccine preventable diseases）

現在日本では制度上，定期接種と任意接種に分けて予防接種が実施されている．三種混合とポリオ（四種混合ワクチン），麻疹・風疹，水痘，日本脳炎，乳児のB型肝炎，Hib感染症，小児の肺炎球菌感染症，結核，ロタウイルスは定期接種となった．流行性耳下腺炎，インフルエンザウイルスは任意接種である．これらの病原体による感染患者が病棟や施設で発生した場合，感染対策は厳重に実施しなければならない．特に，麻疹と水痘は空気感染である．重症児者施設で，帯状疱疹患者から，他の利用者に水痘を引き起こす場合もある．水痘は空気感染であり，同一環境の利用者に感染が拡大する可能性がある．最近の小児では，接種回数の改正がされ，重症児など基礎疾患があっても積極的に予防接種が

表4　各感染症の抗体価と必要予防接種回数

	あと2回の接種が必要	あと1回の接種が必要	今すぐの接種は不要
麻疹	EIA法（IgG）2.0未満 PA法　1：16未満 中和法　1：4未満	EIA法（IgG）2.0以上16.0未満 PA法　1：16　1：32　1：64　1：128 中和法　1：4	EIA法（IgG）16.0以上 PA法　1：16未満 中和法　1：8以上
風疹	EIA法（IgG）2.0未満 HI法　1：8未満 等	EIA法（IgG）2.0以上16.0未満 HI法　1：8，1：16 等	EIA法（IgG）16.0以上 HI法　1：32以上 等
水痘	EIA（IgG）2.0未満 中和法　1：2未満 IAHA　1：2未満	EIA（IgG）2.0以上16.0未満 中和法　1：2 IAHA　1：2	EIA（IgG）16.0以上 中和法　1：4以上 IAHA　1：4以上
流行性耳下腺炎	EIA（IgG）2.0未満	EIA（IgG）2.0以上16.0未満	EIA（IgG）16.0以上

（日本環境感染学会ワクチン委員会．医療関係者のためのワクチンガイドライン．第3版，日本環境感染学会，2020より一部改変）

行われている．しかし成人については，予防接種を受けていない人や，接種が1回しかない者人も多い．また過去に接種した人でも，年齢とともに抗体価が低下し，感染予防効果が不十分な場合もある．利用者の既往歴，ワクチン歴や抗体価を確認し，必要なワクチンの接種を勧奨する（表3）．

ⓔ抗体価とワクチン接種

また医療や介護現場にかかわる者は，自分の既往歴やワクチン歴をしっかり把握する．日本環境感染学会は，医療従事者の麻疹，風疹，水痘，流行性耳下腺炎の感染対策としてワクチンを推奨している．既往歴，ワクチン接種歴，保有抗体価からみて，追加ワクチン接種回数を提示している（表4）[1]．なお接種対象者には，医療や介護の現場にかかわる全員であり，非医療職，実習者，ボランティア，施設の出入り業者（給食，清掃など）も含まれる．

新型コロナウイルスは，パンデミックから1年足らずでワクチンが開発された．これは，医学の進歩によるもので，多くの人の健康や命を守る切り札となった．

ワクチンで防ぐことができる病気に対して，積極的に備えるようにするべきである．

文　献

1）日本環境感染学会ワクチン委員会．医療関係者のためのワクチンガイドライン．第3版，日本環境感染学会，2020

参考文献

・厚生労働省ホームページ
・厚生労働省健康局結核感染症課，日本医師会感染症危機管理対策室．インフルエンザ施設内感染予防の手引き．平成25年11月改訂，2013
・日本環境感染学会ワクチン委員会．医療関係者のためのワクチンガイドライン．第3版，日本環境感染学会，2020
・菅谷憲夫（編著）．インフルエンザ新型コロナウイルス感染症診療ガイド2021-2022，日本医事新報社，2021
・西尾　治．施設管理者のためのノロウイルス対策Q&Aブック．幸書房，2013
・日本感染症学会ホームページ
・国立感染症研究所ホームページ
・AMRリファランスセンターホームページ
・国際的に脅威となる感染症関係閣僚会議．薬剤耐性（AMR）対策アクションプラン2016-2020．2016
・馬場尚志，他　介護施設等における薬剤耐性対策ガイド．厚生労働科学研究費補助金新興・再興感染症及び予防接種政策推進研究事業「地域連携に基づいた医療機関等における薬剤耐性菌の感染抑制に関する研究」平成30年度研究成果，2018
・飯沼由嗣．グラム陰性薬剤耐性菌制御に関わる環境整備に関する資料集．厚生労働科学研究費補助金新興・再興感染症及び予防接種政策推進研究事業「地域連携に基づいた医療機関等における薬剤耐性菌の感染抑制に関する研究」平成30年度研究成果，2018

［江添隆範］

H アドバンスケアプランニング

POINT

- 現在，医療型障害児者入所施設においても利用者の高齢化・重症化が進み，「施設においてどこまで侵襲的治療介入を endless で行うのか」が大きな問題になっている
- 療育の使命は，「生も死も含む重症な心身障害児者のトータルケアを多職種でどのように大切に支援するか」ということである
- 今後ご本人の「自己決定」や「最善の利益」をキーワードに QOL（quality of life）の推進と同時に，ACP（advance care planning）を含めた QOD（quality of death）のベスト・プラクティスについても本人・家族を含め多職種協働で検討する必要がある

1. はじめに

現在，医療型障害児者入所施設においても利用者の高齢化・重症化が進み，「施設においてどこまで侵襲的治療介入を行うのか」が大きな問題になっている．英語の life には３つの意味がある．すなわち「いのち」「生活」「人生」である．リハビリテーションを含めた療育の使命は，「生も死も含む重症な心身障害児者のトータルケアを多職種でどのように大切に支援するか」ということである．具体的には，ライフ・ステージに応じた専門的支援'には，遊び支援，発達支援，トランジション支援，自立支援，意思決定支援，終の棲家，エンド・オブ・ライフケア支援など非常に多種多様な支援がある．

今後ご本人の「自己決定」や「最善の利益」をキーワードに QOL（quality of life：いのちの質・生活の質・いのちの輝き）の推進と同時に，アドバンスケアプランニング（ACP）を含めた QOD（quality of death：死の質・看取りの質）のベスト・プラクティスについても本人・家族を含め多職種協働で検討する必要がある．QOD は同時に quality of dignity（尊厳の質）とも関係し，今後避けることができない大きな倫理的課題である．

2. アドバンスケアプランニングとは？

アドバンスケアプランニング（ACP：advance care planning：事前ケアプラン）は，英国 NHS（National Health Service）でまとめられた End of Life Care Programme（2004～2007）の一部として最初に記載された[1]．ACP とは，今までの決まりごととは関係のなく，本人とケア関係者との将来のケアに関する自主的な話し合いのプロセスである．通常のケアプランとの違いは，急変時や決定や意思表示ができなくなったときを想定して，自分がしてほしい願いを明確にしておくことである．ACP では，本人の希望に沿った同意内容を文書（wishes document：希望文章）として残し，定期的に本人とケア関係者で確認し，ケアにかかわるすべての人（家族・友人も含む）で情報が共有される．これらは本来意思表示可能な成人の advance directives（事前指示）に沿って具体的な ACP を立てるものであるが，近年予後が制限され自分で意思表示できない重篤な小児に対してもその応用が拡大されつつある[2～5]．

日本医師会では，近年リビングウイル（事前意思）の推進と同時に，前もって終末期に備える ACP を提言しており，さらに ACP 推進のための冊子「終末期医療―アドバンスケ

表１「人生の最終段階における医療・ケアの決定プロセスに関するガイドライン（GL）」（厚生労働省，平成30年３月改訂）

「誰が倫理的な決定をすべきか」についてのまとめ（著者）

①本人が意思表示できる場合は「自己決定」．
②本人ができない場合は法定代理人（通常家族）による「推定意思」に基づく代理決定．
③家族が推定意思がわからない場合は，本人の「最善の利益」を土台に法定代理人と医療・ケアチームによる協働意思決定．
④法定代理人である家族がいない場合または家族が決定を医療ケアチームに委ねる場合，本人の「最善の利益」を土台に医療ケアチームで協働意思決定．そして法定代理人と医療ケアチームで合意できない場合，また家族間の意見や医療ケアチームの意見が一致しない場合，複数の専門家で構成する委員会（通常倫理委員会）を設置し治療方針やケア内容など検討や助言を行う．

・日本医師会，2020年５月：「第ＸⅥ次生命倫理懇談会答申」
【特徴】①ACPの考え方を盛り込む．②在宅や介護施設の現場により配慮．
③家族に対するグリーフ・ケアに言及．
→医療ケアチームにより最終的に責任をもって方針決定！

アプランニング（ACP）から考える」を作成している[6]．ACPは，愛称を「人生会議」とし，11月30日を“いい看取り”の日，人生会議の日とした．一方，神奈川県重症心身障害児（者）を守る会では，「私の記録（安心ノート）」（施設編・在宅編）を作成し，将来の医療・告知・延命処置についても前もって家族がわが子に代わって意思表示を行うノートを作成している[7]．こうした動きに対して医療・療育施設の専門スタッフはどのように対応するかが，段々問われるようになっている．

3. 誰が倫理的な決定をすべきか？

「人生の最終段階における医療・ケアの決定プロセスに関するガイドライン（GL）」（厚生労働省，平成30年３月改訂）では，「誰が倫理的な決定をすべきか」について具体的に記載している[8]（表１）．決定のための大切なキーワードは，①本人が意思表示できる場合は「自己決定」，②できない場合は法定代理人（通常家族）による「推定意思」に基づく代理決定が基本となる．③家族が「推定意思」がわからない場合は，本人の「最善の利益」を土台に法定代理人と医療・ケアチームによる協働意思決定が原則である．なお「人生の最終段階における医療・ケアの決定プロセスに関するGL」には，④法定代理人である家族がいない場合には，本人の最善の利益を土台に医療ケアチームで決定することも含まれている．そして法定代理人と医療ケアチームで合意できない場合，また家族間の意見が一致できない場合や医療ケアチームの意見が一致しない場合，複数の専門家で構成する委員会（通常倫理委員会）を設置し治療方針やケア内容など検討や助言を行うとされている．

2020年５月，日本医師会から「第ⅩⅥ次生命倫理懇談会答申」が出された．その特徴は，①ACPの考え方を盛り込む，②在宅や介護施設の現場により配慮した内容とする，③家族に対するグリーフ・ケアに言及する，の３点である．そして最終的には医療ケアチームが責任をもって方針を決定することが強調されている．

4. 治療，特に侵襲的治療介入の差し控え・中止が考慮される病態

2017年，英国小児科学会のガイドラインが改訂されて，次のような病態の場合には，治療，特に侵襲的治療介入の制限が考慮されると述べられている[9]．

1）いのちの質が制限されている場合：①脳死，②切迫した死，③避けられない死．

2）全体的にいのちの質の恩恵につながらない場合：①治療の苦痛・苦難，②病気または基礎疾患自体の苦痛・苦難，③恩恵を享受する能力の欠如．

さらに，3）自己決定能力のある本人が十

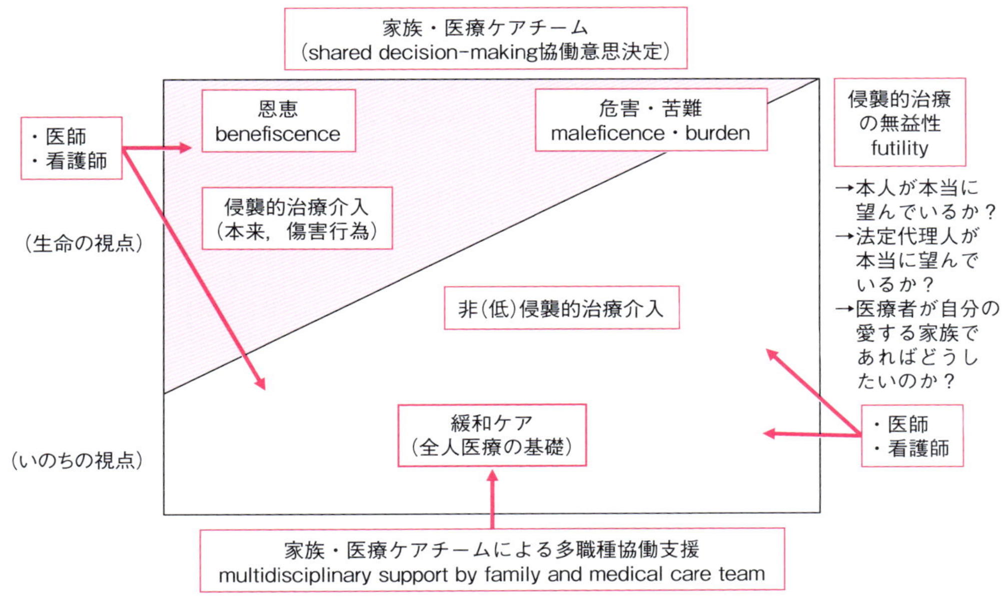

図1 侵襲的治療介入・非（低）侵襲的治療介入と緩和ケア

分情報を与えられ，支援されたうえで治療を拒否した場合が追加された．このような場合，上記の決定プロセスに従って話し合い倫理的な合意決定をすることが必要となる．「あきらめる」には「明らかに見る」という意味もあり，「事実を直視して本人にとって何が最善かを話し合う」ことがより大切になる．

図1に医療における侵襲的治療介入・非侵襲的治療介入と緩和ケアの関係を示した[10]．特に侵襲的治療介入は本来本人または法定代理人の了承がなければ傷害行為となりうる行為である．それゆえ恩恵（beneficence）がある場合は意味のある医療行為になるが，危害・苦難（maleficence・burden）を単に延ばすだけの場合，無益な医療行為（futility）となりうる．その判断のためには，patient & family centered care（PFCC）を土台に本人・家族と多職種協働による十分な話し合いが重要である．PFCCには，①尊厳・尊重，②情報共有，③参加，④協働という大切な4つのキーワードがある[11]．すなわち本人の意思表示が不可能な場合，本人の尊厳を尊重し，家族（法定代理人）と情報を共有し，決定にも参加し，ケアに協働であたる，という概念である．

5. 重症児者の意思決定をどのように支援するのか？

近畿地区重症心身障害児者施設医師交流会参加施設に終末期における看取りの実態についてアンケート調査を行った[12]．対象施設31施設中18施設（58%）から回答があった．18施設中15施設（83%）で看取りの経験があり，その経験総数は過去5年間69名（6歳未満11例，60歳以上21例）であった．看取りの代理意思決定は，家族と医療・介護チームの協働意思決定が最も多く（60%），次いで家族の希望が多かった．死期が迫った場合，特別配慮するケア内容は，侵襲的治療介入の制限（87%），特に蘇生，昇圧薬などの制限があげられた．その他緩和ケアの導入，個室の用意，家族のケア参加などがあげられた．病院と比較して特徴的なことは，死をタブー化せず正面玄関から見送る施設が6施設（40%）あったことである．倫理委員会は15施設（83%）で設置，緩和ケアチームは8施設（44%）で編成されていた．このように医療型障害児者入所施設においても，本人の最善の利益を中心に家族と医療ケアチームで話し合い，安らかな「看取りの医療」が進みつつある現状が把握できた．

表2　ACPの具体例

【事例】20歳，男性，超重症者（昏睡状態，人工呼吸器，経管栄養）

1）基礎疾患：超早産児（在胎24週，800 g），重症仮死・脳内出血後低酸素性虚血性脳症・脳幹障害

2）現在の状態：①入所時に比較して体調を崩しやすく，呼吸状態不安定で酸素調整が必要な時が増えました．排痰促進や呼吸管理が不可欠な状態です．②注入食の消化・吸収力の低下のために栄養が摂れず，るい痩が目立ちます．③栄養をアップしようとすると，吃逆が出現し呼吸に影響がみられ，苦しそうに見えます．穏やかに体調・病状の変化がみられ，いつ体調が急変するかわからない状態です．④主治医から今後の治療方針についてお話があったように，安らかな看取りの時間がもてるよう，スタッフ皆で可能な限り支援させていただきます．そのため具体的な緩和ケアプランを考え，状況・状態の変化時は，随時，ケアの評価・追加していきます．

3）ケア目標：①毎日の生活をここちよく，穏やかに過ごせるように支援し，身体に苦痛を与えるような侵襲的な処置をできるだけ避けます．②ご本人とご家族が安楽で有意義な時間を過ごせるように支援します．③ご家族の思いに沿った看取りの時間をもてるよう医療ケアチームで支援します．

4）具体的なケア内容：①毎日が快適に生活できるように，リハビリテーションを実施し，全身のリラクゼーションを促していきます．②日常行事やイベントに参加し，日々の生活が楽しくなるように努めます．③ご家族と事前に来園日時を相談し，ご希望に沿ったケアプランで支援し，面会日時の制限をなくします．④1月にはご本人の成人式を行う予定です．⑤生活を楽しく過ごしていただくため，居室環境を整えます．⑥急変時・終末期の対応は，ご家族の希望に沿って症状の緩和を目的とした苦痛の少ない非侵襲的医療処置を選択します．⑦苦痛緩和を目的とした薬剤の使用は必要に応じて行います（肺炎など感染症の場合・呼吸状態の悪化の場合・心拍低下・停止の場合など）．⑧最期の時の兆候があれば，ご家族が一緒に過ごせるようファミリールームの環境を整え，宿泊付添いを可能とし，ケアに参加できる準備します．⑨最期はお母さまの胸に抱かれて看取っていただきます．⑩召天後，希望があれば一緒にエンゼルケアを行っていただきます．⑪ご家族・スタッフで居室内でお別れの時間をもち，ご希望があればスタッフ全員で正面玄関よりお見送りします．

5）その他ご家族が愛するご本人に特別してあげたい願い（夢），その願い（夢）のために「医療ケアチーム」に希望する支援など記載して下さい．

これは，現在の時点でご家族と一緒に考えさせていただいたご本人にとって最善と思われるACPと考えますが，病状の変化やご両親の希望の変化によりいつでもACPの変更は可能であるということを，ご了承下さい．このACPにご了解いただいた時点で，当センターの倫理委員会にも諮り，多面的な審議をいただきます．了承が得られれば他の支援機関とも連携し，ACPに従った継続的な支援ができるよう連携体制を構築します．

○○年○○月○○日

・ご本人名：○○○○	・フェニックス園長：○○○○
・法的代理人署名（ご家族）：○○○○	・担当医師：○○○○
○○○○	・看護師長：○○○○

しかしACPを作成するとの回答はまだ2施設のみであった．

6. 筆者の施設におけるエンド・オブ・ライフケア支援とACP

筆者の施設で本人の最善の利益を中心に話し合い，ACPを作成した症例について，その後の経過と対応を分析した[13]．対象は，法定代理人（家族）と話し合い，協働意思決定してACPを作成した10名である．最終的に家族の希望も入れてACPを修正し，署名をもらった文章を倫理委員会に提出し承認を受けた．ACP作成時の年齢は20歳未満4例，20歳以上6例であった．ACP作成後8名が召天した．意思決定は，法定代理人と医療ケアチームの協働：5名，さらに基幹病院や地域診療所とも協働：3名，医療ケアチームでの協働：2名（1名：両親共死亡，1名：父死亡，母認知症）であった．話し合いのきっかけは，おもに重度脳損傷，臨床的脳死，腸管通過不全などであった．家族が希望しない侵襲的治療介入は，心肺蘇生：10名，高カロリー輸液：5名などであった．具体的な生活・看取り・グリーフ支援の内容は，通常の日中活動・イベント参加継続が最も多く，次いで家族での看取り・お別れ会・正面玄関からの見送りなどであった．療育の役割は，医療ケアチームで本人の人権と尊厳を大切にし，最善の利益を個別に支援することにある．ACPの作成は，重度で意思表示ができない本人の最善のトータルケアを法定代理人である家族とともに考えるよい機会となった．

7. おわりに

ACPの形式は，決まったものはなくそれぞれの施設で様々である．最後に筆者の施設での具体例を示す（表2）[14]．筆者の施設のACPの基本は，ID，基礎疾患，現在の状態，家族（法定代理人）の希望，ケアの目標，具体的なケアプラン，本人にしてあげたい願い，そのためにチームにしてほしいことなどを希望文章として残し関係者で共有化することである．

文献

1）Henry C, et al. NHS. End of Life Care−Advance Care Planning：A Guide for Health and Social Care Staff. The University of Nottingham, 2008
2）Fraser J, et al. Advanced care planning in children with life−limiting conditions—the Wishes Document. Arch Dis Child 2010；95：79−82
3）Lotz JD, et al. Pediatric advance care planning：a systemic review. Pediatrics 2013；131：e873−e880
4）Mitchell S, et al. Handle with care：advance care planning（ACP）in paediatric patients with palliative care needs：qualitative study of experiences and perceptions of paedaitric intensive care unit（PICU）medical and nursing staff. Arch Dis Child 2013；98（Suppl 1）：A23−A24
5）Jack BA, et al. A qualitative study of health care professionals' views and experiences of paediatric advance care planning. BMC Palliat Care 2018；17：93
6）日本医師会．終末期医療：アドバンス・ケア・プランニング（ACP）から考える．2018（https://med.or.jp/doctor/rinri/i_rinri/006612.html）
7）神奈川重症心身障害児（者）を守る会．私の記録（安心ノート）施設入所編．2014（https://kanagawa-mamoru.sakura.ne.jp/wp/wp-content/uploads/2015/02/ansinnotebook-sisetunyuusyohen1.pdf）
8）厚生労働省．人生の最終段階における医療・ケアの決定プロセスに関するガイドライン．改訂平成30年3月．2018（https://www.mhlw.go.jp/file/04-Houdouhappyou-10802000-Iseikyoku-Shidouka/0000197701.pdf）
9）Larcher V, et al. Making decisions to limit treatment in life−limiting and life−threatening conditions in children：a framework for practice. Arch Dis Child 2015；100（Suppl 2）：s3−s23
10）船戸正久．小児外科における倫理．日外会誌 2017；118：286−293
11）St. Jude Children's Research Hospital. Patient Family−Centered Care Program（https://www.stjude.org/treatment/patient-resources/patient-family-centered-care.html）
12）船戸正久，他．重症心身障害児（者）施設での看取りに関するアンケート．日小児会誌 2017；121：832−837
13）船戸正久，他．医療型障害児入所施設における終末期ケアとそのプランニング．日小児会誌，2020；124：1594−1601
14）船戸正久，他．事前ケアプランに従って看取った超重症児（者）の1例．日小児会誌 2014；118：1502−1507

［船戸正久］

I 災害時の停電への対応（停電時の対応と備え）

POINT

- 自助・公助・共助
- 多様な方法による電源の確保が重要
- ガソリンタイプやガスタイプの発電機は一酸化炭素中毒のリスクが高い

1. はじめに

私たちの身の回りでは，地震，台風，水害をはじめとする様々な自然災害や，人災による予期せぬライフラインの寸断がたびたび発生している．ライフラインのうち，特に停電は，人工呼吸器などの生命維持装置を使用している障害児者にとって非常に大きな問題である．本項では，災害などによる停電に絞って対応とその備えについて述べる．

2. 停電時の対応と備えに関する基本的な考え方

災害時の備えには，自分自身や家族が行う「自助」，地域やコミュニティといった周囲の人たちが協力して助け合う「共助」，市町村や消防，県や警察，自衛隊といった公的機関による「公助」を考える必要がある．停電時の対応に関しても，この考え方が重要であり，自助に関しては金銭的な制限もあり，むずかしい点も多くあるが，発災直後は自らの力でまず生き延びることがまず必要なことであり，自らが考え行動することで，共助や公助につながることができる．また，新型コロナウイルスの流行や，十分な電源や，酸素が確保されていない避難場所が多い現状を考えると，自宅に留まれるのであれば自宅避難を中心とした対策を考えることが重要である．さらに，ハザードマップにより様々な災害に対する危険度を診断し，災害の種類や規模によって，避難するのか，自宅待機するのか，垂直避難を含めた避難する場所や，予知できる災害の場合は，さらにいつ避難すべきかを考え準備をする必要がある．

ⓐ 災害対策・チェックポイント（自助）

①地震の際に，周りの家具，医療機器，ケア用品などが子どもへ倒れたり，落下してこないか安全を確認する．

②夜間の停電に備えて，懐中電灯などの照明器具を準備する．

③停電が発生したときにも，使用しないといけない在宅での医療機器を確認する．

④停電が発生したときに使用できるバッテリー（内蔵，外付け）があるか，充電できているか，補償期間内かどうか確認する．

⑤内蔵および外付けバッテリーで何時間使用できるか確認する．また，バッテリーの充電方法，充電時間も確認する．ただし，仕様書にあるバッテリー駆動時間は，劣化していないバッテリーがフル充電された状態で理想的条件のもとで使用された場合の目安であり，仕様通りの機能が常に期待できるわけではない．

⑥コンセントを抜いて停電と同じ状態にして，使用している在宅での医療機器が稼働するか，稼働したときに画面表示がどのように変わるか，稼働時間の残りをどのように確認すればよいか知っておく．バッテリー駆動に変わったときにすべき操作（例：消音ボタンでアラームを消す）を確認しておく．

⑦在宅で医療機器を使用するための，必要な消費電力を知っておく．

⑧停電時には，どのような電源と接続できるか，（通常のコンセント（AC100V）と内蔵バッテリーと車のシガーソケットからのDC電源が使用可能な3電源方式か，電源との接続のためのシガーライターケーブルなどのコードは用意されているか，バッテリーは常に十分に充電されているか），どのようにして電源を確保するか考えておく．
⑨人工呼吸器の使用のためには，まず製造販売会社が推奨する外部バッテリーを複数用意し，長時間停電のときでも，外部バッテリーの充電を繰り返すことで乗り切れるよう準備する．
⑩停電時の対応や連絡先についての情報を，点検のため訪問されている業者や，製造販売会社から得ておく．
⑪蘇生バッグ，人工鼻，酸素ボンベ，足踏み式・手動式・シリンジを使って吸引など電気を使わない他の方法も準備しておく．
⑫対象者の居住する地域の電力会社をあらかじめ確認し，ホームページなどで停電に関する問い合わせ先を確認し，震災時などの対応に関しての情報を得るとともに，停電により動かなくなる医療機器を使用している状態であることを説明し，患者登録を行い，電気の供給を優先していただくよう依頼する．

ⓑ災害対策・チェックポイント（共助）

①近所で電気の提供を受けられるところがあるか，確認する．
②訪問看護ステーションや近所の方々と協力して，自宅待機できないときの避難方法や，避難場所も確認し，避難訓練をしておく．
③安心して避難できるよう，また安心して支援を受けることができるよう新型コロナウイルスなどに対するワクチンをできる限り接種しておく．

ⓒ災害対策・チェックポイント（公助）

①避難行動要支援者名簿の作成と，実効性のある災害時個別支援計画を作ってもらえるように行政に働きかける．
②避難所内での要配慮者用スペースの確保や，電源や酸素が確保された福祉避難所や，実効性のある災害時個別支援計画を作ってもらえるように行政に働きかける．
③電源や酸素が確保された福祉避難所の指定・整備を進め，あらかじめ避難する福祉避難所を教えていただけるよう行政に働きかける．
④大規模災害においては，行政だけで避難所運営にあたることはむずかしく，地域住民が避難所運営にあたることとなる．避難所運営において重症児者の家族や支援者も，重症児者に支援が図られるよう，平常時から自らも避難所運営に参画しておく．

3. 多様な方法による電源の確保

停電時の電源確保で何よりも重要なのは，「安定したところから取る」ということである．外部電源を確保する方法は様々だが，安全性，確実性，そして簡便性の観点から，下記の4つのステップをふんで，順番に準備することをお勧めする．

STEP 1　各機種専用外部バッテリーを用意する
STEP 2　市販蓄電池をレンタルまたは購入する
STEP 3　自動車から電源を取る
STEP 4　発電機を購入する

自動車から電源を取る方法としては，
①シガーソケット(アクセサリーソケット)から
②100 V コンセントから
③充電専用の USB 端子から
④Vehicle to Home（V2H）機器を用いて車に蓄えていた電気を家の中で使う

などの方法がある．シガーソケット（アクセサリーソケット）から電源を取るためには，電気を直流から交流に変換するインバータが必要で，人工呼吸器に使用する際には，安定したノイズのないきれいな完全正弦波の機種が必要である．また，人工呼吸器メーカーは市販のインバータでの動作保証をしていないので，インバータは人工呼吸器の電源として用いるのではなく，外部バッテリーの充電用として用いるようにする．発災直後は特にガソリンの入手が困難となるので，常に車のガソリンを満タンにしておくことも必要である．

発電機を利用する方法としては，
①ガソリンタイプ

②ガスタイプ（カセットボンベ，プロパンガス）
③太陽光発電装置
④空気発電装置

などがあるが，ガソリンタイプやガスタイプの発電機は，多量のガソリンの購入はできないうえに，定期的な燃料の買い替えやメンテナンスも必要で，誤って室内で使用すると一酸化炭素中毒のリスクが高いためにお勧めしない．

参考文献

・中村知夫（編）．医療機器が必要な子どものための災害対策マニュアル．改訂版，国立成育医療研究センター，2019（https://www.ncchd.go.jp/hospital/about/section/cooperation/shinsai_manual.pdf）
・田中総一郎，他（編）．重症児者の防災ハンドブック．3.11を生きぬいた重い障がいのある子どもたち．増補版，クエイツかもがわ，2015
・三重県小児科医会小児在宅検討委員会・周産期委員会．「災害時対応ノート」作成のための小児在宅医療的ケア児災害時対応マニュアル．第1.2版，2020（https://www.mie.med.or.jp/hp/ippan/shonizai/2.pdf）

［中村知夫］

索　引

欧　文

和　文

あ

く

け

こ

重症心身障害／医療的ケア児者 診療・看護実践マニュアル 改訂第2版

ISBN978-4-7878-2557-5

2022年11月18日　初版第1刷発行
2024年3月14日　初版第2刷発行
2025年5月20日　初版第3刷発行

旧書名
重症心身障害児・者 診療・看護ケア実践マニュアル
2015年1月5日　初版第1刷発行
2017年7月10日　初版第4刷発行

編　集　北住映二，口分田政夫，逸見聡子
発行者　藤実彰一
発行所　株式会社　診断と治療社
〒100-0014　東京都千代田区永田町2-14-2　山王グランドビル4階
TEL：03-3580-2750（編集）　03-3580-2770（営業）
FAX：03-3580-2776
E-mail：hen@shindan.co.jp（編集）
eigyobu@shindan.co.jp（営業）
URL：https://www.shindan.co.jp/
表紙デザイン　株式会社　オセロ
印刷・製本　三報社印刷株式会社